D0439784

PARCOURS

De l'imprimé à l'oralité

Données de catalogage avant publication (Canada)

Giroux, Robert, 1944-

Parcours

Comprend des références bibliographiques.

ISBN 2-89031-102-3

1. Musique populaire - Québec (Province) - Histoire et critique. 2. Musique populaire - France - Histoire et critique. 3. Littérature canadienne-française - Québec (Province) - Histoire et critique. 4. Littérature française - Histoire et critique. 5. Industries culturelles - Québec (Province). 6. Industries culturelles - France. I. Titre.

ML3563.G57 1990 781.6'3'09714 C90-096644-0

Les Éditions Triptyque
C.P. 5670, succ. C
Montréal (Québec) H2L 2H0
Tél. : (514) 524-5900

La vague à l'âme
B.P. 22
38701 La Tronche, France
Tél. : 33-76-43-46-86

Ce livre a bénéficié des subventions du Conseil des Arts du Canada et du ministère des Affaires culturelles du Québec (subvention globale et subvention d'aide à la coédition avec les pays francophones).

Conception de la couverture et choix des illustrations : François Décarie
Maquette de la couverture : Raymond Martin
Composition et montage : Motamo Laser + inc.

Dépôt légal : B.N.Q. et B.N.C., 4e trimestre 1990

ISBN : 2-89031-102-3 pour les Éditions Triptyque (Québec)
ISSN : 0-247-051 pour La vague à l'âme (France)

Imprimé au Canada

Robert Giroux

PARCOURS

De l'imprimé à l'oralité

Triptyque
La vague à l'âme

PRÉSENTATION

Je suis ce qu'on appelle un «littéraire». J'ai du mal à distinguer exactement ce que cela veut dire. À l'école, j'ai reçu une formation en études littéraires, en littérature, mieux, en critique littéraire. On cherchait à faire de moi un lecteur, un commentateur de textes, bref un critique littéraire.

Les textes ici réunis veulent témoigner de mon parcours de lecteur qui, depuis plus de vingt-cinq ans, a pratiqué divers types de discours afin de rendre compte des lectures et des relectures que je me suis imposées régulièrement, tantôt pour le travail, tantôt pour le plaisir. Ma formation de lecteur s'accompagne donc d'une pratique professionnelle de l'écriture. Et, à chaque étape du parcours de ma carrière universitaire, je me suis constamment interrogé sur les outils de lecture que j'exploitais, quand ce n'était pas sur la raison d'être même de mes activités.

Mon premier vrai maître de lecture, c'est-à-dire celui à qui j'ai accepté de ressembler, ce fut Jean-Pierre Richard. Avec lui, je me suis penché pendant des heures et des heures sur des textes courts, que je me refusais d'isoler sur eux-mêmes; je les reliais à l'ensemble des textes de l'auteur en un jeu de va-et-vient inépuisable. Je reconstituais des réseaux thématiques, je construisais des modes d'être au monde, je circonscrivais des imaginaires singuliers. C'est ainsi que je me noyai littéralement dans l'oeuvre de Stéphane Mallarmé, à l'exemple de mon maître lui-même. Par mimétisme, et aussi parce que j'avais alors la forte impression d'avoir trouvé ma «méthode» de lecture, celle qui me permettait non seulement de lire mais aussi d'écrire.[1] J'ai multiplié les articles sur des écrivains pour lesquels j'avais beaucoup d'admiration. À mi-chemin du devoir scolaire et de la découverte passionnée, je propose ici trois contributions qui m'apparaissent encore lisibles aujourd'hui, sur les textes critiques de Baudelaire, les poèmes de François Hertel et ceux de Jean-Aubert Loranger. Ces exercices issus des travaux de Bachelard, Poulet, Richard et Starobinski allaient être progressivement relayés et réorientés par les apports de plus en plus définitifs de la psychanalyse. Mais je n'ai pas suivi cette voie.

Mes étudiants aimaient bien lire ces exercices. Les résultats les séduisaient. Par contre, la «méthode» était difficile à transmettre; elle s'avérait donc quasi nulle sur le plan pédagogique. J'ai donc cherché de nouveaux outils de lecture. La linguistique allait me les fournir. Ce ne fut pas par hasard. Toutes les sciences humaines se mettaient alors au pas du structuralisme, lequel trouvait ses modèles dans les recherches linguistiques d'alors. Les études littéraires n'ont pas échappé à la contagion. Mon analyse de «La fille maigre» d'Anne Hébert en est un bel exemple. On pratiquait alors la sémiotique, promise à un brillant avenir. Certains parlaient de poétique. Jacobson, Levin, Ruwet, etc., proposaient leurs exercices d'analyse du poème. Todorov, Genette, Greimas, etc., imposaient leurs travaux sur le récit.

Ces analyses «textuelles» allaient petit à petit remettre en question la notion même de littérature. Qu'est-ce qui distingue en effet un récit littéraire d'un autre récit qui ne le serait pas? Qu'est-ce qui caractérise la littérarité d'un texte? De très nombreux travaux se sont alors épuisés, bien inutilement d'ailleurs, à prouver que les critères du «littéraire» étaient dans les textes. Plutôt que de voir dans le littéraire un critère constitutif et formel, j'ai finalement compris qu'il était surtout un critère de sélection. Chaque époque ou génération semblait pointer des textes comme conformes à la littérature tandis qu'elle en rejetait d'autres, sans toujours (pour ne pas dire jamais) justifier les raisons de sa sélection et de sa classification des textes. Ce qui m'amena à m'interroger sur les critères de poéticité, par exemple, dans l'histoire de la poésie québécoise au XXe siècle. Des travaux semblables se réalisaient du côté du roman. On étudiait ainsi l'évolution des formes dites littéraires à travers l'histoire. Avec Hélène Dame, j'ai publié alors *Sémiotique de la poésie québécoise*, un ouvrage qui m'apparaît encore aujourd'hui assez pratique et moderne pour l'avoir réédité chez Triptyque en 1990.[2]

Mais qui donc décidait de ces critères? Qu'est-ce qui permettait à telle époque d'établir un consensus autour de certains textes et de les proposer comme des modèles à imiter? La littérature m'apparut alors comme une pratique foncièrement sociale, et non plus uniquement esthétique. Les évidences chancelaient. L'ère était celle du soupçon. Toute une série de nouvelles questions venaient bousculer et brouiller la perception que je m'étais faite depuis l'école — que je n'ai pourtant jamais quittée — de la littérature. D'abord thématicien, puis sémioticien, me voilà devenu théoricien de la pratique même qui fabrique des objets textuels qualifiés de littéraires. Pour sortir de la tautologie, il fallait donc abandonner l'étude des textes et favoriser plutôt celles des appareils institutionnels qui rendent la littérature possible, qui en dynamisent le(s) discours et donc qui la perpétuent. En empruntant à Debord la notion de «spectacle» (social) et à Bourdieu les notions de champ (de discours), de croyance et d'arbitraire culturel, je me suis tout particulièrement penché sur le statut symbolique et socio-économique de l'écrivain, de la figure de l'écrivain au Québec depuis une cinquantaine d'années. J'y tiens là une position à la fois scientifique, je crois, en posant enfin les bonnes questions, et polémique, en souhaitant stimuler la réflexion et les travaux sur les types de relations qu'entretiennent les écrivains avec les appareils institutionnels comme les maisons d'édition, les revues, les médias, etc. C'est dans cet esprit que j'ai dirigé les travaux de *L'arbitraire culturel*, paru en 1982, et surtout, avec Jean-Marc Lemelin, *Le spectacle de la littérature*, paru en 1984, avec comme sous-titre : les aléas et les avatars de l'institution littéraire au Québec.

À l'exemple de Roland Barthes, j'ai fait le tour de la littérature. J'aurais pu m'y cantonner tout à mon aise. J'ai plutôt senti un besoin de nouveauté, d'ouverture... qui déboucherait sur l'audiovisuel, qui déborderait donc le domaine de l'imprimé pour celui de la communication, mais à partir des mêmes outils théoriques et méthodologiques que j'avais construits et raffinés en étudiant les appareils institutionnels qui rendent possible la littérature. Sans pour autant renier totalement cette dernière puisque je poursuis toujours un travail concret et intense d'édition à la revue littéraire *Moebius* et aux éditions Triptyque depuis 1981.

Aux communications, j'y suis entré grâce à la chanson.

Oui, par la chanson. Non pas le chant noble et savant, ni encore le folklore, mais la chanson populaire, ce que Zumthor a étudié comme étant de la poésie sonorisée; non pas seulement de la poésie dite à haute voix, mais de la poésie articulée à une musique, le plus souvent enregistrée, bref sonorisée.

La chanson ne m'intéresse pas tant à cause de sa quincaillerie audiovisuelle — ce qui serait déjà considérable —, non pas tant pour la technologie complexe et puissante qui la produit et la véhicule. J'ai plutôt redécouvert une vieille passion pour l'oralité elle-même, la vocalité et la rythmique. J'ai développé un intérêt et un appétit sans bornes pour tous les supports matériels que sont les anthologies de textes de chanson, la musique en feuilles, le phonogramme et ses rapports à la radio, puis à la télévision avec le clip, au cinéma également; et que dire des spectacles, de la performance scénique, des rituels, etc. À défaut d'être musicien, je crois avoir projeté sur eux le désir profond, d'une part, de m'en approprier l'art, celui de l'écriture, de la composition et de l'interprétation et, d'autre part, d'en circonscrire les instances technologiques et industrielles qui me doublent de tous côtés...

Il me semble bien que je suis en train de réaliser, avec la chanson populaire, le même type de cheminement qu'en littérature — la sémiotique en moins puisque je ne suis pas musicien, puisque je ne saurais étudier d'une façon satisfaisante un texte isolé, encore moins son accompagnement musical obligé.

D'abord un travail d'historien de la chanson : prendre connaissance du corpus ou du répertoire énorme de la chanson québécoise et de ses relations avec celui de la chanson française et de la chanson anglo-américaine. En suivre l'évolution. Pour ce faire, le travail peut s'effectuer à différents niveaux, niveaux qu'il faut bien distinguer si l'on ne veut pas sombrer dans la confusion totale ou sous le poids de la complexité de ce champ de production qui change très rapidement à travers l'histoire. On peut construire l'évolution de la chanson selon ses genres majeurs, comme en littérature, ou selon les profils de carrière du vedettariat qui domine depuis le début du siècle. On peut suivre plutôt les inventions technologiques extraordinaires qui ont considérablement transformé et la chanson et son impact : que l'on pense par exemple à l'enregistrement lui-même (le disque), à sa transmission (la radio), à l'utilisation du micro sur scène, etc. On peut également envisager la chanson selon l'ensemble des appareils institutionnels : en vrac, je cite les entreprises de production de disques, les médias imprimés et électroniques spécialisés, c'est-à-dire les discours et les valeurs qu'ils projettent sur les produits, donc les instances de consécration avec leurs prix et leurs galas, enfin les modes ou formes de consommation de la chanson par les différents publics : disque, radio, discothèque, spectacle, etc. L'histoire du spectacle à elle seule est d'une richesse inépuisable : de la goguette d'antan au stade rock d'aujourd'hui, en passant par le caf'conc', le music-hall, la boîte à chanson ou le café-théâtre, il y a là des univers socio-culturels et économiques qui épousent les étapes de notre histoire depuis le début du siècle. Enfin, on peut se pencher sur les usages multiples que l'on fait de la chanson : objet de divertissement, arme de propagande, support promotionnel, etc. Et que dire des standards-radio et des publics correspondants!

On a donc affaire à des champs de pratiques culturelles très complexes, avec des dimensions ou des niveaux très diversifiés et interreliés : production, circulation, consommation. Il existe très peu de tradition de recherche chez les francophones dans le domaine de la chanson/musique populaire, contrairement aux anglophones qui s'y intéressent assidûment et avec compétence depuis un bon moment déjà.

J'ai fait mon petit effort de guerre en dirigeant trois collectifs de travail : *Les aires de la chanson québécoise* (1984) , *La chanson en question(s)* (1985) et *La chanson dans tous ses états* (1987). Ces travaux circulent de plus en plus et j'ose espérer qu'ils suscitent des recherches plus nombreuses. Carrément interdisciplinaires, ces recherches cadrent mal avec les structures classiques universitaires. J'ai une formation en lettres. Il faut que des musicologues, des sociologues et des économistes se regroupent et travaillent ensemble. Il faut que les jurys des organismes subventionnaires cessent de protéger jalousement les frontières somme toute arbitraires de leur discipline respective et encouragent les équipes de chercheurs qui désirent se pencher sur ce secteur d'activités à la fois artistiques et industrielles, omniprésent, prégnant et très mobilisant dans notre société moderne. La chanson fait en effet partie intégrante de l'univers quasi magique des communications.

Ici même, dans la dernière partie consacrée à la chanson, j'ai regroupé des textes assez disparates : ils sont d'ailleurs presque tous des comptes rendus de lecture et ils proviennent en grande partie de la revue *Moebius*. L'ensemble est assez éclaté, mais il ne manque pas d'intérêt, ne serait-ce que pour les pistes de recherche qui s'y trouvent pointées du doigt : projets anthologiques, discographiques et cinématographiques; projets typologiques aussi, grâce à l'informatique, à la constitution d'une fiche technique à la fois descriptive et analytique qui permettrait de suivre l'évolution des genres, des techniques, des goûts et des publics. Enfin, il y a du travail en perspective.

Entre la section littérature et la section chanson, j'ai ménagé un espace de réflexion sur des sujets ou des problèmes plus larges touchant à la culture en général ou plus précisément à la perception que l'on peut en avoir, au déplacement de perspective auquel on assiste à son propos depuis une vingtaine d'années. Cette réflexion s'articule parfaitement, me semble-t-il, au parcours que constitue ce livre. Mes prises de position sont tantôt tranchées, tantôt nuancées, illustrant par là la valse hésitation — à trois temps, il faut le souligner — des activités intellectuelles modernes qui dominent notre temps et par lesquelles je me sens de plus en plus interpellé.

Les textes réunis dans ce volume ont été sélectionnés parmi ceux que j'ai publiés ici et là depuis une vingtaine d'années. J'ai retenu ceux qui m'apparaissaient encore lisibles et d'un certain intérêt, ceux qui ponctuaient le mieux le *parcours* dont fait état le titre qui les regroupe, et enfin ceux qui étaient dispersés et, à quelques exceptions près, jamais réunis dans un livre et qui méritaient, à mon avis, d'être relus, un peu comme l'on prend plaisir à remettre sur la platine un bon vieux disque que l'on redécouvre...

Notes

1. «La fonction historique du mythe de la «synthèse» chez Mallarmé», *Études littéraires*, vol. 5, n° 2, août 1972. «Prose pour des Esseintes de Mallarmé ou les nécessités de l'écriture», *Revue de l'Université d'Ottawa*, vol. 45, n° 4, oct.-déc. 1975. Enfin *Désir de synthèse chez Mallarmé*, éditions Naaman, Sherbrooke, 1978, 291 p.
2. *Poésie québécoise* (évolution des formes), Triptyque, 1990, 215 p.

I

RÉFLEXIONS SUR LA LITTÉRATURE
OU
LA FICTION IMPRIMÉE

Introduction à la thématique critique de Baudelaire : absorption, profondeur et dégagement

«Tous les grands poètes deviennent naturellement, fatalement critiques.»

La métaphore critique

Évitons toutes considérations trop théoriques de l'esthétique baudelairienne. Prenons plutôt le parti de la «familiarité» et, sans grille méthodologique préalable, penchons-nous sur cette oeuvre en ayant toujours à l'esprit, à l'exemple de Baudelaire, que toute critique est la *perspective* de quelqu'un sur un objet qui ne demande qu'à être actualisé par une conscience. Une telle forme de critique n'a d'intérêt que parce qu'elle renvoie à une subjectivité et, qu'au-delà des partis pris d'interprétation, l'analyste parle de lui-même et se donne à lire.

Par métaphore critique, entendons la greffe d'une essence spirituelle sur un objet sensible de manière à en mieux faire comprendre la particularité. Cette définition d'un autre âge ne caractérise pas moins le procédé, par exemple, selon lequel Baudelaire recrée un «jardin» autour de l'essence spirituelle s'exhalant de l'oeuvre d'un écrivain. Le critique utilise ainsi une série d'images prolongeant celles même de l'auteur lu en une sorte de transfert d'imagination.

Cet acte de réflexion détournée est utilisé à plusieurs reprises : la nature fournit souvent à Baudelaire des images lui permettant de projeter visuellement les impressions que lui procurent par exemple les oeuvres de Marceline Desbordes-Valmore, d'Edgar Poe et de Richard Wagner. La poésie de la première lui apparaît comme un charmant jardin anglais avec ses fleurs, ses étangs, ses oiseaux, ses allées et ses horizons. «Le promeneur en contemplant ces étendues voilées de deuil, sent monter à ses yeux les pleurs de l'hystérie.» Cette poésie féminine et spontanée nous envahit par ses silences que vient parfois briser le «tonnerre», laissant ainsi libre cours à «l'*explosion lyrique*» ou au «déluge de larmes» qui rend aux choses la fraîcheur et la solidité d'une nouvelle jeunesse. L'univers poétique d'Edgar Poe débouche plutôt sur un espace «approfondi par l'opium». À la solitude de la nature s'ajoute l'agitation des villes avec ses «fonds verdâtres et violâtres où se révèlent la phosphorescence de la pourriture et la senteur de l'orage». Aucune larme ne vient apaiser cette tension intenable. D'autres fois, l'oeuvre fait apparaître des «échappées magnifiques, gorgées de lumière et de couleur... et l'on voit apparaître au fond de leurs horizons des villes orientales et des architectures vaporisées par la distance, où le soleil jette des pluies d'or». Dans un même ordre d'idées, Wagner, comme nous le verrons plus loin, lui suggérera des images spatiales, des horizons sans limites. Ces trois paysages critiques exemplaires suffisent à montrer que, pour Baudelaire, la critique est le «reflet» d'une oeuvre, cette dernière lui fournissant même ce dont il a besoin pour faire lui-même oeuvre de création.

Son attitude critique, il la définissait dès 1846 : elle ne peut être que partiale, engagée, passionnée, exclusive et même, ce qui peut paraître curieux, politique. Nullement historique et encore moins scientifique, elle n'en exige pas moins un niveau de pertinence de l'enquête, un point de vue qui ne peut être trouvé que dans l'oeuvre étudiée. Ce point de vue servira de colonne vertébrale à la démonstration[1], mais surtout, c'est vers la totalité du texte qu'il faudra l'ouvrir de manière à établir des liaisons d'axes sémantiques qui le déploieront en grandes zones de sens. Baudelaire reste ainsi très moderne : concentration d'un point de vue et vaporisation par l'ouverture éclairante que permet le texte.[2]

Nous aimerions insister sur la thématique critique de l'écrivain. Il est évident que certains schémas de rêveries des *Fleurs du mal* se retrouvent, à différents niveaux, dans ses textes critiques fondamentaux.

Une thématique alimentaire

La fréquence de certaines impressions traduites en des rêveries qui traversent toute l'oeuvre de Baudelaire nous a amené à regrouper certains thèmes. Sainte-Beuve suggérait déjà une telle méthode d'analyse dans ses *Portraits contemporains* à propos de Senancour, méthode que rappelle Baudelaire lui-même dans le portrait qu'il trace de Banville. «Pour deviner l'âme d'un poète, écrit Sainte-Beuve, ou du moins sa principale préoccupation, cherchons dans ses oeuvres quel est le mot ou quels sont les mots qui s'y présentent avec le plus de fréquence. Le mot traduira l'obsession.» La fréquente répétition d'un mot dénoncera alors pour Baudelaire «un penchant naturel» et «un dessein déterminé», un choix relativement conscient d'un matériel littéraire et une perspective plus ou moins avouée.

Une lecture attentive de *Spleen et Idéal*, première partie des *Fleurs du mal*, révèle plus de deux cents indications où il est question d'assimiler de la nourriture, que ce soit celle du corps ou celle de l'esprit. Nous sommes devant une sorte d'affamé dont l'appétit souffre de n'être jamais suffisamment rassasié et aussi devant quelqu'un qui ne peut se permettre de manger n'importe quoi tellement sa digestion est délicate.

Il arrive que la nourriture conditionne un bonheur intérieur (ivresse, sommeil, liberté) en alimentant ou revivifiant la pauvreté d'un coeur aride, Sahara sans oasis. Elle peut ailleurs favoriser la croissance d'un mal (nausée, langueur, angoisse). Au premier abord, une telle thématique peut être taxée d'excentricité, ne rendant compte en aucune manière de l'activité littéraire d'un poète. Mais elle ne permettrait pas moins de déboucher sur des thèmes depuis longtemps étudiés par les commentateurs baudelairiens : la révolte, l'exil, l'interdit, le remords et la mort.

Les préoccupations alimentaires fourmillent tout autant dans les textes critiques de Baudelaire. Il y est sans cesse fait allusion à la nutrition et à la digestion, et souvent d'une façon tout inattendue. En voici quelques exemples tirés de textes qui vont de 1846 à 1865. Nous ne faisons que les relever en suivant un ordre chronologique, et nous élargirons plus loin cette thématique alimentaire jusqu'à une sorte de cosmogonie artistique.

(1846) Le travail poétique comme phénomène biologique : «Une nourriture très substantielle, mais régulière est la seule chose nécessaire aux écrivains féconds... L'inspiration obéit comme la faim, comme la digestion, comme le sommeil.»

(1851) À propos de *Les paysans, chants rustiques* de Pierre Dupont, chants destinés à charmer les soirées : «Ce n'était plus cette nourriture indigeste de crèmes et de sucreries dont les familles illustres bourrent... la mémoire de leurs demoiselles...». Et ailleurs, les drames et les romans honnêtes ne sont le produit que d'un art faux puisque la sagesse y est «incessamment abreuvée de sucreries».

(1852) Les mauvais critiques qui ont osé dénigrer l'oeuvre de Poe sont de ceux qui voudront «toujours attacher de lourds légumes à des arbustes de prédilection». Cinq ans plus tard, à propos de Poe encore, «l'étrangeté» sera dite «le condiment indispensable de toute beauté».

(1855) Tout comme l'étrangeté, la bizarrerie «joue dans l'art (que l'exactitude de cette comparaison en fasse pardonner la trivialité) le rôle du goût ou de l'assaisonnement dans les mets, les mets ne différant les uns des autres... que par l'idée qu'ils révèlent à la langue».
De l'essence du rire est très riche à ce sujet : «... le comique est un des plus clairs signes sataniques de l'homme et un des nombreux pépins contenus dans la pomme symbolique...». Le rire est quelque chose qui «mord» et la caricature véritable ne peut être qu'«appétissante», «grosse de fiel et de rancoeur, comme sait les faire une civilisation perspicace et ennuyée».

(1859) L'article sur Gauthier foisonne de références à l'assaisonnement : pour la France qui a toujours préféré le prosaïsme à la vraie poésie, «le Beau n'était facilement digestible que relevé par le condiment politique». Le «condiment» de vers de Gauthier a peu ou point d'action «sur le palais de la foule». Baudelaire s'en prend aussi à ceux qui «regorgent» de passion et qui la voient partout : «C'est la muscade qui leur sert à assaisonner tout ce qu'elles mangent».

(1860) Il n'est pas nécessaire que nous insistions sur le «mangeur d'opium» des *Paradis artificiels.* Relevons cette phrase : «Pour digérer le bonheur naturel, comme l'artificiel, il faut d'abord avoir le courage de l'avaler; et ceux-là qui mériteraient peut-être le bonheur sont justement ceux-là à qui la félicité... a toujours fait l'effet d'un vomitif» ou encore, explicitement : «Le délire poétique ressemble à celui que m'a procuré une petite cuillerée de confiture».

(1861) Le vocabulaire de Hugo est si riche que Baudelaire le soupçonne d'avoir mangé le dictionnaire, tout comme un prophète, dans la Bible, à qui Dieu «ordonne de manger un livre».

Avant d'écrire son article sur Wagner, il a dû «mâcher l'indigeste et abominable pamphlet» de M. Fétis. «Toute bondissante qu'elle est», la conversation de G. le Vavasseur «n'est pas moins nourrissante, suggestive», tout comme la conversation de Delacroix ou celle de Leconte de Lisle.

Baudelaire se représente la tendance démoniaque de l'art moderne comme une sujétion progressive de l'homme à ses instincts infernaux, «comme si le Diable s'amusait à grossir par des procédés artificiels, à l'instar des engraisseurs, empâtant patiemment le genre humain dans ses basses-cours pour se préparer une nourriture plus succulente». La fragilité de la pertinence de cette thématique alimentaire ne résistera peut-être pas au coup de massue des commentateurs chevronnés de l'oeuvre baudelairienne, mais il ne reste pas moins que ce niveau métaphorique des déclarations que Baudelaire insère dans son article sur Banville donne à réfléchir.

(1863) D'un passage célèbre sur la dualité du Beau (*Le peintre de la vie moderne*), retenons que de l'élément éternel et de l'élément circonstanciel qui le constituent, le premier serait «indigestible... non adapté... à la nature humaine» sans ce second élément qui est «comme l'enveloppe amusante... apéritive, du divin gâteau».

À propos de Delacroix, Baudelaire affirme que «tout l'univers visible... est une espèce de pâture que l'imagination doit digérer et transformer». Et ailleurs, il raconte que la femme était pour le peintre un objet d'art propre à exciter l'esprit mais aussi un objet désobéissant et troublant «si on lui livre le seuil du coeur, et dévorant gloutonnement le temps et les forces».

(1864) La collection de M. Piot était «le résultat de l'écrémage, le résidu suprême de plusieurs collections...». Qui ne voit ici un dérivé du thème explicite qu'est celui du maquillage ou du fard.

(1865) Dans sa lettre à Jules Janin, il demande : «Souriez-vous pour cacher le renard qui vous ronge?» Et comme s'il venait confirmer notre thèse : «Toute la question, en ces matières, c'est la sauce, c'est-à-dire le génie». Plus loin : «Pourquoi le poète ne serait-il pas un broyeur de poison aussi bien qu'un confiseur...».

Les boutades et les aphorismes d'un écrivain sont loin d'être négligeables. Nous ne nous sommes occupé que des textes critiques les plus connus de Baudelaire. Une étude exhaustive de l'ensemble de l'oeuvre ne manquerait pas de surprendre. Un seul exemple pris au hasard suffirait à le prouver. Dans un projet de Préface pour *Les fleurs du mal*, l'auteur y suggère : «Que la poésie se rattache aux arts de la peinture, de la cuisine et du cosmétique...».

Mais cette thématique alimentaire, pour intéressante qu'elle soit, aurait tout à gagner si elle pouvait être insérée dans un schéma beaucoup plus large, qui engloberait des préoccupations orientées vers une saisie en profondeur de la nature et de l'oeuvre d'art.

Avalement et invasion

Si l'écrivain trouve sa nourriture dans les choses et chez les êtres qui l'entourent, c'est lui pourtant qui, le plus souvent, est dévoré; il n'est pas seulement hanté comme le «mendieur d'azur» du jeune Mallarmé, il est mordu et déchiqueté au profit d'une puissance dominatrice, enveloppante et accaparante, comme si un dehors prenait d'assaut un dedans trop vulnérable pour réagir énergiquement :

> Ô douleur! ... Le temps mange la vie
> Et l'obscur Ennemi qui nous ronge le coeur
> Du sang que nous perdons croît et se fortifie!

C'est ainsi que le premier schéma avec lequel nous voulions développer le thème de l'ingurgitation et de la digestion plus ou moins difficile selon la nature de l'objet assimilé, ce premier schéma peut s'élargir en celui de l'avalement (tant du côté du sujet que du côté de l'objet) par le monde et davantage encore en celui de l'*invasion* du sujet, et de toute une alchimie qui transformera les déceptions ou les blessures en bonheur et en extase. Cette thématique de l'invasion semble en effet la plus englobante puisque la critique baudelairienne, de par son parti pris de l'intensité euphorique, s'intéressera surtout au mode de dégagement énergétique — traduit en termes d'espace — d'une oeuvre. À cette thématique de l'invasion correspondra donc un mouvement inverse, une poussée vers le haut, une envolée...

Ouvrons d'abord une parenthèse sur un principe d'évidence de psychologie statique. Il apparaît déterminant pour la compréhension de l'écrivain et de son époque : le poète, devant autrui, un objet de nature ou une oeuvre d'art réagit selon son «tempérament» et la nature de l'excitation. Baudelaire insiste sur ces réactions subjectives, ne se limitant pas à une simple description de l'objet. Le tempérament de tout homme, foncièrement «double», considérera un objet beau, c'est-à-dire créé par un être «imaginatif», selon qu'il sera principe positif de dévoilement ou principe négatif de fermeture. Baudelaire s'explique en se référant à Hugo, l'homme le mieux doué, selon lui, pour exprimer par la poésie le «mystère de la vie».

> La nature qui pose devant nous... et qui nous *enveloppe* comme un mystère, se présente sous plusieurs états simultanés dont chacun, selon qu'il est plus intelligible, plus sensible pour nous, se reflète plus vivement dans nos coeurs... Et comme si elles venaient directement de la nature, les trois impressions (picturales, sculpturales et musicales) *pénètrent* simultanément le cerveau du lecteur. De cette triple impression résulte la morale des choses. (C'est nous qui soulignons.)

Cette référence est intéressante en tant qu'elle montre les choses *enveloppant et pénétrant* l'homme attentif. Ceci est essentiel en vertu du besoin qu'a Baudelaire d'enfoncer les choses, de s'en *imprégner* afin d'y trouver une intimité, une «morale». Dans son article sur Banville, il est dit que «l'âme lyrique fait des enjambées vastes comme des synthèses». De là toute une gamme de chassés-croisés entre cette appréhension d'un objet potentiellement riche et cette carence d'être à satisfaire, même virtuellement :

> ... mon coeur, que jamais ne visite l'extase
> Est un théâtre où l'on attend
> Toujours, toujours en vain, l'Être aux ailes de gaze!

Il est vrai que ces vers situent le projet d'extase dans un lieu d'attente vaine mais, comme nous le préciserons plus loin, ce théâtre est le plus souvent le lieu d'une alchimie propre à combler un vide. Il arrive parfois que l'extase s'impose de force à la contemplation extatique de l'amateur d'art. Delacroix lui fait par exemple goûter un plaisir «primitif»; «... il vous semble qu'une atmosphère magique a marché vers vous et vous enveloppe». Fermons cette parenthèse et essayons de structurer ces pénétrations en réciprocité du sujet et de l'objet.

Ces jeux dialectiques s'effectuent en effet à des niveaux très divers. Quels sont ces degrés d'invasion?

Idéologiquement, il s'agirait d'une sorte d'intériorisation, de concentration d'impressions, en un mot, d'idéalisation du monde extérieur.

Phénoménologiquement, les niveaux d'interprétation sont multiples : il y aura différents niveaux de contact comme différents niveaux de pénétration :

a) le thème de l'attirance magnétique, irrésistible : le poète sera, par exemple, subjugué par autrui, un paysage profond ou un beau texte...

b) le thème de la pénétration, de l'enfoncement proprement dit. Il s'agira de pénétrer l'intimité d'autrui, de le dominer parfois, de plonger dans une chevelure par exemple et même d'entraîner l'autre dans une chute vertigineuse. Il tentera ailleurs de s'assimiler la personnalité d'un écrivain à travers son oeuvre...

c) le thème de la claustration enfin où nous rejoignons tous les espaces rétrécis et les emprisonnements forcés...

En 1851, Baudelaire ne peut s'empêcher d'admirer *Le chant des ouvriers* de P. Dupont. Il y reconnaît une poésie vraie et forte. «Il est impossible de ne pas être touché du spectacle de cette multitude maladive, *respirant* la poussière des ateliers, *avalant* du coton, *s'imprégnant* de céruse, de mercure et de tous les poisons nécessaires à la création des chefs-d'oeuvre.» Il est donc vrai que la création d'une oeuvre d'art exige souvent de son auteur le sacrifice de son repos, de sa santé et parfois même de sa vie. Le métier de poète, de peintre et de musicien ne suppose pas nécessairement une intoxication progressive comme chez le souffleur de verre, mais il arrive que l'oeuvre naisse d'une expérience vécue se nourrissant de la substance même de l'artiste.

Ceci amène Baudelaire à considérer l'art comme une création tragique dont l'issue est incertaine. L'art devient une nécessité, un poison sans lequel l'artiste ne saurait vivre, un milieu hors duquel il ne saurait respirer. Cela concerne directement l'élaboration, le travail, la recherche obstinée du créateur. Mais qu'en est-il du critique en face d'une oeuvre déjà produite, quelle approche cette dernière commande-t-elle et en raison de quelle économie? C'est ici que s'affirme tout l'intérêt de la thématique critique baudelairienne. À partir de cette prise de conscience de la présence enveloppante et envahissante des choses et de la nécessité où se trouvent le poète et le critique d'étudier et de traduire les mécanismes des impressions qu'elles engendrent chez l'homme, il semble possible de retrouver chez Baudelaire les catégories esthétiques qui détermineront ses lectures, ses préférences et ses commentaires.

a) L'attirance ou la subjugaison

Dans ses vers, nous sentons toujours Baudelaire fouetté par mille désirs. Indépendamment du phénomène des synesthésies qui prouve amplement son attention aux objets, qu'ils soient béatifiques ou repoussants, il se montre presque toujours «possédé» ou, moins violemment, irrésistiblement attiré comme par un aimant :

Tout mon être obéit à ce vivant flambeau.

Une emprise semblable s'empare de lui à la lecture, par exemple, des *Histoires extraordinaires* de Poe. En 1852, il n'en donne qu'une simple description, mais en 1856, il y met beaucoup de lui-même et semble passivement se laisser entraîner au vertige du texte : «Chez lui, toute entrée en matière est *attirante*, sans violence, comme un *tourbillon*. Sa solennité *surprend* et *tient l'esprit en éveil*... Et lentement... se déroule une histoire dont tout l'intérêt repose sur une bizarrerie... Le lecteur, lié par le *vertige*, est *contraint* de suivre l'auteur dans ses *entraînantes* déductions».

De même, ce qui caractérise le talent du comédien Philibert Rouvière, c'est une «*solennité subjuguante*» : «Une grandeur poétique l'*enveloppe*. Sitôt qu'il est entré en scène, l'oeil du spectateur s'*attache* à lui et ne veut plus le quitter. Sa diction mordante... *enchaîne* irrésistiblement l'attention... sur la scène; et c'est la preuve d'un grand talent.» L'*idée fixe* sur laquelle Baudelaire revient à plusieurs reprises semble pouvoir être envisagée à partir de ce même principe, de cette impression obsédante qui gouverne l'esprit d'un artiste. Au début de son exposé sur *La double vie*, il rappelle que le titre d'un des ouvrages du Buffon, l'*Homo duplex*, «titre bref... gros de pensées, l'a toujours précipité dans la rêverie» et maintenant encore, au moment où il veut nous donner une idée de l'esprit qui anime l'oeuvre d'Asselineau, il se présente «brusquement» à sa mémoire et la «provoque» et la «confronte comme une idée fixe». C'est ainsi qu'un simple titre, correspondant à des préoccupations intimes, l'entraîne irrésistiblement à lire ses propres hantises.

Dans son article sur Gautier, sa conception de l'idée fixe se déplace. Elle devient la «condition génératrice des oeuvres d'art, c'est-à-dire l'amour exclusif du Beau». C'était ce qui conditionnait toute l'écriture de Gautier. Cette obstination dans le travail plaisait à Baudelaire poète. L'homme ne le charmait pas moins : dès sa première rencontre avec Gautier, il se retira «*conquis* par tant de noblesse et de douceur, *subjugué* par cette force spirituelle».[3]

D'une manière générale, le thème de la *subjugaison* est amené par le respect et surtout par «l'admiration» : une lecture de l'oeuvre de Poe produit désagréablement chez le lecteur absorbé une sorte de «manque d'air», mais l'admiration qui ébranle son imagination lui permet d'y adhérer pleinement.

b) Pénétration et engouffrement dans *Les fleurs du mal*

C'est en exploitant les variantes de ce thème général que Baudelaire se fait, dans ses vers, le plus lugubre et le plus sanguinaire. Mais l'enfoncement ne provoque pas seulement des souffrances physiques ou des tortures morales. L'interpénétration nécessaire du poète et du monde phénoménal peut aussi devenir une source de joie et d'ivresse, qu'elle soit masochiste ou autre, une volonté de plus être débouchant sur une communion intime. Un rapide examen des thèmes de pénétration et de claustration dans quelques poèmes des *Fleurs du mal* permettra d'en mieux saisir le relief dans les textes proprement critiques.

Sans tenir compte des bêtes féroces qui lui mangent le coeur ou lui mordent les entrailles, relevons quelques «impressions» de pénétrations douloureuses et plus particulièrement quelques états de siège :

Bientôt nous plongerons dans les froides ténèbres
Tout l'hiver va rentrer dans mon être.

Ailleurs, c'est un «peuple muet d'infâmes araignées» qui l'envahit et «vient tendre ses filets au fond de (son) cerveau». Ou encore c'est l'angoisse «despotique» qui «plante son drapeau noir» sur son «crâne incliné». De nombreux poèmes reprennent cette image douloureuse d'une lame qui le blesse et lui traverse le corps :

Toi qui, comme un coup de couteau
Dans mon coeur plaintif es entrée.

Il exhorte par exemple son chat de le laisser «plonger» dans ses yeux afin d'y reconnaître ceux de sa femme : «Son regard comme le tien... profond et froid, coupe et fend comme un dard». Cet oeil effilé comme un dard deviendra même un critère important pour caractériser les dons d'observation d'un artiste, semblable à des «Hiboux...

dardant leur oeil rouge». Dans son article sur *Le peintre de la vie moderne*, Baudelaire souligne que peu d'hommes sont doués de la faculté de voir; il y en a encore moins qui possèdent la puissance d'exprimer, c'est-à-dire de «darder» sur une feuille de papier le même regard que celui que nous attachons sur les choses, de «s'escrimer avec un crayon». Et n'est-il pas dit dans *Le confiteor de l'artiste* qu'il n'est pas «de pointe plus acérée que celle de l'infini».

Dans l'ensemble, ces pénétrations par effraction sont pour ainsi dire plus ou moins localisées (couteau en plein coeur, araignées dans le cerveau, chat se promenant dans sa cervelle, etc.), métonymiques et très expressives. Le poème *Le chat* réalise une curieuse symbiose entre le regard de l'animal et le sien : «Quand mes yeux, tirés vers ce chat comme par un aimant, se retournent docilement et que je regarde en moi-même», ces yeux fixés sur lui et qui lui scrutent l'intérieur, ce sont les siens. L'équilibre des contradictions ou des polarités devient total dans l'*Héautontimoroumenos* : l'alternative victime-bourreau s'avère impossible et l'ambiguïté masochiste est à son comble : «elle est dans ma voix... C'est tout mon sang...»

Je suis la plaie et le couteau
Et la victime et le bourreau
Je suis de mon coeur le vampire.

Une alternative : la fuite, le «voyage» ou bien le repos et la paix en un repliement sur soi.

c) La claustration : repos et vertige

Dans *Le mort joyeux*, par exemple, il sent ne pouvoir trouver le repos que sous terre ou dans les profondeurs des océans :

Je veux creuser moi-même une fosse profonde
Et dormir dans l'oubli comme un requin dans l'onde.

Mais il arrive que ce repos, ce silence et cet isolement deviennent insupportables, «univers morne à l'horizon plombé». Se cloîtrer, c'est mourir au monde, mais c'est aussi être seul, seul avec soi-même :

Tout le chaos roula dans cette intelligence
Le silence et la nuit s'installèrent en lui
Comme dans un caveau dont la clef est perdue.

Cet engouffrement prend l'allure d'une nuit épaisse et cloisonnée dans laquelle, paradoxalement, le poète est pris de vertige. Il s'explique prosaïquement dans *Hygiène* : «Au moral comme au physique, j'ai toujours eu la sensation du gouffre... Maintenant j'ai toujours le vertige, et aujourd'hui... j'ai senti passer sur moi le vent de l'aile de l'imbécillité». C'est ainsi que douloureusement «l'inaccessible azur des cieux spirituels... s'ouvre et s'enfonce avec l'attirance du gouffre»; et le vide qui le menace lui fait perdre toute perspective d'horizontalité et de verticalité.

Sans entrer dans les détails de ce *vertigo* romantique, qui fera son chemin jusqu'au surréalisme, soyons témoins d'une autre forme de plongées, abandon total dans un vide anonyme, en chute libre mais sans angoisse. Un exemple au hasard : «Le vin... l'opium... tout cela ne vaut pas le terrible prodige de ta salive qui mord, qui plonge dans l'oubli mon âme sans remords, et, charriant le vertige, la roule défaillante aux rives de la mort.» *Les phares* reprendront cette idée d'une dérive céleste telle un «ardent sanglot qui roule d'âge en âge».

Tout comme le thème de «l'attraction irrésistible», ceux de la pénétration et de la hantise claustrale ne foisonnent pas moins dans les textes du critique. Il nous faudra faire un choix qui, malheureusement, ne saura rendre compte des nuances sémantiques et des niveaux d'interprétation. Nous ne nous occuperons que des oeuvres considérées par Baudelaire dans leur ensemble, sans nous attarder à l'analyse qu'il fait, par exemple, de certains personnages romanesques.

Comme nous l'avons vu au tout début de cet exposé, toute oeuvre véritable renferme pour le critique un «secret», une profondeur matricielle, une source cachée, un noyau doué d'une vertu de dégagement. Baudelaire revient en effet très souvent sur le fait qu'il faut pénétrer la matière d'une oeuvre, en rechercher le centre qui, par «sympathie», permettra de rejoindre l'auteur à la périphérie logique qui lui sert d'enveloppe. «Pour bien comprendre le lyrisme de Dupont, il vous faut *entrer* dans la peau de l'être créé, vous *pénétrer* profondément des sentiments qu'il exprime... Il faut s'*assimiler* une oeuvre pour la bien exprimer.»

Toujours fidèle à ses rêveries fondamentales, c'est de cette façon qu'il aborde un texte nouveau. À propos des *Martyrs ridicules* de Cladel, il dit avoir d'abord été «*intrigué* par le titre et sa construction antithétique et peu à peu *en m'enfonçant* dans les moeurs du livre, j'en appréciai la vive signification».[4]

Cette nécessité de percer la paroi intime d'un objet afin de mieux se l'assimiler et en traduire ensuite les impressions majeures, voilà bien le projet constant de sa démarche de poète et de critique. Hugo n'avait-il pas toujours l'air de dire à la nature extérieure : «*Entre* bien dans mes yeux pour que je me souvienne de toi». C'est bien grâce à sa «faculté d'absorption» que le poète saura traduire la «morale des choses», leur intimité. Même si Gautier est beaucoup moins expansif que Hugo, c'est encore en plongeant au coeur des choses qu'il saura en «extraire» de quoi les revêtir de beauté : c'est à l'imagination de digérer, de transformer et de donner une valeur relative aux éléments qu'amassent l'inspiration et la mémoire. La valeur poétique d'une oeuvre ne relève donc pas chez Baudelaire du contenu d'objets privilégiés mais de la manière de les traiter, même si le critique s'attache davantage aux problèmes psychologiques qu'aux éléments proprement linguistiques.

Sur le plan de la simple biographie d'auteur ou d'écrivain, Baudelaire reste fidèle à ses termes de prédilection. Il semble plus que tout autre persuadé qu'il existe des êtres prédestinés à vivre sous le joug d'une loi mystérieuse, telles des «planètes désorbitées» : «Leur destinée est écrite dans leur constitution, elle brille d'un éclat sinistre dans leurs regards et dans leurs gestes, elle circule dans leurs artères avec chacun de leurs globules sanguins». Poe semble l'exemple type de ces héritiers d'une malédiction originelle. Non seulement il sentait le besoin d'échapper à un monde «goulu, affamé de matérialité», mais encore, il devait «se purger lui-même en se réfugiant dans les rêves où se trouvent toute certitude». Voilà bien l'image du poète maudit, image que Baudelaire aime exploiter et cela, peut-être, au profit de sa propre légende. Comparé à l'ardeur féminine de Marceline Desbordes-Valmore, le génie de Poe semble en effet se porter comme une tare : «l'absurde s'*installant* dans l'intelligence et la *gouvernant* avec une épouvantable logique — l'hystérie *usurpant* la place de la volonté, la contradiction établie entre les nerfs et l'esprit, et l'homme *désaccordé* au point d'exprimer la douleur par le rire... tout cet imaginaire qui *flotte autour* de l'homme nerveux et le *conduit à mal*».

Le poète vit de ses phantasmes comme le «mangeur d'opium» de son vice. L'oeuvre future circule dans leurs veines et se nourrit de leur propre substance. Pour mieux faire comprendre le «bouillonnement d'imagination», la «maturation du rêve» et «l'enfantement poétique» auxquels est condamné un cerveau intoxiqué par le haschisch, Baudelaire souligne que les analogies qu'éprouvent ce dernier ne sont pas différentes de celles d'un poète dans un état sain et normal; chez le drogué cependant, ces analogies pénètrent, envahissent et accablent l'esprit par leur caractère despotique et irrémédiable. Le poète lucide ou l'artiste en général est certes plus avantagé que ce pauvre qui ne sait pas contrôler son délire. Le poète reste maître de ses facultés et le critique use parfois de l'image de la «circonférence» pour rendre compte de la place privilégiée de l'écrivain dans l'humanité ou afin de mieux expliciter le jeu des facultés sans cesse sollicitées par le monde extérieur. Nous faisons allusion aux conseils qu'il donne aux jeunes littérateurs et par lesquels il tente de définir la liberté et d'étudier le jeu des volontés. Contrairement au poète, le drogué ne saura pas contrôler le cercle et le centre de cette circonférence dans laquelle est enfermée la volonté...

C'est à partir de cette projection spatiale que se constitue l'originalité de l'approche critique baudelairienne. Nous préciserons plus loin son parti pris de l'intensité et de la puissance. Soulignons pour le moment que ses études des «tempéraments» seront toutes conditionnées par l'analyse du mode de dégagement énergétique de l'oeuvre qui se donne à lire. «L'ardeur projectile de Balzac» s'opposera par exemple à la puissance retournée de Hugo, à la capacité de ce dernier de tout rentrer en lui. Balzac lui apparaît en effet comme un «prodigieux météore», une «aurore polaire inondant le désert glacé de ses lumières féeriques». À la vertu projectile et explosive de son tempérament visionnaire (ardeur vitale de l'auteur et de ses personnages : voyez le thème du feu chez Balzac), s'oppose la puissance de creusement et d'interrogation de Victor Hugo. Il y a chez ce dernier deux tendances majeures : d'une part, un esprit attiré par des «gouffres bizarres» dans lesquels il plonge son «regard inquisiteur» et, d'autre part, un esprit épris de méditation. Il possède en effet la «grandeur» et «l'universalité» (répertoire varié et multiforme quoique un et compact) parce que son langage «puise dans l'inépuisable fonds de l'*universelle analogie*». Ce qui ne l'empêche pas de réaliser une «adaptation mathématiquement exacte dans la circonstance actuelle».[5]

Nos termes d'opposition sont arbitraires.Nous aurions pu en choisir bien d'autres, tout aussi éloquents : la puissance de couvée par exemple et l'ardeur toute féminine de Marceline Desbordes-Valmore, comparées à la puissance hyperbolique et allégeante (envolée) de Banville. Remarquons que la grâce spontanée de la poétesse est à l'opposé de l'ardeur toute virile de Madame Bovary... Quoi qu'il en soit, et pour rester sur le plan du mode de dégagement des oeuvres, concluons sur ce phénomène de concentration énergétique, non plus à partir des impressions de lecture[6] mais relativement à ce qui la permet, relativement à une nécessité qui la rend possible. Nous voulons parler de «l'idée fixe» baudelairienne étudiée plus haut sous l'angle d'une sorte de *subjugaison*; cette idée fixe peut devenir une véritable tyrannie, contrainte permettant cependant l'intensité indispensable de tout véritable chef-d'oeuvre. Gautier reste par exemple «l'écrivain par excellence» parce qu'il est «l'esclave de son devoir, parce qu'il obéit sans cesse aux nécessités de sa fonction, parce que le goût du beau est pour lui un fatum, parce qu'il fait de son devoir une idée fixe». Baudelaire appréciera davantage la turbulence de Hugo que la concision «calme» de Gautier. Mais dans les deux cas, comme plus particulièrement dans celui d'Edgar Poe, tout véritable artiste sait profiter des tyrannies, qu'elles soient dues à son art ou à son «tempérament». Un jour arrive où il «explose» et fait de la recherche et du souvenir «un levain pour la pâte».

En quoi consiste donc cette «ivresse de l'art» qui semble «plus apte que toute autre à voiler les terreurs du gouffre». Nous verrons par la suite, toujours en vertu de la projection spatiale de ses impressions de critique, que certains vertiges douloureux seront compensés par des mouvements inverses vers le haut, réalisant ainsi une sorte d'équilibre tendu qu'est, à proprement parler, la contemplation baudelairienne.

L'*horizontalité* et la *verticalité* : l'*«élévation»*.

Dans son compte rendu de l'Exposition universelle de 1855, Baudelaire rapporte les paroles d'Edgar Poe au sujet de l'effet de l'opium sur les sens : «revêtir la nature entière d'un intérêt surnaturel qui donne à chaque objet un sens plus profond, plus volontaire, plus despotique... véritables fêtes du cerveau». Et Baudelaire d'ajouter que la peinture de Delacroix lui paraît la traduction de «ces beaux jours de l'esprit» parce qu'elle est revêtue «d'intensité» et parce qu'elle privilégie la «splendeur». «Comme la nature perçue par des nerfs ultra-sensibles, elle révèle le surnaturalisme.»

Ce surnaturalisme que définissent l'intensité et la splendeur est, sans aucun doute, une notion essentielle chez Baudelaire, chez le poète comme chez le critique. Cette volonté de pénétrer les choses, que nous avons tenté d'expliciter plus haut, et l'efficacité de ce philtre vivifiant qu'est l'imagination pour lui, n'avaient d'autre but que d'y déceler une richesse capable de combler l'ennui, si désespérant qu'il en «avalerait le monde». Les évocations quelque peu prosaïques du poème *Le poison* semblent résumer parfaitement les métamorphoses que permet de réaliser ce qu'on a l'habitude d'appeler l'état poétique :

- la richesse : «Le vin sait revêtir le plus sordide bouge d'un luxe miraculeux»;
- l'expansion : «L'opium agrandit ce qui n'a pas de borne... allonge l'illimité...»;

- l'approfondissement et la plénitude : «... approfondit le temps, creuse la volonté, remplit l'âme au-delà de sa capacité.»

En réalité, nous l'avons vu, les évocations d'enfoncement et d'enlisement ne sont pas irréductiblement étouffantes. Il en est de même de certains vertiges puisque, de tous les entraînements irrésistibles qui semblent se jouer du poète, Baudelaire sait aussi profiter de leur dynamisme. Ces pénétrations plus ou moins douloureuses, ces plongées souvent enivrantes, Baudelaire arrive à les préméditer et à atteindre ainsi un univers plus large et plus intense.

Il semble croire que l'enfant vit spontanément dans un tel état d'enthousiasme parce qu'il est curieux de tout, parce qu'il voit tout en «nouveauté» : bref, «il est toujours ivre». C'est à partir de cette idée que Baudelaire va tenter d'élaborer toute une théorie de la perception grâce à laquelle le plaisir esthétique succède à la recherche épuisante des «paradis artificiels». Et pour cela, il se réfère à la vision synthétisante de l'enfance. Il affirme par exemple que

> l'inspiration a quelque rapport avec la congestion, et que toute pensée sublime est accompagnée d'une secousse nerveuse plus ou moins forte, qui retentit jusque dans le cervelet... Le génie n'est que l'enfance retrouvée à volonté... C'est à cette curiosité profonde et joyeuse qu'il faut attribuer l'oeil fixe et aimablement extatique des enfants devant le nouveau.

Il n'est donc pas surprenant de voir Baudelaire s'extasier devant certaines oeuvres d'art qui lui procurent de si vibrantes impressions, «une secousse nerveuse», contrairement à Sainte-Beuve qui avait plutôt tendance à se méfier de telles oeuvres, trop accaparantes, presque dangereuses. Les tableaux de Delacroix lui apparaissent par exemple comme une «espèce de mnémotechnie de la grandeur et de la passion naïve de l'homme universel». Le critique ne réduit plus ses préceptes du goût à la notion de «naïveté» telle qu'il la concevait en 1846. Il s'explique sur ce qu'il entend dorénavant par l'art mnémonique : «Je veux parler d'une barbarie inévitable, synthétique, enfantine... et qui dérive du besoin de voir les choses grandement, de les considérer surtout dans l'effet de leur ensemble». Le peintre «barbare», c'est celui dont le regard est synthétique et abréviateur, un regard grâce auquel les matériaux dont la mémoire «s'encombre... s'harmonisent et subissent cette idéalisation forcée qui est le résultat d'une perception enfantine, c'est-à-dire d'une perception aiguë, magique à force d'ingénuité».

Nous n'avons pas besoin de trop insister sur le mode d'exécution d'une telle forme d'art, qui a tendance à synthétiser les différents éléments des arts majeurs de manière à ce que la «coïncidence de plusieurs arts» fasse disparaître cette lacune attachée à tous les arts indépendants, ces derniers devant être complétés par l'imagination de tout amateur digne de ce nom. Baudelaire se plaît à remarquer, à propos des «rêveries» ou «traductions» que Wagner, Liszt et lui-même ont données de l'Ouverture de *Lohengrin*, comment «la véritable musique suggère des idées analogues dans des cerveaux différents». Ce qui serait vraiment surprenant, pense le critique,

> c'est que le son ne pût pas suggérer la couleur, que les couleurs ne pussent pas donner l'idée d'une mélodie, et que le son et la couleur fussent impropres à traduire des idées; les choses s'étant toujours exprimées par une analogie réciproque, depuis le jour où Dieu a proféré le monde comme une complexe et indivisible totalité.

Cette faculté, il semble la prêter plus à l'imagination créatrice — dans son intentionnalité — de l'artiste ou du critique qu'à une oeuvre achevée ou future : «C'est du reste un des diagnostics de l'état spirituel de notre siècle que les arts cherchent, sinon à se suppléer l'un l'autre, du moins à se prêter réciproquement des forces nouvelles.» Baudelaire ne semble d'ailleurs par croire outre mesure à cette synthèse des arts que Wagner a tenté de réaliser avec «l'art dramatique musical». Il s'agit bien de «l'oeuvre artistique par excellence, l'alliance de tous les arts concourant ensemble au même but... où tous les détails doivent concourir à une totalité d'effet». Non seulement il se rappelle les principes esthétiques de Poe, mais s'il croit à cette synthèse, c'est en tant que cheminement vers l'extase, et le domaine de la technique ou de la virtuosité n'est qu'opératoire, quand il ne l'ignore pas complètement.

— Pour un peintre tel Delacroix, visant surtout à une harmonie d'ensemble du tableau, il lui suffit «d'exécuter assez vite et avec assez de certitude pour ne rien laisser s'évaporer de l'intensité de l'action ou de l'idée». Rappelons-nous en effet ce qu'il disait de l'art mnémonique : «une contention de mémoire résurrectionniste, évocatrice», doublée d'un jeu, d'une «ivresse de crayon» ressemblant presque à une «fureur», afin que «l'exécution idéale devienne aussi inconsciente, aussi coulante que l'est la digestion pour le cerveau de l'homme bien portant qui a bien dîné».

— Pour un comédien tel Rouvière, il lui suffit d'être plein de «feu», d'avoir cette grâce suprême, décisive, «l'énergie» et «l'intensité» dans le geste, dans la parole et dans le regard.

— Pour un poète comme Gautier, il lui faudra descendre en lui-même, interroger son âme, rappeler ses souvenirs «d'enthousiasme et de beauté», et les enfermer dans une forme resserrée, condensée, afin d'en intensifier l'effet et de ne rien perdre de sa totalité. Gautier a su exprimer, selon Baudelaire, le bonheur que donne à l'imagination la vue d'un bel objet d'art. Et pour justifier peut-être ses propres ambitions, il affirme que c'est «un privilège prodigieux de l'Art que l'horrible, artistement exprimé, devienne beauté, et que *la douleur rythmée et cadencée* remplisse l'esprit d'une joie calme». Nous reviendrons plus loin sur cette «joie calme» que procure une réussite poétique. Si Baudelaire compare les «imaginations» de Gautier et de Leconte de Lisle, il constate que le premier donne au détail un «relief plus vif et une couleur plus allumée»; tous deux «admirent le repos comme un principe de beauté, inondent leur poésie d'une lumière passionnée», mais cette lumière est plus «reposée» chez L. de Lisle et plus «pétillante» chez Gautier. Cette distinction ne manquera pas d'intérêt lorsque nous dégagerons, au passage, ce qu'il faut retenir du poème *Les phares*.

— Pour le musicien aussi, les éléments de son art suffisent à créer cette intensité nécessaire à une oeuvre vivante et durable. Lorsque Baudelaire écrit son *Richard Wagner*, il ne fait aucune mention de la représentation scénique. Il avait lu Berlioz, Liszt, Wagner et, à son tour, sans considérations techniques, il essaie de communiquer sa rêverie. Cette dernière ne traduit que des impressions heureuses et surtout spatiales :

> ... je me sentis délivré des liens de la pesanteur... l'état délicieux d'un homme en proie à une grande rêverie dans une solitude absolue, mais une solitude avec un immense horizon et une large lumière diffuse; l'immensité sans autre décor qu'elle-même... (cf. le paysage critique), la sensation d'une clarté plus vive, d'une intensité de lumière croissant avec une telle rapidité... ce surcroît toujours renaissant d'ardeur et de blancheur. Alors je conçus pleinement l'idée d'une âme se mouvant dans un milieu lumineux, d'une extase faite de volupté et de connaissance, et planant au-dessus et bien loin du monde naturel.[7]

Voilà ce que permet le travail de l'imagination sur la «nature». L'oeuvre d'art, au même titre que la création poétique, devient une compensation indispensable aux limites de l'esprit humain. Il écrivait à Wagner en 1860 que ces profondes harmonies lui paraissaient ressembler à ces excitants qui accélèrent le pouls de l'imagination.

> Il y a partout quelque chose d'enlevé et d'enlevant, quelque chose aspirant à monter plus haut, quelque chose d'excessif et de superlatif... J'ai éprouvé l'orgueil et la jouissance de comprendre, de me laisser pénétrer, envahir, volupté vraiment sensuelle, et qui ressemble à celle de monter dans l'air ou de rouler sur la mer.[8]

Baudelaire associe ici deux impressions : celle de se sentir *pénétrer* et *envahir*, et celle de sentir qu'il s'envole dans l'air, «d'être aspiré», cette dernière impression s'associant à une horizontalité : l'effet de «rouler sur la mer». Les derniers textes cités suffisent à expliquer cette impression d'élévation. Attardons-nous plutôt à celle d'une voluptueuse dérive qui l'entraîne indolemment. Dans son poème *La chevelure*, Baudelaire confesse à sa bien-aimée :

> Comme d'autres esprits voguent sur la musique
> Le mien, ô mon amour, nage sur ton parfum.
> Fortes tresses, soyez la houle qui m'enlève.

L'ensemble du poème contient à lui seul toutes les impressions que le critique cherche à traduire lorsqu'il fait l'éloge de la musique romantique par excellence et de la peinture de Delacroix. Ce dernier lui inspire, dit-il, la plupart du temps, des impressions musicales. Ailleurs, il faut remarquer que «la musique creuse le ciel» ou encore qu'elle «donne l'idée de l'espace...». Il faudrait citer tout le poème intitulé *La musique* dans lequel il exploite merveilleusement cette rêverie d'une mer qui l'emporte :

La musique souvent me prend comme une mer!
Vers ma pâle étoile,
Sous un plafond de brume ou dans un vaste éther,
Je mets la voile;

Je sens vibrer en moi toutes les passions
D'un vaisseau qui souffre;
Le bon vent, la tempête et ses convulsions

Sur l'immense gouffre
Me bercent. D'autres fois, calme plat, grand miroir
De mon désespoir.

Le désespoir, c'est le «calme plat», une eau qu'il lui faut brouiller, agiter, dans laquelle il doit plonger s'il ne veut pas flotter interminablement à la dérive sur cette surface lisse lui renvoyant son image.

Dans *Les phares* par exemple, il appose à Rubens un «fleuve d'oubli» mais ce fleuve en est un où la «vie afflue et s'agite» sans cesse; de l'univers souffreteux de Rembrandt, il voit s'élever une prière. Baudelaire a horreur du statique. Il appose à Michel-Ange un «lieu vague» mais cependant plein de hardiesse et d'ardeur; il aime la folie du bal tournoyant qu'est l'oeuvre de Watteau; Goya lui livre un «cauchemard plein de choses inconnues» et Delacroix enfin, il l'identifie à un «lac de sang» qui brille de toutes les flammes et de toutes les pourpres, ou encore à un bois de sapin toujours vert et chargé de ténèbres et où, sous un ciel tumultueux et orageux passent d'étranges fanfares comme un soupir étouffé de Weber. Delacroix serait en fait celui qui correspondrait le plus à son «rouge idéal».

Tous ces génies rendent grâce à la beauté et sont pour le coeur humain comme un «divin opium»; ils répondent bien à l'idée que Baudelaire se fait du génie; ce dernier se caractérise par la volonté, l'explosion, l'ardeur, l'outrance, tout cela accompagné de concentration et d'intensité nerveuse. C'est ce qu'il résume dans le mot «enthousiasme». «Ainsi le principe de la poésie — et pour lui, la poésie ne se confond pas avec l'unique versification — est, strictement et simplement, l'aspiration humaine vers une Beauté supérieure, et la manifestation de ce principe est dans un enthousiasme, un enlèvement de l'âme; enthousiasme tout à fait indépendant de la passion, qui est l'ivresse du coeur, et de la vérité, qui est la pâture de la raison». Toute la question, remarque le critique, est de s'entendre sur le mot «sauvage». Sont sauvages les âmes amoureuses du «feu éternel», les personnalités qui jouissent d'une imagination, faculté inventive par excellence.

Dans son *Salon* de 1846, il se désolait de voir que l'on comparait le peintre «essentiellement créateur» ... qu'était Delacroix à Victor Hugo, «ouvrier plus adroit qu'inventif». Ce dernier laissait voir dans tous ses tableaux «un système d'alignement et de contrastes uniformes» bien propre à révéler un poète «trop matériel, trop attentif aux superficies de la nature». Il reprochait donc à Hugo une oeuvre close, sans profondeur et sans ciel, fermée à toute spiritualité[9]. Par ailleurs, à propos de l'esprit et du style de M. Villemain, Baudelaire reprochera l'excès contraire, à savoir l'allusionnisme dont l'abus, au lieu d'édifier le lecteur, l'enlise dans un marécage «bourbeux». Pour qualifier le style «allusionnel» de Villemain, il utilise tout un attirail d'images aquatiques suggérant une sorte d'embourbement de l'esprit et de l'exécution et une impossibilité (point zéro d'une oeuvre) de dégagement énergétique : «Phraséologie toujours vague; les mots tombent, tombent de cette plume pluvieuse comme la salive des lèvres d'un gâteux bavard; phraséologie bourbeuse, clapoteuse, sans issue, sans lumière, marécage obscur où le lecteur impatient se noie». Plus loin, il s'insurge contre le style «baveux» des rapports académiques. Baudelaire semble donc avoir assumé jusqu'au bout le paradoxe romantique d'un ébranlement émotif issu d'une «clarté», d'une architecture lumineuse qui fuit la «diffusion» et la «profusion».[10]

Le véritable artiste sera celui qui saura concilier une «dualité de nature» fondamentale à la création d'oeuvres durables : un esprit romantique qui demeure classique. Il le reconnaît exemplaire chez Delacroix et chez Wagner, venant illustrer cette dialectique de la «vaporisation» et de la «concentration» qui a tant fait couler d'encre. Wagner est classique parce qu'il possède une méthode de construction, un esprit d'ordre et de division qui rappelle l'architecture des tragédies antiques; il est romantique parce que c'est un homme énergique et passionné, vibrant d'une intensité nerveuse. «Dualité de nature» chez Delacroix aussi, particulièrement dans ses écrits : «Un style concis et intense, résultat habituel de la concentration de toutes les forces vers un point donné... apte à *faire tableau*».

En guise de conclusion

Nous croyons avoir respecté la pensée de Baudelaire : «De la vaporisation et de la concentration du moi. Tout est là». Laissez-vous envahir par les sensations et les impressions qui vous viennent du dehors, soyez ouvert et réceptif, et lorsque vient le moment de traduire tout cela, faites un choix, regroupez vos matériaux, concentrez-les le plus possible. La totalité de l'effet n'en sera que plus intense.

C'est le poète qui parle. Le critique renversera la formule lorsqu'il prendra une oeuvre déjà achevée comme prétexte à pensées et à rêveries. Nous avons suivi une démarche analogue : nous sommes parti de l'idée d'attraction admirative, puis de pénétration captivante, pour ensuite assister, à partir d'une profondeur active, à une sorte d'éclatement, d'ouverture à un monde hyperbolique. La lecture baudelairienne reste une adhésion à l'activité même d'une oeuvre, non à son enseignement ni à sa vérité et encore moins à son utilité. Elle ne s'attarde qu'à ce qui provoque une ouverture de conscience.

Notes

1. Nous rejoignons directement les réflexions de G. Genette dans son article intitulé «Rhétorique et enseignement» in *Figures II*, Coll. Tel quel, Seuil, Paris, 1969, pp. 23 sq.
2. Ne distingue-t-il pas dans *L'art philosophique* le «mérite intrinsèque de l'artiste doué d'une habileté étonnante de composition... (du) mérite extrinsèque» ou du système philosophique. Et à propos de *La double vie* d'Asselineau : «L'analyse d'un livre est toujours une armature sans chair.» Mais ce travail peut suffire à faire deviner «l'esprit de recherche» de l'écrivain. «De la chair du livre, je puis dire qu'elle est douce, élastique au toucher; mais l'âme intérieure est surtout ce qui mérite d'être étudié.» Le lecteur critique est en effet un *homo duplex* aux yeux de Baudelaire. Cette volonté de pénétrer en profondeur une oeuvre et d'en dégager les intentions, s'oppose à la démarche critique d'un Sainte-Beuve qui , lui, se contente surtout d'un contact épidermique : cf. à ce sujet l'article de J.-P. Richard, «Sainte-Beuve et l'expérience critique» in *Les chemins actuels de la critique*, Coll. 10/18, pp. 116 à 123.
3. «Attraction irrésistible» encore que les digressions de Baudelaire sur la notion de «mythe» dans sa défense de Wagner. Il s'excuse de cette digression qui «s'est ouverte» devant lui : tout comme le personnage de Senta du *Vaisseau fantôme* est «attiré magnétiquement par le malheur».
4. La recherche critique s'explique parfois non pas par son origine comme chez Dupont («le goût infini de la République»), mais par son projet, au sens sartrien du terme. Pour s'en persuader, il faut lire ce que Baudelaire écrit de *Mademoiselle de Maupin*, article où il distingue la «passion» de «l'enthousiasme».
5. Il en est de même chez Balzac : Baudelaire reconnaît chez lui le visionnaire passionné mais aussi le fervent des oppositions, des antithèses. Balzac est un lutteur. Comment Baudelaire peut-il concilier chez un même auteur cette thématique du contraste avec celle de la volonté créatrice? Puisque, en fait, c'est bien la maintenance d'une cohérence que vise le projet critique de Baudelaire. Dès 1848, il voyait chez Balzac «un créateur de méthode et le seul dont la méthode vaille la peine d'être étudiée». Et c'est précisément à la lumière de cette méthode que Baudelaire croit pouvoir opérer la jonction de ce qui semblait plus haut contradictoire, jonction à la fois réductrice et fidèle à l'ensemble de l'oeuvre : 1) mettre en évidence «l'ambition immodérée» de créer un univers dont les éléments sont gonflés par la volonté; 2) compenser le

risque d'éparpillement du champ romanesque par une règle restrictive permettant de contrôler l'ampleur; c'est ainsi que des «lignes principales» marquées avec force deviennent indispensables pour «sauver la perspective de l'ensemble» de ce champ romanesque («noircir» les ombres et «illuminer» les lumières). Il appartiendra donc au critique de rendre compte à la fois de «l'ardeur vitale» et de la correction qu'elle nécessite pour s'écrire. D'où la réconciliation de deux axes sémantiques par un axe commun : goût du détail et ambition de synthèse conciliés sous l'axe de la puissance (de l'observateur et de l'inventeur).

6. Nous aurions pu tout aussi bien insister sur la force enveloppante d'une représentation théâtrale : «Aussitôt le vertige est entré, le vertige circule dans l'air; on respire le vertige; c'est le vertige qui remplit les poumons et renouvelle le sang dans le ventricule... introduit de force dans une existence nouvelle...».
7. Il serait instructif de comparer ce texte sur Wagner avec ce qu'a pu écrire un Mallarmé qui prenait parti pour la poésie contre la suprématie des pouvoirs suggestifs de la musique. Mais ce serait hors de notre propos. Soulignons aussi des textes de Huysmans et de Zola qu'a réunis André Coburoy dans son *Wagner et l'esprit romantique*, Gallimard, Coll. Idées, 1965, pp. 288 à 293.
8. Pour faire plus court, nous passerons sous silence la belle étude que Baudelaire a laissée sur le lyrisme de Banville, de même que ce qu'il ajoute à la fin de son article sur Flaubert, relativement à *La tentation de Saint-Antoine*.
9. Beaudelaire n'admire pas moins chez Hugo «le nombre et l'ampleur de ses facultés» et ailleurs, il reconnaît chez lui le poète «sans frontière» capable de tout exprimer. De sa puissance d'absorption et de méditation est résulté un caractère poétique original : «abîmes», «mystères», «effroi», «turbulence», «écroulements de vers», «masses d'images orageuses»,« répétitions fréquentes de mots», «la vie elle-même». C'est là une oeuvre dont la vigueur ne pouvait que le charmer. Mais peut-être y manquait-il cette «énergie concise» du langage qu'il admirait chez Gautier.
10. Comparant la poésie de Musset et de Lamartine à celle de Poe, il écrit de cette dernière : «Sa poésie, profonde et plaintive, est néanmoins ouvragée, pure, correcte et brillante comme un bijou de cristal».

François Hertel : le surhomme noyé[1]

Je naquis trop viril pour ce peuple trop femme. (p. 38)
Solitude! ô mon ironie perçante et mon glaive. (p. 75)
Que la mer me rejoigne et que le ciel me boive. (p. 170)

La voie de l'exil

Le silence qui conspire autour de François Hertel contraste étrangement avec la voix tumultueuse, les gestes nerveux et l'esprit un peu bouffon de celui qui, en exil à Paris depuis une vingtaine d'années, ne rate pas une occasion de donner conférences, cours et textes de toutes sortes. Tandis que les premiers répondent à des invitations qui lui sont adressées du Canada, ses livres tentent plutôt de s'imposer au public d'ici (ou d'ailleurs) grâce à sa position de force en tant que directeur de la maison d'édition de la Diaspora française et grâce aussi, depuis 1966, aux Éditions du Jour. Éveilleur de conscience, humaniste au sens large du terme, écrivain plein de fougue et parfois de rancoeur justifiée, il semblerait que le problème majeur de cet «idiot sublime» (p. 101) fut cette impression toujours grandissante que son «absurde message» (p. 121) ne parvenait qu'à des oreilles de sourds...

Le nihilisme blagueur qu'il affiche depuis vingt ans en d'épuisantes bravades ne doit pas faire oublier le prêtre qu'il a été, le professeur jésuite qui semble avoir été une figure dominante de la génération de *La Relève* et de *La Nouvelle Relève* (1935-1948). Hertel est en effet le type par excellence de l'intellectuel ou, si l'on veut, du jongleur d'idées : ni spécialement esthète comme Paul Morin, ni naturaliste et encore moins passéiste comme le DesRochers de *À l'ombre de l'Orford*, l'auteur de l'essai *Vers une sagesse* situera toujours sa quête d'absolu dans le futur. Humaniste jusqu'au bout des ongles, passionné pour tout ce qui relève de la culture (française, naturellement, et en cela il est bien de son époque), Hertel évita tout de même le piège dans lequel plongea les yeux fermés le Robert Choquette de *Metropolitan Museum*, piège qui consiste à confondre, pour reprendre une subtilité d'André Gide, l'esprit sérieux avec l'esprit grave. Hertel est plutôt ce jongleur d'idées qui ne cache pas son jeu, qui garde toujours une certaine dose d'ironie devant ses jongleries parfois bizarres, souvent teintées d'un mysticisme frelaté, mais rarement incohérentes, résistantes à toute analyse et pleines de générosité.[2]

Frère de Nelligan, la postérité lui pardonnera-t-elle le dynamisme de son esprit? On sait que le collégien Pierre Martel, héros du premier roman de Hertel, *Le beau risque*, s'éprenait de l'oeuvre du jeune Nelligan, et le naufrage prophétique du «Vaisseau d'or» ne sera pas étranger, nous allons le voir, à la thématique personnelle de *l'exilé*. Il aura manqué à Hertel, semble-t-il, d'avoir sombré dans la folie; il aura vécu trop longtemps; il mériterait donc le purgatoire. Là où Nelligan perdit la raison, Hertel afficha son mépris.

Son aventure spirituelle fut marquée par une crise trop longtemps réprimée, une rupture avec lui-même et les déterminismes culturels — orthodoxie et sclérose — d'une époque qui a permis le «gargarisme» et le ruminement en serres chaudes d'un *Journal* comme celui de Saint-Denys Garneau. Vers l'âge de quarante ans, le casse-tête merveilleux qu'a toujours représenté à ses yeux la religion catholique le jette dans une véritable détresse morale et psychologique. Cette doctrine thomiste à l'intérieur de laquelle tout le monde s'entend mais qui ne règle rien de ce qui relève du doute ou de la «pourriture intérieure» (p.63), on peut dire que c'est aux dépens de ce vaste casse-tête passionnant qu'il va développer ce qu'il appellera le *jeu*, symbole dynamique et rassurant d'une «divinité joyeuse» (p. 91), satisfaisant, semble-t-il, les exigences de son esprit et de sa foi :

> Je l'aime assez mon problème plastique,
> Ce jeu où je m'amuse à l'équilibre verbal. (p. 73)

Moins confiant parfois, Hertel avouera s'adonner à cette savante fantaisie pour chasser «la hideur des blasements précoces» (p. 18). Vers la quarantaine, le prêtre-poète n'avait plus la force de continuer à jouer, tant il est difficile, dira-t-il, d'échapper à sa ménopause. Dans une lettre datée du 5 août 1950, il exposera les raisons de son départ :

> Il faut une dose gigantesque de caractère pour ne pas penser comme tout le monde, le dire, essuyer des rebuffades et des affronts, et persister à vivre une vie pleinement intégrée à la communauté.[3]

Suivant l'exemple de Louis Dantin et ouvrant la voie à bon nombre d'artistes «automatistes» de son temps, Hertel trouvera refuge hors des frontières du Québec. Il aimera souvent faire entendre que Paris lui aura tout appris, «même l'art de désapprendre»; c'est cette ville qui l'aura initié à l'art difficile d'être oisif, lui le travailleur acharné, guéri maintenant du besoin malsain de se punir en se tuant au travail :

> Ville où j'ai perdu mon âme, ma belle âme naïve,
> Qui rêvait de recréer le monde par le verbe
> Et de sanctifier les êtres par la magie des mots.
> Ville où j'ai abdiqué... (p. 105)

À la question que lui posait Alain Pontaut lors d'une interview en 1964, «Où vous situez-vous sur le plan spirituel?», Hertel répondait sur le ton du moraliste moqueur qu'il a toujours été :

> Je voudrais expliquer le mystère de l'esprit, et, dans ce domaine, celui qui m'a le plus éclairé, c'est Leibniz, son «harmonie préétablie» et sa théorie des monades. Je suis, au fond, très spiritualiste [...]. L'homme n'est pas à la mesure du monde. Il est dans l'incapacité de jauger, d'expliquer cette immensité. Je me moque dès lors de ceux qui expliquent tout par des dogmes [cf. le dogmatisme thomiste sur lequel il fonda d'abord sa pensée et son agir], qui nous imposent leurs impératifs catégoriques. Jeune, j'écrivais de

> gros bouquins et je me pensais très savant [cf. sa trilogie «personnaliste»]. J'écris aujourd'hui de petits livres et je ne suis sûr de rien.

C'est précisément cela qui retiendra ici notre attention: cette impuissance lucide et acceptée de l'homme face à ce que Hertel appelle l'immensité pascalienne — le ciel et ses constellations d'une part, la mer et ses profondeurs d'autre part —, et aussi ce sentiment à la fois sceptique et hautain, à la Montaigne, de n'être sûr de rien.[4]

Le poète-jésuite a en effet toujours été partagé entre un orgueil qui n'a d'égal que celui des plus grands penseurs de l'histoire et une impression intermittente de fragilité ou de porosité, impression provenant sans doute d'une tendresse sans bornes, d'une disponibilité totale, enfin d'une agressivité qui n'a eu que rarement l'occasion de se manifester ou de s'écrire.

Puisqu'il n'existe pas de tradition de lecture québécoise des textes de Hertel, notre étude risquera d'aboutir parfois à des généralités. Nous croyons cependant qu'une approche de l'imaginaire herteléen ne manquerait pas d'intérêt, quitte à en rédiger ailleurs un tableau plus fidèle et plus complet.

La percée des étoiles

Dès son premier recueil de vers, *Les voix de mon rêve*, Hertel s'affirme comme le poète par excellence qui s'écoute penser. Dans une forme d'écriture traditionnelle, il exploite déjà des thèmes auxquels il restera toujours fidèle. Un défilé muet de skieurs lui semblera par exemple une sorte de procession d'âmes qui, sous leur «poids irréel», s'en iraient en peine vers des «horizons vagues», «tout droit comme à l'abîme», et sur la figure desquels on voit parfois s'égarer «des souvenirs obscurs qui chevauchent l'espace» (p. 11). Sans nous attarder sur le grand nombre de poèmes où il est explicitement question d'une véritable philosophie du sport, poèmes de l'énergie et de la domination de soi et du monde[5], c'est le texte «Les étoiles» qui nous semble caractéristique d'une poésie qui se veut métaphysique, chargée de tous les pouvoirs, démiurgique et insidieusement blasphématoire. Nous savons que la forme d'écriture de Hertel va évoluer considérablement, du sonnet baudelairien à la forme antique du vers, en passant par le verset claudélien, le vers libre, et cela dès 1937. Nous savons aussi que son optimisme de circonstance va progressivement s'atténuer et se teinter de mépris; toutefois, les schémas imaginaires vont rester les mêmes, partagés entre le «planage» du skieur qui veut «étreindre le ciel et l'horizon» (p. 87), offrant à la «dérisoire gigue où se troussent en vrac culottes et jupons» (p. 135), l'insulte et la rage de son rire sonore et absurdement assourdi.

Dans «Les étoiles», le prêtre-poète scrute en effet le ciel nocturne et l'imagination répond à cette proposition : vivre de l'esprit, c'est «planer[6]»; écrire, c'est se retrancher; s'éloigner du monde, c'est renoncer, «se réfugier sur quelque sommet inaccessible» avec ce «risque toujours de demeurer là-haut captif» (p. 93), prisonnier d'un vertige qu'on ne saurait plus maîtriser. Hertel est précisément de ceux qui aiment le risque, prêt à en assumer toutes les conséquences. Ne se définit-il pas comme un «pèlerin de trop haute altitude» (p. 123)? Le monde qui s'ouvre là-haut représente d'abord celui où règne Dieu, celui où domine l'Esprit, et le poète va utiliser ce vieux mythe des constellations pour éprouver sa rêverie. L'image qu'il se fait de l'univers est, bien sûr, antérieure à celle établie par Copernic : la terre est encore le centre de l'univers, «ce gros oeuf» (p. 158), mais comme cela arrive parfois chez Saint-Denys Garneau, ce centre matriciel doit être abandonné si l'on veut non plus seulement en jouir mais le comprendre, et cela par l'exploration de ce qui se trouve au-delà de l'immensité sphérique. Cette relation essentiellement schizophrénique que le poète établit entre lui et le monde au sein d'une solitude — va-et-vient stérile de l'imagination —, voilà bien la figure fondamentale qui place Hertel dans la continuité spirituelle des poètes québécois, de Nelligan à Grandbois... Voici le poème :

Étoiles, rayons d'or, mystérieux perçoirs,
Que j'aime à vous fixer dans vos courses frileuses,
Lampes de plein azur, inlassables veilleuses,
Par les trous de la nue illuminent les soirs!

Ornements éternels des divins reposoirs,
Féeriques joyaux des nuits ensorceleuses,
Vous sortez du sillon lacté des nébuleuses
Mieux que les diamants du front des ostensoirs.

Scrutant de l'univers les retraites profondes,
Je voudrais pénétrer le secret de ces mondes
Qui gisent dans le sein des constellations.

Je voudrais explorer Syrius et la Lyre,
Et dépassant Véga dans mes excursions,
Interroger l'envers du sidéral empire!

Les étoiles l'intéressent comme symboles d'éternité et d'universalité. Elles ne sont pas pour autant immobiles et neutres. La réalité d'une étoile n'est-elle pas son scintillement même : matière inconsistante, l'étoile est une lumière qui bouge. Pour avoir prise sur elle, de même que pour donner de la consistance à sa divagation, Hertel va la durcir : les étoiles vont devenir des «rayons d'or», des «perçoirs» qui crèvent la voûte nocturne et qui feront rêver aux «retraites profondes» de l'au-delà. Parallèlement à l'homme qui médite, ces étoiles sont analogiquement des «veilleuses» et des «lampes»... Quand les cieux «ont versé le soleil, dit ailleurs le poète, l'homme n'est plus qu'un point aux étoiles pareil» (p. 27).

Ce thème des étoiles renfermera donc trois éléments : celui de la lumière (veilleuses, lampes, joyaux, rayons, trous lumineux qui éclairent les soirs, comme si cette lumière leur venait de l'au-delà et se répandait sur la nuit d'ici-bas), celui du mouvement (dans leurs courses frileuses, elles sortent du sillon des nébuleuses) et, enfin, celui de leur synthèse, les constellations. Il est bien connu que les symboles astrologiques servent souvent aux poètes à structurer analogiquement des rêveries qui risquent d'être trop nébuleuses.

Que j'aime à vous fixer dans vos courses...

Le verbe «fixer» peut recouvrir deux sens : a) regarder fixement, contempler avec attention, interroger, scruter, explorer; b) arrêter leurs courses, en faire des perçoirs et regarder dans les trous qu'elles font, en faire des diamants (à la fois lumineux, transparents et précieux), des objets qui vont donner un *sens* aux nuits ensorceleuses et révéler le secret de ces mondes qui gisent dans leur sein, et cela mieux que ne le permettraient les diamants des ostensoirs, objets sacrés certes et très précieux (en or, comme les rayons d'or que sont les étoiles, connotant paradoxalement un mythe solaire), mais ustensiles fabriqués de mains d'homme, ornements auxquels il manque cette propriété essentielle : l'éternité des étoiles. Ce que Hertel veut scruter ne saurait être trouvé au coeur des reposoirs terrestres des églises; il lui faut faire appel aux «divins reposoirs» célestes. On croirait entendre un autre poète-philosophe, Jean Charbonneau qui, dans *Blessures*, exhorte à la méditation en ces termes :

Monte vers l'inconnu, déchires-en les voiles;
Et plein d'une immuable et sereine clarté,
Contemplateur divin, plane dans les étoiles.

Les deux tercets du sonnet de Hertel expriment le voeu (double répétition conditionnelle : «je voudrais...») de s'élancer verticalement, plus haut encore que l'empire sidéral et, de là, laisser planer un regard dominateur — et ajoutons, dédaigneux — sur le monde et, par le fait même, interroger l'*envers* de cet empire platonicien, verso des apparences. Véga, c'est le nom de l'étoile qui forme avec l'étoile polaire et Arcturus un grand triangle à peu près équilatéral. Véga est celle de première grandeur, située au sommet du triangle. Hertel ne serait pas gêné de se voir qualifié de poète intellectuel : préoccupation géométrique de sa rêverie[7], excursion à travers ces ornements éternels de la nuit que sont les constellations, et volonté d'aller outre, d'en interroger l'envers caché et inconnu.

D'autres textes traiteront du même thème, assimilant le plus souvent cette poursuite cognitive à la recherche de Dieu lui-même,

«Un de nature et trois malgré le nombre» (p. 59). Une grande partie des poèmes de Hertel est en effet très apologétique : «Aspirez-nous donc en vous, ô mon Dieu» (p. 97). Dans l'«Hymne à la Beauté», nous retrouvons les mêmes obsessions — avec les nuances qui s'imposent —, de même qu'une ouverture supplémentaire sur son intimité, c'est-à-dire la peur des veillées trop longues et l'attente douloureuse du refuge de la nuit. «Oh! le soir est affreux» (p. 114); c'est le moment dramatique où le soleil s'offre naïvement au frais baiser du soir; c'est l'heure où l'âme a «des rancoeurs de captif en sa tour» (p. 109); c'est le lieu implacable de la dépossession totale, lieu réduit et troublant qui n'a plus de présence que «ce coeur désaffecté dont le bruit [lui] fait mal» (p. 114). La nuit sera au contraire attendue comme une «trêve» et traversée comme un «rire» (p. 114) :

> Ô Beauté, je te chante; et c'est mon sacerdoce,
> En te servant, c'est Dieu lui-même que je sers.
>
> Comment ne pas sentir ton lancinant vertige,
> Ô Beauté, astre d'or au divin firmament! ...
>
> Je me tais. C'est le soir, un soir d'apothéose...
> Le jour tombe effaré dans les bras de la nuit;
> C'est la mort de la vie, et la chute sans bruit
> Des vivants envoûtés au centre obscur des choses.
>
> Ma méditation se dissout et s'enfuit.
> Je ne sais plus. Tout meurt, tout s'efface dans l'ombre;
> Et sous les cieux muets, et sur la terre sombre,
> L'hymne de la Beauté s'exhale dans la nuit. (p. 18)

Si le soir est dominé par le spleen et le «mortel ennui» (p. 31), la nuit sera plutôt le moment et le lieu de la pleine conscience sûre d'elle-même : «Je mesure de la nuit pour pénétrer en votre jour» (p. 57), priera-t-il au Seigneur. Le crépuscule est toujours apothéose solennelle mais les fins de journée sont le plus souvent moroses et propices aux larmes de découragement; le crépuscule — on retrouve le même phénomène chez Alfred DesRochers — est d'une manière générale un moment d'effarement :

> Oh! le soir est affreux. Le soir est brun et rose :
> Il ouvre contre moi sa gueule de chacal. (p. 114)

Durant les jours d'été, «symbole éternel de Dieu éblouissant» (p. 79), la lumière surgit de partout et l'astre solaire resplendit doucement comme en un paysage de Corot. Le jour est donc parfois lui aussi propice à l'évasion, à la fuite rêveuse, mais cette dernière nécessite très ou trop souvent l'étude et l'archarnement au travail. À la fin du compte, le moment privilégié de la journée, ce sera la nuit, là où le poète peut s'ouvrir «comme une huître, arrogant et rieur» (p. 124) :

> [...] c'est toute la splendeur stellaire,
> C'est la voie lactée pétillante de grains d'argent
> Et ce sont les points d'or des constellations,
> C'est tout cela [...] l'extase des nuits. (p. 79)

Le texte qui viendrait synthétiser explicitement ces thèmes et confirmer chez le poète l'appel effréné de la nuit, de son silence et de sa grandeur, ce serait le sonnet «Soir automnal» :

> Entre deux jours trop longs s'inscrit la nuit trop brève;
> Et le soir est le spasme ultime avant la trève
> Où le rire des nuits boit les larmes du jour.
> Mes songes vont mourir et laisser place au rêve.
> Je suis comme un navire arrimé sur la grève
> Qui part à la conquête absurde de l'Amour.[8]

Si l'on fait abstraction de l'absurdité de cet optimisme que l'écrivain a longtemps affiché, optimisme à la fois fait de bonté et de désenchantement, résultat d'un enseignement humaniste, l'on se rend compte d'une distinction marquée entre des «songes» troublants qui hantent ses jours, et le «rêve» sublime auquel il s'obstine à revenir comme à un havre de paix et de solitude. Les humains sont, oui, «les fils de la nuit» (p. 124) et rêvent de recréer le cosmos (p. 175). Toutefois, cette trêve riante est le lieu d'une partance; ce rêve implique un départ. Le poète est en effet un navire arrimé sur une grève et le rêve se trouve littéralement au grand large. Cependant, si ce lointain appelle un déplacement horizontal à la surface des eaux, ce mouvement sera le plus souvent douloureux et haïssable. D'ailleurs, «trop vaines sont les mers qu'on n'a jamais vidées» (p. 36).

Les profondeurs marines

La projection stellaire et lucide impliquera dorénavant pour Hertel l'exploitation de plus en plus fréquente d'une thématique aquatique et, d'une manière générale, celle d'une immersion quelconque. Cette thématique marine se manifestera, il est vrai, selon différents contextes et à différents niveaux. Il pourra être question tantôt d'un bain de culture, tantôt d'un bain de prière, d'un bain de foule, etc. L'immersion prend alors des aspects fort divers, qui vont de la dérive solitaire et douce à la noyade lente et purificatrice, du plongeon brutal au fond des mers au «gai naufrage» impatiemment souhaité, etc. La promenade ou la course horizontale sur la terre ou les rives d'un fleuve est rare chez ce poète où la rêverie s'affirme surtout sur le plan de la verticalité. Les départs conquérants sont souvent très décevants et le navire en branle se métamorphose parfois désespérément en «vaisseau fantôme échoué sur une grève» (p. 23), «obscur et flasque comme le cadavre d'un noyé» (p. 52). Le rêve qui va à l'horizontal se fait «en tâtonnant, aveugle» (p. 22), «hagard, emmuré» (p. 23); la vie trop au ras du sol oblige le coeur à se vautrer parmi les joncs (p. 133), à se river à cette ingrate terre (p. 38), à ce rivage «où s'effeuillent les vies» (p. 147) et «où le passé s'érige» (p. 157). Le poète véritable sera alors pour Hertel celui qui doit quitter la «plaine» et obéir à son destin «d'égoïste retranché» (p. 95). Afin de fuir la terre où nous pourrissons, déclare-t-il,

> Ô ma pauvre vieille âme folle,
> Grimpante comme un liseron, [...]
> Pour le ciel bleu nous partirons. (p. 13)

Afin d'oublier les grèves trop flasques et trop ennuyeuses, le rêveur doit plonger «plus creux» (p. 12), éviter la dérive horizontale et passive. Il en sera de même de l'effet que procure la lecture des textes de l'«envahisseur» Baudelaire qui, le soir, hante ses «songes creux» et se dresse plus tard dans la nuit comme un oiseau de feu (p. 31) . Et encore cette prière adressée au bouillant Ignace de Loyola, ce souhait de le voir revenir et «redescendre» nous rajeunir le sang.

> Aux siècles où les combats sont une affaire de plein ciel
> Qui se règle entre deux nuages de feu. (p. 45)

Tout est mouvement chez Hertel. Et l'on comprend pourquoi il avoue que le temps de raconter ou de murmurer des désirs secrets n'a plus cours au Québec : bousculer, ébranler le sommeil des consciences, voilà le rôle que devrait jouer le poète en cet îlot de quiétude intellectuelle et d'immobilisme. Si les poètes de l'Hexagone ont su trouver chez Alain Grandbois une recherche verbale qui répondait à leur propre démarche langagière, il demeure évident que les revendications de Hertel y retrouvent des échos qui restent encore d'actualité :

> Peuple sans idéal, sans vertu, sans remords,
> Damné de la pensée et veuf de tout sourire,
> Qui ne sait ni ruer, ni hennir sous les mors,
> Je t'accorde [...] la rage de mon rire. (p. 39)

On comprend mieux maintenant les sourds conflits qui ne devaient pas tarder à éclater entre cet esprit bouillant et brouillon, et son pauvre pays où rien ne change jamais :

> Changer pourtant, c'est vivre, ô mon pays! Et toi, immobile,
> fixe [...], avec ton estomac gavé de viandes et de promesses.
> Tu n'as donc plus de sursauts. (p. 46)

Lui aussi d'ailleurs, poète taxé par les siens de folie pour son angoisse cosmique, poète qui n'écrit, «malheureux d'avoir tant de génie», que pour se délivrer du monstre qui le tient et le mord au talon (p. 149), lui aussi est «fils déchu d'une race surhumaine» comme se définissait Alfred DesRochers, lui aussi est «fils indigne de ceux qui ont écrit une épopée avec leur sang» (p. 46).

> Quand une race est tarie, elle donne des politiciens.
> Toute cette prose m'assassine. À boire!
> Et me voici rêvant d'alchimies laborieuses, de transfusions idéales.
>
> Oh! laver notre sang maigre dans le leur [...]

> Dans mon rêve confus, c'est tout un fleuve qui se bouscule.(p. 47)

Hertel serait-il en train de contredire et même de renier son rêve orgueilleux de sage oriental qui recherchait dans les étoiles de quoi répondre à ses secrètes et confuses interrogations? Nous serions porté à le croire. Cette attitude hautaine et abstraite qu'illustrait le poème «Les étoiles», refuge mythologique de choix s'il en est un, fera progressivement place à un bouillonnement intérieur qui correspond davantage à son vrai tempérament. Une trop pleine compréhension lui apparaîtra rapidement fictive et par le fait même douteuse. Une plénitude trop englobante et trop rassurante lui donnera l'impression d'une imposture, d'une dépossession, d'une raréfaction quasi inhumaine, celle même que lui dictait la devise de l'ordre religieux auquel il avait adhéré : «Perinde ac cadaver».

> Solennellement, je sens que je m'emplis.
> Jusqu'au tréfonds de moi les matériaux s'empilent.
> Et j'étouffe certains soirs de trop de plénitude acquise,
> De la rondeur parfaite à laquelle toutes mes pensées s'ajustent.
> Elles ne savent plus rouler au hasard comme des billes oscillantes
> Sur le plan incliné de la subconscience.
> Elles sont là en tas harmonieux et solides.
> Trop solides, trop fixes; et plus d'inquiétudes en elles ne s'amoncellent.
> Elles se sont affranchies, ces platoniciennes, des lois de la pesanteur.
> Je ne sais plus les faire crouler en l'enchevêtrement providentiel.
> [...] Je ne suis plus, j'existe. (p. 49)

Au coeur de cette cage ronde qu'est son cerveau, où tous les hasards et toutes les inquiétudes sont rompus, le poète reconnaît douloureusement le mensonge de ses échafaudages intellectuels, «science vaine» (p. 72). On croirait entendre les paroles mêmes d'un Saint-Denys Garneau qui se désolait de voir sa poésie s'abstraire de plus en plus... Ce point neutre qu'évoque ici Hertel, c'est littéralement la mort du poète, la mort de celui qui sait reconnaître à travers les mots «la noblesse du fumier» ou ce qui «croupit dans l'inconscient», et que la pratique poétique parvient à démêler et à exprimer avec angoisse, gémissement et beauté. C'est que le relatif «gît impénétrable au coeur de l'Absolu» (p. 62). Les platoniciens négligent en fait ce qu'il y a de plus valable au fond d'eux-mêmes; ils ressemblent à ce pauvre homme sans talent «qui couche avec un Dieu et qui [...] n'est pas digne de franchir les contreforts du Parnasse» (p. 50). Le poète véritable est au contraire celui qui «enfante» en une «bousculade de voyelles et de consonnes», celui qui, «pirate des mots» (p. 173), «tremble» et «explose» à l'angoisse du Divin qui le mord et le déchire. Et ce n'est qu'après s'être tuée à d'épuisantes recherches que l'âme lumineuse «domine toutes choses dans la fixité somptueuse de l'Idée» (p. 52). Les idées pures, même si elles ne sont exprimées qu'à demi, sont certes celles qui se tiennent «droites» (p. 55), mais l'inconscient,

> Cette ardeur à jeter sur la feuille affolée
> Le résidu noirâtre de mes épouvantes (p. 72),

c'est vraiment cet inconscient, depuis qu'il a senti que «le cosmos est un grain si simple et si constant» (p. 165), qui devient le puits inépuisable et parfois salutaire du véritable poète que fut Hertel:

> L'automatique main me guide vers l'abîme
> Où sombre mon tourment d'être seul et de taire
> La fulgurante soif d'infini qui m'opprime.
> Ce bain d'incohérence et d'amertume apprises,
> Où se prolonge-t-il, et pourquoi m'acharner
> À dénouer le rythme qu'a mis en moi la mer? (p. 72)

Sitôt que la mystique astrologique ou chrétienne fait ainsi la part entre le but poursuivi et le chemin à parcourir pour y arriver, c'est le chemin qui prend le plus d'importance, c'est le mouvement de la quête qui devient prépondérant. Cela nous semble normal puisque c'est d'un itinéraire que rend compte tout mouvement de lecture et, par le fait même, a fortiori, tout acte d'écriture. Cependant,

> Les étoiles, une à une, sont tombées au gouffre vertical
> Et mon front s'est éteint.

> Parce que je n'étais point mort et que la vie coulait en moi
> avec le sang du cerveau. (p. 61)

Lorsque le ciel retombe sur terre — cela pourrait correspondre à la perte de la foi chez Hertel —, lorsque la voûte céleste s'éteint aux yeux du cerveau tout-puissant, le rêveur retrouve sa solitude et ses épouvantes. C'est alors que les cieux n'ont plus de voix et que l'horizon se tait (p. 133). Puisque l'univers nous domine et que «son mystère lasse» (p. 166), l'homme n'étant qu'un «vaste océan de solitude» (p. 75), ce sera désormais dans l'élément marin que le poète trouvera refuge et compensation au désastre stellaire, au lourd silence qui le confond et l'écrase. Le volontarisme orgueilleux de Hertel se manifestera encore une fois, non plus pour dominer le ciel, mais, en un même acte de fuite de la terre, pour explorer les profondeurs marines. Dès lors, il n'a plus à attendre du ciel qu'une «belle pluie, en averse», qui viendra «transpercer le sol» (p. 178), inonder les plaines et dessiner des rivages d'où l'on puisse rêver de partir:

> Je me sentais trop sec pour vivre cette vie,
> Je rêvais d'une ondine au cadavre lacté... (p. 135)

Ailleurs, avec plus d'ardeur, le poète s'écrie: «La mer est devant moi. Et je tremble. Je n'ai qu'à vouloir» (p. 58).

> Plongeons vers l'infini où les mers se dérobent,
> Cherchons à transformer cette vague en rumeur! (p. 142)

Ou encore, en une sorte de transe dominatrice: «La mer est mon domaine et j'y règne en folie» (p. 138). Cependant, une fois de plus, ce lieu marin se caractérisera, d'une part, par sa surface liquide qui permettra de voguer librement ou de dériver irréductiblement et, d'autre part, par ses profondeurs nocturnes dans lesquelles on peut plonger, se noyer, se suicider... «Je voudrais me vautrer lâchement sur le dos» (p. 134). Toutefois, ce glissement horizontal et sensuel sur l'eau s'avère presque toujours angoissant et funeste:

> Quelle obscure hypothèse et quel flot d'amertume
> Se déchaînent en moi quand je vogue sur l'eau! (p. 130)

Toute flottaison remue des eaux qui nous habitent. La crainte justifiée d'une dérive absurde et incontrôlable ne sera pas pour autant écartée par le simple fait que le rêveur décide de ne pas lever l'ancre, de rester sur les rives et de jouer lâchement à l'aveugle et au sourd:

> Trop navrante est ma peine au seuil de la verdure
> L'enfer de mes effrois fera peur aux oiseaux. (p. 134)

Mais, et le changement de perspective est d'importance,

> L'univers est opaque et nos yeux sont crevés.
> Le seul leurre admissible est celui des noyés .(p. 165)

Pour échapper de façon efficace et durable à la mauvaise conscience qui risque de s'emparer de celui qui n'a plus qu'à se réfugier au fond des eaux, le poète devra alors provoquer ses propres naufrages, rechercher pour s'y écraser des récifs qui ne pardonnent pas, réussir surtout, «en euphorie», son «gai naufrage» (p. 138) et jouer de tout lui-même au plus haut niveau possible de conscience:

> Joie de l'isolement bref [...].
> Compréhension du sous-marin, amour de la torpille,
> De se sentir glisser entre la mer
> Comme une anguille intelligente. (p. 85)

Et encore :

> Qu'une joie, une seule, ondulante rivière,
> Rende à l'esprit joueur le riant goût du jeu![9] (p. 133)

Les poèmes «Aux rives de la Seine» et «Sous les fleuves» illustrent admirablement (et expliquent trop, hélas!) cette dialectique qui s'opère entre «les berges rondes» où le coeur se meurt et le rêve narcissique et maternel — se confier «au pur miroir des eaux» ou «à ce sein qui se bombe», ose avouer le poète (p. 136) — qui invite à tous les plongeons en ce serpent pur qu'est par exemple la Seine, lieu privilégié ici du rêve qui lui est dû :

> Mon coeur est sablonneux comme une plage d'or.
> Ah! Que n'ai-je oublié cette chimère absente,
> Que ne suis-je noyé comme un enfant qui dort?
>
> Quand on n'a plus d'ardeur à l'âme dévastée,
> Qu'on n'ose plus tourner son regard vers les cieux,
> La dérive est en proue et la mort délestée...
> La cendre du passé bouche les trous des yeux.
> [...]

La mort au coin de l'île, ô douceur unanime,
Me chante son appel et m'invite aux plongeons. (p. 133)

Fixation narcissique, nostalgie du sein maternel, suicide symbolique, c'est tout cela à la fois, et un psychanalyste aurait beau jeu à vouloir systématiser ces complexes affectifs où viennent se nouer des délires religieux, des projections érotiques, des remous culturels, etc.

Mais cette extase est vaine et la rive nous guette;
Il faudra remonter vers son état civil. (p. 139)

Chez ce poète qui se vante avec raison de son haut niveau de lucidité, la mer est parfois paradoxalement le lieu où s'inaugure son «gel»: le noyé en effet ne va pas toujours à l'eau qui «désaltère» (p. 136); hanté par un étrange sentiment de culpabilité, il se voit comme un damné de la terre qui espère trouver à la mer une purification totale, de manière à devenir «noyé transparent» (p. 139), et le gel qui s'instaure dans ces circonstances devient le pendant d'une recherche de sommeil, si ce n'est de la mort, mais non sans que le poète exilé n'ait du moins laissé échapper ses dernières paroles dans un cri de rage qui lui serre la gorge :

Soyons le fouet impitoyable emporté par une main sans but
Vers des itinéraires sans pardons.
Claquez donc, fouet de ma vengeance,
Et meurtrissez-moi, haire de ma haine !
Cette humanité tant de fois maudite.... (p. 101)

Ce qui fait chaud au coeur, par contre, c'est d'aimer, et voilà que pendant trente années cet «idiot sublime» s'est efforcé pitoyablement à être humble, chaste, juste; s'est épuisé à se donner au monde, à être bon et à «croire aux êtres avec application, malgré ses poussées de haine et ses goûts de mépris», et voilà que cette vocation à l'amour s'est vue trahie par tout ce sur quoi elle se projetait, enfants, hommes, femmes et même Dieu, voilà qu'ils l'ont poussé à avoir honte de sa bonté et de sa grandeur d'âme. Ce fut alors l'heure où le malade frileux et abandonné à lui-même se désaffecta le coeur jusqu'à l'en vider de tout son sang :

La glace est en moi-même à demeure,
Mon enfer est glacial. Je me meurs congelé.
J'ai tout perdu ce qu'on peut perdre en cette vie

Et j'attends sans hâte et sans joie
Le jour où je coulerai comme un clou
À pic, au fond des mers[10] [...].

Ce désenchantement et cette passivité ressemblent assez peu au dynamisme que nous avons reconnu jusqu'ici à l'esprit de Hertel. La dérive passive, la rêverie vagabonde et sans objet ont presque toujours été proscrites par ce poète qui ne veut pas se perdre «sur les flots du cosmos» (p. 154) mais plutôt «s'absorber» en son «rêve dément» (p. 153). D'ici à ce que la mort le surprenne, entendons la vraie mort du corps, Hertel veut livrer son dernier message, crier son mépris, «demeurer jeune odieusement», s'éparpiller de mille façons, crouler comme une colonne, s'écrouler comme un mur. C'en est fini en effet du temps où il avait peur de «lâcher» et de «flancher», où il voulait «le don total, la nue vision et l'étreinte de l'Idée solide», «l'austère joie, le fruit acide et l'amour sans phrase» (pp. 63-64). Berthelot Brunet ne pourrait plus écrire ironiquement que Hertel n'est révolutionnaire que dans ses «lectures». L'heure est enfin venue de s'«enfermer dans le mépris» et de «cracher, en passant, sans regarder», comme un dur, un surhomme dont le coeur est en acier et le crâne d'airain. On croirait entendre Alain Grandbois qui, un moment, «refuse l'émouvante évasion / D'une aube libératrice» et, «plus dur / Que tout l'acier du monde», s'enferme dans son silence belliqueux[11]. Plus bavard, Hertel constate :

Je n'ai donc plus ni corps, ni âme, mais cet oeil seulement
Qui contemple sereinement l'humanité.
Cet oeil sceptique et ce rire cruel,
Cet esprit et cette mâchoire.
Placidement, je plonge dans un creuset de quintessence,
Je pèse les axiomes, et je ris dans ma barbe de fils de fer
De ceux qui se croient en possession de toute vérité.
Il n'y a plus rien.
[...]
La surface des lacs est congelée.
[...]
Tous les êtres abolis, me voici seul au monde.

Je me raréfie moi-même.
Être me suffit. Je suis. Froidement. Comme un glaçon,
Je me meurs congelé.
On a fini par apprendre à maudire [...] (pp. 80-83)

Ce durcissement implacable n'est pourtant qu'une pose théâtrale que Hertel peut difficilement endosser; autant le gel lui est insupportable, autant il ne peut parvenir à oblitérer la réalité grouillante dans laquelle il se trouve plongé. Ce dont il aura besoin, irrémédiablement seul maintenant, ce sera de se sentir brûler dans l'eau, de se voir lumineux au sein d'une nuit marine, telle la réalité imaginaire non de la coquille ou du nid (p. 169), mais de la torpille:

Moi donc, noyé sublime, insulte au noir soleil,
Moi, plein de cet éclat.... (p. 136)

Les ailes lumineuses du noyé

L'aventure spirituelle du poète Hertel se résorbe à la fin du compte en un hymne grandiose à la solitude en laquelle seulement il consentirait à se perdre: sa douce et amère solitude, «cette unique dame en blanc», «nette et pure comme une épousée [...] comme un dieu», celle qu'à certains moments cruciaux de la vie «on étreint en un désespoir sec», celle qui toujours nous ramène au centre de soi-même, «centre implacable du monde,/ Oeil d'où l'on avise» et où le «mouvement s'affirme et nous fixe» (pp. 74-75). Cet hymne à la solitude dans lequel, en quelque sorte, l'homme se ramasse, cet hymne ne cache qu'à demi les résonances érotiques de cette poésie d'homme qui ne semble vouloir s'adresser qu'à des hommes, comme si cette quête douloureuse de soi devait être dé-sexuée[12]. Hertel rate sans doute ici son auto-analyse, préférant peut-être volontairement le mensonge lyrique à une vérité qui se découvre avec trop de retard.

Mais qu'importe! C'est en l'âme
Qu'est le vrai scintillement.
Le coeur où vit une flamme
Éclaire le firmament. (p. 178)

C'est alors l'heure où le firmament reprend vie. C'est le moment où le noyé se reconnaît des ailes (p. 139). C'est la résolution des désaccords et la mort, certes, du poète dont le lecteur québécois n'a plus rien à attendre. En cet acte de raréfaction de lui-même, Hertel s'éprouve comme le centre ardent et lumineux du monde périphérique et attend l'instant fulgurant et mensonger de sa pacification: puisque «en bordure du moi, l'univers s'inaugure» (p. 144), «Que la mer me rejoigne et que le ciel me boive» (p. 170). Ce dernier vers synthétise à lui seul tout le paysage herteléen que nous avons tenté de brosser brièvement. Le salut ultime obéit encore une fois à un axe vertical: partagé entre un arrachement pénible du sol vers le monde des constellations d'une part, et une plongée hystérique dans les profondeurs marines d'autre part, Hertel semble aboutir à ce centre de la conscience, sorte de carrefour lumineux et grouillant, trop soumis peut-être aux influences des éléments extérieurs.

Si l'on accepte de suivre les déductions paradoxales et combien justes de G. Bachelard au sujet de ce besoin humain de pénétrer les êtres et les choses, besoin qui serait selon lui «une séduction de l'intuition de la chaleur intime», on serait porté à croire que les recherches obsédantes de Hertel devaient aboutir à cette chaleur originelle, à cette «flamme» intérieure qui scintille, éclaire et dévoile la vraie réalité des choses : au-delà des constellations, Hertel cherchait ainsi à étreindre l'astre d'or à son zénith; au fond des mers, le poète se libérait de sa congélation, se liquéfiait au sein d'une chaleur profonde et s'allumait pour ainsi dire au coeur de la nuit marine.[13]

Nous pourrions ainsi conclure sur cette intuition bachelardienne de *La psychanalyse du feu* ou sur cette autre trouvaille riche de sens de *La poétique de l'espace*, à savoir que «l'immensité du côté de l'intime est une intensité [...], l'intensité d'un être qui se développe dans une vaste perspective d'immensité intime». L'immensité troublante se résolvait chez Hertel en une intensité vitale que savait autant éprouver le poète que le sportif... Le tragique chez Hertel aura-t-il consisté à vouloir obstinément euphémiser la nuit et sublimer son propre labeur poétique? Nous croyons que oui.

> Je fus presque un poète et presque un philosophe.
> Je souffrais de trop de presque.
> Je fus presque un homme.
> Je suis presque un mort. (p. 98)

Le dernier mot ne saurait être laissé à ce «presque» mort-vivant. Le cri de l'exilé n'a pas heurté que des oreilles de sourds. Qu'on se rappelle par exemple le témoignage, l'écho ou le procès de ce fragment des *Lettres à l'évadé* de Roland Giguère. Ce dernier, autant que Hertel, a aussi appris à déjouer par le rire et le jeu ses démons délirants :

> Les gens d'ici sont très malheureux, même quand ils rient aux éclats [...] tous occupés à autre chose... CARAPACE ici veut tout dire [...] et solitude surtout; la vie ici serait intenable si l'on ne possédait le pouvoir d'être absent.

Ce privilège dont jouit quiconque répond à ce besoin impérieux de planer ou de se transposer en un ailleurs, n'est-ce pas à une ouverture de conscience qu'on le doit. Et l'artiste plus que tout autre, Hertel y inclurait l'athlète, reste celui qui parvient à supporter et à authentifier, disait Mallarmé, notre séjour terrestre, et cela grâce à une fantaisie, à une fiction assumée jusqu'à l'absurde. Hertel le savait très bien: écrire n'est pas seulement une fuite dans un «labeur» assidu; c'est aussi et avant tout une maîtrise sur le planage de ses rêveries, un pouvoir fictif de s'éprouver en son centre, là où la mer pourrait le rejoindre, là où le ciel pourrait le boire...

Notes

1. À part le poème «Les étoiles» dont le texte est reproduit dans l'*Anthologie de la poésie canadienne-française* de Guy Sylvestre (Beauchemin, 1969, p. 200), toutes nos citations des poèmes de Hertel sont extraites de *Poèmes d'hier et d'aujourd'hui (1927-1967)*, réédition revue et augmentée d'*Anthologie (1934-1964)*, Ed. de la Diaspora française, Paris, conjointement avec les Ed. Parti Pris, Montréal. Ces textes poétiques, les seuls qui nous intéressent ici, ont été jugés par leur auteur comme étant les plus valables et dignes d'une relecture. Notre texte date de 1973. Hertel est décédé en 1985 . Le lecteur devra donc faire les ajustements nécessaires.
2. Le texte par excellence qui illustrerait le syncrétisme intellectuel du phénomène culturel que fut Hertel dans nos lettres québécoises, ce serait le 4e chapitre de ses *Divagations sur le langage* : «Introduction à une mystique de la blague» (Éd. de la Diaspora française, Paris, 1969).
3. Publiée dans *Cité libre*, février 1951, citée par J. Blais, «La poésie québécoise au tournant de la guerre (1935-1950)», dans «Les archives des lettres canadiennes», tome IV consacré à *La Poésie canadienne-française*, Fides, 1969, p. 173.
4. «De croyant que je fus, jusque vers la quarantaine, je suis devenu incrédule; mais je ne renie rien de la haute valeur mythologique et poétique du Christianisme.» (Préface aux *Poèmes d'hier et*...)
5. «C'est une possession existentielle des êtres,/ Une vaste métaphysique inconsciente» (p. 91).
6. «Nul homme n'a vraiment vécu qui n'a jamais plané» (p. 86). Dans *Les mondes chimériques*, retenons cette phrase: «La victoire de l'esprit a besoin de vivre de plus en plus haut. Elle n'a qu'une chance de sauver l'instant qui se perdrait : elle doit planer...» (Éd. B. Valiquette, Montréal, 1940, p. 91).
7. Des titres de poèmes comme «Axe et parallaxe» ne devraient pas nous surprendre. Heureux l'auteur, dira-t-il d'ailleurs, «qui peut contenir en la forme pleine sa pensée ronde comme une orange [connotation solaire]. Heureux celui qui ne diminue point en s'inscrivant dans le cercle géométrique». Réminiscence mallarméenne, peut-être? Nous savons que Hertel abandonnera pour un temps les formes fixes traditionnelles et les contraintes des règles métriques parce que, «fluet et maigre», il aura besoin de toutes les libertés pour livrer le «petit message» de sa

conscience. De plus en plus bavard, il ne voudra plus «se taire savamment» (p. 53).

8. Cité par G. Sylvestre (*Anthologie...*, p. 201). Dans *Poèmes d'hier et ...*, le poème porte le titre «Soir d'automne» et son dernier tercet se lit comme suit, vidant le mot «rêve» de toute connotation et fermant le sonnet sur le thème banal du sommeil :

   Le sommeil s'est levé; il a brandi son glaive:
   Mes songes vont mourir et laisser place au rêve.
   Béni soit ce trépas sans haine et sans amour! (p. 114)

9. Dans un magnifique poème sur Paris, Hertel reste encore fidèle à ses éléments de rêveries:

   Dans cet immense voyage qu'est la vie en toi,
   Je nage émerveillé entre les eaux obscures
   Du fleuve de ma vie (p. 105).

   Ceux qui ne sont pas prêts à se noyer dans les «entrailles spirituelles» du monde qu'est Paris (p. 43) risquent d'y mourir congelés parce qu'elle est souvent «froide à l'âme» (p. 105). Paris est en effet «polaire, parce qu'elle polarise». Et Hertel raconte s'y être perdu avec joie parce que son heure était venue. Dans «Le chant de l'exilé», le poète avouera cependant avoir perdu un moment tout son sang sur des routes de feu : «La glace est en moi-même à demeure,/ Mon enfer est glacial. Je me meurs congelé.» Il lui aura fallu apprendre à fondre...

10. «Et tout l'être coulant comme un clou dans le lac» (p. 84).
    «Qui coule comme un canif et qui roule comme une grosse masse giratoire» (p. 86).

11. Le poème «Libération» de *Rivages de l'homme*.

12. Tout le poème «Jeux de mer et de soleil» mériterait une lecture attentive et projetterait bien des lumières sur l'univers des rêveries sexuelles de la génération de Hertel.

    Femme à l'algue mêlée, à mon flanc, ce plaisir.
    Le rythme de la mer est le rythme du monde;
    L'amour est une vague et l'homme est un récif
    Où se heurte l'élan de l'intellect immonde
    Qui transforme en tourment un pur geste lascif. (p. 143)

13. Il serait intéressant de poursuivre ce paradoxe en rappelant la conception que se fait Roland Giguère de l'acte pictural : «Le peintre fait aujourd'hui un travail de scaphandrier. Il descend.» Le vrai peintre est en effet un «plongeur» qui ramène à la surface «l'éclat d'une nuit soudainement

devenue blanche» (*Place publique*, février 1951, cité par M. Saint-Pierre dans un article intitulé «Noir sur blanc» du numéro spécial de *La barre du jour* consacré à Giguère, p. 100). Dans ce même article, Saint-Pierre cite encore Giguère qui définit le peintre et le poète comme étant ceux qui découvrent «les racines de l'obscur» et qui atteignent «le noyau de vie».

Va-et-vient et circularité de la rêverie chez Jean-Aubert Loranger

J'ai fait mes études à une époque où «l'achat chez nous» subissait une éclipse. Nous étions tous tournés vers les U.S.A. La culture, pour moi, c'était Frank Sinatra, Fred Astair, Nelson Eddy, Charlie McCarthey, les comic strips, Hollywood, le Reader's Digest, etc. Les valeurs de culture, en tout cas, ne résidaient pas ici. Plus tard, j'aurais pu lire Nelligan; j'entendis en effet parler d'un poète québécois, auteur d'un sonnet, le «Bateau ivre»; mais je découvrais le vrai Rimbaud, puis Nerval, Breton, Éluard. Il y a maintenant, et surtout en littérature, depuis 1963, une nouvelle crise de «l'achat chez nous», et, par voie de conséquences, surenchère des valeurs et des choses dites «d'ici». De là peut être l'importance que l'on attribue actuellement à Nelligan. Quant à moi, je n'ai vraiment pas l'intention de commencer aujourd'hui à lire son oeuvre...[1]

Jacques Godbout

Ce témoignage de l'écrivain Jacques Godbout à propos de l'oeuvre hypostasiée de Nelligan pourrait être endossé par bon nombre de ses contemporains pour qui la valorisation de ce qui est production typiquement québécoise relevait d'une problématique arbitraire et restait tributaire d'une vie culturelle à la recherche d'elle-même. La génération d'écrivains et de critiques des années 50 ne jurait que par la France. Celle des années 60 était plutôt imbibée par la marée sourde des U.S.A. Et que dire de notre génération! Le problème reste ouvert et il vaut mieux laisser aux historiens et aux soi-disant sociologues de la littérature le soin de démêler ce qui est à proprement parler d'ici ou d'ailleurs. Nous proposons dans les pages qui vont suivre une lecture synchronique des textes de Jean-Aubert Loranger. Ces textes n'étaient-ils pas tombés dans l'oubli depuis une cinquantaine d'années, à défaut d'une réédition, à défaut de lecteurs, à défaut peut-être aussi d'une vie et d'un destin aussi exemplaires que ceux de Nelligan. Il aura sans doute manqué à Loranger d'être mort, comme le dit si bien Claude Péloquin, «en plein centre de la poésie[2]». Sortir les textes de Loranger de l'oubli, c'est à coup sûr tomber en plein arbitraire. Pourquoi ceux-ci plutôt que ceux d'A. de Bussières par exemple? D'autres que nous se sont déjà occupés à revaloriser l'oeuvre poétique de l'auteur des *Atmosphères*, notamment Gilles Marcotte qui en a vanté la «modernité», et aussi Bernadette Guilmette dans une thèse non publiée : *Le voyage intérieur de Jean-Aubert Loranger.*

De ce poète de la nuit et de l'attente, du «grand désir effondré», nous aimerions proposer une lecture naïve, un peu comme celle que proposait Gaston Bachelard à propos de tout écrivain à l'écoute de ses rêveries profondes : «tout chez lui est rivière, dira Gilles Marcotte, chemin, fleuve, impérieux besoin de partir, de changer, de commencer (...). Puisque le départ est impossible (...) il faudra lui faire place ici, dans l'immobilité du quotidien, découvrir la mer au bout du jardin, déployer l'immensité dans l'espace clos[3]». C'est ce monde clos de l'intimité qui nous intéressera dans les lignes qui vont suivre. Comment un écrivain des années 1920-1940 arriva-t-il à circonscrire une intimité aussi limpide et aussi originale que la sienne, alors que ses contemporains de l'École littéraire de Montréal — exception faite de A. DesRochers — s'évertuaient à parler de tout et de rien, sauf d'eux-mêmes et de la lourdeur du quotidien? Douleur lucide, solitude étouffante sans être affolante, tout chez Loranger rêve de la «partance définitive» à l'intérieur du cercle bien dessiné de la lampe et du silence :

Le kiosque est rond,
Il est allumé
Par le milieu, et la nuit
D'autour colle aux vitres
Comme une noirceur de suie.

Et j'écris dans le kiosque,
Lanterne géante
Qui aurait beaucoup fumé.
—Parqué en mon rêve,
Je suis bordé de silence.[4]

Comme le dirait Jean-Pierre Richard, la critique nous paraît relever de l'ordre d'un parcours, non d'un regard ou d'une station. D'où la perspective psychologique de notre lecture. Notre intention n'est pas de faire voir si les textes de Loranger sont réussis ou non, riches ou pauvres. Que le lecteur reconnaisse et sache apprécier une rêverie vraie, cohérente et honnête, alors notre tâche n'aura pas été vaine. Signalons tout de suite que la thématique que nous avons réussi à circonscrire n'est pas uniquement une construction de sens déterminée par notre (despotique) discours critique. Notre analyse suit de très près la succession des textes de Loranger et l'échafaudage critique qui en est résulté obéit à la cohérence même du discours poétique, et s'en trouve par le fait même validé.

La traversée et la marche

Le recueil *Les atmosphères*, publié en 1920, se compose de trois parties: six courts textes de prose poétique, *Signets*, encadrés par deux contes : *Le passeur* et *Le vagabond.*

Du *Passeur*[5], conte très riche par ailleurs de fines allusions psychologiques et d'intéressants procédés narratifs, nous ne retiendrons que 1. la description topographique de l'espace ou lieu narratif, et 2. ce mouvement si caractéristique chez Loranger, qui servira à définir: a) un métier, celui de «passeur»; b) une situation dramatique, celle de l'emprise soudaine de la vieillesse chez un homme simple et vigoureux; et c) un mode de rêverie, c'est-à-dire la prédominance de l'horizontalité, et plus tard de la circularité.

La description topographique du *Passeur* est fort simple et très précise : une rivière sépare deux rives; elle coule entre un village (rive basse) et une cabane de passeur qui se trouve de l'autre côté (rive escarpée). Cette rivière coule ainsi entre deux quais. Une seule rue traverse le village : elle se continue de l'autre côté de la rivière à travers un bois qui barre l'horizon; la barque ou le traversier du passeur sert de «trait d'union mobile des deux rives». D'un côté comme de l'autre de cette rivière, l'espace est fortement circonscrit: les horizons sont limités, comme bouchés. D'une part, le village avec ses maisons, son église, son moulin, ses cheminées d'usine[6]; et d'autre part, au fond d'une «grande plaine avec des moissons», un bois barre l'horizon; mais ce bois n'est pas impénétrable puisqu'il y a une route qui semble le traverser, sinon qui prendrait la peine de traverser la rivière? Rien n'est donné sur cet au-delà du bois : il semble tout de même justifier les déplacements et les fonctions des acteurs... Le narrateur précise même que la route vient du bois.

Cette localisation de la rêverie caractérise d'emblée un paysage conforme, nous allons le voir, à l'imaginaire de Loranger. Notons pour le moment qu'il ne s'agit pas d'une ville mais d'un petit village paisible et sans histoire; au lieu d'une forêt redoutable et impénétrable, le narrateur évoque l'existence d'un bois traversé d'une route; au lac, il préfère le mouvement tranquille d'une rivière. L'univers de Loranger est déjà un monde habité, doux, non hostile, sédentaire, silencieux et routinier... C'est aussi celui du conte intitulé *Le vagabond*[7], où un quêteux va de village en village pour quémander de quoi subsister. Et ce sera encore le monde du terroir qu'évoqueront les contes et nouvelles du *Village*, publiés en 1925 et sous-titrés : *À la recherche du régionalisme*. Même contexte villageois dans cette sorte de farce rustique qu'est *L'orage*, dans le même recueil. Loranger obéit ainsi aux préceptes des membres de l'École littéraire de Montréal de l'époque. Même tendance dans les récits mieux réussis, réunis dans les *Écrits du Canada français*, et dont la date de publication remonte aux années 1937-1939.

Mais ce ne sont pas des considérations historiques autour de l'école littéraire du terroir qui nous intéressent surtout. Nous voudrions plutôt insister sur une permanence de la rêverie de Loranger. Cette rapide description topographique (géométrique) qui ouvre le *Passeur* nous amène à considérer un phénomène beaucoup plus large et beaucoup plus significatif. Il s'agit d'un mouvement bien caractéristique de l'imagination de Loranger, celui du va-et-vient.

Ce mouvement d'aller-retour définit un métier et un type de comportement psychologique. Le va-et-vient caractérise bien sûr le métier même du passeur, lui dont la fonction est inséparable de son instrument de travail, sa chaloupe, définie par «son va-et-vient de trait d'union mobile des deux rives». Bien plus, le passeur fait corps avec sa chaloupe et les passages du texte abondent où les rames sont comme la prolongation naturelle des bras. C'est alors que ce mouvement de va-et-vient du passeur (et des villageois) arrive aussi, par homologie, à définir la situation dramatique dans laquelle il se trouvera brutalement plongé, à savoir la prise de conscience de l'usure irrémédiable de son corps (bras, reins) qui n'arrive plus à remplir sa fonction et qui le voue à l'inactivité.

La paralysie du passeur oblige en effet ce dernier à rêver à l'intérieur d'un espace encore plus réduit que celui que lui imposait son métier. Aux horizons bouchés du paysage et à l'itinéraire coutumier de la traversée correspondra le lieu restreint qu'imposera l'«ankylose» du vieillard: ce dernier est ainsi contraint d'aller de sa chaise au lit et du lit à sa chaise, les deux nouvelles bornes de ses déplacements physiques. Autour du vieillard quasi immobile et miné par l'ennui viennent alors tourner les journées et les saisons. Ce mouvement prend ainsi deux aspects selon qu'il s'agit de l'espace ou du temps. D'une rive à l'autre ou du lit à la chaise, l'aller-retour est toujours rêvé et vécu sur le plan de l'horizontalité. La verticalité ne sera évoquée qu'à l'occasion de la noyade du passeur, descente verticale et fatale aux fonds des eaux. Si l'on met à part cette caractéristique (verticalité) de la rêverie qui se confirmera aussi ailleurs, comme nous le verrons, il est justifiable de ranger Loranger parmi les rêveurs du type de Saint-Denys Garneau plutôt que du type des Nelligan ou des François Hertel sans cesse tiraillés par le haut et par le bas.

Chez Loranger, l'horizontalité domine et entraînera par voie de conséquence un tiraillement particulier du dedans et du dehors : la tension s'installe entre l'ici et l'ailleurs, entre l'immobilité et la marche par exemple, jamais entre ciel et terre. La rêverie de Loranger est donc bien peu théologique, et il est très important de le souligner et de se le rappeler si l'on ne veut pas la réduire à ce que la critique a trop souvent tendance à faire quand elle cherche à tout prix à reconnaître chez un écrivain quelconque les indices d'une rêverie d'époque ou d'une collectivité. Bref, ce mouvement de va-et-vient est horizontal quand il est question de l'espace et cyclique quand il sera question du temps, autour d'un point fixe, autour non de la mort mais d'une ankylose comme la veillesse, la paralysie, l'hiver, etc. Sans entrer dans les détails des variations de la rêverie du mouvement chez Loranger, en faisant intervenir par exemple le mouvement caractéristique du rameur assis (la rotation des bras... puis le glissement sur les eaux ou le même geste comme repoussoir de la mort), les quelques remarques qui précèdent au sujet du mouvement de va-et-vient obsédant d'un personnage nous introduisent à ce qu'il faudra bien considérer comme un mode d'être du rêveur/narrateur lui-même dans sa relation d'objet et sa relation d'autrui.[8]

Si l'on examine ensuite le conte intitulé *Le vagabond* et que l'on s'intéresse au personnage que le narrateur observe et à la signification que cette figure prend par rapport à l'imaginaire de Loranger, on constate que l'on ne retrouve plus ce mouvement de va-et-vient comme dans *Le passeur* ou, plus tard, dans *Le retour de l'enfant prodigue*. Il y a plutôt un simple mouvement vers l'avant, une marche qui va d'un village hostile au village suivant afin de venger une humiliation. En fait, si l'on s'en tient au mouvement seulement, le conte peut se diviser en deux parties : a) mouvement vers l'avant, b) attente immobile. Marcher, cela est dit explicitement, c'est se fatiguer, épuiser en soi, «par distance», l'énergie nécessaire à la réalisation d'un projet de vengeance ou de révolte. En réalité, la marche va au contraire exagérer et amplifier le besoin de voler (double sens) quelqu'un au village suivant. La marche a donc un équivalent psychologique identique à la situation d'immobilité ou d'attente qui caractérise la deuxième partie du conte. En effet, que le vagabond marche ou qu'il soit en situation d'attente, l'intensité de sa rêverie s'accroît considérablement, le désir d'une débâcle et d'un départ possible...

Le vagabond va alors se faufiler sournoisement dans la cour d'une maison un peu à l'écart des autres. Et là, il attend la nuit : au fur et à mesure que la nuit s'épaissit, son attente devient «fiévreuse» et il prend peur devant le «trop plein de force» qu'il éprouve, devant cette «poussée fiévreuse qui donnait à ses mains une envie d'étranglement».

Dans le deuxième poème des *Signets*, *Les hommes qui passent*, le narrateur se met aussi en situation d'attente et, témoin passif, il constate que «la rue existe»; elle est en effet progressivement envahie par le bruit des tambours et le rythme des passants. À mesure que le bruit se rapproche et s'amplifie, le narrateur éprouve que la rue «se concentre et se retrouve», qu'elle «s'accorde» au rythme des pas et des tambours, qu'elle «se pénètre» et acquiert ainsi un mode d'existence. Même phénomène ici dans le *Vagabond*, mais avec plus de violence et d'angoisse. Le narrateur raconte que le vagabond souffre de son attente prolongée pendant laquelle la nuit l'envahit et l'oblige à se concentrer et à se retrouver (tel qu'en lui-même) : «La nuit en s'épaississant lui devenait intérieure». «Il se mit à craindre cette nuit qu'il allait devenir.»

Les poèmes de *Signets* ne sont rien d'autre que la reprise thématique, en sourdine ou en mineur, de ce que révèle avec beaucoup d'intensité la marche puis l'attente immobile du vagabond[9]. Il faudrait longuement commenter *Je regarde dehors par la fenêtre* et surtout *Je marche la nuit dans la rue* où se retrouve explicitement évoquée la figure du voyageur, de l'étranger, du vagabond :

> Je marche la nuit dans la rue, comme en un corridor, le long des portes closes, aux façades des maisons.
>
> Mon coeur est dévasté comme un corridor, où il y a beaucoup de portes, beaucoup de portes, des portes closes.[10]

Remarquons aussi que, dans *Des gens sur un banc*[11], Loranger ne commente qu'un seul mouvement, celui du va-et-vient des yeux des voyageurs en attente du train dans une gare : leurs yeux vont du tableau horaire à leur valise, en silence; assis, immobiles, dans «une même vie d'attente, ils ne sont rien qu'unanimes».

Avec *L'hiver soudain*[12], quatrième texte des *Signets*, nous retrouvons les mêmes thèmes de l'engourdissement, de la paralysie et de la rêverie sur place que dans *Le passeur*. Le passeur subissait en effet l'hiver comme un arrêt de la vie : la rivière gelée, il s'enfermait immobile dans sa maison; il hibernait. Dans le présent poème, l'hiver n'évoque pas que l'ennui et la congélation. Il est certes question du «port en deuil», silencieux, déserté par les bateaux sur une eau qui s'épaissit puis se fige. Toutefois, si l'hiver symbolise l'arrêt et le gel, il est surtout un stimulant positif de rêverie. Nous entrons ici en pleine intimité. Décembre n'est pas un temps mais un lieu : «Voici décembre par où se fait la fin de l'illusion qu'il y avait en moi d'une possibilité de partir». Dans la glace, immobile, le narrateur s'abandonne à la fin d'une illusion, se résigne à toute possibilité de départ qui le faisait vivre quand le port était en activité.

L'attente

Comparée à celle de Nelligan, la rêverie de Loranger paraît bien passive et quelque peu terne. C'est que Loranger prend l'attitude par excellence d'un narrateur, d'un témoin qui raconte et fait voir «ce grand sillage que l'hiver garde matérialisé», donnant une sorte de permanence congelée à un désir de départ rendu impossible. Nous remarquions plus haut que la figure du passeur se définissait dans son mouvement de va-et-vient horizontal. La paralysie physique ou l'ennui hivernal (la paralysie, la vieillesse et l'ennui sont à l'hiver et à la glace ce que la vitalité, la jeunesse et le travail sont à l'été, l'eau libre et mouvante) se caractérisait par un mouvement cyclique du temps et de la rêverie, comme chez la petite Yolande, la petite infirme des *Miraculeuses matines*[13]. La rêverie poétique arrivera ainsi à se définir pour Loranger comme une tristesse qui se recueille sur elle-même, qui se ferme, telle celle des «veilleurs de feux établis sur les cimes» de *Terra Nova*[14]. Le va-et-vient est ainsi à la dérive, ce que l'inaction est au cercle, et plus matériellement, comme nous le verrons, aux objets ronds et/ou creux. Donc, double localisation du narrateur chez Loranger, deux situations antithétiques bien propres à caractériser l'ambivalence de la rêverie : l'attitude de l'observateur passif d'une part, comme nous venons de le voir, et d'autre part, l'attitude active du narrateur qui se déplace lui-même au milieu d'un monde figé et étranger. Quand il se tient immobile, le narrateur observe les gens dans la rue et tout semble alors s'animer, l'observateur n'ayant plus qu'à commenter ce qui vit devant lui.

Passeur ou vagabond, narrateur immobile ou en marche, la rêverie s'éprouve toujours en situation d'attente, rêverie autour d'un noeud de conscience, jusqu'à ce que le désir s'amplifie, jusqu'à ce que la débâcle devienne imminente et fasse peur tout à coup, provoque un mouvement de recul, un renoncement à un désir trop grand... mais avec l'espoir de le reprendre puisqu'il le fait exister (comme la rue, la vie), puisque ce désir le place dans un mode d'être qui est son unique raison d'écrire et de vivre. Au coeur de cette rêverie qui tourne en rond, le rêveur se concentre et se retrouve en un aller-retour continu. Et comme les grandes cheminées du port du cinquième poème des *Signets*, il se mire dans l'eau qui mire...

Les désirs du voyage impossible

Le deuxième recueil de textes que Loranger publia en 1922 s'intitule tout simplement *Poèmes*. Il se compose aussi de trois parties : *Préliminaires et Marines*, *Moments* (Haïkas et Outas), et *Le retour de l'enfant prodigue*. La partie centrale est constituée de très courts poèmes qui rappellent une certaine technique orientale de composition et d'inspiration; les vers ne comptent pas plus de sept syllabes et l'allure d'ensemble de chacun des textes annonce déjà l'aspect squelettique des *Songes en équilibre* que publiera Anne Hébert en 1944.

Abstraction faite des procédés de composition, qui sont par ailleurs très révolutionnaires pour l'époque au Québec, Berthelot Brunet faisait remarquer en 1922 que c'est tout le recueil qui aurait dû porter le titre : *Le retour de l'enfant prodigue*.

> La mélancolie du départ, l'inutilité du voyage, les tristesses de la route, tout cela revient comme un leitmotiv.
> Loranger a la hantise d'un départ définitif, il se décide à l'aumône de la clarté des lampes familiales dans la maison paisible, et il revient les yeux aveuglés de n'avoir vu que le noir et le vide. Après tant d'*Invitation au voyage*, après tant de *Brises marines*, il écrit une *Invitation au retour* [...].[15]

Étudions d'abord la première partie du recueil, les poèmes réunis sous le titre : *Marines*. Avec *Ébauche d'un départ définitif*, nous entrons d'emblée dans la rêverie qui suit la débâcle printanière. Et les images du *Passeur* viennent quasi spontanément sous la plume de Loranger :

> Le fleuve pousse à la mer
> L'épaisse couche de glace
> D'un long hiver engourdi,

Tel, avivé, repousse à
Ses pieds, le convalescent
Des draps habités d'angoisse.[16]

Remarquez que le narrateur n'est pas face à la mer. Il est face au fleuve (rivière), sur le quai d'un port. Le mouvement d'aller-retour s'accorde ici au mouvement de flux-reflux de la mer. Encore une fois, la marée n'est pas évoquée comme étant haute ou basse; fidèle à une rêverie qui privilégie l'horizontalité, Loranger parlera du flux et du reflux de la mer dans le fleuve. Au reflux libérateur de la glace que le fleuve pousse vers la mer répondra le flux familier de

L'ancienne peine inutile
D'un grand désir d'évasion.[17]

Ce grand désir inutile ne fait qu'amplifier les distances, élargir l'espace devant..., confirmer et faire revivre une fois de plus la «forme mobile» du large (ou du vide intérieur). Malgré son refus catégorique de n'être qu'un «désemparé», il reste que sa rêverie se vit, clouée sur place : de ce point fixe, il contemple le (son) vide, en «mesure la distance» et refait «l'inverse de la jetée», revient à l'espace étroit de sa chambre, lieu de la conscience de l'immobilité des choses, lieu solitaire et vide de l'écriture.

Rappelons-nous la fin du *Passeur* : «les bras d'un moulin battaient l'air» (circularité); la barque du vieux passeur épuisé voguait entre les deux rives de la rivière, au gré du vent et du courant; puis la chaloupe se «retourne» (se renverse) pour ne laisser voir à la surface de l'eau que les «anneaux» du plongeon (de la noyade), circulaires[18]. La dernière strophe du poème est constituée des mêmes éléments, sauf que les «anneaux» deviennent ici le point de départ et que les rives vont s'élargir à la hauteur du golfe jusqu'à la mer... quand les anneaux vont lâcher prise :

Les câbles tiennent encore
Aux anneaux de fer des quais [...]
Je partirai moi aussi.
J'enregistrerai sur le fleuve
La décision d'un tel sillage,
Qu'il faudra bien, le golfe atteint,
Que la parallèle des rives

S'ouvre comme deux grands bras,
Pour me donner enfin la mer.[19]

Le deuxième poème, intitulé *Le port*[20], ramène impitoyablement la rêverie au rivage, ou plutôt, la rêverie revient sur elle-même, à son point de départ, sur les quais. Au lieu d'évoquer un départ hypothétique dans un futur indéterminé, le narrateur s'attarde plutôt au passé. Il relate mélancoliquement un souvenir :

Pourtant, je me souviens encore
De ce petit port au couchant,
Où mon rêve a voulu se plaire.

Cependant, cette complaisance dans la construction de son rêve («Pourtant...») ou cette projection du rêve sur l'écran d'un petit port ancien nous paraissent drôlement ambivalentes, sinon décadentes. Il n'y a qu'à retenir les éléments de description de ce lieu où, dit-il, il faisait bon rêver : a) des filets étaient tendus sur les quais et dans les mâtures; ils «vieillissaient le fond de la crique comme des toiles d'araignées»; b) des barques étaient alignées le long de la jetée, «Sans casser leur ligne de file/ Pareille à un membre transi/Trop engourdi pour se détendre»; c) au lieu de s'attarder à une description éventuelle de marins pittoresques, Loranger s'attarde plutôt à évoquer une attitude d'esprit, «le meilleur d'eux-mêmes» que berce lentement le doux roulement des misaines, ce qui n'empêche pas le narrateur de sentir le besoin de rappeler, insistant toujours sur le décor un peu malsain de sa rêverie, «les rapaces désirs du gain» que les marins laissent dormir au plus profond des cales jusqu'à la marée haute du lendemain; d) viennent enfin s'ajouter deux annotations sonores et lumineuses : «Le trop-plein des sons alourdis/D'une heure lente et déjà vieille» tombant goutte à goutte du campanile de la ville, et les feux des phares qui s'allument dans le jour faiblissant.

Retenons les filets qui sont comme des toiles d'araignées; l'engourdissement de la ligne des barques; le bercement doux mais trompeur des fonds de cale; le trop-plein des sons alourdis à une heure lente et vieille de la journée; et enfin, le jour faiblissant. Il n'y a en fait que les feux des phares qui ne soient pas évoqués dysphoriquement. Le narrateur ne les décrit pas. Il ne fait que les nommer, constater leur présence. Il dit qu'ils s'allument et on a l'impression qu'ils ne sont que les seuls à jouer un rôle actif dans le décor. Quel rôle ou quelle fonction peuvent bien remplir les phares dans la rêverie de loranger?

Le poème suivant est éclairant à ce propos. Il s'intitule précisément : *Les phares*[21]. Disons tout de suite que les ailes tournantes des moulins du *Passeur* trouvent leur équivalent imaginaire dans les phares, «ces moulins dont tournent les ailes lumineuses dans la nuit». Le moulin connote la présence du vent (ou de l'eau); le phare connote celle de la nuit et ses ailes sont des rayons de lumière sur la mer. Tous deux se caractérisent par leur tournoiement, double symbole dont se sert Loranger pour évoquer : a) le va-et-vient de sa hantise de départ; b) les «tournoiements alternatifs» de sa rêverie au couchant, les soirs de départ : i) un beau rêve qu'il harmonise dans un chant crépusculaire, «Espoir des choses lointaines»; ii) un «beau rêve effrondré», «Extase triste» d'un soir de départ, «Où s'emplit d'ombre un vide immense», «Des distances douloureuses».

Le problème, c'est que l'alternance de la rêverie (va-et-vient ou départ-retour) se vit au même moment, se vit au coeur même de l'écriture qui raconte, et c'est ce qui fait toute la tension de chacun des courts textes de Loranger. La traversée dont rêve Loranger se résoud à une pure traversée scripturale, à une pure traversée qui constitue le texte même de sa rêverie.

> Ô le beau rêve effondré
> Que broient des meules d'angoisse
> Dans les phares...
> ....
> De la plus haute falaise
> Je regarde, dans la nuit
> D'autres phares sabrer l'ombre.

C'est ce que l'on appelle communément le douloureux poétique, c'est-à-dire une tension qui ne se résoud qu'en un désir d'écriture, en un désir solitaire. Dans *Ode*[22], le phare permettra en effet de prendre conscience de la profondeur de la solitude : l'ombre fera surgir en lui «comme le feu d'un projecteur». Et cela est d'autant plus douloureux qu'il sentira parfois le besoin de retrouver le parcours monotone mais sûr du passeur, retrouver le va-et-vient mesurable et contrôlable d'une vie circonscrite entre deux rives : par exemple,

> Je voudrais être passeur;
>   Aller droit ma vie,
> Sans jamais plus de dérive,
>   Soumis à la force
> Égale de mes deux bras.
>
> Je voudrais être passeur;
>   Ne plus fuir la vie.[23]

Ce motif des phares est très important pour Loranger et sera repris en une même structure thématique dans *Moments* :

phare — moulin — ailes lumineuses dans la nuit;
phare — broyeur d'un grand désir effondré;
phare — «attente prolongée» — sabreur d'ombre (de mer).

Autant la mer se confond avec le vide et l'ombre durant la nuit, autant le brouillard se confond paradoxalement avec le plein, l'opaque, l'ombre, en plein jour. C'est ce qu'exprime clairement le troisième texte des *Marines* : *Le brouillard*[24]. Avec ce poème, nous sommes le matin, «ce triste et froid matin» au cours duquel Loranger va essayer de définir le brouillard. Pour lui, le brouillard n'est pas un élément vaporeux, délicat et mouvant. Au contraire, il est solide, il «solidifie l'air», il nous «recouvre, sans issue, en d'oppressantes voûtes froides». La distance perd tout son sens : lorsque l'on quitte le port, on peut mesurer la distance du sillage que laisse le bateau dans sa course vers l'avant. Mais lorsque l'on entre dans le brouillard, la distance que l'on voyait croître «vient sombrer au bout des yeux». La vue est comme bouchée : plus de sillage, plus d'horizon (l'horizon est à portée de la main, et une barque disparaît à portée de voix), plus de ciel puisqu'il devient obscurci et se métamorphose en «voûtes froides»; il ne reste plus que soi ou un navire sur une surface liquide qui nous supporte, en une sorte de «rond-point» vide et neutre, sorte de degré zéro :

Et le bastingage a marqué
Le rond-point qu'assiège en exergue
L'inutile espace insondable.[25]

En ce «rond-point», tout sombre au bout des yeux. Le fond de l'espace nous est interdit, on ne le voit plus, mais «par delà l'opaque brouillard», on peut *entendre* des choses. Et voilà que Loranger reprend sa position d'homme en attente, attentif à la vie qui grouille autour de lui, même dans l'ombre, même dans le cercle bouché d'un brouillard, à la vie «dissimulée» dans le brouillard : «du fond de l'espace», il écoute les «graves cris alternatifs» d'autres paquebots dissimulés dans le brouillard et qui montent dans le ciel obscurci; et par delà, «l'inutile appel éploré des sirènes d'un sémaphore». Et lui, il *est* entre les deux, en un «rond-point». Cela est constant chez Loranger : dans le brouillard, les mesures se font selon la portée de la voix (intensité variable du contact). Ailleurs le narrateur raconte une expérience des ténèbres :

J'avais perdu mes limites
Fondu que j'étais
Avec l'épaisseur de l'ombre.
Comme c'est pareil,
Ouvrir ou fermer les yeux.[26]

Que ce soit l'obscurité ou le brouillard, c'est toujours la même rêverie de l'enveloppement, du clos, du «rond-point», de l'opacité... Dans le premier «moment», *Ébauche d'un départ définitif*, l'ombre sera aussi rêvée comme une solidification, tel le brouillard. La lumière, au contraire, ce sera l'élément qui absorbera l'ombre et «dissolidifiera» l'espace : «La lumière absorbe l'ombre,/Elle dissolidifie/Le volume de la chambre[27]». Alors que la lumière est un élément de dispersion, l'ombre apparaît plutôt comme un élément de concentration, même dans la légèreté blafarde du brouillard. Le *Journal* de Saint-Denys Garneau fera écho, plus dramatiquement, à cette plainte solitaire :

> J'accepte donc tout ceci comme une épreuve [...]. Réduit où j'en suis, qu'est-ce que je peux devenir? Je ne puis plus regarder en paix ni les arbres, ni les animaux; mes regards malades crèvent et souffrent partout où ils se heurtent,

> partout confrontés avec mon vide [...]. En dedans de moi, je ne trouve que le désert et le néant.[28]

Quoi qu'il en soit, ce motif de l'ombre et de la lumière reste ambivalent, et nous verrons plus loin que cette ambiguïté est liée au fait que ce motif varie selon qu'il s'agit d'une lumière ou d'une ombre qui appartient à l'extérieur (la nuit) ou à l'intérieur (la chambre close).

Le long poème méditatif du recueil, texte à l'intérieur duquel va venir se fondre toute la thématique que nous avons vue se développer jusqu'ici, c'est *Ode*[29]. Poème du désir et du renoncement, sorte de résignation lyrique, *Ode* exprime cette «plainte nostalgique» des pourquoi sans réponses. Pourquoi se plaindre que la brume efface les voiles du large, qu'un nuage décolore la mer, que la nuit efface tout l'horizon?

> Pour une côte où brille un phare,
> Pourquoi la plainte nostalgique,
> Puisqu'à l'horizon le silence
> A plus de poids que l'espace?

Pourquoi s'attrister du fait que le reflux de la marée ait laissé des voiles dans le (un) port? Pourquoi «pleurer l'impossible essor» et le grand désir irréalisé du large quand les départs manqués restent pour toujours ancrés en nos souvenirs :

> Tes yeux garderont du départ
> Une inconsolable vision,
> Mais à la poupe s'agrandit
> Le désespoir et la distance.

Alors pourquoi se nourrir de l'illusion du jour, quand on sait très bien que le crépuscule va bientôt faire «s'effondrer » cette illusion ou ce désir de départ :

> Et c'est bien en vain que tu greffes
> Sur la marche irrémédiable
> De la nuit vers le crépuscule,
> Le renoncement de tes gestes.

À la tombée du jour, le vieux port va rallumer ses lumières et apprendre deux choses que l'on sait déjà : la valeur, à l'horizon, du «jour enfoui» et la valeur du «rêve qu'édifie l'ombre». Entre ces deux valeurs, celle du jour et celle de la nuit, celle d'une nostalgie de départ d'aube impossible et celle du rêve du départ qui s'édifiera dans l'ombre, pourquoi ne préférerait-on pas celle de la nuit? Restons donc dans l'ombre, choisissons la nuit et le silence, et

> Si l'ombre fait surgir en toi,
> Comme le feu d'un projecteur,
> Une connaissance plus grande
> Encore de la solitude,
> Que peux-tu espérer de l'aube?

C'est cette prise de conscience nocturne qui devrait occuper le lendemain, et non pas cette reprise d'un désir de départ, désir que l'on sait à l'avance inutile et impossible. Jamais l'azur du matin ne garde de trace des rayons tournoyants du phare : «l'espace où le phare a tourné» ne saurait être le même que l'espace de «l'azur», et dans l'un comme dans l'autre, le désir est stérile.

> Pour tes longues veillées stériles
> Voudrais-tu l'aube moins pénible :
> Glorieuse issue dans la lumière
> De ce que la nuit vient de clore.

La rêverie ne pouvant se «clore» que la nuit, elle aura besoin de se «parquer» de silence, du grand silence qui «enclôt comme en une serre chaude où [la] peine doit mûrir». C'est précisément sur cette apologie du silence que vont insister les textes de la deuxième partie du recueil : *Moments*; tout se passe comme si après les rêveries marines, le narrateur se résignait à s'enfermer entre les quatre murs de sa chambre.

Rêverie circulaire de la chambre

Le thème explicite de ces «moments», c'est le silence... Le thème implicite semble toutefois l'immobilité du rêveur dans une pièce close... La nuance est importante. Nous assisterons à la reprise de la situation de rêverie qui était celle du passeur paralysé, de même qu'à la reprise obsédante des motifs du clos, de la rondeur, du centre, etc.

Le premier «moment[30]», c'est précisément celui de l'aube, moment sur lequel se fermait (ou s'ouvrait) le texte *Ode*. On s'attendrait à quelque éclaircissement sur cette «Glorieuse issue dans la lumière/De ce que la nuit vient de clore». Mais il n'en est rien. Le poète reprend obstinément la même rêverie nostalgique du silence qui «enclôt comme en une serre chaude où (sa) peine doit mûrir». Il revient aussi sur le même souhait que dans *Ode* : il ne faudrait pas avoir attendu l'aube en vain, il faut qu'il y ait «le commencement aussi, de quelque chose...» Mais ce n'est qu'un voeu. Il n'y aura pas de commencement, mais plutôt un recommencement de la rêverie, un encerclement. Le deuxième «moment» est très significatif à cet égard. Il confirme deux choses : d'une part, la passivité et l'immobilité du narrateur-témoin; d'autre part, l'activité quasi agressive des éléments extérieurs qui l'obligent à recréer sans cesse cet état silencieux, solitaire et immobile dont il a besoin pour entretenir la fausse sérénité de sa rêverie: à l'occasion d'une averse, la «chambre sonore s'emplit d'une rumeur d'applaudissement». Pendant que le jour baisse, la lampe grandit, envahit la chambre et l'atteint (agressive) tel un projecteur que l'on braque sur un figurant «subitement confus, comme laissé seul et hué». Le silence est rompu, le rêve s'est dispersé: tout est à recommencer. Même rêverie au neuvième moment. Quand on a réussi à se fondre dans la nuit, «avec l'épaisseur de l'ombre», on perd ses limites: qu'importe alors d'ouvrir ou de fermer les yeux, «c'est pareil». «Mais le couloir s'allume» (agression de la lumière) :

> Ma chair oubliée
> Se crispa, soudain touchée.
> — Une aiguille claire,
> Un rayon par la serrure.[31]

Le troisième «moment» est une autre rêverie immobile sur l'ombre, la lumière et le bruit. Mais contrairement au poème précédent, les éléments extérieurs ne seront pas agressifs; ils vont plutôt concourir à intensifier l'immobilité silencieuse. Le tic-tac de l'horloge remplace le bruit de la pluie du poème précédent; au lieu de rompre brutalement le silence,

L'horloge cogne sur le silence
Et le cloue, par petits coups,
À mon immobilité.[32]

De même que le silence est instauré, la nuit aussi sera amplifiée par son contraire: le bruit confirme le silence, tout comme la lumière de la lampe va confirmer la nuit. À l'extérieur de la chambre, c'est une «nuit d'ailleurs», celle du corridor obscur; la vraie nuit, c'est celle de l'intérieur, celle même que vient amplifier la lampe :

Des pointes d'ombre persistent
Attachées aux encoignures,
On dirait des découpures
D'une nuit encor plus vraie
Que la lampe a oubliées.[33]

Le narrateur jouit donc d'une atmosphère qu'il a toujours souhaitée: nuit, silence, immobilité. Mais comme dans la plupart de ces courts poèmes, le sujet-narrateur s'introduit dans la dernière strophe. La description quasi objectale de la chambre nocturne prend alors une dimension affective: comme cela est fréquent chez Loranger, la réalisation d'un désir appelle un nouveau désir, souvent contraire au premier. L'immobilité silencieuse et nocturne de la chambre devient après coup oppressive (comme l'envahissement de la nuit chez le quêteux du conte intitulé *Le vagabond*), et le narrateur va se mettre à rêver non plus de la nuit «plus vraie» mais de la nuit extérieure, celle du corridor qui va le mener à la nuit du jardin :

Je sais que le jardin vit
Par plus de détails, ce soir,
Qu'en l'oppression de la chambre.
Sur l'étang ridé au vent,
La lune allongée s'ébroue
Comme un peuplier d'argent.

On peut interpréter cette dernière strophe selon deux visées : l'oppression de la chambre risque de devenir ennuyeuse et même intolérable. Vaut mieux alors se laisser distraire par le dehors, par le jardin qui «vit par plus de détails» : étang, vent, lune, peuplier, etc. On pourrait rappeler

La mer bruit au bout du jardin,

Comme l'orée d'une forêt....[34]

Cependant, ces vers, nous les avons étudiés sous l'angle de celui qui se réfugie loin des quais pour mieux comprendre sa solitude; conformément à cette interprétation, le narrateur pourrait donc laisser entendre qu'il préfère «l'oppression de la chambre» à l'éparpillement (détails) de sa rêverie vers le dehors. Le narrateur réaffirmerait ainsi la nécessité de la solitude et de l'immobilité d'un lieu clos de rêverie — toute oppressante que soit cette situation. Les «moments» suivants semblent confirmer cette préférence et cette nécessité...

Le quatrième «moment[35]», sera en effet celui de l'heure «pleine», de la pleine mesure : minuit. Au coeur de la nuit, «les clochers révèlent, au loin, les distances», «la nuit referme ses portes», et le scripteur écoute son coeur battre au coeur de sa chair (confirmation du va-et-vient de la distance et de la circularité de la durée). La majorité des autres textes seront dominés par cette thématique d'un centre de la conscience et d'une périphérie circonscrite, «parquée», «bornée», etc. Le cinquième «moment» est symptomatique à cet effet : il développe concrètement la thématique du centre et de la périphérie, non plus par le bruit de minuit ou des cloches, mais par la lumière et l'ombre (la suie). Le schéma de rêverie reste tout de même identique, sorte de va-et-vient entre intérieur et extérieur, dedans et dehors du kiosque rond allumé par le milieu. C'est ce poème que nous avons choisi pour clore l'introduction de notre propre texte.[36]

Comme on aura pu le constater, sur les dix-neuf textes de *Moments,* il y en a trois qui évoquent l'aube, quatre autres se situent durant le jour; la majorité des autres «moments» évoquent le soir et surtout la nuit, lieu d'écriture par excellence. Dans *Le retour de l'enfant prodigue,* un texte s'intitule *Aube*[37] : des sabots cognent sur les pavés de la rue, la lampe se meurt, l'aube tarde trop et le narrateur en souffre puisqu'à l'aube son

[...] coeur inlassable
Dont je croyais tout savoir,
Revient doucement frapper
À la porte du rêve.
Toc, toc, toc.

Tout est à recommencer. Le désir renaît à l'aube. Partir! D'où *Le retour de l'enfant prodigue*, sorte de moralité prévisible. Avec un peu d'humour, B. Brunet écrivait: «Et vous verrez que, dans un autre volume, Loranger conclura comme les vieux sages repus et lourds d'expérience, qui conseillent aux jeunes fous de cultiver leur jardin[38]». Le critique ne manquait pas de clairvoyance.

Toutefois, avant d'étudier cette troisième partie des *Poèmes*, il convient de résumer les observations qui nous ont semblé les plus pertinentes et propres à circonscrire le dynamisme intime de l'imagination de Loranger. La rêverie spatiale privilégie un mouvement, celui du va-et-vient. Elle fait intervenir deux figures masculines obsessionnelles : a) le passeur, sédentaire routinier; et b) le vagabond, nomade malheureux. Cette rêverie spatiale conditionne aussi une position de narrateur, celle d'un témoin, d'un observateur objectif en un point fixe, sur un quai, une falaise... Ailleurs, et de plus en plus, cette position sera celle de quelqu'un qui est en attente : ce qui déplace les rêveries spatiales sur le plan de la temporalité, l'espace se réduisant aux quatre murs d'une pièce, chambre ou kiosque, à l'intérieur de laquelle le narrateur écrit.

La rêverie temporelle insiste en effet sur la circularité de l'heure et des saisons, sur la circularité de la rêverie surtout : c'est que la rêverie tourne toujours en rond sur elle-même (départ-retour) et elle fait constamment référence à des objets ronds : tournoiement des phares, brouillard qui enclôt, chambre qui est comme une serre chaude où le rêve doit mûrir, etc. D'où cette tendance à préférer le silence à l'espace (l'oppression de la chambre plutôt que les «détails» extérieurs qui dispersent la rêverie) et la nuit à l'aube.

Le retour : là-bas est à ici ce que demain est à hier

Dans *Le retour de l'enfant prodigue*, le titre marque un des inéluctables mythes auxquels, disait Mallarmé, ne peut échapper quiconque veut écrire. Ce recueil est constitué de six poèmes numérotés (dont le cinquième est la reprise du texte préliminaire des

Poèmes) et de quatre poèmes titrés. Si *Marines* s'inscrit sous le signe de la résignation immobile et silencieuse, *Le retour* reprend le désir de partir et propose l'aventure du vagabond. «Ouvrez cette porte où je pleure[39].» Ce vers rappelle certes celui, célèbre, d'Apollinaire : «Ouvrez-moi cette porte où je frappe en pleurant.» Il rappelle surtout les poèmes où se manifeste la dialectique de la chambre et du couloir et aussi de la rue bordée de chaque côté par les portes closes des maisons de *Je marche la nuit* :

> Je marche la nuit dans la rue, comme en un corridor, le long des portes closes, aux façades des maisons.
>
> Mon coeur est dévasté comme un corridor, où il y a beaucoup de portes, beaucoup de portes, des portes closes.[40]

Mais ici, il est question d'une seule porte, «cette porte où je pleure», la porte devant laquelle le narrateur-sujet fait l'aumône de la clarté des lampes. C'est ce que raconte le premier groupe de vers qui seront repris à la fin du poème :

> Ouvrez cette porte où je pleure.
> La nuit s'infiltre dans mon âme
> Où vient de s'éteindre l'espoir,
> Et tant ressemble au vent ma plainte
> Que les chiens n'ont pas aboyé.
>
> Ouvrez-moi la porte, et me faites
> Une aumône de la clarté
> Où gît le bonheur sous vos lampes.

L'espoir, c'est la clarté des lampes, la chaleur humaine (bonheur), l'intimité. Les recherches illusoires, ce sont les ténèbres de la nuit, la plainte nocturne du vent, la solitude et le vide. D'où l'aumône, la quête de ce qu'il a toujours obstinément recherché. Mais ici intervient, implicitement une autre personne, autrui comme confident ou aide ou compagnon de solitude. S'agit-il d'un homme ou d'une femme? Laissons la question ouverte pour le moment.

Entre la première et la dernière strophe, qui est la même, le narrateur raconte, dans le détail, son itinéraire de vagabond ou de «pèlerin de la conquête». Un matin, semble-t-il dire, j'ai décidé de quitter ma chambre et de chercher partout l'introuvable : a) sur les routes... que d'autres pas avaient déjà réduites en poussière; b) dans une auberge : vin rouge, crimes, faces pâles (assiettes) de vagabonds illuminés tombés là au bout de leur rêve; c) «au carrefour d'un vieux village sans amour»; d) «dans les grincements des express où les silences des arrêts s'emplissaient des noms des stations»; e) «dans une plaine où des étangs s'ouvraient au ciel tels des yeux clairs»; f) «dans les livres qui sont des blancs laissés en marge de la vie», des notes confuses prises à l'écoute «de la conférence des choses»; g) mais un jour en effet, après le départ tout récent d'un navire, il a failli «saisir la forme enfuie d'une autre main», mais sa main ne se referma que sur «l'affreux vide d'elle-même», autrui restant l'*absent*; h) dans les yeux d'autrui, ceux qui le dévisageaient, ceux qui lui manifestaient de la haine. Mais pourquoi le haïrait-on? Quelle raison le narrateur devine-t-il? Bref, continue le narrateur sans s'expliquer, j'ai dû me résigner à revenir et à venir vous supplier de m'ouvrir et de me faire l'aumône de la clarté, car,

> Je ne savais plus, du pays,
> Mériter une paix échue
> Des choses simples et bien sues.
>
> Trop de fumées ont enseigné
> Au port le chemin de l'azur,
> Et l'eau trépignait d'impatience
> Contre les portes des écluses.

Les poèmes II[41] et III[42] contiennent les deux seules images verticales de Loranger : a) celle du cerf-volant et du fil raidi qui le retient à la terre; et b) celle du sablier et de la chute du sable de haut en bas... et que l'on retourne périodiquement. Mais il ne faut pas s'y tromper. Encore une fois, l'imaginaire de Loranger semble organisé unidimensionnellement. L'imaginaire occidental est un espace et la durée s'exprime en distance : temps court, long, etc. Chez Loranger, on l'a vu, tout se passe comme si l'horizontal était la dimension fondamentale. Le cerf-volant est prétexte à un motif obsédant, celui de «la route qu'on étire». Le sablier est prétexte aussi à une méditation sur le temps : rêver l'avenir, c'est le chemin par excellence pour saisir le passé.

Dans le poème II, le désir se trouve «rassasié» puisque le narrateur est en mouvement, en marche. Mais ce qui vient tout à coup brouiller le plaisir qu'il éprouve de sa course, c'est la route qu'il «déroule» depuis son départ, celle qu'il «étire» derrière lui. Ressemblant à un fil attaché quelque part dans le passé, la route appelle paradoxalement l'image verticale du cerf-volant : au bout du chemin, notre marche se raidit soudain comme un fil de cerf-volant qui rappelle à la terre «l'incontrôlable ascension, l'immense besoin d'azur». Au plus haut de sa course, le cerf-volant tend le fil et rappelle à celui qui le retient, au point fixe, l'incontrôlable soif d'aller toujours plus haut, plus loin. Mais la problématique du poème relève de la temporalité, non de l'espace : il manque au narrateur cette sensation d'un fil qui se raidirait, attaché qu'il serait à son passé. Au contraire, la route se «déroule» et «s'étire» sans point d'attache et sans frontière, comme une dérive.

Le poème III choisira un symbole spatial qui aura moins d'amplitude, un symbole qui correspondra davantage à l'image que l'on se fait communément du déroulement du temps, de l'écoulement du temps. Il s'agit du sablier (moins utilisé par Loranger que le cadran rond de l'horloge) et des nombreuses connotations qu'il a pu rassembler en un très court texte : égrenage du temps, chute sans fin des «espoirs pulvérisés», entassement, alourdissement et, sur le plan psychologique, accablement, l'inverse de la trop grande légèreté du cerf-volant...

> L'avenir n'est rien qu'un retour
> Perpétuel sur soi-même.
> La vie qu'on reprend à l'inverse,
> Un passé toujours ressassé
> Comme un sablier qu'on retourne.

D'où la moralité de *L'invitation au retour*[43] : «Reviens au pays [...] où dort ton passé sous la cendre». Par rapport au passé, les poèmes II et III sont contradictoires : a) besoin d'une attache pour que la route ait un but ou un sens; et b) hantise du passé comme un poids lourd, comme un retour pénible sur sa propre lourdeur. L'avenir, c'est en effet le sablier qu'on retourne, le jeu des mêmes grains de sable...

Le thème majeur des poèmes de Loranger, c'est sûrement la hantise du voyage. Cependant, l'expérience amène le narrateur à métamorphoser cette hantise du mouvement en une méditation posée sur le temps : rêverie immobile sur la *présence* du temps (silence, ombre, solitude, rondeur de l'intimité...). D'où la moralité qu'il retire de sa sagesse toute naïve : rêver l'avenir, c'est revivre le passé. Comme pour le passeur, l'espace en général ou le mouvement en particulier prend d'autant plus d'importance que la *sensation* de la durée s'impose à lui, sensation puisque la vieillesse s'éprouve à travers la redécouverte des bras, d'une tête, des reins (qu'on attrape comme une maladie) jusqu'à la paralysie. La vieillesse est alors une nouvelle vie, le passé revécu en un présent immobile et fait d'«espoirs pulvérisés».

Le poème IV[44] n'est autre qu'une variation de la parabole biblique de l'enfant prodigue, des départs conquérants et des retours déçus et repentants. Dans le poème VI[45], le rêveur retrouve sa stabilité, son immobilité et son attitude de témoin :

> Je suis stable, maintenant,
> Circonscrit dans un exergue
> Qu'est ce grand mur tout autour
> De la maison du retour
>
> Que m'importe l'horizon
> [...] Qu'il recule toujours.

Mais chez cet observateur quasi objectif de l'espace, cohabite le rêveur qui médite sur le temps : la route fut longue et l'absence prolongée, mais

> Comme tout cela est court,
> Quand je le vois par la fin.

Il ne se souvient pas d'avoir été vagabond. Il ne lui reste plus qu'une «mémoire lasse» pour recenser vainement «un passé rapetissé», «des passés qui s'interceptent», ceux même du voyage, et ceux, retrouvés, d'avant le voyage. Bref, la distance parcourue et le temps perdu à vouloir laisser mourir le passé... rien de mieux, à l'arrêt, pour voir bondir de nouveau ce même passé, en un mouvement fou d'aller-retour ou de va-et-vient.

L'absente

Jamais il n'a été question de la femme jusqu'ici. Exception faite des deux derniers vers de *Serti dans ton souvenir*, dernier poème du receuil du *Retour de l'enfant prodigue*, la femme est absente chez J.-A. Loranger, absente dans *Les atmosphères* et à peine évoquée dans *Poèmes*. Le poème V[46] a été volontairement négligé par nous. Il est en fait une reprise du texte préliminaire des *Poèmes*, avec cependant d'importantes variantes temporelles au début et à la fin des deux textes. «Que deviendra mon coeur / Desserti de ton amour...[47]», écrira-t-il au début du recueil, avant toutes les rêveries de partance de *Marines*. «Que serais-je devenu / Desserti du ton amour», reprendra l'enfant prodigue à son «retour repenti», privé des «joies accessibles». C'est pratiquement l'unique poème (répété) dans lequel Loranger semble évoquer une présence féminine. Si tel était le cas, la femme apparaîtrait implicitement comme celle qui habite la chambre; elle pourrait être associée à toute une thématique de la lampe, des insomnies et des rêveries sans cesse reprises. On reconnaîtrait là, en filigrane, l'angélisme des Nelligan, Loseau ou A. de Bussières. Cependant, la femme demeurerait surtout comme quelqu'un vers qui l'on revient, et l'enfant prodigue, contrairement au personnage biblique, ne reviendrait pas tout repenti vers son père, mais vers une femme, sinon sa mère : «Tel obstiné à l'espoir / Le père attend le Prodigue, / Ainsi, pieusement, mon coeur / Serti dans ton souvenir.» Comme chez Nelligan, le père serait associé au voyage tandis que la mère ou la femme en général se trouverait étroitement liée à la chambre, la lampe et la page blanche. Elle serait donc rêvée comme une compagne du rêve et de l'écriture. Comme G. Bessette a réussi une psychanalyse des textes de Nelligan, il serait tentant d'appliquer les mêmes modèles aux poèmes de Loranger. Comme chez Nelligan, la femme chez Loranger, même si elle est très peu évoquée, apparaitrait associée à des objets ronds et creux (anneaux, cercle lumineux de la lampe, kiosque, etc.) ou à des instruments de musique comme le disque d'un phonographe (mélodies vaines et figées dans la cire des disques) ou encore la voix d'un vieux piano qui «garde enclos / Comme une momie, / L'accent de [son] coeur brisé».

Mais la femme n'est jamais présente en chair et en os. Jamais elle n'est regardée et encore moins touchée. C'est une absente... regrettée, mais impuissante à le distraire de «l'appel ému des sirènes». Elle reste un souvenir, celle vers qui l'on revient, celle qui demeure attachée pour toujours à une breloque en or usée par le temps. Pour tout dire, l'enfant prodigue ne peut parler que d'un père, d'un fils ou d'un amant. L'autre, si rarement évoqué, est un compagnon que l'on regrette de quitter ou vers qui l'on revient après une fugue décevante. C'est du moins à cette conclusion que nous convie le texte :

> La breloque, dont s'éteint
> Au souvenir, le vestige
> Qu'elle avivait du passé,
> Ne vaut que son pesant d'or,
> Au plateau de la balance.
>
> Et pour t'avoir tant aimé,
> Enchassé dans ton étreinte,
> Ce coeur, que tu désavoues(ais),
> Ne se rajeunira pas (N'allait pas se rajeunir)
> De l'or dont il est (était) usé.[48]

Désir obsédant et impuissant de départ, situation d'attente patiente et morose, valorisation de l'exil intérieur, cela suffit pour reconnaître les textes de Loranger comme un témoignage vrai et symptomatique d'un certain type de production littéraire au début du siècle au Québec. Toutefois, Dieu est absent chez Loranger. Même chose pour la femme. Le désir d'errance du poète ne mène nulle part. À ce vagabondage décevant, l'écriture circonscrit les frontières de sa rêverie. L'errance se poursuit alors entre les quatre murs d'une chambre parquée de silence et de solitude. En ce sens, Loranger n'est pas de son époque. Poète «artiste» comme on aimait alors nommer ceux qui ne vantaient pas nos valeurs nationalistes, sinon régionalistes, les textes de Loranger demandent à être lus non pas à la lumière de l'École littéraire de Montréal, mais à celle projetée par la production moderne des Saint-Denys Garneau, Anne Hébert, Alain Grandbois... Les lecteurs des années 20 n'ont pas su comprendre Loranger. Il aura fallu attendre cinquante ans pour qu'on sache en apprécier l'originalité et, en même temps, l'appartenance à une conscience collective toujours en retard sur la clairvoyance profonde des vraies poètes.

Notes

1. *Études françaises*, vol. 3, n° 3, août 1967, p. 303-304. Numéro spécial consacré à Nelligan.
2. *Ibid.*, p. 304.
3. Gilles Marcotte, Avant-propos, *Les atmosphères* suivi de *Poèmes*, Montréal, HMH, «Sur parole», 1970, p. 16. Toutes nos citations des textes de Loranger sont extraites des *Atmosphères*. La provenance des autres citations sera toujours indiquée : *Le village*, contes et nouvelles du terroir, Montréal, E. Garand, 1925; *Récits*, dans les *Écrits du Canada français*, n° 35, Montréal, HMH, 1972. De *Terra Nova*, J. Fournier donne un extrait dans son *Anthologie des poètes canadiens* (1920) et B. Brunet dans son *Histoire de la littérature canadienne* (1946, réédition, HMH, 1970). En appendice à sa thèse de doctorat, B. Guilmette propose aussi de nombreux textes de Loranger, en plus de fournir une bibliographie exhaustive de l'écrivain. Nous n'analyserons que les recueils publiés par HMH.
4. *Les atmosphères, Moments*, V, p. 103-104.
5. *Ibid.*, p. 27-56.
6. «Un clocher n'est jamais seul dans la plaine», la *«Long Trail»*, dans *Écrits du Canada français*, n° 35, 1972.
7. *Les atmosphères*, p. 65-71.
8. Dans *L'eau et les rêves* (Paris, J. Corti, 1942, p. 97 à 113), Bachelard a de belles pages sur le complexe de Caron. La fonction utilitaire du traversier n'est pas suffisante pour déterminer ou légitimer le risque ultime du passeur à tenter une dernière traversée. Des intérêts puissants le poussent, profonds et fabuleux, pressé par des aspirations ou des besoins chimériques qui seuls légitiment l'aventure, la traversée, la mort, moins acceptée que désirée. Peut-il désirer plus belle mort? Après le va-et-vient coutumier, la dérive, la noyade, l'abandon à la directive des eaux... «Il y a toujours de l'eau quelque part», sera-t-il dit par Loranger dans le récit du *Dernier des Ouellettes*, *Écrits du Canada français*, n° 35, 1972.
9. Loranger évoquera souvent cette figure du vagabond : Kenoche, le quêteux de *La Noroua*, qui se pendra (*Écrits du Canada français*, n° 35, 1972) et surtout la figure biblique de l'enfant prodigue qui, d'abord jeune «pèlerin de la conquête», devient ce vagabond cherchant ses traces dans le vent».

10. *Les atmosphères, Signets*, p. 55.
11. *Ibid.*, p. 54.
12. *Ibid.*, p. 56.
13. *Écrits du Canada français*, n° 35, 1972.
14. J. Fournier, *Anthologie des poètes canadiens*, 1920.
15. B. Brunet, *Histoire de la littérature canadienne*, Montréal, HMH, 1970, p. 216.
16. *Les atmosphères, Marines*, p. 79.
17. *Ibid.*, p. 78.
18. *Les atmosphères, Le Passeur*, p. 45.
19. *Les atmosphères, Marines*, p. 79.
20. *Ibid.*, p. 80-82.
21. *Ibid.*, p. 83-85.
22. *Ibid.*, p. 89-92.
23. *Les atmosphères, Moments*, XI, p. 115.
24. *Les atmosphères, Marines*, p. 86-88.
25. *Ibid.*, p. 82. Serait-ce les profondeurs marines?
26. *Les atmosphères, Moments*, IX, p. 11.
27. *Ibid.*, p. 95.
28. *Journal de Saint-Denys Garneau*, Montréal, Fides, 1949, p. 136.
29. *Les atmosphères, Marines*, p. 89-92.
30. *Les atmosphères, Moments*, p. 95-96.
31. *Les atmosphères, Moments*, IX, p. 112.
32. *Les atmosphères, Moments*, III, p. 99.
33. *Ibid.*, p. 100. Sur la thématique de la chambre (intimité), des portes et du corridor (extérieur), voir les pages 55,99, 131.
34. *Les atmosphères, Marines*, p. 91.
35. *Les atmosphères, Moments*, IV, p. 101-102.
36. *Ibid.*, p. 103. Voir aussi, p. 117, le douzième moment où «La lampe casquée (...) assiette rappelle» «la face pâle / Des vagabonds illuminés / tombés là au bout de leur rêve.» Et au sixième moment (p. 106) : «Pour toute la peine / Dont on a le dix-huitième moment» (p. 125-126) : «Le soir pense dans son ombre / Comme des yeux clos. / Des pensées tristes lui naissent / Comme des hiboux. / J'avoue la nuit et l'attente. / Premier quartier de la lune / Son disque d'argent / Que vient de planter au ciel, / Soudain réveillé, / Le beau discobole antique.» Et à la page 134 : «Dans une plaine où des étangs / S'ouvraient au ciel tels des yeux clairs.» Ou encore le septième moment (p. 107) : «Au pied des grands arbres, /

L'ombre est endormie en rond.» Enfin, le nuitième moment (p. 110) : «Et sous les chocs de mes pas, / Dans l'allée du parc, / Je me désarticulai, / Pareille à la caisse / Qu'on fait rouler sur ses angles.»

37. *Les atmosphères*, p. 151.
38. *Histoire de la littérature canadienne*, p. 218.
39. *Les atmosphères*, p. 134.
40. *Les atmosphères*, *Signets*, p. 55.
41. *Les atmosphères*, p. 137-138.
42. *Ibid.*, p. 139-140.
43. *Ibid.*, p. 149-150.
44. *Ibid.*, p. 141-143.
45. *Ibid.*, p. 146-148.
46. *Ibid.*, p. 144-145.
47. *Ibid.*, p. 75.
48. *Ibid.*, p. 145. La femme est cependant un acteur dominant dans les contes ou les nouvelles de Loranger, personnage dominant par la force de son caractère, sa ruse ou son obstination. Relire *L'orage*, *La revanche*, *De Miraculeuses matines*, *La savane des Cormier*, *Le garde forestier* (où c'est l'Indienne qui est le personnage déterminant du récit), et *Mrs. Carry-Nations* (*Écrits du Canada français*, n° 35, 1972).

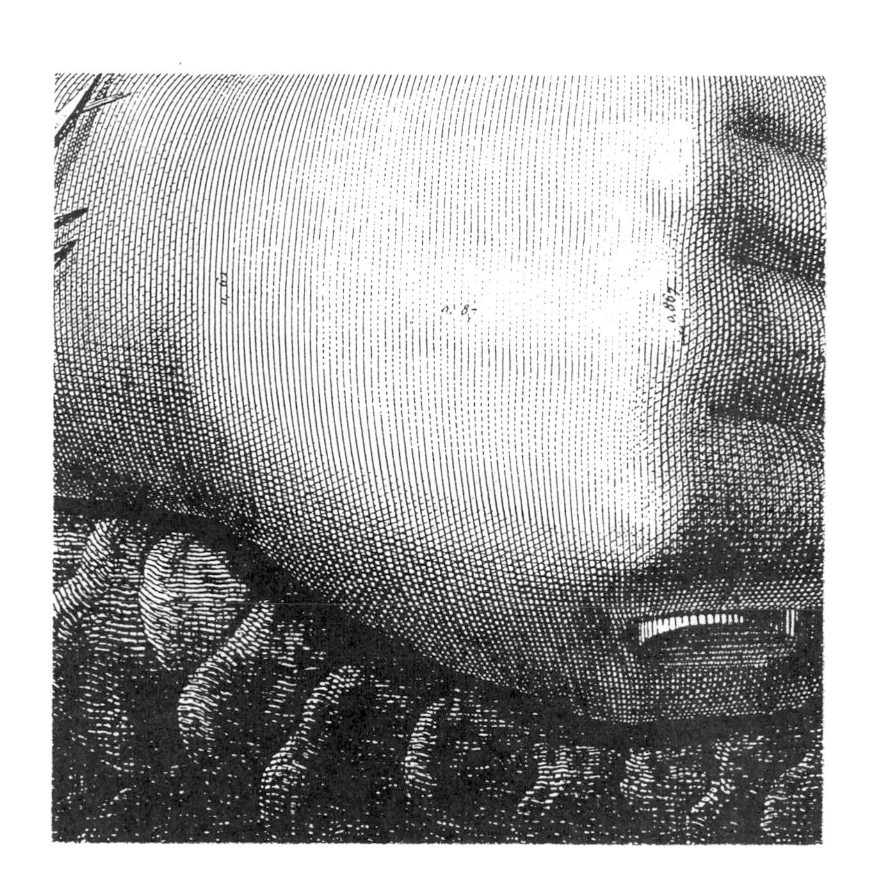

Pause 1

Monsieur Isaac de G. Racette et N. de Bellefeuille, Éd. de l'Actuelle, 1973.

Territoire de Robert Mélançon, VLB éditeur, 1973.

Du commencement à la fin et *Propagande*, de François Charron, Les herbes rouges, 1977.

Les petits chevals amoureux VLB éditeur, 1977 et *Poésies complètes* (Guérin littérature / L'âge d'homme, 1988) de Michel Garneau.

Monsieur Isaac

Quel beau roman ! avec tout ce que cette exclamation admirative peut véhiculer de gratuité hautaine et d'arbitraire culturel. Comme l'indique le sous-titre : «Les derniers jours de la vie d'un étrange vieillard», c'est l'histoire d'un vieil homme, d'un vieux fou diraient certaines mauvaises langues, d'un vieillard bossu qui se raconte avant que la vie lui fasse défaut. On le rencontre pour la première fois entre les quatre murs d'une toute petite chambre (d'hospice) et il nous quitte, toujours aussi emmuré — tellement c'est pareil mais cette fois entre les pierres humides d'un petit caveau du cimetière au sommet de la montagne. Entre ces deux lieux exigus, aussi drôle que cela puisse paraître — c'est là que se retrouve la drôlerie redondante de la culture — le vieil Isaac revit à sa manière la Passion du Christ.

Cette parabole ultime du Nouveau Testament se vit toutefois au niveau d'une quotidienneté toute concrète; il s'agit en fait d'une quête, d'une sorte d'itinéraire à rebours d'un vieil homme qui marche à la recherche de sa mère, entre le fleuve et la montagne en passant par le parc Lafontaine, le jardin des érables-oliviers. Cette marche symbolique s'effectue au coeur d'un univers d'objets fétiches les plus inattendus, mais structuralement valorisés par leur retour obsessionnel. Par exemple: cette bosse du vieil infirme, mal cachée par une cape rouge et tendrement surnommée Chérie; cette fenêtre qui est un oeil crevé, ce soleil-paupière, ces yeux craquelés comme des plafonds de taudis ou le dos d'une tortue, «tortues tordues» et papillons affolés; cet escalier en tire-bouchon hanté par la chute (cause de son infirmité), escalier au haut duquel se trouverait la vieille mère (jeune au moment de l'accident) cachée derrière la fenêtre (oeil) ouverte, escalier qui évoque toujours pour Isaac l'image d'un long serpent vert, escalier hautement chargé de sens, associé bien sûr au grand hêtre bien droit devant la maison de l'avenue des Pins, représentation phallique du père absent ou du fils toujours vivant, etc.

Les départs de sens sont quasi infinis dans ce petit roman dense et à première lecture assez banal, se renouvellent au fil des chapitres, se confirment dans leur pluralité, sorte de variations trompeuses — puisqu'ils ne servent qu'à disséminer pour le lecteur et à teinter de sacré pour le pauvre Isaac l'inavouable matricide qu'il va commettre sur la personne d'une vieille femme en laquelle il ne reconnaîtra pas sa mère — sorte de variations de l'inéluctable mythe biblique, c'est-à - dire du lourd chemin de croix que le héros assumera comme s'il obéissait à une loi; loi biblique selon lui, issue de la Parole de la Bible verte; loi intérieure selon nous, dictée par son inconscient.

Monsieur Isaac a été écrit en collaboration. Les deux auteurs sont des gens de lettres, des universitaires, des imbibés de tout ce que la culture humaniste occidentale a véhiculé depuis le Moyen Âge européen, à cent lieues des particularités joualisantes et de l'underground (de surface) si à la mode par ailleurs, imbibés mais combien maîtres des fantaisies imaginatives de leur vieux bossu, «seul comme une tortue», combien conscients de notre imaginaire québécois. Leur roman n'est-il pas dédié à «nos mères»!

L'illustration de Louisa Nicol est en ce sens, après lecture, d'une vérité saisissante. Ce petit livre mériterait une analyse beaucoup plus poussée, tant pour l'intérêt psychologique de ce vieux bossu qu'est Isaac, très tôt orphelin de père, victime des sarcasmes des enfants de son quartier et hanté par la figure de sa (vieille) mère; tant pour l'allégorie biblique qui se tisse en filigrane que pour l'attachement minutieux à quelques profondes images d'intimité, tel le silence, noir comme de l'encre.

Robert Mélançon

Voici le troisième recueil de Robert Mélançon, grand format carré blanc, avec une très sobre illustration de P. Tusche sur la couverture, un large trait horizontal noir sur fond blanc, la calligraphie habituelle de VLB éditeur qui remplit les pointes extérieures, le titre en rouge, le reste en noir; un fort beau livre en somme, à l'endos tout blanc. Le blanc est d'ailleurs la couleur dominante et du support matériel et du contenu des trois parties non titrées de l'ensemble du recueil. Tout ceci pour être bref et inciter le lecteur à se laisser séduire autant par la sobriété du livre que par la légèreté des textes eux-mêmes qui nous parlent successivement de lumière dispersée, puis de chute libre de neige qui fait elle aussi s'évanouir le paysage, et enfin du silence durci du lieu: «Ce froid. Territoire, je l'habiterai». Ce sont les derniers mots du recueil qui donnent le titre au livre; nous aimerions maintenant en développer les principales articulations de sens.

Le lecteur averti et habitué du corpus poétique québécois ne manquera pas d'être étonné de retrouver des traces d'une poétique aujourd'hui familière, celle de Jean-Aubert Loranger et, plus près de nous, de Gilles Cyr.

Les textes sont courts et denses, fort simples, ménageant des répétitions de syntagmes ou de vers conformément à la méditation qu'ils veulent évoquer. La première partie s'ouvre en effet sur une sorte d'évocation du temps et de la lumière, temps et surtout lumière qui donnent vie et chaleur à une nature qui, en elle-même, demeure incompréhensible. Tout se passe comme si la réalité qui est vue/nommée ne prenait sens et existence que par le jeu du soleil, des ombres, du vent. Plus précisément, la réalité prend sens et existence mais au détriment de son être: elle se vaporise, perd corps, se disperse et s'abolit: «je m'arrête à tous les noeuds de la lumière/à toutes les choses qu'elle/forme que l'instant abolit» (p. 22). La lumière finit par réduire la réalité elle-même, tout comme la nuit d'ailleurs et, plus loin dans le recueil, la neige qui abolit le paysage.

Les bruits quotidiens de la rue s'effacent au profit d'une réalité plus substantielle: le jour même, le vent même, ou le blanc au-delà de la neige par exemple, sorte de «vérité mère» (p. 27) qui remplit le temps et l'espace pour former un lieu imaginaire qui soit l'envers d'un «simulacre du jour». «Bruits de la lumière» (p. 27), voilà un vers magnifique et représentatif, «la lumière habite/la rue» (p. 29) voilà l'objet de rêverie, le centre du blanc, ce jour que la lumière dessine et efface tout à la fois (p. 34).

Le premier territoire évoqué par R. Mélançon est un lieu de «confusion qui me tient lieu d'éveil» (p. 28), un lieu dispersé puisque «l'effacement est la façon du monde» (p. 23), un lieu creux mais lumineux et sonore, «dans cette lumière/le paysage la mémoire/n'ont pas cours//dans la lumière qui m'enclôt/le chemin n'a/plus lieu//ni la pluie ni l'herbe/ni la rue rien de ce qui donnerait/à la terre son visage/de terre//dissous par le blanc//que j'invoque» (p. 37).

Nous sentons bien que nous rendons mal «ce pressentiment» (p. 39) sur lequel insiste constamment l'écrivain. Notre discours d'accompagnement tire vers l'abstrait ce qui s'éprouve dans le concret, au creux d'une imagination matérielle qui veut réduire le réel à l'essentiel: la «lumière retient chaque chose en elle» (p. 29), «le temps bouge» (p. 14). Après réflexion, et j'ai la même impression quand je lis Gilles Cyr dont les titres rappellent bien ce «pressentiment» de R. Mélançon, *Sol inapparent* et *Ce lieu*, j'ai une impression de rêverie abstraite, ténue, comme en suspension devant l'incompréhension fondamentale du monde: «somme faite/ne s'ajoute/rien/ne se retranche» (p. 16). En effet, la rue, les pas, les voix, «la trame du monde» (p. 21) sont voués au néant, si ce n'était de la lumière qui les transcende — excusez cette expression éculée — «sans égards» (p. 13), «le soleil l'ombre/indéchiffrables» (p. 16), «sans réponse» (p. 17), «sans qualité sans ombre sans éclat/aussi égale que la nuit» (p. 18), «une eau dépourvue de reflets» (p. 19), «sans raison» (p. 24), le monde ne s'offrant plus que comme «quelque forme sans mesure incompréhensible» (p. 25). Ce qui m'amène à reproduire ce texte en entier, tel quel (p. 30):

le ciel coule dans tout

l'espace
là-haut là-bas

il ne signifie pas

cet azur
l'azur n'est que du bleu

tombe

arêtes vives
la lumière
sans raison sans

Ici le ciel, le bleu, l'azur, ailleurs la neige, «une coulée de chaux» (p. 31), «le rectangle de la feuille où coulent/ces mots» (p. 19), «la page ou cette/absence qui/tient lieu d'âme» (p. 32) ou d'être, «ces bouffées de blanc cette chute» (p. 32), le blanc et la nuit confondus, la page et l'encre réunies dans la même «germination» (p. 35), «blanc sans fond sans forme» (p. 39), «ce blanc» écrit et inscrit presque en plein centre du recueil et qui devrait tenir lieu de territoire, «un paysage inhabité» (p. 53), «l'âme vacante» (p. 51), «cendre nul lieu» (p. 53), «dans cette chute je/suis ne suis pas» (p. 55). Au sein de ce lieu sans forme, «la neige est nudité» mais «lumière dure» (p. 57), de la même manière que l'arbre rend le vent visible; grâce à la neige, la lumière devient substance «afin que je traverse tout/ce qui emprunte sa forme son lieu» (p. 59). Ce qui m'amène à reproduire un autre texte en entier, sorte de symbiose thématique qui n'est pas sans rappeler un titre qui a fait couler beaucoup d'encre il y a quelque temps: *Centre blanc*.

je regarde ce blanc
j'en chasse toute figure
je ne fixe que ce blanc
pour lui-même sans m'arrêter

au grain qui l'anime
sans y chercher la neige ni
l'écume ni le cygne ni le sel

ni la page

Du blanc de la neige à celui de la page, les réseaux isotopes tissent une texture qui s'impose non pas sous l'étendard d'une pseudo-modernité exhibée abusivement, mais par une fermeté d'écriture, une maîtrise du rythme, des jeux graphiques et du sens, même si tout l'effort de l'écriture semble vouloir saisir l'inconsistance, l'évidence ou son contraire, ce qui donne non pas forme mais sens à ce qui meuble le vide-blanc, de la même manière que le temps donnerait une dimension à l'espace ou la lumière à la réalité qu'elle habite.

François Charron

Du commencement à la fin, voilà encore un recueil de textes poétiques comme je ne les aime pas au premier abord, certain de n'y rien apprendre, convaincu de la redondance (radotage), puis je me trouve subjugué, rivé à la lecture, lié au rythme que reprend chaque page, noyé aux rêveries des blancs, jaloux de tant de lucidité, heureux d'y percevoir l'essentiel, le fondamental, le quotidien de nos joies et de nos angoisses, sans cesse repris et déplié; ce quotidien fictif de la pratique de l'écriture où «nous passons à peine dans ce tenant-lieu d'existence (le récit)» (p. 39). Et à chaque fois on s'y prête, volontiers.

Plus froidement, disons que le recueil se compose de cinquante et un textes d'une quinzaine de lignes, le dernier vers n'étant que la reprise, mot pour mot, du premier, «cette source qui nous plonge dans l'agitation (...) un gaspillage écrit en fonction de la vie» (p. 4). Donc, un recueil de cinquante textes, divisé en deux parties par la reproduction — sans attrait malheureusement — d'une «toile cousue, non peinte», de Carole Massé, toile qui prend ici la forme d'un parchemin non peint, sans trace, sans texte; elle se présente alors, se propose comme une toile (page) lignée qui ne demande qu'à être écrite, «et voilà le sujet étouffé parmi les phrases qui / se met à parler» (en italique dans le texte, p. 11), «l'animation sans fin se faufile entre les rides» (p. 24), «une impossibilité d'écrire de parler / sans continuellement reprendre raturer / nier ce qui s'écrit présentement» (p. 43), «la conscience (enfin peut-être) / d'un héritage d'un tissage / en attendant la suite» (p. 53).

Ces motifs du tissage et d'une suite à fournir à une pratique qui «donne un nom aux formes et aux activités (...) dans l'éparpillement des pages du livre» (p. 19), ces motifs sont constants tout au long du recueil qui porte si bien le titre : *Du commencement à la fin*, et dont le premier et le dernier texte, le même, s'ouvre et se referme par cette constatation historique : «tout recommence (...) infiniment», «et quelqu'un qui parle dans le procès inépuisable». L'ensemble du recueil laisse une impression de méditation abstraite sur le temps, la mémoire, la dialectique des contraires. À y regarder de près cependant, les signes et les figures se manifestent dans une tension du corps, dans l'attention, cette «façon nette d'inscrire notre unité (coupée)» (p. 26), cette tension creusée à même l'espace où ça se bat» (p. 57).

Les textes se présentent sans ponctuation, sans majuscule. La phrase est longue, complexe, souvent ardue, tandis que le vers est très irrégulier. Ici et là, fréquemment, des espaces blancs entre les mots (non entre les vers), des parenthèses qui nuancent, contredisent, déçoivent les attentes, fracassent «la structure qui nous décide» (p. 6), cet univers qui croît et / se détruit dans son animation (...) sans jamais connaître les enjeux (...) inconscient de l'amputation» (p. 14). Oui, *Du commencement à la fin* parle de violence et de désir, de «corps infusé et branlé jusqu'à l'excès» (p. 17), et de «l'émotion (qui) nous étreint la gorge» (p. 19) quand l'obstination devient délire, quand la course entraîne l'autre, la femme, dans le même parcours, comme «enlisés» (p. 42), cherchant «une façon nouvelle d'abriter nos angoisses» (p. 46), nos «secrets déjà reçus (mais enfouis) maintenus dans les / cahiers les images» (p. 49), «magma gestation» (p. 53). Il faudrait citer en entier ces ivresses affolées que restituent des textes comme *ainsi elle prend mon pénis* (p. 8) ou *nature agissante érosion infinie* (p. 17), etc. Ça parle, ça remue, ça bouscule, entre la panique et la pondération, ou les deux à la fois.

François Charron est maintenant bien connu des lecteurs de poésie québécoise. Il a aujourd'hui une dizaine de recueils à son crédit. Le ton est toujours plus ou moins agressif, sinon «révolutionnaire» pour utiliser une expression qu'il endosserait sans doute. Et cette qualification répond tout particulièrement à son dernier recueil : *Propagande*. Quatre parties le composent : *agitation, propagande, soulèvement* et *depuis toujours*. Charron n'utilise pas la majuscule ni même la pagination ici. Ces sous-titres donnent en eux-mêmes, en leur filiation sémantique, une idée du contenu du recueil, et j'ajouterais hélas. Autant le livre précédent m'a emballé, autant celui-ci m'a déçu et agacé. L'intention est évidente, le slogan et la «propagande» révolutionnaire crûment explicites. Des photos et des collages de mots d'ordre ouvrent chacune des parties du recueil; il s'agit de «prendre sa part dans le débat socialiste», ce qui est louable, de «s'unir au peuple pour saper les têtes de porcs», l'«oppression qui rote», et tout cela *en pesant bien ses mots*, «le même nom pour tous», «livres / fusils en mains / et tout à refaire», car «en chacun le vieux monde chavire».

C'est l'appel à une ère nouvelle, la dénonciation de ce qui perdure : «devenons bêtes féroces pour casser la barbarie», «idéologie rebelle en bandoulière». Tout ce qui n'est pas ce *devoir* est bourgeoisie, «surplus-fouillis-capital». Poésie engagée, militante, voilà bien ce que pratique ici Charron, ce désir d'«écrire dans la rue», de voir «s'unir-forer» les artistes, les militants et les ouvriers, de «parler le langage des masses» — ce qui ne signifie pas la langue des masses, et Charron ne doit pas l'ignorer dans son désir d'*«organiser la compréhension»*. Je ne veux pas m'engager sur cette voie de distribution de classe. Quoi qu'il en soit, si jamais j'avais un rôle à jouer dans cette possibilité de voir ces textes passer à l'histoire littéraire québécoise, déjà fixés par l'édition et elle-même déjà relayée peut-être par l'enseignement des lettres dans nos écoles, je souhaiterais que *Du commencement à la fin* soit lu et relu, tandis que *Propagande* irait rejoindre les pancartes de piquetage après une grève, sauf peut-être la dernière partie, intitulée *depuis toujours*, cette sorte de texte-flot dont je retiens ces lignes conformes au discours universitaire contemporain : «T'as bien vu et tu verras toujours vie né clivé usé on se bat on se change mutuellement rallier les intellectuels et les classes moyennes au prolétariat ci et là prêts éveillés soupçons certitudes voiles enfin levés étonnement reflets coupés».

Ce qui prouve qu'on finit toujours par se retrouver en classe, entre nous. Affirmer que Charron tombe ici dans la facilité, ce serait porter un jugement de valeur qui tombe à côté de son projet véritable qui est, je crois, de faire le procès — au double sens du terme — d'un système de valeurs moribond, et la sentence est implacable. En effet, le poète ici pèse ses mots, ceux de tous les jours, croit-il, quand il porte surtout un *discours*, plus politique que poétique, mais en tentant de fusionner pour le mieux ou le pire ces deux dimensions du discours.

Michel Garneau

L'orthographe du titre du recueil de Michel Garneau, *Les petits chevals amoureux*, n'a pas à nous surprendre. D'ailleurs, l'usage a fait en sorte que le pluriel de cheval soit facultatif. De toute manière, Garneau est capable de licences bien plus engageantes et son texte le prouve. Licences orthographiques bien sûr, lexicales aussi, qui vont de l'archaïsme seizièmiste à l'anglicisme familier en passant par un éventail savoureux de nos joualeries linguistiques québécoises. Les chevaux du titre sont vraiment des jouals d'ici, des chevals fougueux et amoureux. Il sera en effet beaucoup question d'animaux dans ce recueil et surtout d'amour, d'amour courtois lorsque Garneau se met à ronsardiser au gré des saisons, ou d'amour de cul lorsqu'il s'amuse à rêver d'une «riante partie de foufounes avec toutes», ou encore des «beaux sexes juteux collants étourdissamment compatibles».

Garneau semble parfois ronsardiser pour la bonne raison, croyons-nous, que ses poèmes sont des textes de chanson. Son théâtre nous a déjà habitués à cela. Sur un rythme régulier, il mélodise un texte, alexandrine quelques vers : «j'ai la bouche pleine d'une chanson rouge / comme le vin dans la lumière de tes dents (...) indiciblement comme ça s'dit pas». Mais ce n'est certes pas là que réside l'intérêt de son recueil. Ni dans l'évocation de l'écureuil, du lièvre ou du «porthépique». Il y a une sorte de poésie du plein air chez Garneau, dans le style hymne des saisons, avec une prédilection pour l'automne. Ce qui est à retenir de l'ensemble de ces textes disparates, sans majuscule, sans ponctuation, sans pagination et même sans trait d'union, c'est la «discipline du bonheur» d'un homme à l'«âme poilue», qui conseille : «si vous n'aimez pas changez don de vie». On ne peut vivre que si l'on aime, mieux, on ne peut vivre bien que si l'on est en amour, que cet amour soit heureux ou malheureux. Heureux celui qui sait jouir d'une belle «botte»; heureux aussi tous ces «enfargés d'amour» qui nous font croire comme des fous que notre errance a un sens : «voici la chance et le hasard utiles / celui qui cherche doit savoir qu'il erre».

Son recueil est un hommage aux amoureux, à la vie : «je pète en couleurs / et je prends à la santé de tous / une belle grosse botte de vie». Garneau a la parole franche, le verbe dru quand il en a contre «la froide courtoisie et l'érotisme» ou lorsque le cri jaillit comme un rapt : «animalange en peau d'humaine ma sacremente», «belle pomme de fesses», «ô belle cochonne le sperme / vient du coeur (...) le sang joyeux de tes règles généreuses / m'a fait connaître le métal nommé / vermeil / soyeux métal de l'aire de tes cuisses». À part quelques grivoiseries lancées avec un clin d'oeil, une petite bière à la main, il est partout question de tendresse, de chaleur, de velours, «jusse se velourant des beaux mots veloutants», pour le plaisir, pour déjouer l'angoisse et repousser la mort : «fine femme femme douce désir (...) il me grandit des mains / pour machiner ma meilleure tendresse / doucement sous le velours des apparences / et fine fleur de femme vous me voyez venir». La beauté, renarde naïve, et la liesse se vivent quotidiennes et travaillent l'univers qui nous travaille.

Vérité ou mensonge, qu'importe, le poète se targue de jouir de toute liberté, ou presque, comme une «*métaphore*», avant de proposer un texte intéressant où se manifeste le jeu d'une écriture qui s'écoute : le texte s'ouvre sur l'évocation de deux poissons dans le Lac des castors, passe à celle de deux seins de femme pour se fermer sur les poissons-seins du lac de poitrine. Le procédé est simpliste mais toujours efficace dans ce genre de texte, «redites comptées» aurait dit Mallarmé. Les textes de Garneau sont simples, travaillant plus sur les mots que sur les syntagmes ou les allégories élaborées. Il aime verbaliser les substantifs, utiliser des expressions populaires (codinde, bébitte, totonnerie, pogner, flayer), narrativer des situations, bref oraliser ce jeu de mots : «je suis sage asteur et je tête le désalcool / si j'ai tant bu sans soif asteur je bois la soif / j'ai le blond soupçon que je suis un désert / voici de l'eau du kik du coke du thé chinois / et même voici oh sacrament voici de la tisane».

Chansons qui ronsardisent, chants de plein air et de bêtes proches, beaux appels de cul et de tendresse, monologues du parleur dans sa «petite auto de solitude», le dernier recueil de Garneau est disparate et sympathique. Certains accents rappellent ceux que nous ont fait déjà connaître ses textes dramatiques. Garneau, chantre familier. C'est sans doute ce qui le distingue le plus du discours poétique que la critique universitaire a tendance à valoriser. Notre affirmation peut sembler outrée, mais il apparaît que deux tendances littéraires se dessinent de plus en plus au Québec — comme en France et ailleurs, tendances que vient démarquer un degré de lisibilité qui va de la clarté (limpidité) à l'obscur (opacité). Chez Garneau, la rhétorique n'est qu'un support de sens et non une fin en soi. Ni ouvertement politique, ni ouvertement féministe, sa poésie se veut plutôt intimiste et souvent populaire : «je coule je flambe je meurs crépitant / (...) éternelle rumeur / de la plus profonde réalité».

Avec les *Poésies complètes* (1955-1987) de Michel Garneau, il nous faut bien admettre que les éditeurs sont animés par d'autres motivations que celles qui président à l'édition critique ou savante. Et comme il ne s'agit pas d'une anthologie posthume — qui douterait que Garneau ne soit plus du monde des vivants! —, l'auteur a lui-même revu les recueil qu'il a regroupés en un seul fort volume de plus de 750 pages, et il n'a pas cru bon de relever les variantes ou les retouches qu'il leur a apportées.

Les éditeurs ont en effet misé sur les textes. L'attirail bibliographique se trouve donc réduit au minimum. L'astuce de Guérin Littérature aura été de publier un autre livre, parallèle à l'anthologie, dans lequel on retrouve un discours critique, évaluatif et global sur l'oeuvre de Garneau. Il s'agit du livre sympathique de Claude Des Landes : *Michel Garneau, écrivain public* (1987, 192 pages, illustrations et photos). On peut en effet puiser là tout ce que l'anthologie se garde bien de répéter.

Garneau est un auditif. Très jeune, c'est en effet vers le théâtre qu'il lorgne puis vers la radio et enfin vers la chanson. Encore aujourd'hui, l'autodidacte manifeste sa fidélité à l'oralité ou plutôt à ce que j'appellerais son souci de la voix, de la rythmique, de la tonalité de son langage. Son théâtre est parsemé de musique chantée, ses animations radiophoniques sont empreintes de cette joie de parler et de jouer avec les timbres, ce plaisir de respirer, comme si sa voix portait des textes déjà lus. Bref, Garneau a su imposer sa carrière — sans jeu de mots —, et même ses nombreux recueils poétiques ne sauraient être lus à voix basse. Si l'on veut leur rendre justice et, par le fait même, participer à cette «imprévisible passion de la présence» (p. 733) ou à cette jubilation dont ils nous entretiennent si souvent, que la jubilation provienne des carresses des corps, des jeux criards d'enfants ou de la montée jaillissante des phrases, il faut les dire et non seulement les lire.

Garneau nous guide «vers la vraie fête de la présence ordinaire» (p. 657).

L'«animalhumain», comme il aimait l'afficher, n'a jamais atteint de si beaux accents que dans *Les petits chevals amoureux*, recueil qui regroupe des textes qui couvrent plus d'une quinzaine d'années, ou encore *Dans la jubilation du respir le cadeau*, qui couvre lui aussi plus de vingt années d'écriture, du début des années 60 jusqu'à aujourd'hui. Ce dernier recueil serait inédit. Il manifeste par ailleurs une continuité rare chez un même poète et sur une si longue période de production : «Je chante au centre / dans le ventre du désir» (p. 752). Fidélité à la voix : «tout ce que je sais de cette joie / c'est que mon sang fait voix» (p. 25). Fidélité, cette voix que l'on retrouve sur scène, chez ses personnages, et sur disque, ces longues complaintes lancinantes et qui pourraient ne jamais finir.

Il faut se répéter en plein centre de ses *Poésies complètes*, et datant de 1975, les quelques pages qui nous confient les mille «raisons d'écrire» qui le motivent encore. Garneau est avant tout un parleur, un raconteur bavard, un amoureux de la langue, celui dont le discours poétique se veut d'abord un envoûtement plutôt qu'une recherche, une rythmique plutôt qu'une déception mélodique, enfin, une complicité plutôt qu'une traversée solitaire.

Les voix de Montréal

Je me lève à froid
dans un souci devenu
mien, dans un néant
qui me déborde
J'ouvre la porte
et j'entends la mer
dans Montréal

«Marie montante» de P. Nepveu

pour voir (...)
si j'ai la clé de l'art ce grognement
d'un amour qui ne sait pas mordre.

«Pantomime» de P. Nepveu

Voici les contributions poétiques récentes de quatre écrivains québécois: *Une certaine fin de siècle* de Claude Beausoleil, *Essaime* de Jean Chapdelaine Gagnon, *Mahler et autres matières* de Pierre Nepveu et *Ille* de Richard Phaneuf. Mes lectures se sont surtout attardées au contenu et, le plus souvent, elles suivent de près des impressions que les textes provoquaient et qui se sont maintenues.

Le dernier livre de C. Beausoleil est un recueil volumineux de près de 350 pages, ce qui est rare en poésie. «Je ne suis que celui qui parle comme malgré lui» nous révèle-t-il soudain. «Je parle comme si c'était la fin. La fin des illusions (...). Je sens qu'il faut que je parle. Que j'inonde tout de mots (...) Qui donc veut me faire taire» (pp. 64-65). Ce ne sera certes pas aujourd'hui la fin du flot verbal du poète le plus volubile que le Québec ait connu. Il parle. Il écrit. Dans la crainte que son inscription ne soit jamais assez profonde, que son passage ne soit pas assez remarqu(é)able, «quand tout vacille et que le temps déferle sur tout ce qui dicte un tracé» (p. 66). Tout se passe comme s'il y avait urgence de tout dire avant *Une certaine fin de siècle.*

Cependant, on est loin de la certitude quelque peu dramatique de *la fin* mais d'une fin quelconque, «biographant le lugubre/empêché» (p. 160), «rassemblant nos fictions/une plainte alanguie/dans la manufacture moderniste» (p. 161). Beausoleil prend le parti de la rêverie plutôt que celui du rêve et, sur des rythmes bien accordés, il nous scande avec aisance «le désir des bibliothèques» (p. 176), il multiplie les citations et les dédicaces, comme pour se rappeler avant une certaine fin la faim d'amitié et d'échange que rend possible, semble-t-il, le divan de l'imaginaire — puisqu'«il y a toujours de l'écriture qui file entre les corps» (p. 301) — il nous raconte à l'abondance les nombreux voyages qu'il a faits, les musées qu'il a visités, les rencontres, les reconnaissances, les connivences culturelles que l'écriture retient et sauve de la menace constante de l'éparpillement et de la perte, de la fuite et de l'oubli.

On comprend mieux alors cette insistance à parler de l'écriture, surtout quand «écrire devient une question» (p. 253), je ne sais trop laquelle? mais je sais qu'il est toujours beaucoup question d'écriture chez Beausoleil, partout, des «secousses du souffle» (p. 241), de «la passion rythmique» (p. 251), «à la page suivre l'agonie mythique du sens» (p. 257), la «freetextecity» (p. 259), «on avance» (p. 263), on voyage de ville en ville, de livre en livre, «on dépasse le temps» (p. 269), «page, corps & anecdotes» (p.279), l'espace blanc appelle à l'écriture, le texte prend la relève de tout et se fait faussement barbare, amoureux même, «phrases du corps aimé» (p. 288), etc. Beausoleil ne bavarde pas. Il parle et à s'écouter, il s'écrit. Une vraie fureur de vivre et d'écrire, en ville, en Amérique, de s'«induire de fiction» (p. 219), pour le meilleur et pour le pire.

J'ai beaucoup aimé «La tenue du décor», là où la parole joue de l'écriture et vice versa. Ailleurs, il y a parfois trop de complaisances et j'ai du mal à me laisser bercer par les retombées disparates du «palmier sémantique» (p. 83), fussent-elles «la rumeur de la ville» (p. 144) ou la dérive du sens sur le corps de la plage.

Cette dernière expression, «le corps de la plage», appartient à Jean Chapdelaine Gagnon qui, dans le no 125 de *La nouvelle barre du jour*, publiait un texte du même titre. Ce même texte se trouve de nouveau dans le dernier recueil de Chapdelaine Gagnon, *Essaime*, sous un autre titre, moins intéressant selon moi: «Corps androgynes». Ce texte n'est pas le plus original parmi ceux de *Essaime*, mais comme il est publié pour la seconde fois et qu'il apparaît en plein centre du recueil, je m'y attarderai quelque peu.

«Au hasard des blessures, des lignes prennent sens, des silhouettes se démarquent, mais sans vie. Calligraphie (...) qui ne se laisse pas lire, se refuse à un sens. Des lettres, comme des corps chiffrés, se cherchent une langue» (p. 60). Cette citation d'une partie du dernier paragraphe convient bien aux cinq dessins de Denis Demers, même si ces derniers auraient pu ne pas être reproduits parce qu'ils sont ternes, in-signifiants, inutiles, n'ajoutant rien à la valeur «poésie» des textes ici rassemblés. Cette citation s'accorde bien aussi, dans le sens de bien s'entendre, avec ce qui me semble le projet le plus fondamental de Chapdelaine Gagnon, celui d'écrire des récits qui n'en sont plus tellement; l'écrivain pratique un brouillage systématique au niveau des acteurs, dont l'existence est toujours problématique, dont la parole est une énigme, dont les coordonnées spatio-temporelles sont brouillées, les programmes narratifs amorcés mais aussitôt redoublés, repliés, empêchés, surtout dans les premiers textes du recueil, ceux de la première partie intitulée «Énigmes», beaucoup plus réussis et convaincants que les monstres féroces et vengeurs de «Exils» qui exploite la veine fantastique.

Les textes d'«Énigmes» sont plus subtils, très bien maîtrisés: «À quoi bon revenir sur soi-même et sur elle, à quoi bon s'arrêter? Mieux vaut continuer, recommencer. Mieux vaut refaire, ailleurs peut-être, notre histoire. Vous n'en serez pas dupes. Moi non plus» (p. 30). Ce clin d'oeil au lecteur cristallise là nos impressions et notre inconfort à voir le narrateur raconter des départs et des retours d'une femme imaginée(aire), «essaim de déviance», qui fait comme si elle commençait et/ou terminait quelque chose, disait et/ou taisait, par quels yeux? par quels lieux? avec en miroitement le double d'Orphée et d'Eurydice. «Le jeu infiniment pourrait se poursuivre, qui sait? (...) Elle fait toujours comme si. On n'arrive jamais à savoir ce qu'elle parade (...). Et qu'avait-on à croire (...)? Cela ne fait pas sens; cela contre le sens, à ne rien dire» (p. 20). Sous le jeu des apparences trompeuses, il n'y a ni corps ni miroir, pas même une histoire, un «monde à la ligne, à la limite du réel» (p.48).

Toute la deuxième partie, «Plaies d'Il», poursuit ce questionnement, cette traversée de l'énigme, mais d'une manière plus atténuée, plus cérébrale peut-être; le narrateur joue à l'égaré, à l'écart, en fuite, en chute contrôlée, ce «fil glissant enfin dans le chaos» (p. 51). La partie centrale, «Corps androgynes», renchérit avec un mode d'écriture par trop maniéré et qui, par le fait même, ne parvient pas à gagner la connivence et la conviction du lecteur: «Qui reconnaît ici présence entre les marges des mots étouffés, des paroles sanglées? Susurrements qui entre tant se tendent et tendent entre tout à se redire, à se comprendre (...). Qui vous a tue qui aujourd'hui déjà manque à vous étreindre, vous démembrer?» (p. 57). Ce maniérisme cède la place avec «Exils» à un fantastique féroce, avec sa moralité évidente et ses sacrifices sanglants à des dieux androgynes s'entre-dévorants et coulés dans le bronze. La chair de poule ne me vient pas sur ces «dos d'or» (p. 68), et même le narrateur, dans «la liseuse», vient rompre le charme de cette toile bouleversée(ante) et habitée par une tempête de cris, en nous disant que la «voix» n'est que celle d'une liseuse dans son lit, un roman sur les genoux, et qui crie à gorge déployée: Justice! Justice!

On y reconnaît parfois le souffle et la voix de «La ville tuée» d'Anne Hébert et de certains autres textes colériques de cette époque, habités par des monstres atrophiés. On y reconnaît parfois aussi le fantastique devenu monnaie courante de la bande dessinée, surtout dans «La sentence». Il est possible que ce soit à partir de ce seuil, après «Pages androgynes», que je devienne un mauvais lecteur de Jean Chapdelaine Gagnon. Je garde la nostalgie des impressions fugitives... des deux premières parties du recueil. Pour le reste, je pourrais le citer de nouveau: «Il prétend qu'on n'a pas su lire et qu'on a tout faussé, qu'on n'a rien deviné entre les lignes, qu'on a le regard court et tronqué. Il continue de croire, d'affirmer et de clamer que sous les mots les plus simples (...) se trament des sens que nous aurions falsifiés» (p. 77).

La dernière partie représente une sorte de galerie de femmes quelque peu inquiétantes, aux prises avec le double, l'androgyne, l'incertitude du gain ou de la perte de la «croyance» (p. 109), de l'existence même. Le titre est fabuleux: «Mal(e) essaimé(e)» et toute réalité ne présente plus qu'«un ENDOS» (p. 108). Le livre retrouve ici l'intérêt et la qualité de l'écriture que je signalais à propos du début. L'essaim est vivant.

Le lyrisme de Pierre Nepveu est, lui aussi, surprenant de vitalité. Depuis 1971, il ne cesse en effet de s'imposer comme une figure marquante de la communauté littéraire.

Si *La poésie québécoise*, l'anthologie qu'il a réalisée avec Laurent Mailhot en 1981 a eu un certain retentissement (le Prix France-Canada), sa poésie a le plus souvent obtenu une réception plus discrète. Depuis *Voies rapides* jusqu'à *Couleur chair* en passant par *Épisodes*, le rythme de production est continu et il semble s'accélérer de plus en plus. *Mahler et autres matières* m'a étonné par la puissance de son lyrisme contenu, sa simplicité exemplaire, son humilité (c'est si rare) et la force vibrante de l'émotion qui court.

La voix de Nepveu ne cesse de grandir et de s'imposer dans le murmure un peu sourd du champ littéraire québécois de ces cinq dernières années. La voix porte et s'élève comme une marée montante: «Je me lève à froid/dans un souci devenu/mien, dans un néant/qui me déborde/J'ouvre la porte/et j'entends la mer/dans Montréal» (p. 74). Les bruits de l'encre se mêlent à ceux du corps et rythment un incessant va-et-vient, jusqu'au plus lointain de l'atteinte, jusqu'à l'aveuglement de la prise soudaine, jusqu'à l'intolérable parfois: la voix «me veut effondré/au milieu d'elle» (p. 71). Et le lecteur se laisse prendre, se laisse emporter, comme soulevé par l'urgence du porte-voix et de la violence: «ma vie/enfin tenue pour entière/qui ne me fera jamais trop mal» (p. 70); «Je me soumets/aux avances du désastre» (p. 67), «comme le livre où l'on/se couche, invivable réel/d'une journée dans la gorge» (p. 66).

C'est ainsi que Nepveu inscrit une obstination d'écriture. La reprise fait en effet partie des règles du jeu; cette bascule du cri et du mutisme, cela se noue au fond de la gorge. Cette rêverie de la voix envahissante, qui monte, qui percute, qui rebondit et qui meurt, pour la reprise, cette rêverie parcourt et charpente toute la dernière partie du recueil qui s'intitule: «Le solitaire en automne». La réussite du travail de ce solitaire, c'est d'avoir pu parler dans la voix et en même temps garder l'écoute. La voix s'impose, celle d'un solitaire musclé, «brassé dans (ses) noirs pour ne pas périr, / mangé par (sa) langue pour mieux être» (p. 49), un solitaire qui prête un ton et qui reprend sans cesse sa revendication. Parce qu'elle sait voir, la voix se fait parfois sévère et s'élève sans hargne jusqu'à la critique sociale et politique avec des textes comme «L'humeur perverse», «Topographie»...

Nepveu fait courageusement subir la question à ce solitaire rongeur de crayons qu'est le poète. Le très ferme «Éloge de la poésie» serait à citer en entier et à commenter. Faut-il prendre au sérieux les malheurs de ce pantomime, de ce magicien de «l'art ce grognement/d'un amour qui ne sait pas mordre» (p. 39)? Le clin d'oeil a de quoi interroger.

C'est la première partie du recueil qui lui donne son titre : *Mahler et autres matières*. Il s'agit de l'apprentissage, à la fois violent et rieur de la délinquance poétique, du délire poursuivi et redouté, de cet apprentissage d'un chant nouveau et, encore, de la solitude: «je ne chantais plus que comme un vent privé d'arbres» (p. 14), condamné à éprouver sans cesse les mêmes peurs, jusqu'à l'épuisement, jusqu'à l'abdication, jusqu'à la découverte subite de sa «musique» — je parlais plus haut d'une voix — la découverte de l'anecdote, du sensible, de la texture, des qualités du monde, jusqu'à la folie presque, tel un «chien fou» sollicité par mille et un jeux à la fois: «Seul ma musique se manifestait, enragée, publique, me prenant pour son homme, moi qui me croyais mort» (p. 17), «comment croire/cet enchantement qui m'arpente, ma voix/déshabillée à l'aube de la salle de bains/soudain captive de l'allégresse comme/d'une syntaxe qui japperait des mots/toute une époque pour y apprendre à vivre» (p. 23). Telle est la trame et l'orchestration intime.

Je n'ai pas entendu de pareils accents ni constaté une telle maîtrise de l'écriture depuis bien longtemps. Je laisse le lecteur poursuivre l'écoute de ce Mahler, ce «souffle qui a connu/le fond du corps» (p. 35), et se laisser porter par cette «passion qui boit» (p. 35) la mer dans Montréal.

L'*Ille* de Richard Phaneuf m'a plutôt refroidi. Son recueil m'est apparu un peu trop obscur pour que je le traverse et retraverse à volonté. C'est dommage — pour qui? On se retrouve pourtant devant des formes d'écriture assez modernes, quoiqu'avec une faible pratique des blancs, une scansion déroutante, une phrase très elliptique. Voilà un recueil qu'il conviendrait de glisser sous la bannière de la «nouvelle écriture» soutenue par la *NBJ*. En deçà du discours de ralliement, la lecture est malheureusement bien laborieuse et le poète bien exigeant pour des lecteurs déjà peu nombreux. Même le tératologue sémioticien formaliste que j'ai déjà été a eu un mouvement d'hésitation dès les premières pages. La syntaxe est pourtant là, intacte, comme un fond de parole. Et pourtant, «je suis devant ma phrase/comme devant un calvaire» (p. 36).

> mes douleurs baignées
> dans l'amniotique de l'alphabet
> corps commis
> ma santé blanchit
> au fur et à mesure
> que l'assiégé prend texte (p. 45)

C'est ce que l'auteur appelle «faire que nous habitions nos plaisirs» (p. 63), «nouveau risque» (p. 57) à partager avec cet autre féminin qui est partout présent et grâce à qui l'on apprivoise le «nouveau visage des mots» (p. 56). Décidémemt, ce recueil va finir par me plaire. Je me surprends à le parcourir et à me laisser séduire, même par les illustrations de l'auteur qui me paraissent, ici, sobres et très évocatrices sous leur figuration estompée. Au fil des pages, le corps-texte tant évoqué durant les années 70, le «poème couché» (p. 54), le «corps épelé» (p. 51), la prosodie bridée des spasmes et des passions, «les caresses d'une écriture» (p. 50), voilà vers quels lieux de rêveries et de réflexions nous convie Richard Phaneuf, «ce corps dans la boîte aux lettres» (p. 35) et/ou cet «homme du corps de l'écriture» (p. 34). Serions-nous au seuil de la parodie?

Que conclure? Pour être bref et pour jouer le jeu des préférences textuelles, la palme me semble revenir au recueil de Pierre Nepveu, pour le lyrisme contenu, la simplicité, l'humilité et la force vibrante qu'il communique:

> La plaine est une mer,
> autour de Montréal, mai
> me mange de ses fleurs,
> ses pommiers sur cette pente
> imprévue, à Saint-Hilaire
> où je me couche dans un accord
> humain, une passion
> qui boit (p. 35)

Le langage en question

(Les essais littéraires publiés au Québec en 1973)

Hors quelques ouvrages qu'il convient de citer pour mémoire[1] et *Rhum soda*, de Réal Benoit[2], réédité tout récemment, dont je reparlerai plus loin, la plupart des essais qui méritent cette année une attention certaine sont des études qui touchent à des problèmes relatifs, d'une manière générale, au langage et à la culture[3]. Avant d'aborder ces ouvrages, il convient de mentionner le volume un peu décevant de Fernand Dumont, *Chantiers*[4], recueil d'articles parus entre 1958 et 1969. L'auteur annonce la parution prochaine d'un ouvrage dans lequel il s'attachera carrément à une étude systématique de la notion d'idéologie. Son dernier volume qui porte le titre significatif de *Chantiers* pourrait lui aussi être ramené à une reflexion sur les rapports qu'entretiennent les sciences humaines qui se penchent sur des objets culturels, et les idéologies qui en contaminent forcément l'objectivité.

> La société n'est pas l'analogue de la matière inerte. Nous ne la percevons pas; nous en avons l'expérience. Quand nous en parlons, la culture parle aussi d'elle-même. On s'en aperçoit aisément pour ce secteur et ce résumé qu'est le langage. C'est de la culture que naît le projet de l'étudier. S'il peut être, en cette matière, des définitions *opératoires*, elles se nourrissent d'expériences et de sentiments confus.

Il serait hors de propos de s'attarder à toutes ces questions, mais les idéologies étant des problématiques de la culture constituées par la culture elle-même, il faudra se rappeler cette vérité première lorsque je signalerai l'importance du livre de J. Marcel, *Le joual de Troie*, dans lequel sont dénoncés les pseudo-linguistes-prophètes qui «valorisent» à tort et à travers le joual québécois.

Jean Simard se flatte d'en être à son dixième livre et intitule son dernier rejeton : *Une façon de parler*, avec comme sous-titre : *Essai sur les implications du langage*. J. Simard prend soin de préciser qu'il sera question du «langage» au sens très large du terme, englobant la parole, l'écriture, la lecture, le costume, la publicité, la propagande et tous les autres *mass medias* qui intègrent le sujet dans le circuit d'une communication ou d'une consommation plus ou moins consciente, plus ou moins active, plus ou moins motivée, d'un essaim de signes verbaux et non verbaux. L'auteur ne veut pas disserter savamment du langage. Sous un angle résolument pragmatique, il veut tenter d'examiner quelques-unes des «implications» du langage, ce dernier étant considéré comme un «outil» propre à la plupart des activités humaines, comme un instrument qui, «tout autant que le costume, révèle l'origine, la strate, le degré d'instruction de chacun. Voire le métier ou la profession. Pas d'imposture possible, dès que vous ouvrez la bouche!»

Riche de ces évidences, ce petit livre est constitué de 116 très courts chapitres consacrés à des sujets divers qui impliquent, de près ou de loin, l'utilisation de la langue : de l'enseignement et de la langue comme «mode d'échange et moyen logique de pensée conceptuelle» (Chomsky); du rajeunissement du culte liturgique et «des manifestations scoutes dans un décor de centre d'achat»; du joual québécois, ce «langage d'agonie prolongée» (J. Brault) et des dangers de la tour d'ivoire nationaliste; de la violence et de l'action curative et civilisatrice de la parole; de l'imagination matérielle chez Bachelard et chez les astrologues; de l'écriture «parlée» chez Céline et de l'écriture «écrite» de Sartre. Je laisse au lecteur le soin de deviner le reste. Dans l'ensemble, le livre de J. Simard est assez ennuyeux. Cette «façon de parler» de tout et de rien, cet essai sur les lieux communs, cette vulgarisation excessive des écrits de N. Frye et de ce que la sémiologie peut devoir à U. Eco, tout cela m'oblige à suggérer à son auteur de lire *La structure absente.* Si l'épaisseur du livre le décourage, je propose la lecture attentive de deux articles de *Culture et langage*, cités ci-dessus : N. Lacharité, «Le privilège de l'événement dans les médias d'information», et J.-P. Brodeur, «Culture et saturation».

Mêmes remarques au sujet du gros livre de J.-P. Desbiens : *Dossiers Untel.* L'ex-frère Untel a cependant ma sympathie puisqu'il s'agit ici d'un recueil d'articles écrits ces dix dernières années, soit dans les *Cahiers de Cap-Rouge* publiés par les professeurs du Campus Notre-Dame-de-Foy de Cap-Rouge dont il est le directeur général depuis le mois de mai 1972, soit dans *La Presse* (de mai 1970 à octobre 1971), soit à l'occasion de conférences ou de colloques, et non un fourre-tout de notes éparses et anémiques. Le *Dossier Untel* constitue le n° 4 des *Cahiers*, numéro spécial consacré à l'auteur des célèbres *Insolences du frère Untel.* Son dernier livre contient des inédits dans une proportion de 20%. R. Bergeron en a écrit une introduction substantielle : «Le frère Untel, hier et aujourd'hui», sorte d'étude bien documentée sur les répercussions et les influences des *Insolences* en certains milieux québécois.

Les articles de Desbiens s'inspirent surtout de l'actualité; ils sont groupés sous des rubriques très générales : la religion, l'indépendance, la jeunesse, la langue, Octobre 70... Exception faite de ce dernier titre de chapitre qui illustre bien comment la pensée du frère s'est progressivement politisée, nous retrouvons ailleurs le champ de préoccupations des *Insolences* : tendance réformiste en politique canadienne, importance capitale de l'éducation au Québec, la qualité de la langue, etc. Comme il le dit si bien, un slogan n'étant pas un programme, je ne m'attarderai qu'à la rubrique consacrée à la langue. Desbiens n'a jamais été un défenseur du joual québécois qui constitue, à son avis, l'envers — à l'endroit — d'une anémie culturelle, anémie que la radio, la télévision et certains enseignants ont contribué à soigner. Depuis 1960, Desbiens reconnaît une certaine amélioration qu'il mesure à la lumière de trois situations : l'élévation du niveau de scolarité, l'intervention des pouvoirs publics et, enfin, l'explosion de la parole qui se manifeste dans le théâtre, la chanson et le roman. En septembre 1967, il déclarait : «Je ne suis pas inquiet pour la parole [...] je suis inquiet pour le français. Ici, d'abord, bien sûr, car c'est ici qu'il est le plus menacé; mais aussi pour toute la francophonie. [...] l'avenir du français n'est plus une affaire d'imprimerie et d'école, mais d'éducation populaire; [...] l'avenir du français est lié à la puissance réelle des pays francophones», puissance à la fois économique et culturelle, de celle qui fait qu'on se meut à l'aise dans sa langue, qu'elle peut risquer de se faire «un peu plus fille d'auberge» et autre chose qu'un instrument de protestation. «Nous avons déjà écrit que la langue était notre dernière frontière. Si cette frontière devait s'évanouir, nous serions dans la situation d'un homme qui perd sa maison. Il nous resterait à vivre à loyer. [...] Le dépendant par excellence, c'est l'enfant. *Infans* : celui qui ne parle pas. Autrement, on vit à loyer. On vit peut-être plus confortablement, mais on vit à loyer.»

Le choix de cette rubrique du *Dossier Untel* n'est pas arbitraire. Il permet en fait d'aborder de front l'essai québécois qui se mérita le plus d'attention depuis sa parution : *Le joual de Troie* de Jean Marcel, ouvrage choc, en un sens, et qui ose affirmer que «toute considération sur l'état linguistique du Québec qui ferait abstraction des conditions proprement politiques d'exercice de la langue doit être tenue comme nulle et non avenue, sinon comme une fumisterie». Ce livre est sans aucun doute ce que j'ai lu de plus passionnant, de plus sain et de plus honnête depuis bien des années au Québec. Le texte de J. Marcel respire la santé, et sa chasse à l'hérésie permet l'autodafé le plus excitant des faux prophètes de la québécitude étroite. Il pourfend tous ceux qui brandissent le mythe d'une «langue» québécoise et qui ne tiennent pas compte des conditions *réelles* d'existence de ceux qui la pratiquent. Ses maîtres, ce sont tous les véritables linguistes chevronnés. Ses victimes, H. Bélanger et G. Turi, les auteurs respectifs des âneries de *Place à l'homme* et d'*Une culture appelée québécoise*. «Je n'ai finalement retenu qu'un seul maître, de dire J. Marcel : Gaston Miron.» À qui il faudrait joindre le nom de J. Ferron qu'il cite assez souvent. J'espère que le livre de J. Simard n'est pas tombé entre ses mains. Il en sera quitte pour une «hénaurme» colère.

J. Marcel se propose essentiellement de dénoncer les idées reçues sur la langue et la culture, et les préjugés idéologiques de ceux qui les véhiculent : «Est idéologique tout discours qui fait écran entre l'état réel et la conscience possible qu'on peut avoir de cet état.» Pour une tentative de définition de ce qu'est une idéologie, je renvoie à *Chantiers* de F. Dumont, et tout particulièrement aux trois articles que réunit le deuxième chapitre : «La fonction sociale de la science historique», «Idéologie et savoir historique», «De l'idéologie à l'historiographie : le cas canadien-français». Bref, J. Marcel déclare la guerre à ceux qui se gargarisent de nos singularités culturelles (linguistiques et folkloriques) pour soutenir que le franco-québécois n'a plus rien à gagner au contact des pays francophones, comme si le contexte nord-américain, sa géographie, son paysage et ses institutions, suffisait à expliquer notre relative aphasie linguistique et culturelle : «la langue est un système et non une imitation de la réalité. C'est lorsqu'on change de *système* qu'on change de *langue*, sans nécessairement modifier la réalité.» Et un peu plus loins, toujours aussi explicite : «En liant *moeurs* et *expériences* à la constitution d'une langue quelconque, on commet en termes scientifiques une hérésie.»

Il est bien évident que les Québécois ne sont pas *des* Français, mais il demeure que nous sommes encore français, — «seulement un peu aliénés à notre être réel par deux siècles de conquêtes successives, militaire en 1759, politique en 1867, industrielle vers 1920». Il n'est pas surprenant que tous les tenants du bilinguisme fédéraliste se noyautent autour d'une campagne idéologique dont le but est de semer chez nous des graines de francophobie. Tout se passerait comme si le monde environnant déterminait à lui seul l'élaboration d'une langue québécoise, comme si la nature que l'on foule prédisposait à tel agir culturel. Il ne faut pas être sorcier pour constater qu'on peut connaître un mot sans jamais avoir vu l'objet réel dont il est le signe. «C'est ça une langue, essentiellement : pouvoir *comprendre* et pouvoir *dire* sans avoir nécessairement expérimenté ou senti soi-même.» Quelle niaiserie de toujours vouloir confondre une langue et des façons de parler cette langue, cette dernière n'étant rien d'autre qu'une institution perfectible et modifiable, et qui s'apprend au-delà de l'apprentissage maternel, par la langue elle-même, par sa pratique, et non pas seulement par les choses ou le lexique qui en serait le reflet, le lexique étant d'ailleurs ce qu'il peut y avoir de plus superficiel dans la structuration d'une langue.

On voit un peu le ton du livre de J. Marcel. Il est de ces Québécois qui en ont assez de «se faire tripoter leur singularité» : avant de vouloir se définir à tout prix par ce qui nous différencie, il lui semble urgent de prendre conscience de la nécessité de se définir par ce à quoi l'on peut d'abord s'intégrer.

On le voit bien, l'essayiste a comme intention de démontrer quelque chose, ne serait-ce que ses intentions profondes, et c'est toujours de cela qu'il s'agit. Afin de parvenir à ses fins, tous les moyens sont bons : apologie, contestation, rigueur analytique, etc. En essayant de prouver — d'où le caractère logique et démonstratif de son discours —, l'essayiste prend ses idées et ses sentiments comme moyens et comme fins, et quand il croit avoir convaincu son lecteur, il se tait. Quand il en doute, il reprend les éléments de sa démonstration, de sorte que son texte est toujours inachevé, menacé de répétitions, toujours inégal... D'où la nécessité de l'audace, du sens du présent surtout, son texte étant très souvent perçu ou valorisé en fonction d'un critère d'actualité. Les idées vieillissent tellement vite! Le critère d'actualité fera parfois de l'essai un discours qui demeure lisible ou anachronique. Le livre de J. Marcel répond à ces trois exigences : vivacité de l'expression, conscience d'un état d'urgence, rigueur analytique.

On remarque aussi que le discours d'idées se développe la plupart du temps à partir d'une réflexion sur le sens de certains mots (idéologie, science, culture, langage, etc.) même si l'essayiste tente de brosser le tableau d'une situation ou d'un événement. D'où le côté scolastique de l'écrivain, pour reprendre la distinction de R. Barthes entre l'écrivain et l'écrivant. Il cherche à faire passer des propositions d'allure cognitive — qui offrent une prise à la vérification référentielle —, quand ces propositions sont le plus souvent prétextes à fournir des exemples d'emplois de mots. L'essai est le type de discours citationnel par excellence. Le texte typique est bien entendu le discours dit philosophique, et certains titres des articles qui composent *Culture et langage* ne manquent pas de nous éclairer à cet égard : «Violence et volonté» de G. Leroux; «De l'intolérabilité : remarque sur le vocabulaire de l'échec» de R. Hébert; et puis «La métaphysique et les noms» de C. Panaccio. Ce recueil d'essais qui se veut la manifestation patente d'un progrès sur l'apathie minérale du milieu philosophique québécois, ce recueil nous ramène à la problématique du discours d'idées que nous soulevions au tout début de notre exposé.

Il serait vain de vouloir *résumer* le contenu de chacun de ces articles. Dans l'ensemble, le livre se compose de textes qui se répartissent en deux catégories : certains soulèvent des problèmes qui appatiennent à l'épistémologie, d'autres tentent de réaliser l'idée d'une critique de la culture. J.-P. Brodeur explique pertinemment dans sa préface qu'«on ne saurait cependant suggérer une telle division sans mentionner qu'il est au moins un trait que ces textes ont en commun et qui est d'avoir pour objet explicite plutôt des discours que des choses. Je ne sais s'il faut voir en cela un travers persistant de la philosophie ou bien l'indice des contraintes qu'exerce une situation culturelle originale.» Ce à quoi j'oserais répondre qu'il ne peut en être autrement aussitôt qu'un écrivant s'impose l'utilisation et les cadres d'un métalangage. C'est en fonction de ce dernier que les différents essais parus en 1973 auraient pu être classés, sinon analysés.

Les deux derniers essais retenus intéressent surtout ceux que l'on appelle communément les «littéraires». *Le théâtre du nouveau langage* de G. Tarrab porte en sous-titre : *Essai sur le drame de la parole*. La postface annonce la parution prochaine d'un deuxième tome portant sur le théâtre et la contestation : «il y sera question de cette forme de théâtre ascétique qu'est le théâtre de Grotowski, du spatio et lumino-dynamisme de Nicolas Shoffer, de la nouvelle architecture scénique, et de sa place dans le théâtre du nouveau langage — et à la limite, la dernière scène, c'est la rue —, du happening et de ses différentes formes». Ce deuxième volet promet donc tout un programme, et des plus passionnant! En attendant, il n'est pas interdit d'espérer qu'il soit meilleur que le premier consacré au «drame de la parole». Le sujet est pourtant d'un intérêt capital. Il s'agit de rien de moins que la révolution sémiotique véhiculée et illustrée par le théâtre depuis une vingtaine d'années, à savoir que les éléments non verbaux de la représentation scénique tendent de plus en plus à prendre la vedette au détriment de cet impérialisme des éléments proprement linguistiques qui a si longtemps prévalu sur les planches; à tel point que l'on peut affirmer que ce sont maintenant les «objets» eux-mêmes qui «parlent» aux spectateurs, qui réalisent cette communication «épidermique» entre la scène et la salle.

Le langage théâtral se remet lui-même en question. Cette dénonciation de la parole comme instrument privilégié de la scène au profit de la «sensation» brute d'un spectacle qui projette en tous sens sa surabondance de signes et d'indices, Tarrab en convient à sa façon : «Il est une sémiologie théâtrale que nulle *langue* ne saurait épuiser.» Cependant, au lieu de nous entraîner dans les méandres fascinants d'une sémiologie théâtrale, l'auteur nous avertit qu'il ne s'étendra pas sur les conceptions traditionnelles du langage en psychologie, en linguistique ou en sociologie anthropologique; qu'il n'entrera pas dans les analyses de Saussure, sur les relations entre signifiant et signifié, sur les systèmes d'expression et les relations d'expression, ni ne parlera du décryptage et de la théorie des communications, de la pensée préphilologique et prélinguistique, de l'indice et de l'indiqué, de l'intention signalisante et de la consécution naturelle, des systèmes symboliques et de la relation symbolique. C'est pourtant tout cela que je m'attendais à voir traité puisque le titre de l'ouvrage et son sous-titre m'informent que l'objet de l'étude consiste à envisager le théâtre comme une activité *langagière* autonome et en pleine effervescence expérimentale. Au lieu de cela, Tarrab offre une étude socio-psychologique du théâtre contemporain, une analyse de type génétique, partant de l'hypothèse que «les structures des oeuvres théâtrales du nouveau langage (comme celles d'ailleurs des oeuvres romanesques du nouveau roman) ne sont en fait que le reflet des structures mentales des groupes sociaux qui en constituent les assises.» Voilà pour les évidences fausses.

Tarrab souffre de ce que j'appellerais le donjuanisme critique. Ses commentaires, trop souvent répétitifs, s'alourdissent de tout un arsenal de citations de Sartre, Kierkegaard, Bergson, Valéry, B. Parain, Ricoeur, Barthes, Doubrovsky, Goldmann, U. Eco, J. Duvignaud, L.C. Pronka, M. Esslin, sans parler de Ionesco, Beckett, Adamov, Genêt, Tardieu... et de leurs exégètes. Pour tout dire, son travail est très bien documenté et fait réaliser à son lecteur rien de moins qu'une formidable économie de lecture. Par une sorte de contagion volontaire, je me permets d'en extraire une belle page :

> Les personnages sont désacralisés, détrônés, en quelque sorte. Les objets qui les remplacent et se substituent à eux, de manière insidieuse et par le biais, n'ont plus cette fonction utilitaire [...], les objets ne sont plus là pour «servir» à quelque chose, ou pour qu'on se serve d'eux, ou pour donner une contenance aux acteurs-omnipotents, les soutenant de leur poids, se rendant utiles par leur rôle de supports envers une action qui ne les concernerait pas. Non, les objets sont présentifiés à un degré tel qu'ils changent de *nature* dans le théâtre de Ionesco et de Beckett : ils deviennent tout à coup *sujets*, ils deviennent «signifiants», ils disent des choses avec leur *langage propre*, et ils les disent si bien qu'ils finissent par complètement écraser, voire annihiler, le langage des hommes, qui nous apparaît dès lors comme tout à fait dérisoire, mieux : un langage dont le système codé aurait soudainement explosé, de sorte que le mot n'est plus rattaché sémiologiquement à l'ensemble qui le constitue.

C'est du signe théâtral comme signe de signe dont veut nous entretenir G. Tarrab. Signalons que son chapitre consacré à Beckett est assez bien réussi. Il aurait peut-être été préférable de citer la fin de la préface bien nuancée de F. Dumont, là où précisément il conteste toute conception qui ferait de la production littéraire un simple «reflet» de la société. À lire! et à rapprocher de l'article qui ouvre *Chantiers* : «La sociologie comme critique de la littérature».

Un dernier mot enfin sur la réédition du court récit de voyage qu'effectua R. Benoit en Haïti et aux Bahamas vers 1947. *Rhum soda* veut illustrer comment Haïti réussit à surprendre et à envouter quiconque s'y aventure à la légère. C'est ce vertige tropical que traduit Benoit à travers mille et une péripéties aussi invraisemblables que farfelues. La première république noire de toute l'histoire est la même de nos jours que celle visitée en 1947, peut-être encore plus pauvre. Cela tient à son histoire que tout Haïtien ne manquerait pas de vous raconter à la première occasion. À l'exemple de Benoit, au lieu de faire le procès d'une dictature dont il y aurait beaucoup à dire, je me contenterai d'observer ce pays où naquit A. Dumas, ce pays qui tenta le premier d'appliquer intégralement la fameuse Déclaration des droits de l'homme, ce pays dont l'ennemi héréditaire reste les U.S.A., la «patrie maudite des yankees mange-nègres», ce pays où tout sourit à tout,

> et par contagion, je fais de même car malgré le drame qui éclate à chaque pas ici, dans toutes les rues de toutes les villes et de tous les villages, malgré le tragique de la vie dans ce pays-là, il y a dans l'air et sur les visages une dignité [...] dans la démarche et dans les expressions, qui rejette la tristesse et le désespoir; et en (leur) compagnie, l'insolite, et le gai et le loufoque et le prodigieux triomphent et notre tendance à l'apitoiement disparaît [...] et le rire qui jaillit par-dessus tout.

J'ai voulu parler de *Rhum soda* parce qu'on y trouve une qualité d'écriture rare, parce que son auteur a su rendre compte d'un contexte socio-culturel par autre chose que des démonstrations redondantes à la manière trop coutumière de certains sociologues, et aussi parce que je tiens à saluer les éditions Leméac qui aident de plus en plus à faire connaître par le livre un coin d'Amérique depuis trop longtemps négligé.

Notes

1. F.-A. Savard, *Journal et souvenirs*, Montréal, Fides, 345 p., où l'auteur s'acharne à sauver les valeurs que la Révolution dite tranquille a bousculées indifféremment, à son avis; *L'art et l'état* (R. Roussil, D. Chevalier, P. Perrault), Montréal, Parti pris, 101 p., pamphlet virulent sur la situation actuelle de l'art au Québec; et enfin, R. Barberis, *De la clique des Simard à Paul Desrochers en passant par le joual*, Montréal, Éditions québécoises, 159 p., qui permet à l'auteur de replacer dans le contexte historique de la prise de pouvoir économique et politique des Simard de Sorel, ce qu'il appelle l'«affaire du *Cassé*», de Jacques Renaud.
2. Réal Benoit, *Rhum soda*, Leméac, 127 p.
3. Jean Simard, *Une façon de parler : essai sur les implications du langage*, H.M.H., 154 p.; Jean-Paul Desbiens, *Dossier Untel*, Éditions du Jour, 332 p.; Jean Marcel, *Le joual de Troie*, Éditions du Jour, 236 p.; *Culture et langage*, H.M.H., 154 p.; Gilbert Tarrab, *Le théâtre du nouveau langage*, t. I, Cercle du livre de France, 309 p.
4. Fernand Dumont, *Chantiers : essais sur la pratique des sciences de l'homme*, H.M.H., 154 p.

Lecture de «La fille maigre» d'Anne Hébert

La lecture que nous entreprenons ici de *La fille maigre* n'a pas pour but de rejoindre la conscience rêveuse d'un auteur. À part le fait qu'elle vécut une adolescence maladive, qu'elle subit l'influence profonde de son cousin poète Saint-Denys Garneau, et qu'elle se soit exilée à Paris depuis fort longtemps, sa biographie n'est d'aucun recours à qui veut lire ses textes et les analyser à la lumière de ses uniques ressources de lecteur.

Sens et codes interprétatifs

Il n'est pas inutile d'insister sur le fait que des lectures préliminaires ne consistent pas à trouver d'abord et avant tout un sens au texte, un *sens* qu'il s'agirait ensuite de paraphraser ou de valoriser par une analyse détaillée ou de surcroît. D'ailleurs, les premières lectures convient souvent le lecteur à éprouver une impression d'incohérence, de désordre, sinon d'inintelligibilité. Comment pourrait-il alors se payer le luxe d'un sens ou d'un thème qui ne ferait que réduire le texte à une idée (métaphorisée)? Le poème se présente au contraire comme un jeu verbal qui s'évertue à produire un nombre indéterminé de sens... et l'ambiguïté de son interprétation définit l'une des fonctions traditionnelles de la critique littéraire, tout comme la lecture des textes de lois qui, par leur nature même, visent inversement à la plus exacte univocité, définit l'une des fonctions traditionnelles de la science juridique.

Le titre peut être trompeur. Ce qui n'est cependant pas le cas du texte qui nous intéresse. Lorsque Anne Hébert écrit «je» par exemple, il ne s'agit pas forcément d'une confidence ou d'une confession; on se rend vite compte que le poète se met comme entre parenthèses et laisse plutôt entendre la voix d'un acteur qui raconte une histoire, comme le «je» du *Torrent* et mieux encore celui de *La fille maigre*, ou le «elle» du texte intitulé : *Les mains*. Le titre peut donc être une fausse piste interprétative. De même, les fonctions logiques sont souvent peu pertinentes : où, quand, comment, avec qui..., questions naïves dont les multiples réponses ne manquent jamais de dissoudre ou d'effriter le sens univoque que le lecteur pressé a tendance à accoler au texte. Les coordonnées espace-temps du texte sont pourtant celles-là même qu'il faut respecter pour les comprendre dans leurs fonctions significatives. Il serait facile de constater que les énoncés les plus clairs en apparence sont la plupart du temps situés ni dans un réseau de motivations (logiques), ni dans un espace bien délimité, ni dans une durée précise : «un jour... soudain... et parfois...». Rien de plus antisocial et de moins économique en effet que la littérature, celle qui, invariablement, ne fait pas confiance à la langue — piètre moyen de communication que l'on considère naïvement comme le dépôt des signes et des significations sur lesquels tout le monde s'entend — celle qui a précisément pour fonction d'ébranler cette certitude. Et le texte poétique en particulier vit des sens multiples de ses éléments.

Tout se passe comme si le lecteur remplissait mal sa fonction naturelle de décodeur; il devient une sorte de cryptanalyste qui essaie de déduire du message un code dont il ignore probablement tout, sauf qu'il existe. Les signes habituels de la langue, au lieu d'être perçus comme pratiquement inutilisables, se découvrent coordonnés par des rapports nouveaux qui leur font recouvrer leur autonomie. Cette déconstruction du code linguistique se fait pourtant par des moyens linguistiques, impliquant aussi une restructuration encore inconnue du lecteur, mais en quelque sorte attendue.

Le fait d'être en face d'un texte *daté* et *signé,* aide souvent très peu à sa compréhension première. Cela peut même être nuisible puisque les parcours de lecture risquent d'être déterminés, arbitrairement, par des considérations biographiques ou proprement historiques. Nous retiendrons par contre le concept d'histoire, ce que les purs structuralistes (formalistes) nous reprocheront sans doute, préférant faire abstraction du sujet-auteur pour se vouer à l'analyse exclusive du texte dans son objectivité brute. Nous préférons voir ce sujet investi d'un «milieu de vie», mis en situation de production. Mais ce concept d'histoire ne doit pas être un point de départ ni un point d'arrivée de l'analyse. Il doit rester un contexte et non une lecture. C'est une référence possible. Il n'est pas indifférent en effet de savoir que *La fille maigre* fait partie du recueil intitulé *Le tombeau des rois*, ce qui explique que sa facture strophique n'a rien à voir avec celle des textes d'*Alchimie du jour* par exemple, sorte de versets claudéliens très amples. Quand le poéticien affirme que le texte n'est rien d'autre qu'une unité autofonctionnante, il a d'abord postulé que le texte poétique est clos et demeure sans référent. Il y aurait cependant lieu de distinguer, parmi les systèmes autosuffisants, les «artefacts», c'est-à-dire les produits de l'activité des êtres animés. Le *projet* qui donne naissance à un artefact appartient à celui qui l'a produit, non à l'objet lui-même. L'examen de cet objet, de sa structure achevée et de ses performances permet d'identifier le projet, non son auteur.

L'étude du texte consiste à rendre compte de l'ordre auquel s'est arrêté l'écrivain devant des possibilités variables d'organisation. Le sens du texte ne serait pas un signifié plein; le sens serait plutôt un corrélat, une citation implicite, un renvoi, le départ d'un code, une commutation possible... et préférée à une autre. Il y aurait lieu de distinguer trois grands types de corrélations : intra, extra et intertextuelles. Un texte serait donc objectivement fermé sur lui-même et culturellement ouvert par tous les bouts. Et la phrase célèbre de Valéry qui voulait qu'un poème ait autant de sens qu'il y a de lecteurs signifie en fait qu'un texte a autant de sens qu'il implique de «codes» de lecture, c'est-à-dire de points de départ signifiants, de grilles métalinguistiques qui réduisent forcément l'éventail des sens virtuels puisqu'elles obligent le lecteur à faire subir au texte l'épreuve de la parole écrite.

Toutefois, les codes ne sauraient être illimités! Penser le contraire irait à l'encontre de la fonction (économique) que le langage assume — sinon on ne s'entendrait jamais — et à l'encontre de l'existence même d'une activité scripturale, sinon le plus grand poème serait le dictionnaire, là où précisément les sens multiples s'étagent selon les contextes et l'histoire. Roland Barthes a cru bon de retenir cinq codes possibles (généralités pertinentes) de lecture, sorte de délimitation des signifiés possibles d'un texte. Ces codes servent ainsi de cadres qui stoppent l'hémorragie de sens d'un texte. Un code n'est donc qu'un décodage possible parmi d'autres, Dieu étant le seul à être un signifié dernier, ne pouvant être le signifiant de rien d'autre!

Linguistique et poétique

Notre analyse va privilégier l'une des cinq perspectives. Elle répond grosso modo à l'intérêt que nous portons à l'analyse structurale des textes littéraires signés et datés, telle que la pratique M. Riffaterre (*Essais de stylistique structurale*), après R. Jakobson (*Questions de poétique*) et avant N. Ruwet (*Langage, musique, poésie*). Superposer aux notions de procédés et d'effets stylistiques celle de fonction, montrer que le texte ne veut ni tout dire ni ne rien dire, qu'il est constitué d'un agencement d'unités linguistiques précises, conditions inhérentes à la manifestation du sens. Dire que le texte repose sur une structuration interne descriptible, c'est tenir un discours vérifiable et ouvrir la voie à une réflexion portant tout aussi bien sur lui que sur le fonctionnement du langage poétique.

Décrire le texte (jeux des équivalences lexicales ou syntaxiques, jeux de symétries, etc.) et tenir compte de son fonctionnement et de son efficacité, du titre au point final, sur le ou les lecteurs, voilà ce que devrait retenir une lecture attentive.

Découper le texte en lexies ou unités de lecture est chose facile. Le texte offre souvent lui-même son propre découpage, surtout s'il est construit selon des formes conventionnelles et des combinaisons de signes spécifiques à un genre. Opter pour un tel mode de lecture linéaire n'est pas sans intérêt. La lecture linéaire suit en effet de très près le déroulement du texte, le fil de ses différentes unités. Elle suit les lexies (fragmentation arbitraire en unités de lecture) dans l'ordre où elle se trouvent. Elle épuise chacun des éléments d'une lexie (syntaxe et figures par exemple) avant de passer à l'autre. C'est le type de lecture que pratique R. Barthes dans *S/Z*, Riffaterre dans *Essais de stylistique structurale* et le groupe des *Cahiers d'analyse textuelle*. Cette pratique tente de préserver au mieux et de mettre en lumière la convergence des éléments du texte vers des effets qui sont très souvent globaux... C'est aussi respecter le caractère linéaire du texte lui-même, auquel sont intimement liés les mécanismes de la perception (décodage) que le lecteur en a. Le texte s'inscrit en effet dans une durée, une direction. Les catégories espace/temps sont co-inclusives dans un texte, à la fois espace de l'inscription et temps du dire. Ce que négligent parfois un peu trop les analyses purement linguistiques.

Étudier toutes les composantes d'une lexie avant de passer à l'autre nous amène à devoir, après coup, coordonner en synthèses partielles les résultats dispersés obtenus par l'analyse. Cette dernière ne peut en effet se satisfaire d'une nomenclature (inventaire) d'éléments hétérogènes. Tout inventaire nécessite un travail de classification, c'est-à-dire une recherche de catégories qui sont en jeu, de règles d'une combinatoire dont les éléments linguistiques sont le produit. C'est alors qu'on se rend compte que même au niveau de la structuration de surface, le texte n'est pas linéaire, que son développement n'est que successif, que les *plans* qui le définissent fonctionnent parallèlement. En quelque sorte, les codes sémantique, syntaxique, prosodique, connaissent des structurations qui leur sont propres à l'intérieur d'une autre structuration *globale*, accès à l'existence du connotatif proposé par le texte.

Plusieurs types de catégories sont susceptibles d'être opératoires :

> 1) qui concernent les opérations dont chaque unité linguistique est le résultat : adjonction, suppression, substitution, permutation... extension, restriction, déplacement... similarité, différence, opposition, etc. Ces catégories sont intéressantes pour l'étude des figures (métaphore, métonymie, synecdoque), et relèvent de la logique. Relire par exemple le tableau général des méthodes ou figures de rhétorique proposé dans la *Rhétorique générale* du groupe de Liège (Larousse, 1970, p. 49).
> 2) qui concernent les traits de genres ou de types de discours : signes conventionnels déterminés par des productions «modèles», ces dernières imposant des restrictions et invitant à la transgression.
> 3) qui concernent la nature même des unités linguistiques et sur les caractéristiques les plus importantes de leur fonctionnement : a) selon les *dimensions* de l'unité : son ou lettre isolée, morphème ou mot, syntagme, phrase ou énoncé; b) selon le *niveau* de l'unité : son ou graphie, syntaxe, sémantique, sans oublier de distinguer les rapports sémantiques syntagmatiques et les rapports sémantiques paradigmatiques.

Ces modes de lecture nous obligent à ne considérer les exégèses déjà faites des textes étudiés que comme des sources d'informations et non des lectures définitives (d'autorité). Se rappeler la notion d'«archilecteur» de Riffaterre, intéressante comme somme d'informations tirée de lecteurs différents dont les décodages ont souvent été déterminés par des types très divers de métalangage : grammairien, rhétoricien, psychologue, thématicien, etc. Mais cette notion d'archilecteur reste empirique et difficile à évaluer. Il en est de même, chez Riffaterre, de la notion de «pattern» ou de «contexte stylistique» créé par l'apparition plus ou moins marqué d'un élément contrastif ou déviant. Nous sommes ici en plein coeur du débat concernant la validité des critères de base des analyses dites stylistiques. Qu'est-ce que le style, la norme, l'écart, la valeur, le référentiel, le poétique, etc.?

Dans ce contexte opératoire, nous ne pouvons tout au plus que déceler des traits marqués (motivés), non en fonction d'un hypothétique contexte stylistique prévisible, mais en fonction de la langue ou du code linguistique commun à l'encodeur (écrivain) et au décodeur (lecteur et/ou écrivain). D'ailleurs, à lire chronologiquement la série d'articles de ses *Essais*..., on sent clairement chez Riffaterre que sa définition du style comme effet ou déviation s'accorde progressivement à ce que Jakobson appelle «fonction poétique» comme caractéristique de tout discours littéraire, et poétique en particulier, ce que Riffaterre nommera à son tour «fonction formelle», faisant du poème un système autonome de signification, un système d'encodage maximum (motivation ou surdétermination) fondé sur des équivalences homologiques (couplages) se répandant ou s'apposant idéalement à plusieurs niveaux de l'organisation linguistique (phonétique, syntaxique, métrique, sémantique).[1]

Riffaterre finira par admettre le bien-fondé de ce modèle structural qu'est le parallélisme comme mode de relation fondamental de l'écriture poétique, surtout quand il s'agit de textes à formes fixes où l'équivalence est promue au rang de procédé constitutif de la séquence : réitération régulière et prévisible d'unités équivalentes.

De même, Ruwet centrera ses analyses sur ce qui lui semble la propriété fondamentale du discours poétique (et du discours musical), c'est-à-dire la répétition ou, dans les termes de Jakobson, la projection du principe d'équivalence de l'axe de la sélection sur l'axe de la combinaison; la fonction poétique projette des rapports d'équivalence de l'axe de la sélection (caractéristique de l'axe paradigmatique, de l'axe des substitutions) sur l'axe de la combinaison (caractéristique de l'axe syntagmatique, des axes de concaténations), la sélection étant produite sur la base de l'équivalence, de la similarité et de la dissimilarité, de la synonymie et de l'antinomie, tandis que la combinaison, la construction de la séquence, repose sur la contiguïté. Ce rôle des r*apports d'équivalence* dans la chaîne (évident dans des phénomènes codés tels que le mètre et la rime) doit être envisagé systématiquement, à la fois du point de vue des rapports entre éléments successifs, appartenant à un même niveau, et du point de vue des rapports entre éléments appartenant à des niveaux différents.

Afin de mettre un terme à ces considérations théoriques, signalons que, dans son analyse d'un vers isolé de Baudelaire : «Le navire glissant sur les gouffres amers», Ruwet pose quatre principes qui, selon lui, devraient guider l'analyse d'un texte : a) cette dernière doit toujours porter non sur des termes mais sur des relations; b) elle doit aussi s'appliquer à chacun des niveaux linguistiques du discours pris séparément, quitte à rendre compte de la complexité des faits en établissant des rapports homologiques entre les différents niveaux; c) elle doit, autant que possible, résoudre les problèmes de forme avant de traiter des problèmes qui impliquent la substance; d) enfin, l'analyse répond à l'hypothèse générale que la parole poétique se distingue de la langue en ce qu'elle superpose, dans la chaîne syntagmatique, des relations fondées sur l'équivalence plutôt que sur la contiguïté (concaténation).

Dans *L'analyse structurale de la poésie*, Ruwet discute et applique la méthode d'analyse proposée par Samuel Levin dans son livre désormais classique : *Linguistic Structures in Poetry*. Cette méthode consiste en gros à retracer des couplages positionnels équivalents (comparables et parallèles) et à rendre compte de leur fonction respective dans l'économie du texte. Ruwet l'applique à l'analyse d'un sonnet de Louise Labé : «Tant que mes yeux pourront...» Son travail est exemplaire et sans reproche, ce qui est tout à l'honneur de Levin. Cependant, Ruwet ne manque pas de critiquer l'hypothèse douteuse de Levin qui croit pouvoir élaborer une grammaire distributionnelle de l'écriture poétique. La faiblesse de l'étude de Levin proviendrait du fait que ce dernier néglige trop les phénomènes d'ordre sémantique; en d'autres mots, la méthode de Levin se limite à la matière du contenu et s'avère nulle par rapport à la substance du contenu; négligeant le type de relation par contiguïté au profit exclusif du type de relation par équivalence, Levin oppose artificiellement le positionnel et le sémantique. Ruwet préférerait plutôt les voies ouvertes par une grammaire transformationnelle, là où les facteurs de symétrie (couplage) ne seraient pas séparés des facteurs d'asymétrie (opposition).

Les analyses successives de Ruwet nous impressionnent par leur exhaustivité et nous agacent en même temps par leur allure un peu mécanique. Ruwet lui-même ne semble les considérer que comme des essais en vue de mieux. La découverte de certaines correspondances phoniques, par exemple, relevées avec beaucoup de technique et de précision dans un sonnet de Louise Labé, n'arrive parfois qu'à consolider des relations déjà établies sur d'autres plans, plus perceptibles à une lecture de surface. Se pose alors le problème de la redondance des différents niveaux linguistiques. De leur hiérarchie! Dans quelle mesure a-t-elle une valeur cumulative? Dans son texte intitulé «Limites de l'analyse linguistique en poétique», Ruwet insiste sur la nécessité des études formelles en poétique mais reconnaît que la dépendance de cette dernière à la linguistique structurale risque d'être fâcheuse et restrictive. Comment, en effet, évaluer la pertinence des multiples équivalences poétiques d'un texte? Où est le seuil de l'arbitraire, en dépit de la rigueur apportée à l'analyse? Comment distinguer entre les éléments linguistiques obligatoires et les éléments facultatifs?

Les réponses ne peuvent relever que de principes méthodologiques.[2] Entre autres : la pertinence d'une équivalence doit être reconnue sur deux plans distincts au moins; l'analyse doit porter sur un niveau, au choix, d'une manière systématique et objective, les autres niveaux ne devant servir qu'à vérifier la validité de la démonstration. L'analyse que fait Ruwet de *La géante* de Baudelaire est convaincante et ne souffre pas de cette manie atomiste propre aux structuralistes. Elle laisse à d'autres le soin d'expliquer les phénomènes extralinguistiques.

Ruwet recommande au poéticien de relire le livre de S. Levin avec un esprit plus critique; ses propres analyses invitent aussi le lecteur à chercher ailleurs un complément de méthode, implicitement amorcé, croyons-nous, par les études de sémantique structurale proposées par A.-J. Greimas, J.-C. Coquet, F. Rastier et autres. Éviter l'utopie atomiste ou, en sens inverse, l'utopie générative des modèles possibles! Entre les deux : l'application rigoureuse de quelques grands principes simples proposés par les structuralistes. Une sémiotique du discours a d'ailleurs besoin des lumières de la science qui décrit la substance du matériau qu'utilise cette production de l'harmonie et de l'acoustique, de même le poéticien doit recourir aux apports de la linguistique, science du fonctionnement de la langue, l'existence matérielle du poème étant linguistique.

Lecture et questionnement

Il convient donc de contrôler une pratique (analytique) par les concepts de la théorie. L'ordre proposé dans notre analyse de *La fille maigre* n'a pas d'importance. Ne retenons qu'une procédure de principe : segmentation, inventaire et coordination d'éléments divers en fonction des différents niveaux de l'organisation linguistique.

Étant donné l'hypothèse que la fonction poétique du langage est dominante dans le discours poétique, il faudra tenter de montrer comment tous les éléments oeuvrent à la structuration textuelle. Il y aurait message poétique quand, idéalement, tous les éléments utilisés sont nécessaires à la compréhension du message global et, inversement, quand le fonctionnement globalisant a conditionné la présence de chacun de ces éléments. Une modification du message exigerait un rééquilibre, une réévaluation non seulement de l'expression (ce qui est évident) mais aussi du contenu. Cette notion d'*équilibre contraignant* inhérent à la réalité du fonctionnement poétique nous entraîne à devoir traiter le texte comme une *totalité en fonctionnement*.

La science actuelle a mis en évidence la notion de structure. Une structure est un système complexe qui associe ou assemble des composantes par le jeu de forces ou de fonctions qui assurent au système une stabilité spécifique et dont le caractère essentiel est qu'elles ne sont ni périphériques par rapport au système ni extérieures à l'ensemble, mais intérieures et proprement constitutives. Dans cette perspective, cette notion incite à considérer l'oeuvre poétique comme un système se suffisant à lui-même, se définissant en lui-même et par lui-même, et aussi comme un système vivant (par opposition à statique). Cette dynamique ne réside pas dans les éléments constituants mais dans les rapports qui les assemblent et en assurent la cohésion. Perspective théorique intéressante.

Puisque les signes utilisés dans tel texte sont presque toujours connus du lecteur (décodeur), il est bien évident que l'intérêt du message tient à leur combinaison et à la structuration de l'ensemble. D'où notre tentative de décrire structuralement la réalité sémantique d'un texte à l'intérieur du réseau des interrelations qui le constituent. D'où notre tentative d'expliciter la production du sens. La mise en contiguïté de deux ou plusieurs mots n'est pas pur jeu : elle engendre un processus dynamique — questionnement syntaxique, sémantique et sonore — qui sert de matrice à l'organisation du texte. L'engendrement nouveau accorde une importance égale au signifiant et met en cause l'arbitraire du signe. Associer «fiole» et «folie» n'est pas simplement jouer sur les mots, mais valoriser les signifiants.

Pratique analytique : La fille maigre

Notre analyse de *La fille maigre* d'Anne Hébert propose :

a) Une segmentation du texte en séquences narratives. Le critère de segmentation repose sur la manifestation positive ou négative des modalités, chez le sujet, du vouloir, savoir et pouvoir être, dire et faire. Le meilleur moyen de réussir cette entreprise consiste, croyons-nous, à reconstruire syntaxiquement le texte sous les principaux paradigmes grammaticaux de la phrase : sujet, prédicat verbal, compléments d'objet et de circonstance...

b) Une analyse de la relation sémantique qui s'établit entre le sujet et l'objet : étude des modalités du sujet (qualifications et fonctions) relativement aux valeurs investies par l'objet (attributs et fonctions).

c) Une étude des parallélismes (couplages) positionnels, grammaticaux, syntaxiques, sémantiques et phoniques.

d) Et enfin, une lecture isotopique (achronique) du texte d'Anne Hébert.

L'intertextualité ne nous intéressera que dans la mesure où *La fille maigre* renvoie ou cite d'autres textes du même auteur, feignant pour notre part d'ignorer devoir faire appel à d'autres codes interprétatifs.

Le poème est constitué de 27 vers libres répartis en 10 strophes d'inégale longueur, d'abord symétriques puis asymétriques. La reconstruction syntaxique nous permet de découper le texte en 3 séquences narratives bien marquées : «Je suis... Un jour... Espace comblé...» Trois types de constatations nous amènent à justifier cette segmentation : a) le changement dans la temporalité verbale; b) le changement dans l'organisation strophique, à la troisième séquence surtout; et c) les circonstants de la deuxième séquence. Ces trois constatations sommaires apparaîtront mieux dans le tableau qui suit.

Conjonction et/ou disjonction	**Sujet grammatical et/ou logique**	**Verbe**	**Complément d'objet**	**Complément circonstanciel**
ET	Je	suis	une fille maigre	
	J'	ai	de beaux os	
	J'	ai	pour eux des soins attentifs et d'étranges pitiés	
	Je	(les) polis (sans cesse)	(les) *comme de vieux métaux.*	(sans cesse)
	Les bijoux et les fleurs	sont (hors de saison)		(hors de saison).
Un jour	je	saisirai	mon amant	pour m'en faire un reliquaire d'argent
	Je	(me) pendrai	(me)	à la place de son coeur absent.
Espace comblé. Quel est soudain en toi cet hôte sans fièvre?				
	Tu	marches		
	Tu	remues;		
	Chacun de tes gestes	pare (d'effroi)	la mort enclose.	(d'effroi)
	Je	reçois	ton tremblement *comme un don.*	
Et parfois	J' (fixée)	entrouve	mes prunelles liquide	en ta poitrine (fixée)
Et	Des songes bizarres et enfantins	bougent	*comme une eau verte.*	

La première séquence couvre les huit premiers vers. Si l'on examine la colonne des sujets, on constate la présence de quatre «je», animés, féminins, anthropomorphiques. Ces quatre sujets appartiennent donc à la même classe sémantique et renvoient très certainement à la figure féminine que nomme le titre du texte : la fille maigre, dotée de beaux os, et dont la fonction est un savoir-faire coutumier : les polir soigneusement. Les sujets de la quatrième strophe sont deux substantifs, inanimés, pluriels : les bijoux et les fleurs. Ils appartiennent à la même classe sémantique, relevant de l'ordre de l'ornementation, mais ils sont niés. Ils sont hors de saison. D'où la dominance de l'acteur «je» dans toute cette première séquence. La dernière strophe nie la présence d'autres objets extérieurs au «je» (os), les bijoux et les fleurs étant hors du *temps* de l'énonciation, donc absents, inexistants. Cette première séquence est ainsi composée d'une série de cinq propositions indépendantes dont l'acteur principal est cette fille maigre dont parle le titre.

La deuxième séquence est composée de deux phrases indépendantes qui couvrent encore chacune deux vers de chacune des strophes. Les verbes sont tous à la forme active, au futur, et font intervenir un nouvel acteur : «mon amant», «son coeur absent». L'agent qui domine cette deuxième séquence reste encore le «je». Le sens de cette séquence est axé sur le vouloir-faire et les motivations de ce «je» par rapport au nouvel acteur, le troisième, l'amant. En tant qu'agent, le «je» projette un acte d'agression (saisirai) lié étroitement à un acte d'immolation (me pendrai). D'agent, le sujet devient patient. Et sur un plan sémique, nous passons du dehors au dedans, du contenu au contenant. C'est cette transition métonymique qui entraînera l'ouverture exclamative de la troisième séquence : «espace comblé... en toi... cet hôte... mort enclose... fixée».

Au lieu de poursuivre notre lecture de la troisième séquence comme nous l'avons fait des deux premières, nous préférons reprendre notre analyse à son début et centrer notre attention sur les modalités des sujets logiques et de la relation sémantique qu'ils entretiennent avec les différents objets mis en oeuvre dans le texte. Signalons d'abord que le titre marque le rôle d'un narrateur impersonnel : *«la fille...*». Le premier vers introduit le rôle d'un autre narrateur («*je suis une...*»), véritable acteur de la narration qui va suivre. Il convient d'ailleurs ici de ne pas confondre sujet grammatical et sujet logique.

je (sujet - agent) → os (objet-patient)

Se manifestent les modalités de l'être (suis), de l'avoir (ai), du faire (polis) et du non-être (hors de...). Bref, un savoir-être et avoir, et un faire coutumier. La relation sujet-objet est une relation d'identité, conjonctive et euphorique : «soins attentifs» et «étranges pitiés».

je (sujet) — (agent d'abord puis patient) → amant et coeur absent (objet-patient)

Se manifeste un vouloir-faire (saisirai, me pendrai). La relation sujet/objet s'avérera disjonctive, sadico-masochiste, en dépit du caractère sacré du «reliquaire d'argent».

cet hôte sans fièvre (sujet) → en toi, espace comblé (objet)

La relation sujet/objet ou agent/patient fait ici place à une relation métonymique contenant /contenu. Le contenant est facile à identifier, le contenu aussi d'ailleurs, mais ce dernier fait l'objet d'une interrogation, d'un non-savoir : quel est cet hôte en toi? S'agit-t-il de l'être et /ou de l'avoir? Ce n'est que la suite du texte qui en indiquera le sens, particulièrement ambigu par la notion d'un «don».

tu, tes gestes, ton tremblement (sujet-agent) → la mort enclose (objet-patient)

La relation sujet/objet manifeste le savoir et le pouvoir-faire du «tu» (marches, remues, pare d'effroi). Le «je», «l'hôte» est toujours patient et s'abandonne à la réception d'un «don».

je, fixée en ta poitrine (sujet-agent) → prunelles (objet-patient)

La relation agent/patient manifeste le savoir et le pouvoir-faire du «je» et la conséquence de son geste (j'entrouve...) que spécifiera la dernière strophe du texte, c'est-à-dire l'apparition d'un nouvel agent, des «songes», qui se définira surtout par le faire conséquent et abstrait de ce «je», toujours dominateur.

Il nous est maintenant aisé de remarquer la présence de tel acteur à tel moment du texte et d'identifier quelle fonction il remplit dans son rapport à tel objet s'il est sujet et à tel sujet s'il est objet. Une ambiguïté demeure cependant qui concerne l'axe de la communication entre le «je» et le «tu» de notre texte : «Je reçois ton tremblement comme un don», dit la narratrice à son amant à l'intérieur duquel elle vient de s'immoler en se pendant à la place de son coeur absent (arraché). S'agirait-il du cri de rage de la femme incapable d'aimer? S'agirait-il de la fable de la possession ou du viol de l'homme mort par la vierge cruelle et suicidaire? Les commentaires interprétatifs pourraient d'ailleurs se multiplier... ce sur quoi nous n'avons pas à insister. Sur le plan de la communication et plus particulièrement de l'échange — «comme un don» —, on peut déjà affirmer que la relation logique entre les deux termes du couple amoureux est une relation de destruction, de conquête sanglante, «sans fièvre», et effrayante. Il s'agit bien d'un viol, d'un assaut solitaire, d'un échange unilatéral entre l'homme mort et la femme narcissique qui, dans son miroir liquide, voit bouger des «songes bizarres et enfantins». L'amour est directement associé à la mort ici.[3]

Une *lecture tabulaire* du texte permettra de saisir cet axe sémantique de l'échange à l'intérieur de la petite narration qu'il constitue, quitte ensuite à essayer d'en circonscrire la combinatoire isotopique :

Vie	Mort	Dureté et préciosité	Communication (contenant/contenu)
je — fille (je les) polis bijoux et fleurs	maigre, beaux os comme de vieux métaux hors de saison	maigre, beaux os vieux métaux bijoux et fleurs hors de saison	
(je saisirai)	saisirai		
(je me pendrai)	me pendrai coeur absent reliquaire d'argent	reliquaire d'argent	à la place de son coeur absent
espace comblé en toi	hôte sans fièvre	hôte sans fièvre	espace comblé, en toi hôte sans fièvre
tu — amant			
marches			
remues			
tes gestes	pare d'effroi la mort enclose	mort enclose	mort enclose
(je) reçois ton tremblement comme un don	en toi, en ta poitrine fixée	fixée	en toi, fixée, en ta poitrine, je reçois... don
(j') entrouve mes prunelles liquides et bougent comme une eau verte des songes bizarres et enfantins			

Remarquons d'abord que l'axe sémantique de la «vie», première colonne, contient des sémèmes (lexèmes en contexte) qui relèvent de l'ordre du vivant, de l'animé et de l'anthropomorphe. L'axe sémantique de la «mort», deuxième colonne, et celui de la «dureté» (préciosité), troisième colonne, contiennent presque totalement les mêmes éléments, de telle sorte que les colonnes 2 et 3 permettent une superposition quasi complète, par médiation rhétorique et médiation discursive. Ainsi, le dur et le précieux sont à la mort ce que la liquidité et le mouvement sont à la vie. L'axe sémantique des «songes» reste cependant ambigu. Nous les avons incorporés à la première colonne parce que le monde du songe se trouve directement associé à la liquidité mouvante (prunelles liquides, eau verte, bougent ...), donc à la vie, sachant très bien que la narration raconte une expérience sanglante, une sorte d'initiation ou de traversée mortelle avant que ne surgisse le songe. Dans une lecture isotopique (achronique), nous passons paradoxalement :

— du vivant / dur / et précieux (vieux)

— au vivant / liquide / et bizarres (enfantins)

— en passant par la mort, seule médiation possible pour qu'il y ait don, communication entre «je» et «tu», relation de dominant / dominé qui se manifeste en une relation de contenu / contenant.

Cette combinatoire d'unités de signification du contenu, déjà abordée avec la relation sémantique sujet-objet à partir d'un modèle logique (et narratif) nous amène à poser que :

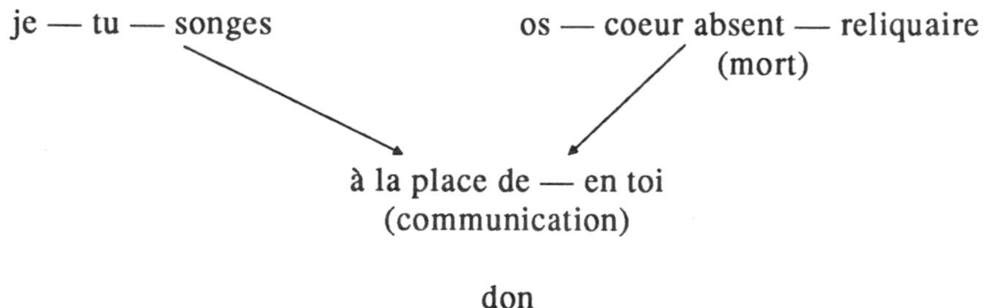

don
(distance isotope annulée)

Cette étude isotopique du contenu n'a été possible qu'à partir d'un choix d'organisation paradigmatique suggéré par l'itération de catégories sémantiques qui nous ont rendu possible la lecture uniforme du texte. Nous aurions pu procéder différemment et nous ne signalons cela qu'à titre indicatif. Une lecture sémémique qui ne s'occuperait que de coupler les épithètes aboutirait au tableau suivant :

Au niveau du contenu, il demeure possible de coupler :
— maigre, beaux, bizarres, enfantins;
— attentifs, liquides, verte;
— étranges, effroi, bizarre, enfantins;
— vieux, enfantins, hors de saison, reliquaire d'argent.

Il ne reste plus qu'à constater que le sens du texte pivote en son centre où l'on regroupe : absent-comblé, enclose-fixée, sans fièvre - effroi - comme un don. L'interprétation de ce noyau sémémique pourrait se faire en traçant un tableau similaire à celui qui précède, à quelques nuances près.[4] La relation amoureuse appelle un échange (don) agressif, la complétude d'un coeur absent par une hôtesse sans fièvre qui jouit narcissiquement du tremblement effrayant de l'autre. L'opposition vie/mort s'en trouve annulée et les fonctions biologiques mâle/femelle inversées.

fille maigre
beaux os
soins *attentifs*
étranges pitiés
comme de *vieux métaux*
bijoux et fleurs *hors de saison*
reliquaire *d'argent*
coeur *absent*
espace *comblé*
hôte *sans fièvre*
pare *d'effroi*
mort *enclose*
fixée
comme un don
prunelles *liquides*
comme une *eau verte*
songes *bizarres*
songes *enfantins*

Nous nous sommes surtout attardé aux jeux de parallélisme ou isotopies du contenu. Sur le plan de l'expression, nous aimerions pour finir relever quelques couplages positionnels qui ne manquent pas d'intérêt dans l'organisation de l'ensemble du texte. À la lumière de tout ce qui précède, voici, à titre indicatif, quelques jeux de parallélisme positionnel :

— une série de strophes constituées de deux vers dans les deux premières séquences, quatre strophes dans la première séquence et deux dans la deuxième. Donc une série de propositions indépendantes qui couvrent chacune une strophe isolée. Le «style» semble donc assez prosaïque et presque banal par sa monotonie. Remarquons aussi la présence dominante du «je», sujet grammatical et logique qui ouvre la plupart des phrases-strophes; par cette équivalence formelle, l'écrivain impose ainsi une prévisibilité de modèles de perception ou de lecture.

— la troisième séquence manifestera aussi quelques similitudes d'organisation syntaxique. Des ouvertures de vers par «tu» et «je», sujets grammaticaux et/ou logiques, et des conjonctions «et» comme dans la première séquence surtout. La septième strophe, c'est-à-dire la première de la troisième séquence servirait, nous l'avons vu, de transition entre la deuxième et la troisième séquence; elle est constituée de deux vers comme dans la première et la deuxième séquence.

Cette séquence finale manifeste cependant surtout des éléments contrastifs par rapport à ceux des deux premières séquences :

a) par la ponctuation : une interrogation ouvre cette troisième séquence et brise ainsi le modèle syntaxique S.V.C. des propositions indépendantes qui précédaient;

b) apparition de nouveaux acteurs-agents : «tu» et «songes»;

c) asymétrie de l'organisation strophique : non plus une série de deux vers avec une phrase indépendante, mais une succession de strophes contenant d'abord deux vers (la strophe 8, contenant 4 propositions indépendantes avec 4 verbes actifs), puis quatre vers (la strophe 9, avec un seul verbe actif et un retour à l'agent «je», et enfin trois vers (la strophe 10, liée syntaxiquement à la strophe 9 par un «et» conjonctif, mais avec un nouvel agent : «songes», pluriel et abstrait). Cette dernière strophe contient aussi la seule figure du texte, c'est-à-dire une inversion; cette dernière permet d'éviter de terminer la strophe par la comparaison «comme», comme cela s'était déjà produit à deux reprises. Enfin, cette 10e strophe contient le seul adjectif de couleur du texte, concret et pictural).

Nous pourrions poursuivre ainsi très longtemps la description du texte, du niveau phonétique au niveau métrique, et voir, par homologation, comment ces différents niveaux se juxtaposent à la lecture syntaxique et sémantique sur laquelle nous avons surtout insisté. Nous laissons à d'autres le soin d'en vérifier la pertinence.

En guise de conclusion

Notons en terminant qu'une lecture analytique exige un découpage du texte en séquences, c'est-à-dire la projection d'une organisation paradigmatique sur le déroulement syntagmatique du discours poétique : a) à l'aide d'éléments grammaticaux et/ou syntaxiques considérés comme marques formelles; et b) par la reconnaissance de dominantes de l'un ou l'autre niveau linguistique (en équivalence ou en contraste) confirmant l'autonomie de chacune des séquences. Nous n'avons pas voulu proposer de modèles d'analyse, mais plutôt une façon de faire qui nous semble opératoire et très révélatrice de sens. Pour ceux qui auraient été choqués par le type d'analyse que nous avons fait subir au texte, nous leur proposons du coin de l'oeil cette citation interprétative qui condenserait métaphoriquement notre commentaire :

Île noire
Sur soi enroulée
Captivité.

Ces trois vers sont extraits de *La voix de l'oiseau*.

Notes

1. Pour une étude pertinente de la «fonction poétique» mise de l'avant par Jakobson, lire l'excellent chapitre V de *Linguistique et poétique* par Daniel Delas et Jacques Filliolet, Larousse Université, 1973, pp. 39 à 50.
2. Riffaterre condamne par exemple les homologies forcées résultant de l'étude séparée de chacun des niveaux linguistiques puis des diagrammes qui en découlent : un syntagme qui viendrait par exemple effacer le rôle structural trop évident de la césure prouve, en effet, qu'un parallèle suggéré par la grammaire peut ne pas avoir d'homologue dans le système métrique... Il insiste aussi sur la distinction à faire dans l'équivalence entre ce qui relève du niveau des fonctions dans la phrase et du niveau des formes (parties du discours). Enfin, il convient de ne pas séparer les facteurs de symétrie (équivalences positionnelles, comparable ou parallèle) et les facteurs d'asymétrie; des équivalences entre niveaux n'on d'intérêt, semble-t-il, que si elles s'accompagnent de différence : une coïncidence à un autre moment du texte, sinon ce dernier risquerait d'être perçu (taxé) comme répétitif, mécanique, ennuyeux, et tus les autres jugements de valeur extralinguistique variables. Sous peine de se leurrer, il faut admettre que toute analyse reste une tentative de réduction du texte à un sens possible qui s'enrichit, s'amplifie et se multiplie, à mesure que s'accumulent les échecs (méthodiques) de la réduction. C'est ce que Barthes appelle être sensible au «tremblement mythologique (d'un) sens».
3. Dans d'autres textes d'Anne Hébert, les rôles de l'amant victime et de la femme agressive se trouvent renversés : *Il y a certainement quelqu'un qui m'a tué, Vie de Château, La sagesse m'a rompu les bras, Je suis la terre et l'eau*, etc. La femme n'est donc pas toujours agressive chez Anne Hébert dans sa relation avec l'autre. Elle le devient quand personne ne répond à l'appel de ses bras tendus. La sagesse tue l'être, empoisonne le coeur et l'esprit. L'amour est aussi un empoisonnement; c'est un meurtre et il y a toujours une victime. Devant ce risque, contrairement à bien des poètes de sa génération, Anne Hébert ne rêve pas d'un monde où toutes les ambiguïtés et les désaccords seraient abolis. Aucun angélisme chez elle : «Ô mon amour (...) nous nous battrons jusqu'à l'aube.»

4. À propos des motifs (amoureux) du coeur, des yeux et de l'eau, il serait souhaitable de circonscrire leur contenu sémantique chez Anne Hébert en relisant *La fille maigre* à la lumière des textes suivants :
   - pour le coeur : *La chambre fermée*, *Saison aveugle*. *Il y a certainement... Le tombeau des rois*;
   - pour les yeux / eau : *En guise de fête*, *La ville tuée*;
   - pour l'amant agressé ou mort : *L'envers du monde*, *De plus en plus étroit*, *Vie de château*, *Un bruit de soie*.

Pause 2

Une lecture d'Anne Hébert, la recherche d'une mythologie par Denis Bouchard, Cahiers du Québec, Hurtubise HMH, 1977.

Anthologie de la littérature québécoise, tome III : «Vaisseau d'or et croix du chemin» par Gilles Marcotte et François Hébert, Éd. La Presse, 1979.

«Poésie 81».

Anne Hébert est sans doute parmi nos écrivains celle qui a réussi à imposer le respect et même l'admiration, tant au Québec qu'en France, et Denis Bouchard ne se gêne pas pour multiplier les éloges au «plus grand de tous nos poètes», à celle qui a su exprimer, «avec l'élégance d'une impératrice de la parole», notre collectivité québécoise.

Exilée à Paris depuis une vingtaine d'années, publiant ses oeuvres là-bas et les imposant même à la critique française, Anne Hébert demeure fascinante. Denis Bouchard ne manque pas de tomber dans le piège de cette fascination. Une lecture biographique des textes laisse le critique sur sa faim puisqu'elle s'avère impossible. Mais on ne comprend pas ce qui le pousse à reprendre les questions traditionnelles sur l'influence possible (et certaine) de son cousin Saint-Denys Garneau, sur les raisons qui pourraient enfin expliquer l'exil d'Anne Hébert, le pourquoi des transformations dans le traitement de certains thèmes, etc. Faute d'une «biographie qui pourrait se raconter comme une histoire», force nous est donc de constater «l'écart entre la vie et l'oeuvre du poète» — ce qui n'empêche pas D. Bouchard d'y consacrer ses deux premiers chapitres — et de proposer *une lecture*, un point de vue «qui soit compréhensible et demeure fidèle à la réalité de l'oeuvre». Cette lecture fidèle consistera à rechercher une *mythologie*. Dans l'introduction, il note qu'«il est intéressant d'apprendre à apprécier en lisant cette oeuvre-vérité à quel point nous représentons un véritable creuset de tabous» — ce qui n'a rien pour nous surprendre, et dans la conclusion, il rappelle avoir «magnifié deux oeuvres-clés d'Anne Hébert, un poème, «Le tombeau des rois», et un roman, *Les enfants du sabbat*, à l'aide desquelles les autres oeuvres ont été situées et étudiées». Voilà pour le projet, et nous citons abondamment pour respecter la terminologie qu'utilise D. Bouchard.

L'ensemble de l'ouvrage semble toutefois assez disparate sur le plan méthodologique. L'analyse du *Tombeau des rois* couvre toute la deuxième partie et l'étude sémantique qui y est proposée apparaît dans l'ensemble assez réussie, en dépit de la métaphorisation parfois un peu facile, sinon gratuite; tandis que les autres chapitres se partagent entre ceux, biographiques, de la première partie, et ceux, genre lecture commentée, des deux dernières parties qui s'occupent surtout des textes narratifs d'Anne Hébert. Le théâtre est oublié, sans explication, ce qui est injustifiable.

Mais ce qui nous a surtout embarrassé dans cette lecture que propose D. Bouchard, c'est d'abord le fait qu'il nous en offre plusieurs, lesquelles, tout compte fait, se ramènent à l'«exploration de l'imaginaire» d'un écrivain qui semble exploiter une thématique plutôt cohérente depuis *Le torrent* jusqu'aux *Enfants du sabbat*, une thématique où apparaissent les thèmes et les motifs de «notre littérature de romantiques fourvoyés». Mais cette thématique institutionnalisée qui traduit «la complexité du psychisme québécois d'il y a quelque vingt-cinq ans», cette thématique qui oscille entre la culpabilité et la féerie, entre le couvent et la cabane, cette thématique est si originale chez Anne Hébert, et si efficace à traduire notre réalité sociale et culturelle que l'activité d'écriture doit ressortir du *mythe*, «les deux extrêmes d'une mythologie de ghetto». Et voilà l'explication du sous-titre de l'ouvrage de D. Bouchard : la recherche d'une mythologie. G. Bachelard, G. Poulet et J.-P. Richard parlaient de thématique. Faisant intervenir la psychanalyse freudienne, la psychocritique partait à la recherche du mythe personnel de l'écrivain. S'inspirant sans doute de ce que certains appellent la mythocritique, D. Bouchard circonscrit une mythologie collective :

> *Le tombeau des rois* récupère en deux pages toute notre mythologie et occupe le centre des oeuvres de l'auteur ainsi que celui de notre littérature. Une fois le message capté, il n'y a plus qu'à le traduire en plénitude. (...) Le voyage ténébreux de l'enfant curieuse des secrets de la mort est en même temps celui de notre double échéance face au monde moderne où le mariage de la féerie et de la culpabilité ne peut plus payer notre dette vis-à-vis de l'histoire. En les incarnant, A. Hébert nous en a délivrés, malgré nous. Le poème est le catéchisme de nos plus magnifiques monuments.

Sans même vouloir insister sur le caractère purement idéologique de toute cette citation, touchant l'exorcisme collectif de l'écriture notamment, nous nous sommes surtout heurté à l'imprécision de ce que D. Bouchard entendait par mythologie. Il faut attendre en effet la quatrième partie pour y voir un peu clair. Au fil de la lecture, il est question par exemple d'écriture mythique, d'essence mythique ou mythologique, de langue mythique, de langage mythique, etc; «tout confère à cette quête les assises d'une mythologie en échafaudage»; «ce recueil est une sorte de système mythique»; ailleurs, Bouchard nous entretient du «mythe de l'eau», du «mythe de l'oeil», du «mythe de l'espace immatériel», et enfin de «l'éclatement du mythe qui avait été fatal à Garneau». Mais ce n'est pas tout : grâce à un «rituel mystique de l'écriture», en vertu d'une «mystique de la parole», Anne Hébert «confie à sa puissance créatrice la totalité du mythe, supériorité d'artiste, succès du génie»; et plus loin, on affirme que le fait mythique fouille au plus profond des structures d'identité présentes dans un peuple comme le nôtre, sorte de pré-expression, qui éclate sous forme de mythologie et aboutit à ce que l'auteur appelle «la parole»; l'écrivain suit «la voie des mythes, fictions rattachées d'ordinaire à l'enfance d'un peuple, à son cycle poétique»; enfin bref, «l'écriture mythique (...) c'est la poésie totale»; d'un point de vue moins idéaliste, la mythologie est un «catalogue d'obsessions québécoises», un «déterminisme latent». Ce ne sera que dans la quatrième partie de son étude, dix pages avant la fin de son livre, avant de nous énumérer la série des personnages mythiques d'A. Hébert (la femme en noir, cruelle et solitaire; la fillette curieuse et la mère-vierge; le jeune homme impuissant; les imbéciles; la famille étouffante; le Québec), que Bouchard apportera ces précisions à la fois décevantes et révélatrices sur la faiblesse théorique de sa pratique de lecteur d'une part, et d'autre part sur les présupposés idélogiques douteux qui la rendent possible :

> (...) Nous avons déjà défini le mythe comme étant, sous la figure de l'allégorie, le véhicule ultime grâce auquel se produit la fusion des images, des symboles, des thèmes et des idées, c'est-à-dire l'émergence des lignes de fond qui établissent le dialogue de toutes les oeuvres et les éclairent réciproquement. Les mythes (...) forment l'ossature comme s'ils étaient les données fondamentales sur lesquelles repose la pensée non formulée du poète. Ils étaient là a priori, et ils se manifestent aussi a posteriori. (...) vision du monde. En plus d'être des archétypes d'identité, les mythes sont les mathématiques profondes de l'écriture. (...) Ils sont à la croisée où passent tous les chemins : c'est là que se tient le lecteur apprivoisé. Il note patiemment les modifications, les transformations à l'intérieur des mythes. (...) Tout cela devient très subjectif une fois sur la piste. On interprète les mythes comme on l'entend. Pour certains, ils n'existent pas. Ils n'ont pas besoin d'exister. Ils peuvent s'appeler thèmes ou symboles. Toutefois, ils aident à saisir le *fil d'Ariane* des divers écrits. Il n'est pas possible de cataloguer tous les

> mythes hébertiens. La subjectivité même d'une telle entreprise risquerait de trop délimiter l'oeuvre. Il est néanmoins utile d'en énumérer quelques-uns.

Suit alors une liste de «mythes» qui ne nous apprend rien que nous ne sachions déjà sur les types de personnages, la conception de la famille et le procès de la culture québécoise chez A. Hébert. À relire la longue citation que nous venons de reproduire, on constate que Bouchard n'est rien moins qu'à la recherche d'un *sens* de l'oeuvre de l'écrivain qui lui semble le plus important du Québec. Et l'élément le plus positif de sa recherche, il le livre quand il relit les textes d'Anne Hébert à la lumière des *Enfants du sabbat*. Le *sens* auquel il entraîne notre adhésion provient de l'intervention inattendue du comique ou du rire dans le dernier roman. «L'avènement d'un comique irrésistible, dans *Les enfants du sabbat*, compte parmi les plus précieuses découvertes. Toutes les autres oeuvres en sont transformées.» Et D. Bouchard a raison de le souligner, même s'il revient en dernière analyse sur une découverte qui lui semble plus fondamentale, celle de «l'écriture mythique». L'éclat de rire que provoque *Les enfants du sabbat* est en effet l'élément de transformation le plus inattendu et le plus efficace d'une oeuvre qui commençait, croyons-nous, à ne renvoyer qu'à elle-même. Bouchard lui-même l'avoue avec satisfaction : «L'auteur avait jusqu'alors respecté les normes austères d'une littérature de complicité avec un sérieux institutionnalisé. (...) C'est le procès drolatique du Québec» qu'entreprend le dernier livre. «Les bourgeois n'ont jamais eu grand chose à offrir aux artistes, sauf des caricatures. Cela explique pourquoi *Les enfants du sabbat*, roman grotesque de la misère économique et morale, l'emportera facilement sur *Kamouraska*, roman de la décadence un peu petit-bourgeois». Et Bouchard a encore raison d'affirmer que si le dernier récit a eu moins de succès que *Kamouraska* dans la presse littéraire — celle qui détermine le passage d'un livre à la littérature (à succès) —, c'est sans doute parce qu'il lui manque une histoire d'amour, pour tout dire, une histoire romanesque. Anne Hébert promet encore des surprises!

Autre apport positif de l'ouvrage de Bouchard : la bibliographie d'une quarantaine de pages qu'il a inventoriée surtout en France : «il fallait mener des recherches en dehors des endroits consacrés : centres universitaires, bibliothèques, centres de documentation, en faveur d'un inventaire des morceaux divers parus dans la presse et dans les revues à fort tirage». Bouchard réussit là une belle ébauche d'étude de sociologie de la littérature. Il retrace alors fidèlement *l'histoire d'une réussite*, non celle basée sur la critique érudite mais plutôt sur la critique journalistique qui atteint un public très considérable. Du texte de commande à la sortie du livre jusqu'à la consécration officielle (bourses, prix, thèses universitaires, essais, etc.), le livre a une histoire sociale liée à une «machine», culturelle et scolaire. Sous cet éclairage, «la littérature cesse d'être un jeu et devient un *produit*».

À partir de ces considérations, l'étude de Bouchard est plus qu'une conclusion issue de ses analyses. C'est autre chose. C'est le point de départ d'analyses fructueuses à venir, non seulement sur les textes d'Anne Hébert mais sur toute la littérature québécoise, là où se jouent pratique commerciale et commerce intellectuel.

Les chapitres de l'ouvrage donnent l'impression d'avoir été rédigés à des époques bien différentes. Le sous-titrage marque cet effort chez leur auteur de donner une continuité et surtout une unité à des préoccupations qui ne relèvent pas d'une même problématique. D'où la faiblesse de l'échafaudage théorique, l'inégalité d'intérêt des chapitres et notre scepticisme devant la valorisation du livre d'essais en littérature plutôt que du bon article de fond dans une revue de niveau universitaire. Mais c'est là un problème de sociologie de la littérature, problème dont Denis Bouchard semble avoir déjà compris l'importance, et qu'il faut, sous peine d'idéalisme naïf, rappeler sans cesse.

Voilà que de nombreux «noms respectables» sont de nouveau rassemblés dans le troisième volume de l'*Anthologie de la littérature québécoise* que dirige Gilles Marcotte aux éditions La Presse. Ce troisième tome couvre la période 1895-1935, soit le temps d'existence de l'École littéraire de Montréal, des textes lus par Nelligan lui-même au livre que Jean Charbonneau consacrera à l'École en 1935, en passant par la querelle entre les partisans du *Terroir* et ceux du *Nigog*. Ce volume a été réalisé par Gilles Marcotte et François Hébert, et le titre qu'ils ont retenu : *Vaisseau d'or et croix du chemin*, tend en effet à synthétiser les deux grandes tendances du discours littéraire des quarante premières années du siècle au Québec, ce que nos auteurs appellent dans leur introduction les «palmarès habituels, sans avoir la prétention de transformer en profondeur l'image qu'on se faisait de la période» (p. 6).

Il est intéressant de comparer cette anthologie à d'autres du même genre (ou à des manuels d'histoire littéraire) et pour la même époque, de manière à mieux comprendre ce qu'ils entendent par : «nous avons pris quelques libertés par rapport aux palmarès habituels». De quoi faire oublier peut-être la formule lapidaire de Laurent Mailhot, pour qui la querelle des exotiques et des régionalistes n'aurait été qu'une lutte du «nigog contre la charrue»[1].

On peut regretter le critère d'ordre d'apparition des auteurs et de leurs textes, et les raisons évoquées par les responsables n'ont pas réussi à dissoudre notre malaise. Dans le but d'accentuer «la singularité des oeuvres», ils se sont refusés à tout groupement thématique ou autre :

> (...) aucune des *catégories* habituelles, ou de celles que nous *imaginions* ne nous paraissait préserver suffisamment la *singularité* des oeuvres. À l'arbitraire des catégories, nous avons décidé de substituer un *arbitraire plus grand* : un classement par ordre chronologique, d'après la date de naissance des écrivains. Cet *ordre* n'implique évidemment pas une progression continue, d'ordre *littéraire* ou *idéologique*. Il ménage, en revanche, des surprises, des rapprochements inattendus, qui favoriseront peut-être de nouvelles *lectures*. (...) aider à percevoir des *originalités*, là où l'histoire perçoit surtout des mouvements d'ensemble. (p. 5)

C'est nous qui soulignons. Nous ne voulons pas insister outre mesure sur la position factice que les auteurs endossent en nous proposant finement un «arbitaire» de classement. Ce faisant, ils ne deviendraient que des fabricants de livres, des compilateurs érudits de textes, des professeurs neutres qui ne feraient que proposer des extraits de ce qui s'écrivait à telle époque, sans avoir à contaminer *leur choix* de considérations littéraires ou idéologiques. Il nous semble intéressant de citer à ce propos Camille Roy lui-même, critique littéraire dominant à son époque (prêtre, membre de l'Académie, universitaire et nationaliste), qui nous propose une définition du critique littéraire, définition que le responsable, René Dionne, du tome précédent de l'*Anthologie*, n'a pas craint d'endosser. Il y a tout près de cinquante ans, en 1931, Mgr Roy déduisait avec enthousiasme la vitalité de la littérature canadienne-française du fait du nombre croissant de voix qui s'y intéressaient, soit pour la louer soit pour la ridiculiser et l'on se rappellera combien l'époque donna lieu à des confrontations et à des querelles nombreuses et fondamentalement idéologiques.

> La critique littéraire a tout récemment, chez nous, multiplié ses oeuvres. C'est un signe de plus grande vitalité intellectuelle. Huit volumes de critique ont paru depuis 1929, dont quatre en 1931 : *En feuilletant nos écrivains*, par Séraphin Marion, *Carquois*, par Albert Pelletier, *Paragraphes*, par Alfred DesRochers, et *Gloses critiques*, par Louis Dantin. Pour le champ encore relativement pauvre de nos lettres, c'est une belle floraison[2].

Et tout en filant sa métaphore agriculturiste (floraison, épi, grain, gerbe, chardon, récolte), le moissonneur termine son paragraphe en affirmant avec autorité : «En littérature, comme aux champs, il faut savoir trier». Le rôle de la critique littéraire se définit donc par la nécessité du choix, l'attitude sélective élitaire. La critique s'impose par un savoir-lire, un pouvoir de sélection et de classification des textes selon des critères ou des «lois du goût et de l'esprit» — lois qui ne sont jamais définies, bien entendu — qui se fondent elles-mêmes sur le «tempérament des races». Quant à la production littéraire elle-même, en une formule négative et exclusive, Mgr Roy affirme que la littérature «n'est que l'efflorescence de la vie intellectuelle». Cette valorisation est surtout liée chez lui à des «lois psychologiques» (françaises), «*plus forte que tous les systèmes arbitraires*» (nous soulignons), entendons politiques et économiques, qui pourraient en expliciter les déterminations et les enjeux. C'est ce discours idéologique de l'arbitraire culturel que les responsables du tome III de l'*Anthologie* ont voulu mettre entre parenthèses; ils ont alors insisté sur la «singularité» des textes qu'ils ont sélectionnés, quand ils auraient peut-être dû sortir davantage du champ littéraire pour l'expliquer.

Se cantonnant à l'intérieur (à l'abri) du champ, ils proposent sur un ton libéral une série de textes à propos desquels ils n'ont pas à justifier leurs choix, se limitant à respecter un «palmarès» de textes déjà plus ou moins connus de ceux à qui s'adressent l'anthologie, c'est-à-dire les «littéraires», autre catégorie mise entre parenthèses. On reste alors dans les traces de Brunetière, de l'abbé Casgrain et de Mgr Roy. Il faudra finir par admettre que c'est au niveau de sa consommation seule que se décide l'appartenance ou non d'un texte à la littérature, la classification de cette dernière et son fonctionnement dans une société.

Nous avons déjà étudié les rapports entre écriture, littérature et idéologie dans un article intitulé : «Notion et / ou fonction(s) de la littérature (nationale québécoise) au XXe siècle», paru en 1979 dans *Voix et images*. Une partie de cet article est consacrée aux années 30, entre la grande crise de 1929 et la dernière guerre mondiale, juste avant la montée spectaculaire de l'édition québécoise, juste avant le développement du système de communication et du marché du livre, la professionnalisation du travail littéraire, la création de l'Académie canadienne-française en 1944, etc.

Ce qui s'amorce comme un mot d'ordre de nationalisation de la littérature mène vers 1918 au conflit entre les terroiristes et les exotistes pour aboutir à l'exil ou au silence des esthètes et à la victoire de ceux qui parlent d'ici et d'un «nous» mythique qui gomme — aussi — les classes sociales. Cette victoire apparente des C. Roy, A. DesRochers, A. Pelletier, C.-H. Grignon et J.-C. Harvey, nous le savons, sera de courte durée. Cette victoire continuait à charrier les dichotomies à partir desquelles les conflits s'étaient progressivement envenimés : esthétique / éthique, forme / contenu, collectivité / individu, influences extérieures / nationalisme, régionalisme, norme linguistique / langue d'ici, etc. Cette époque témoigne en effet d'une tentative difficile de redéfinition de nos activités culturelles, de recherche d'identité, de prise de conscience aiguë qu'endosseront de nouveau les écrivains des belles heures de l'Hexagone, après l'institutionnalisation du «psychologisme» des années 40 chez les intimistes religieux (Saint-Denys Garneau et Robert Élie par exemple) et même chez certains internationalistes surréalisants que furent les «automatistes»[3].

Chose remarquable entre toutes, la critique littéraire de l'époque est dominée par des écrivains. Ceux qui en parlent sont ceux-là même qui l'écrivent. Contrairement à ce qui se passe de nos jours, l'institution littéraire d'alors ne correspondait pas à un développement autonome de l'appareil d'édition et de l'appareil scolaire. Ils étaient intégrés l'un à l'autre, résultat d'une recommandation de C. Roy dans sa conférence de 1904 : que l'école supérieure soit le berceau (lieu de production et de reproduction) de nos écrivains et de nos critiques littéraires.

Production discursive de type idéologique, la littérature est un résultat, un effet, un discours spécifique validé par une pratique de pouvoir. Et quand on dit que ce discours, tel qu'il apparaît dans les manuels littéraires par exemple, constitue le reflet d'une société et même d'un état donné des rapports entre classes sociales, on pourrait aller plus loin, car il faut poser la littérature comme une pratique spécifique afin de saisir en quoi et comment ce discours se démarque, enclenche et valide des pratiques spécifiques. Nous insistons : ce n'est pas le producteur de textes originaux qui fait la littérature et son histoire. C'est le savoir variable de la critique (et ses besoins) qui modifie l'objet littéraire dans l'histoire du Québec, et donc sa fonction.

En niant l'industrialisation, en condamnant toutes les associations de travailleurs et toute forme de loisirs communautaires, on feignait de freiner l'urbanisation, de ralentir la montée d'une classe ouvrière, tout en cherchant à faire cesser l'émigration des Québécois vers les villes du sud. La campagne s'opposera donc à la ville qui est de fait lieu d'instruments de production, de capital et de loisirs. Il n'est pas surprenant que le roman, comme pratique symbolique — et même la poésie — aille privilégier le genre du terroir comme auxiliaire de la classe qui allait le produire, en soutenant ses intérêts (et non seulement ses goûts), en véhiculant et justifiant ses valeurs. Et l'ordre social qu'il manifeste sera ainsi peu dénoncé — mis à part *La Scouine*, condamné et presque oublié, jusqu'en 1960 — pour la bonne raison que la classe dominante monopolise le langage et le soustrait à la classe dominée. Le roman ne représente donc pas le réel, mais l'état idéologique, l'image élaborée par la classe dominante et généralisée par elle pour dérober l'état de fait[4].

Il ne faut donc pas trop sous-estimer le rôle de la littérature qui, si elle est un effet de l'idéologie, a aussi une autonomie relative et peut avoir un effet récursif sur l'idéologie, et par conséquent sur la société. La pratique idéologique qu'est la littérature et cette idéologie pratique qu'est le nationalisme peuvent difficilement masquer leur fonction... d'assujettissement.

En dépit de certaines de nos remarques qui semblent vouloir dénoncer l'entreprise même de l'*Anthologie* — c'est plutôt l'attitude de recul des auteurs qui était ici mise en question — ces livres sont d'une grande utilité, ne serait-ce que pour permettre de consulter des textes — «les véritables écrivains, ceux qui méritent d'être relus» (p. 45) — qui sont ou bien difficiles d'accès ou bien trop liés à un individu plutôt qu'à une production d'époque. L'ordre de classification retenu a pour but de favoriser de «nouvelles lectures» — ce qui apporte de l'eau à notre moulin —, de laisser aux lecteurs le soin «de faire ses propres recoupements thématiques» (p. 5). C'est en effet là que se situe l'instance *littéraire*, comme effet de lecture.

Des noms étaient attendus : É. Nelligan, P. Morin, R. Choquette (moins gâté que prévu cependant), A. DesRochers, C.-H. Grignon, L.-P. Desrosiers, J. Barbeau, J.-C. Harvey (surprenant!). D'autres auteurs semblent plus choyés qu'à l'ordinaire : J.-A. Loranger (ce qui est bien), U. Paquin et J.-A. Bernier (on lui accorde 13 pages!). Les textes de C. Roy, A. Pelletier et T. Chapais créent des effets de sens inattendus. Le Frère Marie-Victorin est à l'honneur, ce qui nous amène à constater comment le discours littéraire arrive à récupérer les textes les plus divers pour ses besoins.

Ceci dit, nous profitons de l'occasion (elle est à propos!) pour rappeler le colloque du 5 octobre 1979, à l'Université de Montréal, réservé à l'*Essai québécois en question(s)*. La littérarité de l'essai y était invoquée éloquemment à coup de renfort rhétorique ou esthétique, dans une sorte de crainte d'admettre, dans cette fausse nécessité d'établir un corpus *littéraire* de l'essai québécois, que les critères de littérarité sont idéologiques (historiques) avant d'être linguistiques ou autres. Dans l'essai comme littéraire ou l'essai comme québécois, le problème ne réside pas dans la difficulté de définir l'essai comme tel, mais de le définir comme *littéraire*. Serge Leclerc n'a-t-il pas affirmé avec justesse : on est tous des essayistes et tant mieux si la société marche avec moi. Les contaminations entre genres (fiction, récit idéel, argumentation, poéticité, etc.) sont liées à des efforts de monopolisation de discours : récupération, désamorçage, légitimation, institutionnalisation. Les effets de fiction et / ou les effets de théorie seront *traduits* dans le but de maintenir une classification, une typologie des discours. Et dans les affirmations éclairantes d'André Belleau : tout n'est pas littérature, mais tout peut l'être; ou encore : toute tentative discursive est menacée (remarquez le verbe!) par l'écriture, on regrette de voir confondues deux pratiques différentes : écriture et littérature. Ce va-et-vient entre les deux pratiques ne mène pas à l'ambiguïté fondamentale de l'essai que signale Belleau, à la fois autotélique, fictif et référentiel; ce va-et-vient mène à la confusion, c'est-à-dire à l'impossibilité de saisir ce qu'est le *littéraire*.

L'*Anthologie* de G. Marcotte enrichit et réactive l'institution littéraire, son discours et son corpus. Son discours encourage des pratiques d'écriture, de lecture, d'enseignement.

Poésie 1981

> *«La littérature n'est qu'un moyen intelligent d'occuper des loisirs, ce n'est pas un métier.»*
> (Henry Desjardins, en 1899)[5].

Gaston Miron s'est mérité cette année le prix Apollinaire pour *L'homme rapaillé.* On n'a donc pas fini d'entendre parler de ce fameux recueil. Surtout qu'il se vend très bien chez les Français d'outre-mer. Décidément, l'Hexagone-Miron se porte bien et je m'amuse à jauger la santé de la poésie québécoise à partir de ce que la génération montante garde des aînés et de ce qu'elle en dit. Les formalistes du début des années 70 sont allés repêcher Claude Gauvreau qui s'était vu un peu trop négligé par ceux que l'on qualifiait de poètes nationalistes et hexagonaux. Et je crois qu'à ce propos C. Gauvreau doit beaucoup aux jeunes écrivaines d'alors. Vint à souffler par la suite un vigoureux vent du samedi soir, plus fiévreux que les élucubrations sémiotisantes des collaborateurs de *La barre du jour* (que ce soit l'ancienne ou la nouvelle). L'Hexagone se trouva par conséquent tout coincé et quelque peu bousculé entre cette Barre et ces Herbes rouges qui allaient petit à petit envahir le champ littéraire : édition, presse, école, prix.

Le discours d'accompagnement (des textes) qui se mit alors à proliférer dans les journaux et les revues mettait l'accent sur la ville, la femme, les possibles pas possibles, quand ce n'était pas purement et simplement un discours «rocker» dont le but consistait à manifester bruyamment les relents de la contre-culture à coloration nord-américaine. Mais ce qui dominait, et qui continue de dominer comme discours sur la littérature, c'est celui de la nouvelle écriture, mélange faussement naïf et volontairement bouillie indigeste de marxisme, de psychanalyse, de sémiologie, de féminisme, le tout servant de paravent à des slogans agressifs, à de l'autoreconnaissance presque sans gêne, au traitement exclusif de certaines formes poétiques et de certains contenus. Loin de nier le modèle familial, on le généralise, on écrit pour les siens et ses amis, on défend férocement parfois un éphémère mélange bavard où se répercutent pèle-mêle les échos déformés d'un parisianisme encore fécond : l'écriture, le texte, la marge, le sujet, la pulsion, le clivage, la fente, le délire, l'urbanité, le désir, etc. On assistait alors à la naissance d'une nouvelle rhétorique :

> Les poètes qui ont commencé à publier au début des années 70, raconte Claude Beausoleil, n'emboîteront pas le pas à leurs aînés. Ils revendiqueront davantage la parole et l'écriture dans toutes ses constituantes, sous toutes ses facettes. Ils scruteront le langage poétique et ses conditions d'inscription. Ils parleront de matérialité, d'imaginaire, de structuration, d'interrogation sur la pratique même d'une écriture poétique. Oui avec les années 70 le monde et les temps changent.[6]

Admettons le changement. Claude Beausoleil a raison de s'enthousiasmer. Cependant, le visage qu'il dépeint est le même depuis déjà quelques années. C'est que la dernière décennie aura été le théâtre de bouleversements tels faits avec une telle rapidité que le critique peut, sans craindre de se tromper, succomber au rapprochement entre cette effervescence socio-culturelle et la prolifération de recueils de tout genre. Les styles, les courants et les voies se multiplient au gré de la fantaisie apparente des éditeurs. En nos temps de crise économique aiguë, les polarités se rapprochent et se confondent presque, et les fondements idéologiques qui justifiaient l'existence de tant de maisons d'édition de textes «poétiques» tendent à s'effriter. Il n'est plus très facile d'identifier aujourd'hui les formes et les contenus propres à l'Hexagone plutôt qu'aux Herbes rouges, à *La nouvelle barre du jour* plutôt qu'aux Écrits des forges, ni même possible de marquer une différence significative entre les textes que privilégie V.L.B. et ceux que retient *Estuaire*.

Bref, et en cela il semblera que je donne raison à l'intimiste Jacques Brault, «toute poésie tend à devenir anonyme»[7], et pire encore, «la seule chose évidente, c'est que la poésie m'apparaît rigoureusement inutilisable»[8]. Cependant, je crois au contraire que la poésie n'est compréhensible que parce qu'elle peut servir et que c'est précisément l'usage social qu'on en fait qui tend à la rendre anonyme. Tout se passe comme si l'usage éloignait les textes de leurs producteurs (à ne pas confondre avec leurs propriétaires) et les classaient sous la bannière d'une série textuelle qui, elle, leur imposait ses catégories et ses valeurs. Jacques Brault peut bien nous parler, avec toute la sincérité qu'on lui connaît, de l'écriture et de l'amour comme étant deux «états» dans lesquels on avance avec «un goût de naissance»[9], comme étant deux lieux analogues de «dur apprentissage» où «le langage, sans cesse, me précède là où je veux aller»[10]. Dans cet état de disponibilité et de contagion, le poète n'a qu'à «écrire encore et s'il le faut à personne (...) et surtout en amateur, en amoureux de l'écriture»[11].

Ces témoignages sont touchants et nous enveloppent dans ce qui a toujours constitué les deux mamelles de la production littéraire : d'une part le message individuel et exclusif à l'écrivain à qui et à propos de qui *on fait croire* qu'il vaut son pesant d'art, et d'autre part la configuration idéologique dominante que les productions individuelles ont pour fonction de diluer ou, pour être bref, de camoufler, l'expression des états individuels *devant être* plus valorisables que le dévoilement des conditions matérielles de production et de réception qui rendent possibles ces textes faussement voués à l'inutilité et à l'anonymat.

Philippe Haeck s'interroge sur le refus de la «commande sociale» chez Madeleine Gagnon à propos de *Au coeur de la lettre*. P. Haeck reste songeur devant ce qui se joue dans la contradiction profonde entre le désir intérieur de l'individu écrivain qui se veut non conventionnel et ce plaisir extérieur de fabriquer un texte et, au mieux, un livre qui ait du succès. «Ça n'adhérait plus à la commande sociale, écrit M. Gagnon, au codé, à la convention, à la norme. Ce qu'il est convenu de moi ne s'écrirait jamais plus, quitte à ne plus écrire, ou alors habiter cette langue étrangère, comme aujourd'hui» (p. 82). Elle justifie cette marginalité en faisant de la «théorie par délinquance», de la «poésie par urgence, quand la commande est au roman» (p. 25).

P. Haeck a raison de rappeler qu'en parlant de «la» commande sociale, M. Gagnon soutient une position idéaliste puisqu'il existe plusieurs commandes sociales qui correspondent à des groupes variés en quantité et en qualité, et P. Haeck de poursuivre avec une parenthèse : «il s'agit de savoir avec qui on veut travailler», privilégiant ainsi d'une part le vouloir de l'écrivain et rappelant d'autre part la notion de groupe, la réalité sociale qu'est l'équipe, le mouvement, l'école littéraire au sein de laquelle l'écrivain choisirait de travailler. P. Haeck indique en même temps qu'il parle de ces groupes en se situant à l'intérieur même du champ littéraire, et qui plus est, en tant que producteur lui-même. De l'extérieur, on aurait tout naturellement tendance à prolonger sa parenthèse : «... savoir avec qui on veut travailler», mais aussi, *pour qui* on veut écrire, et *pourquoi* on écrit et *quoi*...

Jacques Brault nous parle bel et bien de l'écriture poétique, de ce «petit répertoire de moyens ordonnés à couper le souffle et à le relancer»[12], mais il ne parle pas alors de littérature, c'est-à-dire du champ de discours qui fait en sorte que son écrit sera lu (l'édition), évalué, classé (la critique), retenu (le commerce intellectuel), proposé comme modèle (l'anthologie, le manuel d'histoire littéraire), etc. P. Haeck va plus loin que J. Brault mais il s'arrête aux frontières à l'intérieur desquelles les choses et les agents s'autodéfinissent et s'autojustifient, mais à l'extérieur desquelles ces mêmes objets et agents ont besoin d'être situés sociologiquement dans le champ littéraire et dans le champ culturel en général. P. Haeck ne peut faire autrement que d'être juge et partie.

Au bout du processus institutionnel qui fait en sorte qu'un écrit devient une oeuvre et un écrivain, un auteur, il existe cette consécration par excellence que représente les dictionnaires d'auteurs et / ou d'oeuvres et les anthologies. Les anthologies se proposent en effet comme les résultats d'une sélection, d'une fragmentation et d'une mise en ordre de textes, quitte à faire subir à bon nombre de ces textes une sorte de «détournement de sens» par «submersion» prolongée et «manipulations idéologiques». C'est en ces termes que, dans une récente livraison de *Lettres québécoises*, Réal Ouellet parlait à juste titre de «bricolage arbitraire», affirmant que «la mise en pièces et l'assemblage anthologique» lui semblaient relever de l'activité poétique elle-même[13].

Faut-il se surprendre que l'événement littéraire de l'année 1981 — selon l'heureuse formule des éditeurs — soit *La poésie québécoise des origines à nos jours*. Issue de l'université et de l'édition, cette anthologie rétrospective se propose comme une entreprise d'affirmation collective (nationaliste) et de consolidation du corpus littéraire québécois, et cela grâce à une poignée d'hommes déterminés groupés en une équipe. Le communiqué de presse signale que l'ouvrage prestigieux comporte 724 pages, reproduit 526 poèmes de 172 poètes québécois parmi les plus représentatifs (de quoi?), présentés chacun par une notice biographique (pour qui?) et illustrés par 336 photographies et illustrations d'époque. On ne manque pas d'ajouter, bien sûr, que la couverture reliée est illustrée d'une encre originale de Roland Giguère. Voilà de quoi ennoblir ce bilan qui se voulait le plus complet et le plus équilibré possible. Le volume est en effet très beau. La maquette de la couverture est assez bien réussie, un peu austère peut-être. Le poids dans la main assure le respect, même chez les moins curieux des lecteurs, et l'ensemble s'apparente à un fort beau *manuel* destiné à un public très large. Les photos passeport des poètes sont, à mon avis, très monotones et ne font que renforcir le vedettariat que les journaux cultivent à satiété. Par contre, les illustrations diverses me paraissent très bien choisies et bien exploitées par l'excellent graphiste qu'est Roland Giguère.

Je ne m'attarderai pas davantage à cette anthologie. L. Mailhot, P. Nepveu et l'équipe ont fait du bon travail. Il y a longtemps qu'une anthologie n'avait pas été proposée. J'y ai rencontré Eudore Évanturel, Suzanne Meloche et Jean Baudot par exemple, ces figures s'ajoutant à la galerie plus familière des poètes nationaux depuis François-Xavier Garneau jusqu'à Nicole Brossard.

Je me contenterai à cet égard de rappeler de nouveau l'article de Réal Ouellet. Selon lui, le projet anthologique implique «une prospection systématique de tous les lieux de l'imaginaire collectif, un inventaire et une mise en catégories de productions individuelles qui seront réduites, ramenées à des extraits pour former le tableau mosaïcal (...) de la production globale»[14]. Pour nous en tenir à la poésie québécoise moderne, j'ose avouer que les pièces maîtresses de cette mosaïque n'ont pas beaucoup changé depuis l'anthologie de Guy Robert, *Poésie actuelle*. C'est que les projets sont similaires, les intentions aussi, et la fonction nationalisante de la littérature se retrouve encore une fois mise en évidence.

Signalons en passant la *Petite anthologie* du Noroît qui souffle plus que jamais à tous les vents, selon la devise de la maison. En toute modestie, le Noroît fêtait son dixième anniversaire et offrait gratuitement ce petit livre qui propose une courte biographie et un extrait d'un texte de tous les écrivains que la maison a publiés depuis ses débuts. Ça me rappelle *Le périscope* de l'Hexagone d'antan. Cette rétrospective constitue à la fois un choix sélectif et une position dans le temps et dans l'espace de l'institution littéraire. Cela n'empêche pas cependant le Noroît de semer à tout vent : J. Thisdel, C. Beausoleil, J. Brault, M. van Schendel, J. Charlebois, etc. Cette diversité n'arrive pas à me faire oublier que le Noroît s'est taillé une place dans le champ littéraire grâce à sa réputation d'éditeur de luxe. Son avenir me paraît prometteur, assuré. Ce pouvoir d'argent s'ajoutant au pouvoir symbolique de certains de ses écrivains lui assure de solides assises.

Il en est de même pour les recueils en provenance de Trois-Rivières, des Écrits des forges ou du Sextant. Les tirages limités de Gatien Lapointe par exemple (*Corps et graphies*, *Barbare inouï*) ne sont pas distribués en librairies. *Livres et auteurs québécois* voit donc réduit son pouvoir de sélection, cette sélection s'exerçant déjà bien avant... Par qui? *L'intime soif* de Jean Royer, aux Éditions du Silence à Montréal, avec un bois original de Janine Leroux Guillaume, signé par l'auteur, l'artiste graveure et l'éditeur... Je n'ai pas l'honneur d'avoir lu ce recueil mais je profite de l'occasion pour rendre hommage à Jean Royer pour certains articles qu'il a signés dans *Le Devoir* tout au long du mois de décembre 1981.

(...) Mon propos va sans doute paraître un peu frondeur et même déplacé — à certains. Je préviens ces réactions dispersées en rappelant ces mots de Richard Hoggart tirés de son livre désormais célèbre, *La culture du pauvre*, à propos du nihilisme des intellectuels dits progressistes :

> (...) Il y a dans le renoncement à tout dogmatisme et à tout moralisme une forme d'honnêteté intellectuelle. Mais les intellectuels trouvent dans cette condition en porte-à-faux un plaisir trop aigu pour n'être pas complaisant. Le sadisme intellectuel n'est pas sans charmes et la position de critique est toujours plus confortable que celle de créateur.[15]

En effet, et parmi les nouveaux recueils poétiques qui circulent depuis 1981, je pointe du doigt celui d'Hélène Grimard, *Haute tension*, pour sa farouche lisibilité et le souffle qui le traverse. De bien belles surprises nous étaient aussi réservées dans *Nuaison* d'Yves Préfontaine, quoique attendues. Un lyrisme trop familier peut-être, mais ferme et maîtrisé.

Deux constatations pour finir : d'abord que Paul Chamberland sème à tout vent, mais pas encore au Noroît (!); enfin, qu'il faudrait lire et parler davantage des textes qui nous viennent de la Mauricie, le temps que les Herbes rouges varient leur menu, que V.L.B. éditeur continue sa montée «poétique», et qu'en 1982, le souci de la qualité des textes, même chez des poètes déjà reconnus, l'emporte sur la quantité.

Notes

1. L. Mailhot, *Littérature québécoise*, coll. Que sais-je?, P.U.F., 1974, p. 44.
2. «Critique et littérature nationale», *Regards sur les lettres*. G. Marcotte et F. Hébert reproduisent ici un autre texte fort important de C. Roy, datant de 1904, et prononcé à l'occasion de la séance publique annuelle de la Société du Parler français au Canada : «La nationalisation de la littérature canadienne», pp. 64-78.

3. Dans une communication au Congrès de l'ACFAS de mai 1978, Lucie Robert déclarait que c'est à partir de la troisième édition du *Manuel* de littérature de C. Roy qu'apparaît «un clivage entre le devoir-faire et le vouloir-faire des écrivains (...); c'est aussi une réaction à un nationalisme canadien-français devenu soudainement dangereux devant la menace du fascisme et de la seconde guerre mondiale. Il y a donc un constant rappel à la «vérité» d'une certaine histoire (qui n'est pas celle de Lionel Groulx) et une réévaluation du devoir-faire des écrivains non plus en fonction du contenu patriotique mais en fonction de la perfection formelle.» («Histoire et critique dans le *Manuel d'histoire de la littérature canadienne-française* de Mgr C. Roy»).
4. Charles Grivel, *Production de l'intérêt romanesque*, La Haye, Mouton, 1973, p. 226, rapporté par Janine Boynard-Frot dans sa thèse de doctorat : «Espace de l'homme, espace de la femme dans le roman du terroir canadien-français», Sherbrooke, 1978.
5. Cité dans *La poésie québécoise, des origines à nos jours, Anthologie*, Les Presses de l'Université du Québec et les Éditions de l'Hexagone, 1981, p. 23.
6. C. Beausoleil, «Poésie des écritures — Les retombées des années folles», *Le Devoir*, 21 novembre 1981, p. IX.
7. J. Brault, *Trois fois passera*, précédé de *Jour et nuit*, Éditions du Noroît, 1981, p. 81.
8. *Ibid.*, p. 73.
9. *Ibid.*, p. 68.
10. *Ibid.*, p. 76.
11. *Ibid.*, p. 37.
12. *Ibid.*, p. 75.
13. Réal Ouellet, «L'entreprise anthologique», *Lettres québécoises*, n° 24, hiver 1981-82, pp. 77-78.
14. *Idem.*
15. R. Hoggart, *La culture du pauvre*, Coll. Le sens commun, Éd. de Minuit, Paris, 1970, p. 342.

Notion et/ou fonction(s) de la littérature nationale québécoise de 1930 à 1975

Depuis toujours, parler de la littérature a été une pratique abandonnée à la critique, doublant ainsi la pratique de l'écriture, permettant à un écrit de devenir texte, oeuvre, etc. La littérature n'a pourtant jamais été un corpus stable de chefs-d'oeuvre.[1] L'étude de la genèse des textes n'a jamais suffi à expliquer sérieusement la production de tel type de textes à telle époque. Le texte littéraire ne peut pas non plus valoir uniquement par des traits qui lui seraient spécifiques, immanents, distincts de traits qui seraient non littéraires. Cette perspective ne permet que d'ébaucher une théorie des genres littéraires fondée sur des critères internes, une théorie des normes, variables d'une époque à l'autre. D'ailleurs, comment expliquer que des textes aussi différents que les *Essais* de Montaigne, les *Lettres persanes* de Montesquieu, l'*Émile* de Rousseau, *À la recherche du temps perdu* de Proust, les textes divers de Sartre, etc., soient passés dans l'histoire de la littérature française? On reconnaît le même type de phénomène au Québec. C'est donc au niveau de sa consommation seule que se décide l'appartenance ou non d'un texte à la littérature, la classification de cette dernière et son fonctionnement dans une société, dans une culture, système de valeurs idéologiques, internes et externes au texte. Comment s'articulent les rapports entre écriture, littérature et idéologie?

Avant de nous aventurer au coeur des problèmes complexes que soulèvent toutes ces questions — préférant y revenir à la fin de notre étude, nous tenterons de dégager, à partir de deux moments historiques de l'évolution culturelle du Québec, quelle conception on se faisait de la pratique et de l'usage de la littérature. Le premier moment historique couvre l'entre-deux-guerres et le second le début des années 70. Entre ces deux dates, nous n'ignorons pas qu'à chaque décennie correspond une redéfinition du phénomène littéraire. Mais comme nous poursuivons moins un travail d'historien qu'un projet de théorie de l'histoire de la littérature, notre étude ne tend pas à brosser un tableau exhaustif des divers «mouvements» littéraires au Québec; elle cherche surtout à répondre à des hypothèses théoriques que des exemples puisés dans des moments historiques éloignés viendront confirmer ou infirmer.

Il s'agit de deux périodes littéraires coiffées respectivement d'une enquête réalisée sous forme d'interviews. La première enquête date de 1939; elle est due à Adrienne Choquette et constitue les *Confidences d'écrivains canadiens-français*. La seconde a été réalisée par l'équipe de la revue *Liberté* en 1977. Le livre d'A. Choquette a connu une réédition aux Presses laurentiennes en 1976, ce qui permet d'évaluer l'actualité des problèmes soulevés, et chacun connaît l'importance de la revue *Liberté* dans l'évolution de la littérature québécoise, depuis sa création en 1959 jusqu'à l'enquête de 1977, en passant par un autre numéro spécial qui demande «où en sont les littératures nationales».

La notion de littérature durant l'entre-deux-guerres au Québec : un manque

En 1931, Mgr Camille Roy déduisait la vitalité de la littérature canadienne-française de la multiplication des voix qui s'y intéressaient, soit pour la louer, soit pour la ridiculiser : «En littérature, comme aux champs, il faut savoir trier.»[2] La critique se définit donc par la nécessité du choix, l'attitude sélective élitaire. La critique s'impose par un «savoir», celui de sélectionner et de classifier des textes selon des critères ou des «lois du goût et de l'esprit» (non définies), «qui se fondent elles-mêmes sur le tempérament des races». Quant à la production littéraire elle-même, en une formule négative et exclusive, Mgr Roy affirme : «La littérature, (...) n'est que l'efflorescence de la vie intellectuelle...». Cette valorisation est liée chez Roy à des «lois psychologiques» (françaises), desquelles on ne peut se défaire, «plus fortes que tous les systèmes arbitraires», entendons politiques et économiques, qui pourraient tenter d'en expliciter l'enjeu. C'est ce discours idéologique que nous voudrions examiner plus à fond. Selon Mgr Roy, «la langue, la littérature et la race» définissent notre «identité ethnique». Quels rapports ces éléments *culturels* entretiennent-ils avec l'ensemble de la structure sociale?

On admet aujourd'hui sans trop de difficulté que les contraintes par lesquelles le système de la production littéraire limite la liberté de l'écrivain sont d'origine socio-culturelle. Sans entrer dans les détails d'une dialectique globale du hasard (au niveau de la série diachronique littéraire) et de la nécessité (au niveau de l'extra-littéraire et surtout des rapports que la série littéraire entretient avec l'ensemble des séries culturelles et la société tout entière), retenons que l'étude immanente des textes isolés permet de *comprendre* ces textes mais elle ne permet pas d'*expliquer* le pourquoi de leur survie; pour ce faire, le généticien doit faire appel à la structure sociale englobante. L'histoire et la société sont alors considérées comme immanentes à la structure du texte littéraire, et non plus comme de simples éléments d'influences extérieures à la production littéraire. Bref, parole et écriture ne sont pas autonomes à l'égard de l'idéologie et du culte.

Puisque le contexte social est immanent à l'évolution littéraire — celle-ci devenant *incompréhensible* si elle se trouve dégagée des structures sociales — les problèmes esthétiques doivent donc être appréhendés comme des problèmes sociaux, n'en déplaise aux tenants idéalistes de l'art pour l'art ou de l'analyse immanente (savante) des textes.

Il est vrai cependant que la théorie marxiste de la littérature tend à réduire la question du comment est écrit tel texte (son écriture) à la question socio-historique et génétique : pourquoi ce texte a-t-il été produit dans telle situation sociale donnée? Cependant, l'intention fondamentale d'un texte littéraire particulier ne saurait être saisie qu'à l'intérieur de l'évolution littéraire. Comme le remarquait Jan Mukarovsky : «Même l'artiste tient compte, en produisant une oeuvre, du système normatif enraciné dans sa conscience (...) : en cela il ne se distingue nullement des autres membres de la société.» Prêtre ou guerrier, pour reprendre le couple mythique d'Abellio, l'un ou l'autre définissent des fonctions sociales différentes, mais ce serait se leurrer de croire que l'activité de l'un serait plus sociale tandis que celle de l'autre serait plus contemplative.[3] D'où il apparaît indispensable de reconnaître, sur le plan textuel, la coexistence d'éléments linguistiques et socio-économiques, le caractère normatif et social (conforme/non conforme) de la communication littéraire. Le fait littéraire ne se comprend que partiellement au niveau de la production individuelle. C'est au niveau de la consommation que son statut et sa fonction s'éclairent objectivement.

Sans trop nous attarder à examiner les conditions socio-économiques de la production littéraire, des années 1920-40 au Québec par exemple, sans nous étendre non plus sur le rôle des forces collectives dans les domaines de la production et de la réception des objets symboliques, ainsi que les mutations que subissent les produits littéraires au cours de l'histoire (leurs lectures), il nous apparaît intéressant d'essayer de circonscrire d'abord la conception que se faisaient de la littérature les intellectuels québécois des années 30, même si, dans l'ensemble, ils omettent d'avouer ou de reconnaître que la littérature a des origines sociales, tout en reconnaissant, paradoxalement, dans la langue, la médiation la plus importante entre la littérature et la société.

Camille Roy soutenait pour sa part les partisans du régionalisme, fidèle ainsi au groupe du *Terroir* qui favorisait les sujets nationaux et son idiosyncrasie terrienne, tandis que Louis Dantin de son côté, exilé à Boston, prônait une plus grande liberté dans le traitement des sujets et insistait sur la valeur esthétique des oeuvres à produire.

Gaston Pilotte, dans «Victor Barbeau et le régionalisme»[4], a bien montré comment Barbeau s'en prenait aux régionalistes comme L.-P.

Desrosiers, L. Groulx, C.-H. Grignon et H. Bernard[5], se situant ainsi du côté de Marcel Dugas[6], avec les «exotistes» du *Nigog*, de tendance culturelle plus centrifuge.

En 1931, le feuilletoniste Albert Pelletier ouvrait son *Carquois* sur cette même controverse qui touche la littérature nationale et/ou le nationalisme littéraire[7]. Alonzo Leblanc, dans «Une satire des années 1930», a proposé un bel aperçu des positions d'A. Pelletier sur la littérature, la littérature nationale, la faiblesse de nos productions symboliques, la médiocrité de notre système d'enseignement, l'aliénation de nos institutions sociales en général, etc., et nous ne croyons pas utile de reprendre toutes ces observations.[8] En mettant l'accent sur la dimension sociologique de la pensée d'A. Pelletier, Leblanc souhaitait contribuer à l'étude de la mentalité des intellectuels des années 1930, dans la perspective de l'article bien connu de Jacques Pelletier : «*La Relève* : idéologie des années 1930».[9] A. Pelletier était un critique d'humeur, un essayiste pamphlétaire qui se débattait comme un bon diable contre les doubles contraintes de l'idéologie officielle (stérilité intellectuelle) et de la langue française mal maîtrisée (mais conforme à notre identité nationale). Leblanc évoque avec justesse, chez Pelletier, cette sorte de mépris ouvert contre l'esprit bachelier (idéologue, idéaliste, mystique), son mépris à l'égard de ce surmoi d'humanités classiques, cette part inacceptable de lui-même imposée par l'éducation qu'on lui a imposée et contre laquelle il se rebiffe.

Sorte de *Refus global* avant la lettre, les textes de Pelletier s'élèvent contre le classicisme officiel et ses «maîtres-garde-fous», «notre stérile rêvasserie de latins rapetissés et de dilettantes dépaysés». Une littérature nationale reste à faire; il en trouve cependant quelques ébauches dans les accents individuels et un peu frustrés de Jean-Charles Harvey, de Claude-Henri Grignon, d'Alfred DesRochers. Chez ce dernier en particulier, il admire la virilité des hommes d'ici, le regard neuf et vivant sur le pays du Québec; il l'appelle «le plus caractéristique et le plus individuel des poètes canadiens». Prisonnier de l'esthétique dualiste, Pelletier ne retient des textes que le contenu et, contrairement à L. Dantin qui accordait une grande importance à l'organisation formelle, il se met à la recherche de l'authenticité, du référent national, et tire ses flèches contre les «jésuites salonnards» qui méconnaissent et/ou trahissent notre identité. Il faut le voir aussi faire un mauvais accueil au *Glossaire du parler français au Canada* préparé depuis vingt-cinq ans par la Société du parler français au Canada. Il reproche aux académiciens de vouloir aseptiser notre parlure autochtone. Satire acerbe encore à propos de Mgr Roy, auteur du *Manuel d'histoire de la littérature canadienne*; passant de la louange à la satire, il écrit :

> Mgr Camille Roy est recteur de l'Université Laval; il fut président de la Société royale du Canada; il fait partie, à titre décoratif, de quelques autres hospices de curés en repos. C'est un personnage. C'est encore plus un homme habile. J'avoue même que Mgr Roy me paraît, en littérature, profondément machiavélique. Vous savez qu'il passa sa vie à meubler les générations d'écoliers de phrases pompeuses ou de coussinets en caoutchouc. Mais soupçonnez-vous pourquoi? Afin de rebondir indéfiniment, s'il prenait fantaisie à Jules Fournier et Olivar Asselin de faire glisser ses échasses!
>
> J'ose à peine lever les yeux vers ce grand littérateur consacré fétiche. Depuis qu'on me fit apprendre par coeur son manuel cabalistique d'Histoire de la littérature canadienne, il m'hypnotise, et je ne sais que lui rendre hommage.[10]

Nous avons attentivement relu surtout les *Confidences d'écrivains canadiens-français* qu'a recueillies Adrienne Choquette et qu'elle fit publier en 1939 aux éditions du Bien public de Trois-Rivières (réédition 1976). Nous insisterons sur le contenu des interviews, qui nous semble bien d'époque, juste avant la dernière guerre mondiale, juste avant la montée spectaculaire de l'édition québécoise durant les années de guerre, juste avant le développement du système de communication et du marché du livre, la professionnalisation du travail littéraire, la création de l'Académie canadienne-française, etc. Adrienne Choquette a interviewé trente-trois éminents écrivains (prêtres, journalistes, professeurs, etc.) à la demande de Clément Marchand, alors directeur du journal *Le Mauricien*. Clément Marchand voulait, à partir des propos recueillis, «tenter de délimiter le profil idéologique d'une époque de transition».[11] Il projetait donc, implicitement, de faire ressortir les implications sociales (idéologiques) de la littérature et du métier d'écrivain à son époque.

Ce type de critique journalistique soulève toutefois un problème théorique et méthodologique qu'il faut clarifier avant de nous intéresser aux questions qu'Adrienne Choquette posait à *ses* écrivains et aux réponses qu'elle a recueillies, puis reproduites. Le problème que nous voulons grossièrement poser concerne la place et le rôle du sujet dans la production littéraire en général :

> (...) les théoriciens du Cercle linguistique de Prague se distinguent radicalement des structuralistes français, dont les théories tendent à éliminer le concept de Sujet et avec lui le problème de l'action individuelle qu'elles remplacent par la transformation structurelle. Mukarovsky réunit de manière dialectique les deux pôles dont l'opposition est sous-jacente au dynamisme de la production littéraire : l'autonomie structurelle de l'évolution (...) et l'initiative individuelle.[12]

Il est par exemple assez peu question de technique d'écriture dans les questions d'A. Choquette, et dans les réponses aussi d'ailleurs. Il est bien connu cependant que les intérêts sociaux s'articulent dans les changements techniques, les transgressions de normes dites esthétiques étant aussi porteuses de significations et de valeurs non esthétiques, donc partie intégrante du contenu. L'article de J.-L. Backès intitulé : «La place et le rôle de la métrique dans une théorie de la littérature», montre par exemple comment la métrique utilise à ses fins (idéologiques) propres des matériaux déjà fournis par la langue, cherchant avant tout à manifester son autonomie en masquant ses contradictions d'une part et en servant d'instrument de contrôle sur la production de textes d'autre part.[13] Pensons à ce qui distingue les sonnets d'A. DesRochers (1929) des textes de Saint-Denys Garneau (1935) et de ceux de P.-M. Lapointe (1948). Quinze années seulement séparent les premiers des derniers textes. Chez Saint-Denys Garneau cependant, il n'y a que la forme poétique qui soit nouvelle, tandis que *Le vierge incendié* de Lapointe proposera une révolution et sur le plan du contenu et sur le plan de l'expression. Il faudra toutefois attendre les années 60 pour que les poèmes automatistes passent à la littérature (c'est-à-dire dans les maisons d'édition et d'enseignement). Qu'est-ce qui motive ces changements dans la production littéraire et qu'est-ce qui détermine la reconnaissance officielle de ces transformations de forme et de contenu, après coup?

Faute de pouvoir vérifier cette prise de conscience chez les écrivains des années 30 qui parlent de leur activité d'écriture et de leur fonction reconnue comme plus ou moins sociale, faute de pouvoir faire ressortir les implications sociales de leur écriture, nous nous attarderons plutôt aux implications idéologiques du discours qu'ils ont porté sur leur écriture propre et sur celle de leurs contemporains.

En d'autres termes, faute de voir comment le sujet s'inscrit dans les textes fictifs (littéraires) qu'il a produits, nous chercherons à voir comment ce sujet s'inscrit dans le discours qu'il porte sur ce qui fait de lui (et des autres) un écrivain.

Le type d'interview pratiqué par A. Choquette oriente considérablement le discours qu'on peut porter sur l'activité littéraire. D'autre part, ce livre que nous avons choisi de traiter comme représentatif vient orienter notre propre questionnement. En cela, nous voulons respecter l'histoire, ne pas rechercher chez les Québécois des années 30 un type de réflexion qui irait de soi aujourd'hui, même si «c'est toujours d'aujourd'hui qu'on lit et l'aujourd'hui qu'on lit», remarque Meschonnic.[14] Les deux questions fondamentales restent : pourquoi écrire? pourquoi la littérature? Trente-cinq ans plus tard se trouvera articulé un nouveau facteur, celui de *lecture*, à notre époque où l'on publie de plus en plus et où on lit de moins en moins, dit-on. Et c'est ce nouveau facteur qui permettra de voir en clair l'enjeu du phénomène littéraire.

Celui qui nous semble répondre avec le plus de justesse et d'à-propos aux questions d'A. Choquette, c'est Clément Marchand, écrivain aujourd'hui très peu connu au Québec, mais que l'on reconnaît ici, en 1938, comme l'un des plus doués de nos écrivains, l'un de ceux «qui servent avec le plus de richesse intérieure les lettres canadiennes»; «ses premières oeuvres contenaient déjà la singulière vigueur et le réalisme saisissant, unis à une grâce poétique très attachante».[15]

Au départ, C. Marchand refuse la notion de «vocation» littéraire et croit hasardeuse, sinon impossible, cette manie de vouloir «démêler les influences mystérieuses qui déterminent chez un individu le goût de la création artistique». Il faut plutôt admettre que «ce travail d'introspection ressort (...) à des impondérables».[16] D'ailleurs, ni rien ni personne n'obligent aux travaux littéraires. Ce n'est donc pas la somme des lectures qui détermine chez quelqu'un le goût (ludique) d'écrire ou le besoin (travail) de faire «carrière» dans les lettres, ni l'impulsion d'un maître spirituel qui encouragerait un jeune (qui a du talent) à produire livre sur livre.

Nous reviendrons plus loin sur les «impondérables» dont parle Marchand, ce qui nous permettra de revenir sur les éléments théoriques que nous avancions au début de notre texte.

Arrêtons-nous plutôt aux concepts d'école littéraire, de systèmes d'idées, de littérature nationale, de carrière dans les lettres actives, de travail d'écriture et d'accomplissement de l'écrivain qui se trouve plongé dans le contexte socio-historique des années 30 au Québec. C'est dans ce contexte que ces notions, disséminées ici et là dans le discours de C. Marchand, prennent tout leur sens.

> Quand, à longueur d'année, nous subissons l'emprise de très puissants seigneurs de la pensée française, il est bien difficile, pressés que nous sommes et travaillés d'inquiétudes, d'édifier une littérature universelle par son fond tout en demeurant particulariste dans ses cadres. Notre infériorité en ce domaine tient surtout, à mon sens, à l'indifférence, à l'impossibilité de se fixer d'un nationalisme qui ne sait qu'osciller entre deux pôles de vassalité.
>
> Elle tient encore à l'essence anglosaxonne d'institutions politiques qui, à tout moment, contrarient singulièrement nos goûts et nos façons de latins. Et que d'autres choses il faudrait dénoncer.
>
> Il pourra, par miracle, se lever chez nous des maîtres sur le plan français, mais point sur le plan canadien, à moins de modifications radicales de nos institutions.[17]

Marchand risque ici le ton de la dénonciation : le Québec est dominé économiquement et politiquement, il est *colonisé* parce qu'une nation (canadienne) le contrôle totalement de l'extérieur par le simple pouvoir de gouverner. Et il faudrait se défaire de cette domination politique coloniale avant de pouvoir penser se libérer de la domination impérialiste américaine. Cette situation a des conséquences graves sur les structures sociales (de classes) du pays et sur notre culture nationale. L'infériorité économique des Québécois entraîne la dépréciation de la langue et de la culture, et parler de son monde devient précaire dans sa propre langue de colonisé. La culture devient une affaire de classe. Et les nationalistes chercheront à faire croire qu'on peut régler la question nationale sans bouleverser les rapports de production capitalistes. La question nationale ne sert qu'à camoufler, dans les intérêts de la bourgeoisie nationaliste, les rapports d'exploitation internes à la société québécoise. Mais la lutte contre l'oppression linguistique n'est pas et ne sera jamais une lutte dans la langue ou par la langue. L'idéologie nationaliste aveugle Clément Marchand[18]; en vérité le pouvoir linguistique d'une majorité(!) est directement relié à son pouvoir économique et politique, et non l'inverse.

Toutefois, Clément Marchand réussit à affirmer — ici dans une perspective nationaliste et dans des termes peu scientifiques — les rapports évidents qui s'instaurent entre la littérature et le social, entre cette pratique idéologique qu'est la littérature et cette idéologie pratique qu'est le nationalisme. Mais ce qu'il faut surtout retenir de ce type d'affirmations qui sont comme les lieux communs des lettrés de l'époque et d'aujourd'hui, c'est que l'ancrage de ce qu'on appelle une oeuvre s'effectue au niveau de l'expression que les littéraires s'évertuent à valoriser, avec raison d'ailleurs, mais dans une perspective esthétisante qui n'est pas défendable. C'est dire que le texte ne prend sa véritable fonction sociale que par «les systèmes d'idées»[19] auxquels il peut adhérer ou auxquels il s'oppose en transgressant les contenus retenus comme conformes à une mémoire sociale donnée.

Mais le plus troublant dans tout cela, c'est que la majorité de nos intellectuels sont presque unanimes dans leur aveu d'un constat d'échec devant ce qu'on pourrait appeler une littérature québécoise. Ils peuvent certes nommer une vingtaine de noms connus qui manifestent l'existence d'une activité littéraire. Toutefois, «depuis vingt ans, il n'y a pas eu chez nous de vrais maîtres (...) de rares hommes dont les systèmes d'idées auraient pu laisser une trace profonde dans les esprits».[20] Des écrivains de talent, nous en avons, mais pas de «génies», pas de ces «maîtres» qui puissent influencer et endiguer les énergies de toute une génération. Les vrais maîtres sont ailleurs; on les retrouve surtout en France, chez tous ces écrivains *classiques* «qui au cours des âges ont façonné une langue impérissable tout en oeuvrant dans une matière universelle»[21], et c'est ce classicisme qui devrait nous servir de modèle, sans toutefois nous laisser séduire jusqu'à la *subjugaison.*

Il semble clair que nos intellectuels des années trente, vivant à l'intérieur même des énormes parenthèses qu'ils ont tracées autour des graves problèmes soulevés par la crise économique par exemple, se désolent implicitement de l'absence d'un groupe social homogène capable de produire et de proposer un discours idéologique qui permettrait de nous définir autrement que comme des «coloniaux intellectuels de la France»[22], autrement que comme de piètres *imitateurs* absorbés dans «le grand tout français», subjugués par le «génie français» qui a imposé sans heurts ses «normes» et ses «lois», nous empêchant ainsi de réfléchir sur nous-mêmes et de produire selon des normes et des lois qui nous seraient propres. Mais pour cela, il faudrait un cadre idéologique qui favoriserait une production autonome, il faudrait un complexe culturel que le contexte des années trente, toujours gouverné par le clergé, ne pouvait pas fournir.

> (...) Seuls les génies échappent aux nécessités du travail : ils sont complets en naissant. Pour nous qui naissons dans un tel état d'indigence intellectuelle, un travail de toutes les heures est nécessaire pour nous créer un métier et une langue, et aussi un sens critique. Nous imitons les Français et nous les imitons bêtement.[23]

Il manque au Québec un groupe social *bourgeois*, *homogène* et *laïc* qui favoriserait un «art sincère» et libre, une littérature qui ne serait pas condamnée à l'avance par les «hoquets de la pudibonderie», les «champions de l'esprit primaire», de la feinte et du mensonge; ce sont en effet les préjugés et les tabous moraux (apolitiques) qui font que notre couche épaisse de restrictions morales et de simagrées doctrinales finiront par nous étouffer définitivement, ou bien par nous réduire à n'être que de bêtes imitateurs de ce qui se fait ailleurs qu'ici. «Aux prises avec un tel état d'esprit et dans un pays où n'existe aucun sens de la solidarité, comment un écrivain aurait-il le courage de s'accomplir?»...[24]

Nous sommes bien conscients que le phénomène littéraire ne se réduit pas à celui qui écrit et à sa production individuelle. La littérature n'est pas qu'une série plus ou moins prestigieuse de titres ou de noms rendus célèbres par un groupe social qui les a valorisés en fonction de critères plus ou moins mal définis ou plus ou moins conformes à l'objet dont ils avaient à parler, à valoriser ou à rejeter selon les besoins. Au dire de C. Marchand, une littérature pourra naître si on lui permet de naître, si ceux qui la produisent, la lisent et en parlent, arrivent à l'intégrer à un contexte socio-culturel et politico-économique qui la rendrait possible. Ce sont les conditions matérielles de consommation qui sont faussées à la base. Dans *Introduction à la critique de l'économie politique*, Marx montre comment «en procurant aux produits le sujet pour lequel ils sont des produits», la consommation apparaît comme «moment de la production», pratique sociale spécifique. D'où la pauvreté ou l'inexistence d'une marchandise littéraire «personnelle» et «montrable».[25]

Écoutons la «marotte» du François Hertel de l'époque. Ce sont des lignes qu'il renierait peut-être en partie aujourd'hui, mais elles demeurent d'actualité. Hertel était très écouté en tant que prêtre et professeur :

> (...) Je m'occupe parfois d'action nationale, et je prétends que le grand devoir patriotique de l'heure est dans l'ordre de l'esprit. Entre les différentes formes de spiritualisme — le nationalisme en est une — il existe une telle fraternité, une corrélation et convertibilité si intimes que l'une ne va guère sans l'autre. D'où je conclus que le devoir national de l'heure est d'abord un approfondissement et un affermissement religieux. (... si nous avons eu si peu de maîtres de

> l'écriture au Québec) ne serait-ce point que les hommes les mieux doués chez nous se tournent vers l'action? Ce dont nous avons besoin désormais ce sont des maîtres de contemplation, des penseurs et des poètes.[26]

Feignons de faire abstraction du caractère religieux de l'urgence dont il est ici question. Par-delà le refus de l'action et de l'apolitisme hautement affirmé, hélas, Hertel en appelle à la cohésion, à la stabilisation idéologique que le mouvement nationaliste québécois devrait pouvoir réaliser. Personnaliste, Hertel souhaite voir venir l'ère du réflexif. Il est bien de son temps, sous couleur de voiler la position de classe dont est issu son discours, sous couleur de taire surtout la position fasciste que nos intellectuels de l'époque ont eu tendance à prendre sur le plan social et politique. Certains pays d'Europe leur en proposaient de beaux modèles. Quoi qu'il en soit, Hertel prêche le spiritualisme. On se croirait encore au XIXe siècle.

En ce temps-là, en effet, l'Église canadienne rêvait depuis un siècle de l'avènement ou de la régénérescence de son passé grandiose, de son propre paradis perdu, c'est-à-dire de sa domination sur le peuple primitif confronté à la nature. Ce cadre d'une civilisation agraire d'antan feignait d'oublier qu'il s'agissait d'*un* peuple et d'*une* nature historiquement vivante, déjà au pas d'un nouveau mode de production, celui du capitalisme qui dissolvait, selon Papaiouannou, «les derniers restes de l'économie fermée»[27]; l'Église québécoise allait s'élever au-dessus de cette réalité, favoriser la résurgence de la société agraire par une campagne idéologique très assidue. L'idéologie est ici entendue comme un système de croyances (ou de représentations) d'un groupe social donné et servant à justifier ou à promouvoir certaines pratiques politiques, sociales ou économiques, le plus souvent en occultant les intérêts réels que favorisent ces pratiques. Il faut consulter à ce propos la thèse de doctorat de Janine Boynard-Frot soutenue à Sherbrooke en 1978 et intitulée : «Espace de l'homme, espace de la femme dans le roman du terroir canadien-français», thèse à laquelle doivent beaucoup nos propos immédiats.

Mandements, journaux et littérature allaient donc prêter leur concours à cette idéologie agriculturiste qui idéalisait à l'excès la vie champêtre. Cette vie simple du colon ou de l'agriculteur offre en effet une division parcellaire de la société (parcelle de terre, paysan propriétaire, famille dispersée), ensemble fractionné qui ne permet «aucune division du travail, aucune utilisation des méthodes scientifiques, et par conséquent, aucune diversité de développement, aucune variété de talents, aucune richesse de rapports sociaux».[28]

Ce système autarcique confine les individus dans un isolement certain puisque, chaque famille se suffisant en principe à elle-même, l'échange se fait moins avec la société qu'avec la nature. Aucune communauté d'intérêts immédiats ne parvient à lier ces individus épars.

Dans une perspective marxiste, le système de la propriété parcellaire serait donc la situation par excellence pour l'exercice d'un pouvoir car «elle crée sur toute la surface du pays l'égalité de niveau des rapports et des personnes et, par conséquent, elle offre la possibilité pour un pouvoir central d'exercer la même action sur tous les points de cette même masse».[29]

Les individus sont condamnés à n'avoir jamais que le potentiel d'une classe. Il importait aussi de maintenir le caractère primitif du peuple par l'octroi d'un dosage religieux (crainte de Dieu, respect de l'autorité) et d'un minimum d'instruction. «Éparpillement dans l'espace» et «mentalité bornée»[30] étaient les facteurs qui privaient l'agriculteur de «s'affirmer comme une puissance historique», mais c'était aussi les conditions nécessaires d'une restauration de l'Église québécoise. En niant l'industrialisation, en condamnant toutes les associations de travailleurs et toute forme de loisirs communautaires, on croyait freiner l'urbanisation, ralentir la montée d'une classe de travailleurs, tout en cherchant à faire cesser l'émigration des Québécois vers les villes étrangères.

Manifestant «isolement et séparation», la campagne va donc s'opposer à la ville qui est «le fait de la concentration de la population, des instruments de production, du capital, des jouissances et des besoins».[31]

Dans un système aussi cohérent, on conçoit que, le plus souvent au nom de la morale ou sous divers prétextes religieux, l'on ait censuré toutes les productions (discursives ou autres) qui avaient tendance à mettre à jour le fonctionnement du système, toute analyse qui dissertait de problèmes sociaux, de classes, de division du travail ou de répartition des tâches de direction et d'exécution. C'est ainsi que le roman comme pratique symbolique allait privilégier le genre du «terroir», comme adjuvant de la classe qui allait le produire, en soutenant ses intérêts, en véhiculant et justifiant ses valeurs, celles d'un nationalisme mégalomane. Et l'ordre social que le roman du terroir manifeste par exemple sera peu dénoncé pour la simple raison que «la classe dominante possède exclusivement les moyens de production, de reproduction, de généralisation du sens».[32] La classe dominante monopolise le langage et le soustrait à la classe dominée. Le roman ne peut donc pas représenter la réalité; il est «représentatif de l'état idéologique, c'est-à-dire de l'image élaborée par la classe dominante et généralisée par elle pour dérober l'état de fait».[33] L'envers de l'image projetée par le roman du terroir se trouvera dans *La Scouine*, roman qui sera alors mis à l'index, condamné comme non conforme et oublié jusqu'en 1960.

Rappelons pour ceux qui l'auraient oublié et pour ceux qui, ou bien feignaient de l'ignorer à l'époque ou bien concevaient les conditions matérielles du Québec d'alors dans les cadres d'une représentation idéologique qui n'avait rien de commun avec la réalité économico-sociale, rappelons que la révolution industrielle au Québec date de 1860, et non de 1920 comme nos littérateurs ont tendance à le répéter, et même avant dans certains secteurs (chaussure, textile, bois, fabriques laitières, etc.) et que le Québec a subi la grande Crise de 1929 comme un état capitaliste industrialisé.

Entre 1920 et 1940, le Québec est industrialisé et urbain — Montréal compte 40% de la population — et non pas agricole comme l'idéologie physiocrate et anti-étatiste a eu longtemps tendance à l'affirmer, même jusqu'à la «révolution tranquille» des années 60.

Le Québec vivait en effet dans les cadres d'un capitalisme de monopoles simples où l'oligarchie financière (fusion du capital bancaire et du capital industriel) constituait la fraction dominante de la bourgeoisie canadienne.[34] Le Québec représente un cas unique de sous-représentation de la majorité ethnique francophone dans la direction des «affaires» de l'État. Sa bourgeoisie était (est) en majorité étrangère (britannique, canadienne-anglaise, américaine). D'où l'impossibilité au Québec de productions symboliques d'envergure par une fraction de la petite-bourgeoisie traditionnelle qui, pour contrer le capitalisme et le problème des classes sociales, proposait une idéologie qui était en retard de presque un siècle sur l'économie.

De *L'avenir du peuple canadien français* d'Edmond de Nevers (1896) jusqu'au *Précis de doctrine rurale à l'usage des Canadiens français* de F. Chicoine (1948), en passant par *La vocation de la race française en Amérique* de Mgr Louis.-A. Paquet (1902), *Orientations* de l'abbé Groulx (1935) et *Réflexions sur l'avenir des Canadiens français* d'Edmond Turcotte (1942), tous nos idéologues officiels — à l'exception d'Errol Bouchette dont on vient de rééditer *L'indépendance économique du Canada français* (La Presse, Montréal, 1977) —, tous nos idéologues, agriculturistes et contre-capitalistes d'abord, sociaux-démocrates ensuite, se sont évertués à masquer l'enjeu de luttes de classes d'une part, et à rendre fonctionnelle la lutte ethnique d'autre part, en gardant sous silence le rôle diminué et quasi nul que la bourgeoisie francophone jouait sur le plan économique. Et la production romanesque d'alors ne faisait que *re*produire cette configuration idéologique. Le propre de l'idéologie étant de masquer la détermination des idées par les conditions matérielles d'existence, l'élite est contrainte à valoriser sa propre activité, même si elle ne produit que des idées, d'universaliser son projet en le proposant comme *la* solution aux problèmes sociaux.

On sait qu'une classe sociale se définit comme une communauté qui se distingue par le rôle et la place qu'elle tient dans la production, l'un et l'autre étant déterminés par le fait qu'elle est ou non en possession de moyens de production. On sait également que ce sont les membres des professions libérales et ceux que l'on qualifie d'intellectuels (non salariés) — membres des classes moyennes — qui ont grosso modo favorisé l'émergence de productions symboliques dont font partie les textes littéraires. Ceux des classes moyennes ont la jouissance d'instruments de production, de création et de distribution, mais dans les limites où cette jouissance (ou propriété) les oblige à travailler pour vivre, à se définir donc, malgré eux parfois, comme des salariés, mais des salariés qui profitent de pouvoirs idéologiques importants de production, mais ils jouissent et vivent de la plus-value, même s'ils ne la produisent pas. Et le désir de vouloir allier cette fraction de la petite-bourgeoisie à la classe ouvrière répond aux voeux de la sociale-démocratie du Parti québécois au pouvoir depuis novembre 1976, échos lointains des partisans nationalistes qui se sont fait entendre au Québec depuis un siècle et demi.

On pourrait en effet, au risque de voir l'histoire se répéter, comparer le texte de François Hertel et celui de Clément Marchand à un manifeste récent qui, pour plus politique qu'il apparaît, ne fait que reprendre sur le mode de la nécessité ce que les intellectuels des années 30 proposaient plutôt comme un voeu, et surtout que, depuis une vingtaine d'années tout au plus, s'affirme la nécessité d'inscrire la lutte des classes dans la lutte des langues au Québec, et réciproquement :

> La réalité, c'est que nous vivons une situation politique globale, à la fois économique, sociale et culturelle, et que notre réaction à cette situation n'est ni folklorique ni sophistiquée, mais existentielle et «avancée» par son fait même, jusqu'à un certain point dans *une sorte d'indifférenciation théorique* (c'est nous qui soulignons). La situation du Québec a ceci d'inédit qu'elle se présente comme appelant un processus d'émancipation au sein d'une société développée.
> (...)
> Si les Québécois ne réussissent pas à s'affirmer en tant qu'entité majoritaire, en tant que différence, identité et altérité en Amérique du Nord et dans le monde, c'est la voie de la louisianisation.[35]

Cette «sorte d'indifférenciation théorique» a de quoi surprendre dans un texte qui nous est si contemporain, dans un discours nationaliste qui souhaite prochainement l'amorce d'un «processus d'émancipation au sein d'une société développée». Sommes-nous encore devant un projet collectif, un projet idéologique homogène?

On l'a vu, le système économique détermine les classes sociales suivant la position des individus dans le processus de production. Ces classes tentent de s'emparer de l'*institution culturelle* à leur profit. Comment arrive-t-on à instituer la littérature? Et comment la fait-on fonctionner dans la société? Qui classe les textes, pour qui, dans quel(s) but(s)? Voilà une série de questions qu'auraient pu poser Adrienne Choquette à nos écrivains des années 30. L'ensemble des réponses aurait sans doute manifesté chez eux non seulement une appartenance de classe mais aussi une position de classe petite-bourgeoise, comme aujourd'hui d'ailleurs, classe dirigeante idéologiquement et politiquement (pouvoir élu), quand on sait très bien que la classe qui domine économiquement est ailleurs. On propose alors des stratégies d'alliance entre les différents pouvoirs de classe. C'est bien ce que disent les signataires du manifeste quand ils affirment que face à la «réalité», face à la «situation politique globale», leur «réaction (...) n'est ni folklorique ni idéologiquement sophistiquée, mais existentielle et «avancée» par son fait même». Commentaire impuissant par excellence! On a recours à la métaphysique. La suite du texte est au conditionnel : «Si (...) à s'affirmer en tant qu'entité majoritaire (...) la «louisianisation». Ce conditionnel est un souhait, non un programme, une réaction existentielle à une menace historique, non une ligne d'action.

Il est malheureux de constater que le savoir moderne semble n'avoir apporté rien de positif en terme de théorie politique.[36] On a peut-être mal choisi notre exemple de manifeste contemporain. Il figurait pourtant dans un numéro de la revue *Change* consacré au Québec souverain, revue dont la notoriété progressiste (à l'affût des transformations et du «change») aurait pu nous fournir autre chose qu'une manifestation de notre piétinement idéologique collectif. Depuis les années 30, il n'apparaît pas que nos intellectuels aient proposé un «change» dans la fonction idéologique du texte (littéraire).

En tout cas, l'ensemble des propos recueillis par Adrienne Choquette nous paraît suffisamment représentatif de l'opinion qu'on se faisait durant les années 30 du phénomène littéraire, même s'il y manque les propos d'écrivains que l'on évoque (et lit) encore beaucoup aujourd'hui, tant dans les journaux, les revues et les programmes de nos institutions scolaires : Ringuet, F.-A. Savard, Saint-Denys Garneau, Jean Narrache, pour ne citer que les plus connus. Ces derniers demeurent pourtant les plus représentatifs de nos écrivains d'avant le mouvement automatiste qui se manifesta surtout après la dernière guerre mondiale. On peut regretter ces omissions simplement en rappellant que Ringuet demeure un des plus grands romanciers du terroir, que Savard a incarné en Menaud le mythe séculaire et lyrique de la survivance obstinée, que Garneau fut le poète le plus marquant de son temps et le plus valorisé durant les années 50, que Jean Narrache reste le poète populiste dont les livres se vendaient le mieux à l'époque et qui fut redécouvert par les joualisants de *Parti pris*.

On peut donc voir dans le projet d'A. Choquette une faille symptomatique, un creux qui jette quelque lumière sur sa pratique discursive même, sur son propre mode d'intervention dans le traitement de son objet d'étude : proposer implicitement — jamais en clair — une définition du phénomène littéraire en présentant les idées d'autrui, les idées de certains parmi ceux qui pratiquent la littérature, de ceux qui tentent d'expliquer péniblement pourquoi ils écrivent, parce qu'on le leur demande, parce qu'on les fait parler, eux.

D'une manière générale, les réponses manifestent peu d'originalité, peu de marginalité, exception faite de C.-H. Grignon pour qui l'écriture est une «aventure» ou encore de Victor Barbeau pour qui «écrire est une fonction physiologique, un besoin du corps autant que de l'esprit». Parler d'errance et de besoin du corps nous semble une marque de modernité qu'on ne pouvait pas saisir à l'époque. Dans l'ensemble, les autres écrivent pour instruire et surtout faire oeuvre *nationale*, car c'est presque toujours cela qui importe au Québec. L'engagement nationaliste rallie la majorité des écrivains et pointe parfois la connotation religieuse que recouvre la notion de «vocation» (provenant de la famille ou de l'école ou de l'influence de lectures marquantes, françaises bien sûr par l'école, mais aussi anglaises, américaines et nord-européennes, par affinités culturelles). C'est qu'on est toujours à la recherche de grands maîtres, et en vain, surtout si on les cherche au Québec. Ce qui explique pourquoi cette carence les amène à se demander s'il existe vraiment une littérature canadienne! Non seulement ils manifestent un non-savoir, mais encore une méconnaissance de l'objet même dont ils doutent de l'existence.

La notion de littérature au Québec après la Révolution tranquille : une impasse

Ce problème de la définition, de l'expansion, de la diversité et de la fonction du phénomène littéraire a suscité une autre enquête, qu'un numéro de la revue *Liberté* a reproduite sous un titre significatif : *Divergences : la littérature québécoise par ses écrivains* (mai-juin 1977). On a en effet demandé à une trentaine d'écrivains de dire comment ils voient la littérature québécoise actuelle et comment ils se situent par rapport à elle. On a compilé seize réponses très variables selon le point de vue privilégié du problème, manifestant, comme il fallait s'y attendre, des opinions «divergentes», la revue ne prenant bien sûr aucune position dans le débat, se contentant de relever quelques constantes. Tous les répondants ont fait mention d'un malaise et parfois même d'une impasse, surtout depuis 1970; depuis cette date, les écrivains prennent conscience d'une transformation du statut et du rôle social de l'écrivain au Québec. Tout se passe comme si depuis «octobre 70» les écrivains avaient perdu cette impression de collaborer, par un type d'intervention spécifique, à un projet social collectif.

Devant les années 60, Alain Grandbois applaudissait au fait que les écrivains ne produisaient plus dans la solitude, que des lecteurs leur étaient alors fidèles, qu'une fonction sociale non définie donnait un sens à leur activité, à tel point qu'il n'était pas rare d'entendre, de la part des poètes surtout, que le poème était parole, acte, révolution, etc. C'était le bon temps de la révolution tranquille et de l'affirmation d'une petite-bourgeoisie francophone écrivante, et lisante.

Tout cela avait déjà été préparé, durant les années 50, par les collaborateurs de *Cité libre*, dont le rôle politique important de certains, depuis dix ans, n'a pas besoin d'être démontré. D'autre part, les poètes des éditions de l'Hexagone sont devenus aujourd'hui, malgré eux souvent, les chantres *classiques* du pays à découvrir, à inventer, à faire naître, etc. Au même moment, nos écrivains étaient jugés dignes de figurer au programme de nos institutions d'enseignement.

L'historique des positions idéologiques de l'institution scolaire face à la «formation» des «littéraires» reste à faire. Cette carence nous oblige à nous rabattre sur le discours des littéraires eux-mêmes. Et les dépliants publicitaires des éditions de l'Hexagone sont par exemple instructifs à cet égard. Ils proposent un véritable *programme* de valorisation du texte poétique du Québec, «toute poésie (étant) pierre de touche d'une littérature» : participation financière des souscripteurs (avant même l'impression du recueil), accessibilité au plus grand nombre de lecteurs, diversité des tendances et valeur de continuité («représentatives et marquantes»!), confiance en une «action en littérature» et en l'écoute des lecteurs qui autofinancent ce qu'ils vont lire. En 1959, un dépliant publicitaire manifeste cet optimisme qui est à son comble :

> Plus que des théories, c'est à partir des oeuvres, de leur situation, que se définit la réalité poétique d'un moment. (...) Nous assistons à la fin de l'aliénation du poète par la solitude stérile, la révolte à perte ou l'exil de l'intérieur. La participation de plus en plus fréquente de poètes aux luttes qui nous confrontent les a révélés à eux-mêmes et à leur réel.
>
> Chez eux, la nostalgie, la plainte, la réclusion ont cédé place à la confiance, à l'agressivité ou à l'étreinte de la possession (...). Ils savent que leur drame de poète et d'homme se joue ici, que le destin de l'homme peut s'enraciner dans l'expérience canadienne. Ils ne veulent plus s'aliéner dans l'ailleurs. Ils écrivent des poèmes de rupture — souvent d'avec l'avant-garde reconnue.[37] Leur poésie est en quelque sorte une patrie (...) elle assume et nous assume (...) dans ces *mille contraintes* de la poésie. Voici dix ans que, au prix de silence et de durs combats intérieurs, se préparait cette

> éclosion. Ces poètes, sans concession, sur des modes et en voies qui sont propres en chacun d'eux (quoi de plus opposés en effet que les textes de F. Ouellette et ceux de J.-P. Filion), parlent pour tous (...).

Unanimité donc sur la valeur culturelle et idéologique de notre littérature, unanimité que partegeront même, à un niveau différent, les écrivains-militants de Parti pris.

Il faut relire les textes présentés à la première rencontre des poètes (septembre 1957) et réunis sous le titre *La poésie et nous* (Hexagone, 1958). Il devait être question de la place de la poésie dans notre société et de la fonction sociale du poète. Le problème était donc bien posé. Il n'est pas nécessaire de résumer le contenu de ces communications, pour la simple raison que les praticiens-poètes de la littérature répondent généralement à côté, exception faite ici de G. Hénault. Ce petit collectif sur la poésie est important parce qu'il permet d'illustrer de quelle manière on se posait la question de la pratique poétique à l'époque — et de constater par la même occasion comment on continue toujours aujourd'hui d'occulter la fonction sociale de la littérature.[38]

Un texte suffira, le premier, signé par M. van Schendel, sur les tendances de la poésie canadienne-française. N'insistons pas sur le préambule assez général sur la fonction de «transformation du monde» que remplit la mystique poétique moderne, et voyons comment la critique aborde la poésie qui lui était contemporaine. Il avoue ne pas trop savoir comment faire et on ne peut que le comprendre : il n'a aucun recul. Cependant, il prend l'initiative de faire le partage entre les bons et les mauvais poètes :

> Dans le contexte présent les tendances ne sont pas assez différenciées, et le seul partage que l'on puisse valablement faire est, à mon sens, entre les vrais et les faux poètes, entre les bons, ceux qui le sont, et les mauvais, ceux qui ne le sont pas, ceux dont *on* ne parlera pas. Quant à ceux dont *on veut* parler, un lien constant les unit : qu'ils *le veuillent ou non*, ils ont tous en commun une double expérience : une expérience de l'isolement, d'abord; une expérience du langage, ensuite. (C'est nous qui soulignons.)

Ce «on» et ce «veut» font problème. Rien n'est précisé sur le lieu d'autorité ou de légitimation de qui parle et au nom de qui. Presque rien n'est dit non plus de ce qui justifierait de parler des «bons» poètes seulement, et de les regrouper, qu'ils le veuillent ou non (c'est très juste!), non en raison d'une *fonction sociale* à laquelle les textes poétiques répondraient précisément, mais en raison d'une double expérience, psychologique d'une part, à cause de l'isolement du sujet-individu-artiste, et d'autre part esthétique, à cause de son travail sur la langue et plus précisément sur les «formes du langage poétique». La problématique est donc enfermée à l'intérieur du champ ou série littéraire, ce qui permet de constater des éléments de nouveauté ou de modernité dans le traitement de formes et de contenus, sans pourtant expliquer cette modernité des «bons» poètes.

> On peut ne pas aimer les quelques oeuvres publiées par des automatistes, mais on ne peut pas leur contester au moins un mérite : celui d'avoir engagé la poésie canadienne dans la voie des recherches.

Après un jugement de valeur inutile pour son propos (mais efficace par la réserve qu'il renferme à l'égard des automatistes), la modernité se définirait, selon van Schendel, par la fécondité et la dispersion, le goût du risque, à l'aveuglette, comme «cent longs télégrammes poétiques (...) ce tas pêle-mêle d'images pas soignées». Ces jugements quelque peu péjoratifs ne sont proférés que pour mettre de l'avant des notions que nous avons déjà rencontrées à propos du classicisme impénitent de nos critiques littéraires traditionnels : en effet, après la révolte nécessaire doit maintenant faire place «la discipline du rythme», «une certaine rigueur» à opposer à «ce grand bazar des incendies et des métamorphoses»; un «inventaire» s'impose, un «tri», un «coup de balai de propreté»; la disparité des nouveaux venus, R. Giguère et J.-G. Pilon par exemple, qui «se ressemblent pourtant par leur rigueur». Tout ce qui expliquerait pourquoi ces poètes doivent être retenus à ce moment précis de l'histoire de la formation sociale qu'est le Québec d'alors, est occulté au profit de jugements de valeur soi-disant esthétiques, ne relevant que d'un «goût fermé» que, par ailleurs, ils dénoncent.

Le syntagme équivoque de «poésie sociale» hante cependant le texte de van Schendel — comme tous les autres textes de *La poésie et nous*. Van Schendel y consacre la dernière partie de son exposé. Faute de trouver au Québec une poésie «socialiste», il affirme qu'une poésie sociale «ne veut rien dire» puisque «la poésie est sociale par définition (...) par ses origines (...) par l'intermédiaire d'une forme quelconque de publication (...) qui est une rencontre sociale (...) par la pression implicite du milieu et des circonstances sur l'acte d'écrire». Compte tenu de ces réalités obligées, parler de poésie sociale, «c'est presque un pléonasme». Le critique ne manque pas ici de perspicacité; il réussit à grouper ce qui permettrait d'amorcer une définition de ce qu'est le phénomène littéraire en général. Malheureusement, par une pirouette idéaliste, le social ne transparaît en poésie que dans un contenu explicitement social, et en ce sens il constitue un «danger», un danger pour la pureté du plus élevé des genres littéraires. Cette valorisation (idéologique) explique le pléonasme dont parle van Schendel, mais cela ne dit rien de qui ou de ce qui en décide, et pourquoi : «Pour qu'une poésie soit dite sociale, il faut qu'elle soit d'abord une poésie, et qu'elle ait ingénument des préoccupations sociales». La fonction sociale de la poésie se trouve ramenée à une question esthétique, encore une fois, à l'intérieur même du champ littéraire, concédant à ce dernier une autonomie au sein des productions culturelles, et la première place.

Depuis 1970 environ, il semblerait que cette priorité et cette autonomie du champ littéraire soient remises en doute. En effet, un malaise et une impasse de la production littéraire vouent à nouveau nos écrivains à la solitude et au refus des messianismes idéologiques que certains critiques voudraient encore leur faire endosser. Navigation et/ou errance, la pratique littéraire exige dorénavant, affirme-t-on dans le numéro spécial de *Liberté* de mai-juin 1977, «un nouveau mode d'insertion, d'articulation, de la littérature dans l'ensemble de la culture», voilà le programme souhaité par la plupart de ceux qui s'y consacrent.[39]

Toutefois, l'existence d'une littéraure québécoise ne fait plus de doute aujourd'hui. Tout ce qu'on peut envier aux Français d'outre-mer, ce serait maintenant le fait qu'ils bénéficient d'un marché très vaste. Le nombre de titres nouveaux qui paraissent au Québec devrait pourtant être un indice de vitalité. Il se publiait en 1962, vingt-six romans, trente-trois recueils de poésie et six pièces de théâtre, chiffres qui passent à 56, 73, et 116 en 1971, puis à 76, 95 et 120 en 1975. Et que penser d'une revue annuelle comme *Livres et auteurs québécois* qui voit son nombre de pages gonfler d'année en année. Mais peut-on évaluer le chiffre de ventes du livre au Québec et sa résonance sociale sur le public lecteur avec les mêmes paramètres? Or, c'est précisément ce facteur de la lecture qui faisait défaut dans la définition et l'évaluation de la littérature chez nos écrivains des années 30. La faculté des textes à trouver leur public, à créer ce public, c'est là aujourd'hui le noeud véritable de la problématique littéraire, lié étroitement à celui de la qualité des textes. L'enquête de la revue *Liberté* n'a pas été menée sous forme d'interviews, mais à partir d'un portrait-charge de notre production littéraire brossé par François Ricard :

> (...) si l'on pouvait (...) calculer pour l'ensemble des oeuvres publiées au Québec ces années-ci, l'impact ou le rayonnement qu'elles ont dans la vie intellectuelle de la collectivité, (...) la quantité d'idées, d'images, de références qu'elles y répandent ou éveillent, et la durée de cette influence, je me demande sérieusement si ce rayonnement, si cette mesure de résonance sociale serait trouvée de beaucoup supérieure à ce que possédait, même plus rare, la littérature québécoise d'il y a dix, quinze ou même vingt ans; ou si l'on ne verrait pas plutôt à quel point la production actuelle est inopérante, sans écho dans la collectivité et comme réduite de plus en plus à un simple bruit de surface (...), comme muselée, enfermée de plus en plus dans sa propre répétition (...), silencieuse parmi des tonnes et des tonnes de papier.

Et de continuer sur son peu d'audience à l'étranger, ce qui accentue encore son enfermement.

> Deux traits (deux plaies) de notre littérature actuelle s'expliquent en partie par là : le mouvement joualisant et «petite

> culture» qui est comme l'orgueil compensatoire du provincial frustré, et l'imitation maladive des modèles étrangers (...) qui est une façon de se donner la dimension internationale qu'on peut (...). Il vient un temps où d'être strictement nationaliste, une littérature ne peut plus que dépérir.[40]

Tout se passe comme si notre littérature souffrait de «nationalite». Elle souffre aussi d'embonpoint parce que trop subventionnée, trop valorisée par l'État.[41] Elle souffre encore de cette manie d'aller puiser à l'étranger des modèles qui ne lui conviennent pas. Enfin, elle souffre de solitude, sans impact sur le public, sans audience à l'étranger. Décidément, notre littérature se porte mal et combien elle semble difficile à définir, sans se contredire sur les éléments qui la caractériseraient, lui insuffleraient une vitalité et lui donneraient un public-lecteur.

Malgré tout, la seule approche vraiment dialectique qui convienne pour définir la littérature demeure celle qui la saisit dans sa fonction sociale. Autre idéologie, nouvelle littérature, nouveau public.

Précisément, maintenant qu'on peut affirmer l'existence et la vitalité de notre littérature, comment se fait-il que ce soit le public qui fasse défaut? C'est en effet lui qui doit accorder une valeur objective, s'il le faut, à ce que produisent les écrivains. On assiste cependant au phénomène bien connu chez les littérateurs : ils répondent à côté de la question parce qu'ils s'acharnent trop à définir le rôle de l'écrivain dans la société plutôt que d'insister sur la fonction que la société (ou la fonction de classe correspondante) attend voir jouer à certaines de leurs productions. Nous reviendrons à la fin de notre étude sur cette commande sociale.

Tout ce que nous pouvons retenir de ces malaises et de ces impasses, de ces jeux de pendule entre le nombrilisme individuel d'un type d'écrivain (romantique) et le rôle de prophète ou de phare social (non moins romantique) d'un autre type d'écrivain, c'est qu'ils dialectisent autrement le rapport et l'intervention sociale de leur production, cette dernière étant quasi incompréhensible en elle-même, dans son autonomie d'objet. Pour Yvon Rivard, «l'écriture (est) un engagement d'autant plus exigeant qu'injustifiable». Et plus loin, confondant écriture et littérature (cette dernière étant de l'écriture institutionnalisée), «la littérature qu'on le veuille ou non, sera toujours oeuvre de prêtre et non de guerrier».[42]

Gilles Marcotte affirme sans ménagement, parce qu'il voit clair au sein de l'institution : «la littérature est une industrie» et le malaise qu'on éprouve actuellement est lié à celui de «l'institution littéraire» de la machine à faire des livres, à les vendre, à les faire lire et à en parler. Que la production actuelle soit pléthorique ou décevante, cela n'enlève rien au fait que la situation de malaise dans laquelle on se trouve est *normale*. Après m'avoir fait sursauter, G. Marcotte m'a permis de lire enfin un propos intelligent sur le phénomène littéraire et la configuration idéologique qui lui permet d'exister avec tel ou tel type de conformité :

> (...) l'ensemble de l'institution littéraire a glissé hors de la configuration idéologique qui l'englobait au cours des années soixante. Dans une telle configuration, la littérature, ou l'idée de littérature, précède en quelque sorte les oeuvres. Il s'agit moins de se donner des produits, des livres, qu'une industrie. D'un côté la SGF, de l'autre la CSL : la nation s'équipe. Les poèmes, les romans ne reçoivent leur pleine légitimité que de leur appartenance à la littérature nationale. (...) La littérature fait le pays, et le pays fait la littérature : la réciprocité est parfaite et il n'est guère d'écrivain (ou de lecteur), à cette époque, qui ne soit convaincu de la concordance entre le projet littéraire, le projet social et le projet national.
> Je parle de cette configuration idéologique au présent, parce qu'elle n'est pas disparue, loin de là. (...) On peut même penser que c'est précisément la persistance d'une telle idéologie, devenue nostalgique, qui nous rend aujourd'hui si malheureux, si pessimistes quant à la situation présente à l'avenir immédiat des lettres québécoises. Car les choses ont changé. L'oeuvre d'un Paul Chamberland nous montre presque toutes les étapes de la transformation (...).[43]

Tout le texte de Marcotte est à lire; il va même jusqu'à avouer que les formes consacrées de la culture d'élite sont en butte à une étrange méfiance qui se répercute même dans les documents officiels du ministère. Et ailleurs au Canada, certains programmes gouvernementaux visent à privilégier des projets ou des entreprises qui relèvent d'une notion plus élargie, plus populaire, de la culture, plus près de la vie quotidienne d'une communauté.

Entre l'idéologie de l'appartenance des années 60 et l'idéologie de *Liberté* et celle de *Chroniques*, précise Marcotte, la littérature change de fonction, tout comme les discours portés sur elle ou contre elle, la littérature change tant au niveau de l'expression qu'à celui du contenu. Les jugements de valeur ont par conséquent un caractère idéologique certain. La vieille complicité entre des écrivains définisseurs de situations (représentations idéologiques de nous-mêmes à l'usage de la société) et la direction effective de la conscience nationale est aujourd'hui sclérosée, remarque Réjean Beaudoin :

> Les écrivains, qui avaient doublé l'ancienne élite cléricale, après 1960, dans la tâche de fournir ses thèmes et ses symboles à la pensée collective, les écrivains viennent d'être à leur tour doublés par une nouvelle élite politique (il ne faut surtout pas dire : de politiciens) dans cette même tâche de réflexion commune. (Mais) cette nouvelle élite s'est elle-même nourrie des images littéraires élaborées dans l'enthousiasme envahissant de la révolution tranquille, ce qui contribue à rendre d'autant plus étonnant la piètre valeur de la production littéraire actuelle.
> (...)
> Mon impression est que l'arrivée des hommes de pouvoir oblige à une redéfinition des créateurs qui avaient insensiblement assumé, depuis 1960, une part importante du leadership de la nation, laissée sans répondant authentique de ses options profondes, sur la scène politique : c'est cette situation qu'a modifiée radicalement la date du 15 novembre 1976 et c'est l'appréhension confuse de cette modification latente dont témoigne la vacuité relative de la production récente. (...) une nécessaire et tardive révision du rôle de l'écrivain, jusqu'ici obligé d'assumer une sorte de paternité morale qui ne lui revenait que par le défaut d'une véritable autorité politique qui soit en prise directe du

> dynamisme de la communauté. (...) les écrivains étaient appelés à redevenir écrivains sans plus, sans la caution de la question nationale, plus justement prise en charge par l'instance politique. (...) Il faut bien comprendre l'importance du renversement que l'avènement historique du pays opère dans la littérature (...).[44]

Le projet national de notre littérature semble bien devoir être mis entre parenthèses, provisoirement peut-être, l'histoire ayant tendance à se répéter. Quoi qu'il en soit, il demeure évident que la littérature ne se fabrique pas par le seul mérite ou génie de certains individus qui laisseraient en passant des textes qui s'imposeraient par le seul fait d'avoir été produits. Elle est le fruit d'un enjeu. Certains textes, comme toute production symbolique d'ailleurs, une fois légitimés et valorisés en fonction d'une conjoncture idéologique, sont faits littéraires et en appellent d'autres qui répondent au même système de représentation.

La nouvelle petite-bourgeoisie, d'abord prégnante et enfin régnante au Québec, est en effet celle qui évalue et classe certains écrits comme littéraires ou non. L'exclusion de la petite-bourgeoisie traditionnelle et de la paysannerie (autour de Duplessis et dans l'Église) du front idéologique et du champ intellectuel, a permis à la nouvelle petite-bourgeoisie (urbaine) de noyauter les appareils idéologiques d'État. Elle contrôle aujourd'hui l'Appareil d'État, disposant de l'appareil répressif et maîtrisant la majorité des appareils idéologiques. Elle ne contrôle pas le Pouvoir d'État; mais grâce à son emprise sur l'Appareil d'État, elle représente la moyenne bourgeoisie québécoise qui dirige vraiment.

Pour le moment, la nouvelle petite-bourgeoisie contrôle la production et la consommation littéraires, la littérature qui la représente. Le prolétariat en est toujours presque absent et elle n'a jamais été aussi illisible, aussi scriptocentriste, aussi universitaire, comme si la fonction sociale de la littérature était de la réduire à de l'écriture, et non plus l'inverse. La fonction sociale de la littérature n'est plus de reproduire le sens (l'idéologie) mais de la produire, la littérature étant comme repoussée du champ idéologique et restreinte au champ culturel (élitiste). On enseigne aujourd'hui une super-littérature. L'école, patronnée par un ministère de l'Éducation, impose ses modèles tandis que la Presse véhicule à la fois l'idéologie la plus populaire de la culture et la plus élitiste de la littérature, accentuant le fossé entre les deux.

La petite-bourgeoisie consacre donc des textes qui affirment son savoir, ce dernier lui présupposant ainsi un certain pouvoir, mais fictif : c'est pourquoi sa littérature a une *action* si *resreinte* pour reprendre une expression bien connue de Mallarmé. La littérature devient écriture, production de sens; l'écriture se reproduit elle-même, enfermée, marginalisée et, faute de transformer l'idéologie qui la transforme en littérature, l'écriture se transforme elle-même, devient littérature, se fait inaccessible, se croit au-dessus des classes, et ceux qui la pratiquent la valorisent comme un métatexte...

Il suffit donc de comparer les différents corpus littéraires des diverses époques pour se convaincre de la définition de la littérature par la fonction sociale que lui attribue une formation sociale donnée. Le savoir théorique domine aujourd'hui la pratique littéraire, mais ce savoir est déterminé par le pouvoir qui a les moyens de garantir la reproduction d'un type de textes. Il ne faut donc pas trop sous-estimer le rôle de la littérature qui, si elle est un effet de l'idéologie, a aussi son autonomie et peut avoir un effet récursif sur l'idéologie et par conséquent sur la société. Les poètes de l'Hexagone et plus tard les écrivains de Parti pris ont travaillé à la marche de la révolution tranquille au Québec. La littérature n'est jamais gratuite.[45]

Devant cette nécessité de renouveler sans cesse le lieu et l'enjeu même de la lecture, nous pourrions laisser le mot de la fin au poète Pierre Nepveu : «si la poésie n'est pas un *besoin* pour celui qui l'écrit, comment pourrait-elle le devenir pour les lecteurs?»[46] Il semble y avoir ici confusion entre le besoin, le goût et l'*intérêt* social de la pratique littéraire. Nous préférons plutôt laisser le dernier mot à Jean-Marcel Léard, linguiste et sémioticien, qui travaille depuis quelques années à clarifier les problèmes touchant la science littéraire du texte (et non la science du texte littéraire, toutes les sciences pouvant en parler) :

Puisque les critères de valeur sont externes et varient, que la fonction sociale des textes change avec l'idéologie, on comprend pourquoi les textes entrent et sortent de la littérature. Les traits pertinents sont variables, la littérarité est relative et inscrite dans la société et dans l'histoire. La littérature n'est pas une liste de chefs-d'oeuvre éternels, un corpus stable d'oeuvres ayant un fonctionnement, une organisation particulière. Au contraire, tous les textes obéissent aux mêmes lois générales de fonctionnement, aux mêmes systèmes sémiotiques (linguistique et narratif).[47]

Notion, catégorie et concept de la littérature

Pour revenir à notre propos du début, la littérature se définit donc par sa seule fonction sociale. Ignorer cette dernière, c'est s'interdire de saisir le phénomène littéraire dans son ensemble. Le texte littéraire ne doit donc sa spécificité qu'en tant qu'objet social : pour devenir littéraire, il faut que le texte soit accepté par la communauté dans laquelle il fonctionne. La littérature étant de l'écriture transformée par de l'idéologie, le *corpus* ou l'anthologie littéraire est déterminé par des critères de sélection variables imposés par un groupe social élitiste qui fait vivre le phénomène littéraire et qui permet à un texte de passer ou non à la littérature selon qu'il est conforme ou non à la fonction qu'il doit remplir dans une configuration idéologique donnée. Il faut donc toute une infrastructure capable de l'intégrer : dans une société qui fait de la littérature un objet d'enseignement, la sélection des éditeurs et des critiques se trouve relayée par celle des chercheurs, des producteurs de manuels scolaires et finalement des enseignants. Au Québec, il faudra attendre les années 60 avant que l'appareil scolaire rende valide l'enseignement de la littérature québécoise jugée jusqu'alors plutôt mineure comparativement à la littérature française européenne.

L'enjeu capital du discours sur la littérature se manifeste, tout compte fait, lors de l'intervention du facteur de l'édition car, par le manuel notamment, les revues et les textes critiques (universitaires), l'édition se situe au carrefour où s'interpénètrent pratique commerciale et commerce intellectuel.

Dans un article remarquable à bien des égards, Pierre Kuentz a fait apparaître l'enjeu du discours que l'on porte sur les textes dits littéraires dans le système social qui le rend possible et efficace (nécessaire). Kuentz a surtout axé son analyse en remettant en question le postulat que présuppose les manuels traditionnels de littérature, celui de la clôture fictive de l'univers textuel, ce dernier étant posé comme une totalité homogène. Le manuel-type se présente en effet comme un noeud dans un réseau de relations, le carrefour de deux chaînes hétérogènes, celle de la série de l'enseignement et celle de la série de l'édition. La littérature n'apparaît plus désormais qu'un type particulier d'appropriation des oeuvres d'art, lié aux conceptions de la bourgeoisie et aux instances par lesquelles le système s'autoreproduit, notamment à l'école.

> Les liens que nous avons constamment soulignés entre littérature et discours sur la littérature (...) ne sont pas des liens circonstanciels. Il ne suffit donc pas de dire, avec R. Barthes : «La littérature est ce qui s'enseigne. Un point c'est tout.» La littérature en fait ne s'enseigne comme telle que depuis la révolution bourgeoise et la question qui se trouve ainsi posée est celle-ci : pourquoi cet enseignement apparemment si peu rentable a-t-il été développé par une classe soucieuse plus que toute autre de rentabilité? (...)
> Ce que devait produire cet enseignement (...) c'étaient les rapports de production correspondant à cette étape nouvelle du développement des forces de production. Aussi ne s'agit-il pas de le situer relativement à des rapports, dont il ne serait que le reflet «spirituel», mais bien de le situer *dans* ces rapports, dont il est un des supports. Sous couleur d'enseigner les belles-lettres, ce que l'on enseigne en réalité (...) c'est un comportement social. (...)
> Mais en fait, ce privilège apparent de l'auteur n'est que l'envers du statut que l'on veut imposer au lecteur. Le principe des manoeuvres de l'idéologie réside dans la fausse scansion, celle qui ne pose l'endroit que pour poser dans l'ombre son envers. Il semble que l'on s'efforce de

> promouvoir la consommation de la production littéraire; il s'agit, en réalité, d'assurer la production du consommateur. Le culte de l'auteur sert à déterminer le modèle du lecteur : on ne lit plus les «classiques», sitôt quitté la classe, mais on a appris un certain type de lecture (...) privée.[48]

Ceux qui se sont amusés à interroger leur entourage sur leurs auteurs préférés, dans le but très souvent de dénoncer la série d'ambiguïtés qui a toujours accompagné la notion de littérature, ceux-là ont bien vite constaté que la connaissance de la littérature provient généralement beaucoup moins de la lecture que du ouï-dire social, et que dans l'étude du phénomène littéraire — écriture, lecture et critique —, il est nécessaire de faire intervenir des mécanismes sociaux «extérieurs» à la littérature. Lorsqu'on essaie de définir cette dernière, on doit sortir de la série littéraire proprement dite. En se posant les «bonnes questions», à savoir qui écrit (problème de la genèse des textes et du sujet), pour qui (leurs lecteurs) et pourquoi (leur fonction esthétique et/ou leur fonction sociale, et les critères de sélection et de valorisation qui déterminent la constitution du corpus littéraire, instable à travers l'histoire), la littérature se trouve alors incorporée à l'histoire des productions symboliques en dehors de laquelle elle n'a plus de significations, c'est-à-dire qu'elle devient incompréhensible.

Les premiers travaux d'Escarpit ont été conditionnés, de son propre aveu, par une révolte contre l'institution littéraire. Plus autobiographiques qu'épistémologiques, ses recherches tournent pourtant autour de questions fondamentales : se demander «que peut la littérature?» est déjà une attitude plus scientifique que se demander «qu'est-ce que la littérature?», mais il serait mieux encore de se demander «que pouvons-nous faire de la littérature?».[49] Il nous a semblé plutôt que définir l'objet de la littérature était autre chose que définir le phénomène littéraire dans son ensemble. Quant à savoir ce que l'on peut faire aujourd'hui de la littérature, il faut d'abord bien voir où elle se situe dans le champ de la connaissance (scientifique) actuelle, voir à qui elle s'adresse et qui elle sert. Tout le reste relève d'une activité sociale que l'on valorise ou pas selon la place qu'on accorde à cette activité dans l'institution culturelle de notre formation sociale.

Depuis toujours, les adeptes de la littérature, les critiques comme on les appelle en général, qu'ils soient de l'ancienne critique (éthique, interprétative, tautologique) ou de la nouvelle critique (descriptive, formaliste, esthétique, mais tout aussi idéaliste à propos de la «littérarité» des textes déjà retenus comme littéraires), les critiques ont toujours justifié leur discours par leur fonction institutionnelle en se demandant : comment parler *à* la littérature? De plus en plus, les études littéraires sont envahies par la théorie qui met à jour les mécanismes plus idéologiques que scientifiques de la pratique critique. La théorie se demande : comment parler *de* la littérature?

Théorie du texte et de la signification; théorie de l'oeuvre et du sens; théorie du signifiant; théorie de la signifiance; théorie de l'écrit et de l'écriture; théorie de la scripture, en ajoutant les théories du signe, du langage, de la fiction, du sujet, de l'histoire... tout cela pour souhaiter mettre en forme une théorie et une science de la littérature qui traiterait de la question littéraire dans toutes ses implications : linguistique, psychanalytique, sociologique, etc. Quel programme! Et quelle macédoine aussi! Confusion constante entre écriture et littérature, confusion qui élève l'une et/ou l'autre au rang du mythe et perpétue le mystère de la pratique littéraire.

Jusqu'à la fin du XIXe siècle, la littérature était pensée par ses seuls praticiens. Devant l'essor considérable de l'édition, la bourgeoisie a eu recours aux critiques littéraires afin que ceux-ci instituent la valeur littéraire. Depuis 1960 environ, depuis que la littérature est pensée par des théoriciens qui en étudient la pratique, cette notion de littérature s'est vue remplacée par une catégorie, la littérarité; et parallèlement à cela, un travail de démystification de la littérature par des praticiens «avant-gardistes» mettait à la mode la notion d'écriture et celle de texte, réussissant à démontrer que la littérarité n'est rien d'autre que l'adéquation (idéologique) d'une écriture à la fonction sociale de la littérature d'une société. C'est pourquoi les critères de la littérarité varient et pourquoi les corpus dits littéraires changent. Lorsque la littérature traditionnelle peut être qualifiée d'écriture de l'idéologie, la littérature moderne apparaît aujourd'hui comme idéologie de l'écriture.

Ainsi l'étude traditionnelle a tendance à réduire la littérature à de l'idéologie et l'étude moderne à de l'écriture. Les deux approches risquent de passer à côté de la littérature, la refoulant en quelque sorte, faute d'une théorie matérialiste. Il faut donc admettre la fonction sociale de la littérature, propre à chaque époque et à chaque société.

La *catégorie* qu'est la littérarité et la *notion* de littérature (et/ou écriture) demeurent les obstacles épistémologiques majeurs à la constitution d'une véritable théorie qui ferait de la littérature un objet de connaissance, qui en délimiterait le *concept* théorique fondamental. L'hypothèse théorique que nous avançons, à savoir que la littérature se définit par sa fonction sociale, permet de passer de la théorie littéraire à la théorie de la littérature, le concept de fonction sociale de celle-ci étant l'équivalent épistémologique du concept de texte pour celle-là (qui réduit la littérature à une certaine pratique de l'écriture).

Cette réserve à l'égard des études immanentes modernes n'enlève rien à l'intérêt des analyses que permet l'utilisation des instruments de la sémiotique par exemple. Des communications au congrès de l'ACFAS de mai 1978 ont prouvé que le fait de pouvoir décrire le fonctionnement textuel avec tel ou tel instrument sémiotique arrive à qualifier sa plus ou moins grande modernité. Cette dernière se manifeste avec la disparition des niveaux d'intégration (phrase, histoire) et du référent, niant par là l'opposition traditionnelle prose/poésie. Mais le fait de constater le passage fondamental de l'étape sémantique (intégration et référent) à l'étape sémiotique (le texte se constituant sur des relations de signe à signe) comme critère de modernité, ce fait est décrit, mais il ne peut être expliqué par la sémiotique.

Pour connaître la littérature (la décrire, la comprendre et l'expliquer), il ne suffit donc pas de décrire le fonctionnement des oeuvres littéraires, même traitées en fonction d'une typologie des discours (littéraires); il faut aussi comprendre le phénomène littéraire dans son ensemble. Il faut éviter ou bien de le réduire à de l'écriture ou bien à de l'idéologie, car elle est pratique idéologique (sociale) avant d'être idéologie pratique (littéraire et nationale). Il faut donc faire appel à des sciences externes comme la psychanalyse (le sujet dans le discours) et la sociologie (l'idéologie et l'histoire). La sociologie étudie les conditions de production et de consommation des textes dans une formation sociale donnée. Mais, si ces sciences peuvent comprendre le phénomène littéraire, peuvent-elles expliquer les textes par le phénomène? Il apparaît indispensable d'analyser la fonction sociale (historique) de la littérature pour l'expliquer, non seulement dans et par le contexte mais dans et par le texte même qui se présente comme la solution (imaginaire) de la contradiction de la littérature entre l'écriture et l'idéologie, du texte entre le géno-texte et le phéno-texte, et du discours entre la langue et le langage. Enfin, il faut faire appel au matérialisme qui pose les bonnes questions : pour qui et pourquoi.

Ces affirmations n'ont comme critère de vérité ou de validité que notre conviction devant la nécessité de démystifier les prêcheurs de la littérature — que ce soit chez les tenants d'un retour au classicisme ou chez les praticiens de la «nouvelle écriture» —, la littérature n'étant à nos yeux un terrain valable de recherche théorique que dans la mesure où cette recherche porte surtout sur les moyens de (la) penser plutôt que sur les moyens de (la) transmettre.

Notes

1. Robert Escarpit, *Le littéraire et le social*, Champs, Flammarion, Paris, 1970, pp. 12 et 13.
2. Mgr Camille Roy, «Critique et littérature nationale» in *Regards sur les lettres*, 1931.
3. En ce sens, le romancier Yves Beauchemin a tort d'écrire : «Comme citoyen, j'essaie d'agir. Mais comme écrivain, je suis forcé d'attendre. (...) Pour moi, un écrivain, même dans la fiction la plus débridée, reste avant tout un contemplatif, la conscience de sa nation. (...) je ne conçois pas d'autre façon d'écrire que de mettre des tripes sur la table.» (*Liberté*, n° III, Montréal, mai-juin 1977, p. 19.
4. *Études françaises*, VII, février 1971, pp. 23-47.
5. Harry Bernard, *Essais critiques*, Montréal, Éd. A.C.F., 1929.
6. Marcel Dugas, *Littérature canadienne-française* : *Aperçus*, Paris, Firmin-Didot, 1929.
7. Anthologie de textes d'Albert Pelletier préparée par Lucien Parizeau, *Écrits du Canada français*, Montréal, H.M.H., n° 34, 1972, cf. *Carquois*, Montréal, Éd. A.C.F., 1931.
8. Alonzo Leblanc, «L'oeuvre d'A. Pelletier : une satire sociale des années 1930», *Voix et images du pays VI*, Montréal, P.U.Q., 1973.
9. *Voix et images du pays, V*, Montréal, P.U.Q., 1972.
10. Cité par Alonzo Leblanc, art. cit., p. 45.
11. Adrienne Choquette, *Confidences d'écrivains canadiens-français*, Les Presses Laurentiennes, Québec, 1976, p. 5.
12. «De la structure textuelle à la structure sociale» de Pierre Zima, *Revue d'esthétique*, 2/3, Coll. 10/18, 1976, repris dans *Pour une sociologie du texte littéraire*, 10/18, 1978, n° 1238. Mais ce qui caractérisait le travail des Formalistes russes, c'est le décalage entre la richesse de leur méthodologie littéraire et l'indigence de leur théorie. D'où cette tendance à prendre pour une théorie cette technique et cette méthode de lecture et d'analyse. D'où leurs contradictions, notamment le rejet du psychologisme inhérent à la notion de personnage qui s'accompagne de sa réinsertion dans la notion d'auteur. Le principe d'immanence qu'ils prônaient entraîne la conception de structures préexistantes à «dénicher» dans le texte. D'où l'accent porté plus sur le fonctionnement des textes que sur leur production. Il reste qu'ils ont permis de limiter la notion mythifiante de création, limiter la portée de la notion de représentation en refusant de conférer aux oeuvres une fonction purement

référentielle. Lire «La production littéraire : métaphore, concept ou champ problématique?» de Nicole Gueunier, *Littérature*, n° 14, Paris, mai 1974.

13. *Littérature*, n°14, mai 1974, pp. 19-35. Selon Backès, il serait plus efficace de tenter de circonscrire ce qu'est l'idéologie littéraire plutôt que de se demander ce qu'est la littérature. La théorie de la littérature aurait ainsi une raison d'être comme branche spécifique de la théorie des idéologies. Ensuite, l'objet d'une science de la littérature pourrait être construit comme l'ensemble des textes organisés par une idéologie littéraire.
14. Henri Meschonnic, *Pour la poétique II*, Paris, Gallimard, 1973, p. 37.
15. A. Choquette, *op. cit.*, p. 159.
16. *Ibid.*, p. 160.
17. *Ibid.*, p. 164.
18. Même aveuglement idéologique chez Mgr Camille Roy. Même dénonciation colonialiste toutefois. Mgr Roy termine en effet son article en rappelant les paroles d'un écrivain et critique canadien *anglais*, M. Wilson MacDonald, qui dénonçait le colonialisme comme obstacle à la création d'une puissante littérature chez nous. Et de conclure : «Colonialisme ou dépendance britannique : cela maintient chez nous des habitudes d'esprit où le manque d'initiative nationale, le manque de larges horizons politiques, l'absence de problèmes internationaux, joints à la timidité ou à l'insouciance qu'engendre toujours une tutelle quelconque, dispensent volontiers de l'effort ou le paralysent.» D'où notre solitude, notre sujétion, notre banalité...
19. A. Choquette, *op. cit.*, p. 163.
20. *Ibid.*, p. 163.
21. *Ibid.*, p. 162.
22. *Ibid.*, p. 163.
23. *Ibid.*, p. 165.
24. *Ibid.*, p. 166.
25. *Ibid.*, p. 165.
26. *Ibid.*, p. 143.
27. Kostas Papaiouannou, *Les marxistes*, Paris, Éd. J'ai lu, 1965, p. 137.
28. *Ibid.*, p. 216.
29. *Ibid.*, p. 217.
30. *Ibid.*, p. 82.

31. *Ibid.*, p. 104.
32. Charles Grivel, *Production de l'intérêt romanesque*, La Haye, Mouton, 1973, p. 335.
33. *Ibid.*, p. 226.
34. La production agricole est supplantée par les industries des pâtes et papier, de la construction de wagons de chemin de fer et d'accessoires, des textiles, etc. Lire les trois articles consacrés à «Notre héritage des années 30» de *Voix et images*, vol. III, no 1, septembre 1977.
35. «Réflexion à quatre voix sur l'émergence d'un pouvoir québécois», in *Change*, nos 30-31, Seghers/Laffont, Paris, mars 1977, consacré au «Québec souverain», pp. 6 et 9.
36. «Selon la théorie du matérialisme historique, explique Jean-Renaud Seba, la connaissance d'une idéologie ne passe pas par sa formalisation — que celle-ci soit énoncée en termes logiques (les axiomes) ou en termes linguistiques (les codes) — mais bien, au contraire, par l'analyse de son intervention dans la pratique sociale. Une idéologie en effet n'est pas un ensemble d'idées (... mais) un ensemble qui intervient dans un complexe de pratiques contradictoires.
Le propre de cette intervention, c'est qu'elle est une des conditions d'existence des pratiques où elle intervient, lesquelles, dans les sociétés de classes, renvoient toujours, en dernière instance, à la pratique d'exploitation économique et à la pratique de domination politique, c'est-à-dire en définitive à la lutte des classes. Corollaires : un ensemble d'idées sans intervention pratique n'a pas d'existence scientifique sociale : et une analyse d'idées qui ne met pas en lumière leur intervention pratique n'a pas d'existence scientifique.» («Critique des catégories de l'histoire de la littérature : téléologie et réalisme chez Lanson», *Littérature*, n° 16, décembre 1974.)
37. Cette avant-garde reconnue semble vouloir rappeler les «automatistes» que l'internationalisme et leurs audaces formelles ont acculés à une impasse... bien sûr.
38. Nous avons tenu pour négligeable l'enquête menée par V.-L. Beaulieu dans *Quand les écrivains québécois jouent le jeu!* (Éd. du Jour, 1970), quoique le titre soit significatif. Ces 43 réponses au questionnaire Marcel Proust nous paraissant trop superficielles, mondaines, complaisantes et inutilement intimistes. À retenir peut-être à la question : votre occupation préférée, les réponses de R. Duguay : «Parler pour ne rien dire», et de C. Gauvreau : «Écrire».

39. «Le problème posé», *Liberté*, mai-juin 1977, pp. 10-11.
40. *Ibid.*, p. 12.
41. Dans «La littérature post-nationale», Réjean Beaudoin va jusqu'à affirmer : «Au pays des artisans, des gigueurs et des violoneux, on ne consulte pas le psychiatre : on demande une bourse de création!» Une partie importante de notre souveraineté culturelle se trouve gérée par des politiques fédérales. «Quelqu'un aurait-il intérêt à noyer le sens dans le déferlement de l'insensé, qu'il n'agirait pas autrement». *Liberté*, mai-juin 1977, p. 25.
42. «L'épreuve du regard», *Liberté*, mai-juin 1977, p. 94.
43. «Les problèmes du capitaine», *Liberté*, mai-juin 1977, pp. 82-83.
44. «La littérature post-nationale» de Réjean Beaudoin, *Liberté*, mai-juin 1977, pp. 26 à 29.
45. Ce qui complique l'étude de la littérature québécoise, c'est que le Québec n'est pas (encore) un État; il est une société au sein de la formation sociale canadienne. Un autre problème : le nationalisme, qui est une idéologie (pratique) de classe. Au Québec, il a touché toutes les classes à travers son histoire. De plus, il existe deux nationalismes au Canada : le fédéralisme de la grande bourgeoisie canadienne et l'indépendantisme de la moyenne bourgeoisie québécoise (et d'autres provinces). On parle d'ailleurs de séparatisme, le nationalisme ne transcendant pas les classes.
    En fin de compte, il n'y a pas plus de nationalisme national que de littérature nationale ou de littérature universelle; il n'y a qu'une littérature de classe. Un autre problème, la langue, les rapports entre le français et l'anglais, le franco-québécois et le français international, un autre problème de classe. Jusqu'en 1960, le champ littéraire était relié au champ linguistique, la bonne langue fondant la littérature. À partir des années 60 se manifeste une rupture, non entre la littérature et la langue, mais entre la littérature et le français international : l'exploitation du «joual» national devient un critère de littérarité, le théâtre envahissant alors le corpus de l'époque. Depuis 1970 apparaît une rupture entre la langue et la littérature, celle-ci utilisant l'autre davantage comme matériau que comme véhicule (langage), plus pour signifier que pour communiquer un français *fictif*. Tandis qu'autrefois la langue se faisait littéraire, aujourd'hui, la littérature se fait jeu langagier.

46. «La poésie et quelques questions», *Liberté*, mai-juin 1977, p. 89.
47. «Linguistique structurale et sémiotique dans la théorie de la littérature», *Le journal canadien de recherche sémiotique*, automne 1976.
48. Pierre Kuentz, «L'envers du texte», *Littérature*, n° 7, octobre 1972, pp. 25-26.
49. Escarpit, *op. cit.*, p. 41.

«Les revues littéraires s'affichent»

Y aurait-il trop de revues littéraires!

Avant de parler des revues du Québec, demandons-nous d'abord en quoi elles seraient «littéraires».

Pour certains — et ce pourrait être les écrivains eux-mêmes —, la littérature ne serait qu'une propagande pour le moi, pour l'ego individuel et intime du sujet gorgé du désir d'écrire et surtout d'être lu, beaucoup lu, pour que ça finisse même par parler à votre place, comme une narration, comme cette satanée croyance au leurre que constitue toute narration.

Pour d'autres — le sur-moi comme chien de garde sans doute —, la littérature ne serait qu'une pratique idéologique, qu'une reproduction de la division du travail, elle-même déterminée par les conditions objectives des rapports de production. La critique, c'est-à-dire les lectures officielles des appareils institutionnels, auraient donc partie liée avec *la* littérature, avec tous ces écrits *transformés* par les modes de sélection et de classification de l'idéologie. Et cette relation de l'ethos et de l'idéologie entraîne comme conséquence le non-agir, le muselage, le mutisme du sujet, la castration du logos, etc.

Se manifestent donc ici, avec ces deux conceptions de la littérature, l'une tournée vers les producteurs (les sujets) et l'autre vers les consommateurs (l'institution), les deux termes d'une contradiction fondamentale. Dans l'un comme dans l'autre cas, irréconciliables et dynamiques, *ça s'impose*. Il nous resterait surtout à voir en clair ce qui se glisse et se trame sous chacun des vocables du *ça s'impose*.

Pour couper court à la discussion — une manière polie de dire qu'il n'y a pas lieu de discuter de ce qui se décide ailleurs qu'ici, disons que cette distinction entre écriture et littérature, ou entre littérature savante et littérature populaire, serait un *effet* de structure de marché. Et c'est parce que ça s'impose par-dessus le marché qu'il conviendrait ici de s'interroger sur l'apport de certaines revues dans le circuit de distribution des discours culturels au Québec.

Les marques sociologiques de distinction sont de plusieurs ordres. Elles se fondent, par ordre d'importance, a) sur la structure économique de la production, b) sur les réseaux de distribution, c) sur le contenu, bien sûr, mais encore d) sur la forme de présentation.

Au Québec, avec le bassin de population que nous connaissons, il semble bien que le grand nombre de revues qui y circulent soit un phénomène qui relève presque du miracle. Les organismes gouvernementaux multiplient leur aide, c'est entendu, mais s'ils sont des mécènes efficaces et souvent prestigieux, ils n'expliquent pas à eux seuls la masse de travail qu'un très grand nombre d'individus sont prêts à investir pour le maintien et l'expansion d'un éventail incroyable de revues diverses.

Y en aurait-il trop? Serait-il judicieux de penser à une concertation plus grande entre ces revues? C'était là la question que les organisateurs de la section Étude littéraire de langue française du congrès de l'ACFAS (en mai 1982 à l'UQAM) posèrent courageusement à des représentants de revues littéraires et d'organismes gouvernementaux réunis pour la circonstance. L'initiative était audacieuse et la confrontation ne devait pas manquer de piquant. Donc, chapeau à l'organisatrice Renée Legris. On se contentera ici de rappeler brièvement et au mieux les propos qui ont semblé les plus pertinents.

Spirale et la *NBJ* n'ont pas répondu à la question. *Spirale* se contenta de rappeler ses problèmes financiers — d'ailleurs communs à toutes les revues peu subventionnées, et le problème crucial de la diffusion surtout. En effet, on aura beau avoir la revue la plus «attendue» de notre temps, si on la diffuse peu ou mal, elle restera une revue sans portée et elle n'aura d'intérêt que pour les proches (collaborateurs). La *NBJ* semble avoir moins de problèmes financiers et moins de rancunes contre les intellocrates. Elle a toujours le vent dans les voiles, des abonnés nombreux et fidèles, semble-t-il; on se plaint un peu cependant de ce que les collaborateurs «externes» proposent surtout de trop nombreux numéros spéciaux, mais comme ce sont ces numéros qui se vendent le mieux... De concertation avec les autres revues, il ne fut nullement question. C'est la revue *Liberté* qui ouvrit enfin le débat, s'opposant farouchement à toute concertation, contrairement à *Dérives* qui, elle, défendait la création d'une «fédération».

Forte de ses assises financières et symboliques, la revue *Liberté* s'élève contre toute concertation si elle ne doit naître que des «bons sentiments» ou de la solidarité des gens de plume ou de la conscience égalitaire, etc. Si l'on tentait aujourd'hui de classer les revues québécoises, on pourrait le faire selon deux «fonctions» principales (qu'on peut bien leur accorder ou qu'elles veulent bien s'accréditer). Pour être bref, ces deux fonctions détermineraient des sous-classes et pourraient être représentées en un tableau sommaire :

— Revues qui exercent des fonctions de relais avec l'institution littéraire :

a) les revues d'actualité : *Lettres québécoises, Livres et auteurs québécois, Spirale*;
b) les revues universitaires : *Études françaises, Études littéraires, Protée, Voix et images, etc.*;

— Revues qui inscrivent une différence ou des éléments de rupture :

a) les revues de création : *Estuaire, Les herbes rouges, Liberté (!), Moebius, NBJ*;
b) les revues d'engagement : *Dérives, Le temps fou, (Possibles).*

Cette diversité apparaît à *Liberté* comme une richesse incontestable dans le champ culturel québécois. Toute concertation ne serait qu'un leurre, et un risque certain pour le dynamisme littéraire, sans parler du danger massif de bureaucratisation. Toute tentative d'unification ou de convergence des instances (littéraires) risque de scléroser et les productions et les stratégies des agents qui consacrent une bonne partie de leur temps à maintenir le feu sacré.

Les revues universitaires (et soi-disant inter-disciplinaires) ont cette chance d'être liées aux presses universitaires et elles sont prêtes à admettre que c'est à cette vieille liaison qu'elles doivent leur survie et leur renouvellement périodique. Au coeur même des grandes batteries institutionnelles, elles ne sont pas sans devoir admettre également que certaines revues font double emploi : *Études littéraires* et *Études françaises* par exemple, ou encore *Lettres québécoises* et *Livres et auteurs québécois*. Mais laquelle de ces revues acceptera de céder à l'autre? Entre la fusion, la concertation, les échanges de service, l'indifférence, le mépris et la guerre, il y a là toute une gamme de comportements et de stratégies que les «vieilles» revues connaissent bien, et tant que les organismes subventionnaires ne viendront pas, de l'extérieur, mettre de l'«ordre» dans tout ça et continueront de couvrir les frais... eh bien les revues continueront à dialoguer entre elles aux pieds de barricades de théâtre.

Dérives n'a certes pas raté l'occasion de rappeler l'existence et le travail efficace et continu de l'Association des éditeurs de périodiques culturels du Québec. De ce côté-ci de la controverse, on serait plutôt d'accord pour une concertation entre les revues, mais avec certaines balises, conscient de la diversité non seulement des intérêts à sauvegarder mais aussi de la spécificité de certains types de revues. À l'Association même, on peut en dénombrer trois types : a) les revues littéraires, plus généralement appelées «de création»; b) les revues universitaires qui ne s'expriment pas dans la même «langue» et qui ne reçoivent pas du tout les mêmes subventions, même si le public lecteur est parfois le même, les collaborateurs vivant dans le(s) même(s) quartier(s) et fréquentant les mêmes lieux intellectuels; enfin, c) les revues socio-culturelles dont le public est beaucoup plus large, et parfois populiste. Le discours articulé de *Dérives* a semblé le plus apte à ouvrir le débat, un peu agressif toutefois si on en juge par les remous qu'il suscitait. Mais il le fallait bien, non seulement pour être un interlocuteur valable vis-à-vis le discours dominant(nateur) de *Liberté* mais aussi pour sortir les «autres» du mutisme prudent derrière lequel on s'entendait respirer.

Dérives proposa donc une sorte de «fédération» des revues, compte tenu des spécificités de certaines d'entre elles (langue, contenu, public) et du respect mutuel qu'exige le partage d'un marché restreint de lecteurs au Québec. Là-dessus, tout le monde était d'accord sur la nécessité de pénétrer des secteurs de la population non encore sensibilisés, c'est-à-dire pas encore instruits de l'intérêt et même de l'existence des différentes revues culturelles québécoises. Mais il apparaît impossible que *ça s'impose* si les médias électroniques ne sont pas de la partie.

Le prestige de certaines revues ne peut se maintenir — en cette période de vaches maigres des organismes subventionnaires —, sans les appuis sensibles de Radio-Canada et de Radio-Québec. Selon l'animateur du *Book Club* radiophonique, depuis la disparition *Des livres et des hommes*, l'information sur l'écriture à la radio d'État est tronquée. En un sauve qui peut unanime, on s'accorde sur l'urgence d'une émission radiophonique d'une heure sur l'écriture d'ici, du texte poétique à la scène, un magazine d'informations culturelles, une tribune qui mériterait autant de soutiens financiers et techniques que certaines tribunes sportives, par exemple, grassement supportées déjà par des intérêts privés. Sauve qui peut l'écriture (et la lecture), l'élargissement des publics (on ne peut vraiment plus se payer le luxe du noyautage spéculaire des intellectuels, qu'ils soient humanistes, scientistes ou révolutionnaires) ne peut s'opérer qu'avec la télévision. C'est elle qui a maintenant pris le relais de la fonction de l'école comme appareil idéologique efficace. Mais la publicité du livre, ou de la pratique littéraire en général, ne peut plus être l'apanage de la bonne volonté d'animateurs comme Roger Baulu ou Denise Bombardier, ni même des littérateurs eux-mêmes. Le livre doit avoir son pivot (jeu de mot volontaire) : des communicateurs professionnels capables de vendre...

Y a-t-il trop de revues? La disparition et/ou la fusion de quelques-unes d'entre elles serait vue d'un bon oeil par nos gouvernements qui feraient des économies comme organismes subventionnaires. La fermeture apparente des robinets d'État peut-elle favoriser une dynamique culturelle nouvelle? *Moebius* a des doutes certains quant à l'efficacité de telles mesures et surtout quant à leur justification, sachant bien que l'appareil gestionnaire des subventions gruge presque la totalité de la somme accordée. S'il y avait des économies véritables à faire, il faudrait donc voir à ce que le coût de la gestion diminue, ce qui nous paraît plus équitable que de vouloir pénaliser les revues elles-mêmes. À l'intérieur du même budget, et même diminué, il en resterait davantage pour l'essor des revues.

Cette répartition équitable une fois existante, et *Moebius* est très très très loin de rougir de sa part du gâteau, il appartiendrait aux revues de maintenir leur existence, de préciser leurs rôles, de défendre leur territoire, de multiplier leurs abonnés, d'intéresser le plus de lecteurs possibles, de diversifier leurs points de vente, etc.

Sans tomber dans un corporatisme étroit, *Moebius* croit pouvoir élargir graduellement son rayon d'action :

a) en faisant en sorte que s'abonnent à *Moebius* ses propres collaborateurs — souhait que caresse aussi *Voix et images* en parlant du soutien potentiel des «pairs»;

b) en prônant une politique d'échange de services avec d'autres revues (circuit de textes, publicité, échos, etc.);

c) en maintenant, comme critères de sélection et de classification des textes que retient son comité de lecture, la lisibilité et la qualité d'écriture; le formalisme obscur apparaît en effet à *Moebius* avoir un intérêt esthétisant surtout pour les producteurs eux-mêmes, mais ne constitue en rien un critère de communication pour le public qui prend encore plaisir à lire et à se laisser captiver (cf. le texte de présentation de son n° 14);

d) en proposant au moins un numéro «thématique» par année, numéro qui serait proposé de l'extérieur du groupe habituel de *Moebius* et destiné à son public-cible;

e) en pénétrant de nouveaux marchés, par la radio communautaire par exemple, en échangeant avec des revues canadiennes-anglaises ou de l'est des États-Unis, en s'ouvrant à la francophonie, etc.

La table ronde tenue à l'ACFAS se solda par une sorte d'hymne à la quantité et à la nouveauté sous toutes ses formes, la disparition d'une revue étant perçue comme un appauvrissement du milieu où elle exerce ses activités. Sans endosser cet enthousiasme à la dépense et à la profusion, *Moebius* demeure optimiste devant l'avenir, et les encouragements qu'elle reçoit de plus en plus, et de milieux très divers, la confirment dans sa légitimité. «Recevons tous les influx, disait Rimbaud, de vigueur et de tendresse réelle.»

La littérature *revue* à l'université

Il n'y a pas de doute que l'université a toujours/longtemps eu un rôle de consécration ultime de certains écrivains ou de certains mouvements littéraires. Je dis consécration *ultime* parce que d'autres instances de légitimation précèdent ses sanctions. Il y a d'abord les politiques éditoriales elles-mêmes, surtout que certaines maisons d'édition se voient parfois accorder un véritable pouvoir institutionnel. Il y a encore la critique journalistique qui demeure la plupart du temps très proche de l'actualité littéraire et qui exerce alors, même à son corps défendant, un travail de classification et de sélection des livres qui lui tombent sous la main, et comme le critique ne saurait tout lire, ses choix «spontanés» se trouvent conditionnés par tout un jeu complexe de mise en valeur de titre, de nom, d'illustration, etc., tout un éventail de tactiques que les éditeurs reconnaissent volontiers, sans parler des relations d'amitié et d'intérêt que le critique a souvent du mal à mettre entre parenthèses.

Tout se passe donc comme si la critique universitaire venait, après coup, reconnaître la valeur déjà établie d'une oeuvre, sans trop de chance de se tromper, avec cette particularité de lui ajouter le prestige dont elle profite déjà, d'en accroître et d'en épaissir les sens grâce à tout un attirail de techniques de description et d'interprétation des textes, techniques qu'elle puise à même l'évolution et la spécialisation des sciences humaines de ces vingt-cinq dernières années. Avec comme résultat que la critique universitaire n'*ajoute* pas qu'à l'oeuvre qu'elle prend pour cible mais aussi à elle-même[1], mettant en valeur ses propres mécanismes de lecture savante, mettant sur pied ses propres moyens de diffusion des textes qu'elle produit, restant ainsi maîtresse de la circulation et du dynamisme même de son discours, bien confiante du fait que c'est la lecture qui rend possible la littérature, que c'est la littérature qui donne un sens à toute activité d'écriture qui veut interpeller un cercle de lecteurs un peu plus large que le simple réseau d'amis, confiante enfin d'appartenir, comme appareil d'état, et de susciter, par la position privilégiée qu'elle occupe dans le champ culturel, ce lent, ferme et efficace mouvement d'institutionnalisation que connaît encore aujourd'hui la littérature (québécoise).

Le mouvement s'est amorcé au Québec, on l'aura deviné, durant les années 60. La naissance des revues littéraires universitaires ne date en effet que de cette époque :

Études françaises (février 1965) aux Presses de l'Université de Montréal;

Études littéraires (avril 1968) aux Presses de l'Université Laval;

Voix et images (du pays) (avril 1967) aux Éditions Sainte-Marie puis aux Presses de l'Université du Québec à Montréal à partir de 1970;

Présence francophone (automne 1970) à l'ex-CELEF de l'Université de Sherbrooke puis au Département d'études françaises depuis 1985;

Ellipse (1969) aux Départements d'anglais et de français de l'Université de Sherbrooke;

Protée (1970) aux Presses de l'Université du Québec (à Chicoutimi);

Revue d'histoire littéraire du Québec et du Canada français (1979), la relève de la *Revue de l'Université d'Ottawa.*

Il n'est pas facile de délimiter les publics-cibles et les objectifs respectifs de ces revues. Les déclarations d'intentions ont été nombreuses au cours de leur histoire, surtout au début, ce qui est normal, puisqu'il fallait à la fois se rattacher à une tradition pour ainsi dire inexistante, si ce n'était le modèle européen français, et se tailler une place, décider d'une position, maintenir une posture au sein de l'institution littéraire québécoise d'alors, imposer une image. Il n'y a pas lieu ici de faire l'historique de chacune des revues à partir des textes de présentation ou avant-propos qui ont jalonné leur évolution depuis une vingtaine d'années, même si cet examen ne manquerait pas d'être très instructif. Je me limiterai à quelques exemples.

Études françaises a toujours défendu une ouverture sur la francophonie et même souhaité être une tribune internationale, littéraire et interdisciplinaire, «un lieu où la littérature se fait», avec un léger repliement autour de 1975 sur «les travaux de recherches de la communauté intellectuelle québécoise».

Cette vocation québécoise (nationaliste conviendrait-il mieux?), *Voix et images du pays* l'a défendue dès 1967 en se consacrant exclusivement à des études à partir de 1973 sur l'histoire des idées, l'identité culturelle comme facette de l'identité politique, la réflexion sur les rapports entre «la création et la collectivité dont elle émerge», et enfin un souci didactique concernant l'analyse textuelle. Si *Études littéraires* a beaucoup moins formulé d'objectifs, elle a tout de même toujours défendu un certain éclectisme, une ouverture à toutes les conceptions de la littérature, toutes recherches nouvelles dans le domaine de la critique, avec toutefois cette préoccupation constante de proposer aux lecteurs des contenus «thématiques», par souci d'unité, autour d'un écrivain (Giono, Gabrielle Roy), d'un genre littéraire ou d'un thème : littérature et musique, sémiotique textuelle et histoire littéraire du Québec, la question autobiographique.

C'est aussi la formule qu'adoptera la revue *Études françaises* à partir de 1974, les études regroupées dans un même numéro traiteront d'un même thème : Victor-Lévy Beaulieu, sociologie de la littérature, anatomie de l'écriture, accentuant alors autour de 1979 cette volonté d'être «théorique dans et par la pratique», revue qui vit l'écriture de la recherche, au sens large des termes. De son côté, *Voix et images* a eu l'idée intéressante de constituer des dossiers d'écrivains, chaque dossier étant composé d'entrevues, de bibliographies et d'analyses diverses (sous la responsabilité d'un coordonnateur, par exemple, littérature canadienne-anglaise, dans le dernier numéro, dossier qui ne constitue que la première partie de chacun des numéros, laissant suffisamment de place à des textes critiques d'obédiences diverses (historique et/ou sémiologique) portant sur des productions québécoises, par exemple, un débat autour de la littérature de masse, et enfin, des chroniques sur l'actualité éditoriale des derniers mois (le retard est ici plus excusable que pour la critique journalistique, d'autant plus que la revue ne paraît que trois fois par année, et il se trouve que, le recul aidant, l'évaluation d'un livre s'en trouve parfois objectivée — valeur ajoutée! — rendant par ailleurs impardonnable toute faiblesse d'appréciation de la part des chroniqueurs, et toute gaucherie d'écriture inacceptable. La structure interne de la revue est pareille à celle de *Protée*, cette dernière misant moins sur un écrivain que sur un dossier-thème interdisciplinaire : les coopératives et le développement régional par exemple.

Je parlais plus haut *du* discours (littéraire) critique universitaire et non *des* discours puisqu'ils m'apparaissent, quand on y regarde de près et avec le recul historique nécessaire, en dépit de leur grande diversité apparente, appartenir à un même tronc discursif, celui-là même de l'évolution et de la maîtrise des discours connexes des autres disciplines en sciences humaines, eux-même liés à la configuration idéologique dominante d'une période.

Dans un ouvrage collectif intitulé *Quand la poésie flirte avec l'idéologie* (Triptyque, 1983, 320 p., aujourd'hui épuisé) j'ai tenté d'évaluer avec Hélène Dame la place et le discours que ces trois revues universitaires accordaient à la poésie, le genre littéraire noble par excellence depuis la naissance de l'écrivain comme figure sociale. On a remarqué, dans chacune des revues, avec un décalage d'à peine une année d'une revue à l'autre, que le discours critique évoluait quasi simultanément, en dépit des tentatives pour se distinguer l'une de l'autre avec des textes inédits par ci, des entrevues par là, des numéros spéciaux, etc. On assista d'abord à la dominance du discours humaniste et esthétisant, parfois relayé parfois redoublé par le discours nationaliste, et cela jusqu'au tout début des années 70, jusqu'à l'émergence de plus en plus marquée de la problématique des méthodes critiques, donc de la lecture, au détriment des textes «littéraires» eux-mêmes, donc de la création (il fallait s'y attendre). En effet, en même temps que s'imposait une écriture formaliste, née avec *La barre du jour* et *Les herbes rouges* (pour simplifier à l'extrême), s'implantaient les assises théoriques d'une sémiotique qui profitait des belles heures de la linguistique structurale, remettait en question les catégories traditionnelles de la littérature, proposait un métalangage abscons et fort articulé, prêchait la mise entre parenthèses de l'histoire et du sujet, ce qui s'avérait bien commode puisque le critique ne se retrouvait plus que devant du textuel, au grand scandale d'autres critiques qui n'en pouvaient plus de se taire : la critique psychanalytique par exemple qui s'intéressait tout particulièrement au sujet, ou la critique sociologique qui portait justement son attention aux conditions de production, de circulation et de consommation des produits culturels, ou la critique féministe qui revendiquait la juste part des femmes dans le discours social.

Décidément, le discours universitaire est apparemment bien changeant. La psychanalyse a pour ainsi dire remis l'écrivain au premier plan; la sociologie a historicisé une pratique littéraire qui se proposait comme immuable; le féminisme a charrié tout ce que les années 70 ont imposé comme valeurs progressistes. Dire que le discours universitaire est changeant ne signifie pas qu'il soit simplement capricieux. Il est pluridisciplinaire et très perméable aux influences extérieures.

Il participe donc au discours culturel dominant et «change» avec lui. À l'intérieur de ses propres frontières, le discours littéraire finit par se confondre avec le discours sur la littérature, et comme ce sont surtout les revues qui animent le domaine de la recherche, c'est là qu'il faut palper quand on veut prendre le pouls de l'institution littéraire. Les revues universitaires ont un rôle important à jouer dans cet effort constant d'analyse de la «situation» : de l'écrivain, du livre, du commerce intellectuel, etc. La littérature étant de l'écriture transformée par (de) l'idéologie, ce sont ces mécanismes de transformation et/ou de médiation que les universitaires se sont donnés pour tâche d'étudier, plutôt que de se faire les porte-parole des écrivains ou fournir des tribunes à ces derniers.

Il est cependant assez étonnant de constater le peu de place que ces revues accordent à la création en tant que telle. Je ne parle pas de la reproduction d'inédits ou d'extraits d'auteurs sur lesquels l'institution littéraire a établi un consensus, mais de la problématique globale de la création dite littéraire. Cette problématique de l'écriture semble préoccuper bien davantage le milieu des cégeps. Les professeurs-écrivains sont pourtant de plus en plus nombreux à l'université, les ateliers d'écriture de plus en plus fréquentés, les mémoires et même les thèses de plus en plus nombreux dans le domaine de l'écriture, de la scénarisation, etc. Les revues devraient, à mon sens, tenir compte de cette (nouvelle!) orientation de la discipline littéraire, sorte de retour du refoulé de l'instituteur de lettres.

Toutefois, si la fréquentation des écrivains est certes importante, ce flirt l'est moins que la fréquentation des livres, des discours qui les soutiennent, des supports institutionnels qui les sécrètent, des enjeux qui déterminent la guerre des goûts, la stratégie de monopolisation des lieux de pouvoir et de savoir-faire social, etc. Des liens étroits existent, au sein du champ de production du discours littéraire, entre les instances de production et celles de consécration. Entre écrivains, éditeurs, critiques et professeurs s'institue une connivence pratique et idéologique.

Nos trois revues appartiennent à l'AÉPCQ. Comment s'y définissent-elles en 1984? *Voix et images*, la revue de la littérature québécoise; *Protée*, la revue aux multiples facettes; *Études françaises*, les mille et une facettes de l'écriture; *Études littéraires*, un regard sur les littératures. L'une vise le singulier (la singularité) de la littérature québécoise avec des points de vue critiques très divers. L'autre veut couvrir le pluriel des littératures nationales francophones, jusqu'à cette image globale de *la* littérature, puis du théâtre comme pratique indépendante du littéraire, ce qui est bien, et enfin du cinéma comme ouverture de la revue à d'autres pratiques artistiques. On ne s'embarrasse pas chez eux des frontières disciplinaires. *Études françaises* met l'accent sur l'écriture, ce qui me paraît bien habile, s'occupant moins semble-t-il de la littérature que de l'imprimé, de l'«objet-livre», du «livre-texte», s'adressant moins au milieu spécialisé des lettres qu'aux différentes disciplines scientifiques susceptibles de mettre en lumière «les multiples composantes et variantes du phénomène littéraire» : par exemple le texte scientifique, les sociologies de la littérature, les modes intellectuelles parisiennes. Ici encore, les frontières disciplinaires s'estompent.

Ces revues ne se répètent donc pas l'une l'autre. Tous mes exemples ont été puisés dans les numéros de ces trois dernières années. Ces revues sont des lieux de réflexion et d'écriture pluridisciplinaires remarquables. Il n'en demeure pas moins que le projet proprement *littéraire* n'est plus très clair depuis quelques années à l'université, ni ailleurs depuis la fin des années 70, le manque de perspective (idéologique) apparaissant évident. S'il y a lieu de parler du discours littéraire universitaire, c'est que ces revues me semblent au diapason d'une transdisciplinarité en train de se constituer, et le Québec a besoin de toutes ces ressources pour y parvenir.

La création d'une tradition coûte cher, de même que son entretien. La création d'une cléricature nouvelle aussi, et les organismes subventionnaires sont les mieux placés pour en convenir. J'ai déjà dénoncé les politiques d'économie au niveau des subventions dans le numéro 15 de *Moebius* en m'exclamant : «Y aurait-il trop de revues!». J'ajouterai à mon plaidoyer : pour une plus juste répartition des subventions entre les revues existantes (ce qui est bien autre chose que d'en faire disparaître une par mesure d'économie) que la dynamique d'un champ de production culturel ne se mesure pas en termes de complémentarité seulement mais de concurrence surtout, de conflit d'intérêts. L'institution a depuis longtemps développé assez de mécanismes de contrôle pour laisser libre cours à ces conflits et même les encourager.

Encore faut-il souhaiter que les revues universitaires marquent désormais davantage leur différence.

Note

1. Gérard Bessette augmente son nom en réhabilitant Albert Laberge, Gilles Marcotte en ressuscitant Jean-Aubert Loranger, Robert Mélançon en rééditant le répertoire de James Huston, et combien d'autres en offrant par exemple une «édition critique» de ...

Pause 3

Yves Thériault et l'institution littéraire québécoise par Hélène Lafrance, Coll. Edmond de Nevers, IQRC, 1984.

Le phénomène IXE-13 par G. Bouchard, C.-M. Gagnon, L. Milot, V. Nadeau, M. René et D. Saint-Jacques, P.U.L., 1984.

«Padoue francophonissime»

Yves Thériault et l'institution littéraire québécoise

Avec ce mémoire, Hélène Lafrance a remporté cette année le Prix Edmond-de-Nevers et l'IQRC nous le propose dans une belle édition dont la couverture reproduit une sérigraphie de Yvan Lessard, un artiste des Cantons de l'est, lui aussi. Nous sommes en pleine présentation «savante» d'un écrivain qui, somme toute, a toujours eu beaucoup de mal à se faire apprécier par les membres du club que constituent les représentants patentés de l'institution littéraire.

Contrairement à certains de nos plus récents écrivains contemporains qui se font reconnaître comme représentatifs de l'écriture de l'heure quand ils ont encore la couche aux fesses, Thériault aura eu besoin de toute l'énergie de sa longue carrière pour bousculer l'arbitraire emblématique des lieux de pouvoir de la littérature. Comme il n'était ni prêtre, ni professeur, ni fonctionnaire, mais qu'il voulait malgré tout *vivre de sa plume*, démystifier la vocation et l'inspiration comme mobiles de la pratique de l'écriture, comme il voulait il y a déjà quarante ans professionnaliser le métier d'écrivain, Thériault a longtemps défendu un statut (conforme à sa stature) ambigu au sein du champ littéraire. Les étiquettes tiennent mal sur l'ensemble de sa production qui s'avère vaste et diversifiée parce qu'elle s'est adressée à des publics très variés et qu'elle a circulé dans des réseaux capables de faire vivre son homme.

Consciemment ou non, remarque Hélène Lafrance dans sa conclusion, Thériault a tenté d'élargir les frontières de la littérature (c'était déjà un écho concret et pragmatique du voeu automatiste d'élargir les frontières du rêve). «En envisageant l'écriture comme un métier, en adaptant son oeuvre aux nouveaux moyens de diffusion et aux nouveaux besoins du public, il a en fait assuré une audience à ses productions. D'une certaine façon, il a été un homme de son époque, tandis que l'institution littéraire a plutôt tendance à marquer l'heure avec quelques décennies de retard» (p. 139).

On peut savoir gré à H. Lafrance de nous avoir présenté davantage que le romancier connu des minorités, l'auteur d'*Agaguk*, d'*Aaron* et d'*Ashini*. Elle met en lumière le fait que Thériault était aussi un romancier populaire et un scripteur radiophonique très prolifique. Il n'a jamais joué à l'écrivain maudit ou à l'expérimentateur formaliste. Il écrivait et il était lu. Il a donc su rejoindre un public qui prenait plaisir et matière à réflexion en fréquentant ses livres ou en écoutant ses textes à la radio.

Le livre se divise en trois parties : a) les stratégies d'accès au champ littéraire; b) les rapports de Thériault avec le champ des instances de légitimité; et c) le statut de l'oeuvre dans le champ littéraire. En annexe, la transcription de la dramatique *Pejano*. Un livre riche en réflexions théoriques sur une carrière «littéraire» peu orthodoxe et en analyses concrètes sur des textes destinés tantôt aux jeunes, tantôt aux lecteurs d'occasion, tantôt aux lecteurs officiels, tantôt aux éditeurs, tous écrits entre 1940 et 1960. Les travaux d'H.

Lafrance s'inscrivent dans le cadre des recherches en cours en sociologie de la littérature. Et de plus, ce qui n'est certes pas la moindre de ses qualités, elle écrit très bien.

Le phénomène IXE-13

Le phénomène IXE-13 est un ouvrage fort dense et très instructif pour quiconque se donne la peine de céder à sa curiosité d'en savoir davantage sur ces phénomènes passagers *et* prégnants que sont les productions littéraires populaires. L'équipe de chercheurs de Laval nous propose une analyse non seulement des 934 fascicules des aventures de l'agent IXE-13, ce qui ne constitue qu'un corpus de produits écrits qui s'ajoute aux autres — même si les approches de lecture se veulent plurielles et savantes — donc l'équipe ne se limite pas qu'à une analyse d'un corpus trop longtemps négligé par la critique littéraire officielle, mais elle s'affaire à décrire et à expliquer les mécanismes de fonctionnement du *phénomène* entier de la littérature de masse dans le Québec d'alors : les conditions de production et de reproduction, les modèles narratifs et actoriels, les réseaux de circulation et de consommation de produits, la représentation idéologique majeure, la place qu'occupe ce type de produit populaire durant cette période de lente émergence d'une littérature qui se voulait de plus en plus «québécoise», etc.

IXE-13 est en effet paru entre 1947 et 1966 : les premières livraisons coïncident avec les premières manifestations de l'urbanité dans notre «littérature» et les derniers fascicules sont contemporains, n'ayons pas peur des sauts culturels, des derniers numéros de *Parti pris*, en pleine effervescence nationaliste de la révolution tranquille.

La quatrième page couverture ne manque pas d'audace et constitue à elle seule tout un programme : «La lecture de ces études ne manquera pas d'éveiller chez plusieurs une sympathie, voire une fascination, pour cette littérature par rapport à laquelle la littérature enseignée à l'université serait, ou deviendrait, la vraie paralittérature, une littérature marginale, idéologiquement survalorisée et institutionnellement rentable!» Et toc! de quoi faire réfléchir les officiels de la discipline littéraire, de quoi faire pâlir les regroupements d'écrivains qui misent sur la plus-value symbolique comme gage de rentabilité scripturale (en remplacement de la course aux lecteurs... inexistants), de quoi alimenter de saines discussions au sein des organismes subventionnaires de la littérature, celle de l'Union des écrivains québécois. Ceci dit, l'équipe de Laval est aussi constituée d'universitaires. Mais ils ne se présentent tout de même pas comme des écrivains, mais plutôt comme des «théoriciens de la littérature», et en cela le lieu de leur discours respectif est bien établi.

Dans le contexte de la fiction d'espionnage, ces limiers critiques ont chacun leur piste : la lecture sémiotique circule au niveau de la structure profonde (greimassienne) et des variantes fondamentales d'un programme narratif fondé sur l'énigme, le suspense, la devinette; la lecture psychanalytique poursuit et dévoile les fantasmes de l'intrépide héros principal, ses rapports aux stéréotypes amoureux les plus fréquemment dévolus aux acteurs, aux acteures féminines en particulier; enfin, une sémio-sociologie tente de rattacher la portée ou les significations textuelles du corpus à la configuration idéologique dominante qui était celle de ses lecteurs, pour ne pas dire de l'époque, «les modes en fonction desquelles, explique Denis Saint-Jacques dans l'introduction, le produit symbolise et exerce son effet de reproduction dans l'idéologie» (p. 5).

Le volume se referme effectivement sur une réflexion sur l'idéologique, la «forme historique de la symbolisation sociale», puisque la «fonction idéologique d'IXE-13 lui donne sa signification la plus concrète, la plus réelle» (p. 326). Cette réflexion est fort révélatrice du lieu de discours des intervenants de l'ouvrage. Chaque approche privilégie un niveau et une facette de l'objet à étudier, chaque lecture en donne une définition et/ou une traduction qui vient se superposer aux autres, par quoi l'objet s'en trouve par conséquent transformé. Le principe unificateur qui justifierait l'étagement des lectures ne serait-il pas, au risque de se répéter, celui des «modes en fonction desquelles le produit symbolise» ... Il faut alors relire avec un malin plaisir la quatrième page couverture. C'est là que le livre se referme;

mais la conclusion du texte, son seuil en quelque sorte, ponctuait ailleurs et autrement.

Au bout du compte, le corpus IXE-13 se banalise au profit de la problématique méthodologique qui est celle-là même de ces théoriciens de la littérature. Un livre inégal mais très stimulant, à lire avant bien d'autres.

Padoue francophonissime

Journées crevantes entre toutes. Depuis Mirabel des rêves à l'horizon premier, auto, avion, décalage horaire, voyageurs blafards, jusqu'à Milan, de l'aéroport à la gare, puis le train jusqu'à Padoue, superbe dépaysement. À peine le 20 mai et les lilas sont déjà en fleur, les champs saignés de coquelicots. Et enfin l'hôtel, le Grande Italia (décidément! ...), la déconfiture des bagages, une bonne douche chaude avec, à l'esprit, les premières séquences de *Fellini Roma* : les bagnoles à klaxon et l'invasion barbare des petites motos infernales. La nuit est là. Je risque quelques pas distraits dans les environs avant que le sommeil ne me gagne tout à fait. L'air est si doux, la rivière sent mauvais et les bruits sont omniprésents. Durant la balade en train, je me rappelle avoir noté dans mon carnet comment les hauteurs orgueilleuses et parfumées de *Desenzano del Garda* se prêtaient à l'ablution taquine et discrète du rituel printanier. Un ballon de rouge en main, je regarde tomber la pluie.

Le lendemain, dimanche, tout est fermé sauf les églises. Je me résigne alors à flâner pendant des heures, d'une arcade à l'autre jusqu'à ce que j'aboutisse enfin, par hasard, à l'Isola Memmia, petite île circulaire verdoyante située au centre de l'immense place Prato della Valle entourée de 27 statues d'hommes illustres à laquelle on a accès par quatre magnifiques petits ponts de mabre blanc très ornés. Beaucoup de promeneurs bavards, des groupes de garçons surtout, ou des familles de six ou sept gesticulant à qui mieux mieux. Ah! il y a trop de pigeons à Padoue! Les vitrines de cinéma sont sans surprise : on y projette des films américains : «Tootsie», «Le choix de Sophie», etc. Et enfin demain, l'ouverture du congrès, solennelle et empesée, pluvieuse.

L'autre culture

L'Italie, pays de soleil, allez-y voir! Six jours de pluie sur huit et je vous fais grâce des nuits. L'Italie, pays de culture, oui, et cette culture élitaire qui a fait les belles années de nos institutions universitaires, celle des langues et des littératures, celle des gens «cultivés» et bien éduqués dans la manière de parler, de se vêtir, de manger, etc. L'Italie, pays de culture, la quotidienne, un peu moins connue des touristes, plus moderne que l'autre, plus difficile à vivre et à circonscrire et qui n'arrive à se manifester *dans le discours* qu'en bousculant l'autre, qu'en lui barrant concrètement la route. Vous l'admettrez peut-être à la fin de ma narration.

Ce qui m'amenait en Italie, c'était bien sûr (à) l'appel de cette extraordinaire et puissante culture des scribes — ceux qu'a étudiés Régis Debray. Il s'agissait du premier Congrès mondial des littératures de langue française (hors France) qui s'est tenu à Padoue du 23 au 27 mai 1983. Et comme en Italie du Nord on circule toujours d'un palais à un autre, d'un monument historique à un édifice religieux entretenu comme une véritable relique, le scribe a la chance et le pouvoir d'entrer au coeur même des institutions que protègent ces nobles pierres : le Palazzo del Bo' et le Palazzo Maldura, deux édifices universitaires en effet fort célèbres, puis pour l'agrément des congressistes, grâce à une petite excursion dans les environs de Padoue, une superbe journée au Château de Monselice, là où sont conservées de magnifiques collections de meubles anciens et d'armes de guerre, à quelques kilomètres de la vénérée demeure du vénérable poète Pétrarque, et enfin, une dernière journée à la Fondazione CINI sur l'Île San Giorgio à Venise. De quoi faire rêver... Voilà pour les dates, les lieux et le décor du congrès.

Un lieu d'interpellation

L'organisation du congrès était sous la responsabilité de Giuliana Toso Rodinis, Jacqueline Leiner, Majid el Houssi, et Renata Pianori.

Ces organisateurs ont réussi à animer avec doigté l'ensemble des activités du congrès en dépit des conditions économiques difficiles, semble-t-il, dans lesquelles ils se trouvaient et malgré aussi la présence de personnes (et de personnages) de cultures fort diverses, même si elles s'exprimaient toutes en français. Le congrès ne se voulait-il pas un lieu d'interpellation des parlants français?

Conditions économiques difficiles, oui, sans doute, compte tenu de la situation de crise dans laquelle on s'est inscrit depuis quelques années — et ne voit-on pas qu'en ces périodes les vitrines et les médias affichent un luxe inouï tandis que la masse de la population se trouve petit à petit privée, parfois même du nécessaire — situation de crise aussi que cette place désormais accordée à la littérature dans les champs culturels nationaux, une place de plus en plus restreinte, de moins en moins valorisée. Il est évident que la littérature ne saura plus dominer comme autrefois les domaines modernes de l'information, de la communication et de la création. Elle réussit tout de même, tant bien que mal, à légitimer une certaine pratique d'écriture que des congrès, comme celui-ci, n'arrivent pas toujours à mesurer. La tentative de dynamisation vient souvent avec pas mal de retard et/ou de discours d'un autre âge.

Les organismes subventionnaires seraient sans doute davantage disposés à encourager des activités d'animation culturelle (au sens large du terme et de la pratique) plutôt que des rencontres présumées savantes à propos de cette peau de chagrin que constitue à mon sens, aujourd'hui, l'enseignement de la littérature (je ne parle pas de l'activité d'écriture elle-même, mais de cette pratique le plus souvent magistrale de la fréquentation des grands textes dits littéraires). On constatait d'ailleurs chez certains congressistes que les textes littéraires n'étaient que des prétextes à parler d'autres choses, de la situation politique et sociale des femmes par exemple : «Fonction romanesque féminine...» par Ronnie Sharfman, «La femme dans le roman haïtien» par Régine Latortue, «Écriture et identité» par Nicole Brossard, etc. D'autres communications débouchaient sur l'histoire («Le Québec vu de l'Amérique latine — du Brézil» par Lilian Pestre de Almeida), la sémiolinguistique des textes («Production du texte dans M le Maudit de R. Giguère» par Liana Nissim) ou d'autres pratiques artistiques, comme «La place de la chanson dans le champ culturel québécois» par moi-même.

De la périphérie...

Situation économique difficile, disais-je, et aussi macédoine culturelle d'une centaine de parlants français : d'Afrique noire et d'Afrique du Nord, des Caraïbes, du Québec et d'ailleurs, comme si la périphérie était là pour dynamiser l'état-major de la langue et de la culture françaises, c'est-à-dire Paris. Je n'insisterai pas sur le désintéressement ostentatoire des éditeurs parisiens pour les productions hors de France, après l'engouement pour celles des années 50. Et on pourrait faire la même remarque à propos de la critique et de l'enseignement. Albert Gérard (de Belgique) en a profité en effet pour dénoncer cette attitude et, par opposition, il a rappelé l'importance de certaines littératures vernaculaires dans quelques pays africains (ex)anglophones, parallèlement au maintien d'une consommation de produits anglophones et/ou angloïdes. L'état-major culturel néo-colonial français risque d'être la victime de ses propres pièges et de sa courte vue, à moins que...

L'intervention d'Anthony Phelps m'a tout particulièrement intéressé et elle a soulevé beaucoup de discussions parmi les congressistes. Les francophonistes ont l'habitude d'entendre l'expression «négro-africaine» comme devant couvrir un référent qui va de l'Afrique jusqu'aux Caraïbes en passant par tout ce qui connote de près ou de loin la négritude tant valorisée par Senghor par exemple. Phelps s'est permis de dénoncer cette appellation à propos de lui-même et des Noirs d'Amérique :

> Cette manie de renvoyer les Noirs d'Amérique à l'Afrique — une Afrique purement mythique — a ses origines dans le regard que l'Europe portait/porte sur les autres peuples et, par un tour de passe-passe, un viol linguistique, les WASP des É.-U. sont devenus les seuls ayant droit au nom d'AMÉRICAIN. [...] l'Autre continue à me renvoyer à l'Afrique.

Cette revendication de l'américanité pour tous les Noirs de ce continent a entraîné un long et animé débat dans lequel Anthony Phelps s'est mérité, à mon avis, quelques lauriers, non sans stupéfier par exemple le ministre de la Culture de la Côte d'Ivoire lui-même qui se trouvait parmi nous. L'idéologie francophoniste en a vraiment pris pour son rhume.

Meurtre pour la joie

Il n'est pas question que je fasse le tour des communications. Certaines concernaient le Magreb, d'autres Haïti, etc. Et le Québec là-dedans! Quelle ne fut ma surprise de rencontrer le Délégué du gouvernement du Québec en Italie, Monsieur Jean Martucci, qui a tenu à être présent à l'occasion de ce congrès. Bien plus encore, il s'est occupé de l'animer généreusement en invitant les participants à un vin d'honneur avec récitation de poésies québécoises au Café Pedrocchi, puis en les conviant à la représentation de la pièce de théâtre de Jacques Lavallée, *Meurtre pour la joie*, interprétée avec beaucoup de talent par Jean-Marie Lelièvre. Parmi les professeurs canadiens et québécois circulaient deux de nos écrivains les plus représentatifs : Nicole Brossard et, bien entendu, Gaston Miron qui, je dois bien l'avouer, a su m'émouvoir lorsqu'il déclama avec chaleur et conviction quelques extraits de *L'homme rapaillé*. Même émotion et plus grande surprise à écouter les courts textes sensuels et bien sentis d'Anthony Phelps.

Le Québec m'a semblé avoir assez bonne audience en Italie du Nord. Depuis que les Parisiens manifestent un certain blasage vis-à-vis des écrivains québécois — les chanteurs populaires y ayant Dieu merci plus de succès —, j'ai pu constater l'enthousiasme avec lequel on est en train de mettre sur pied un programme de littérature québécoise à Bologne, sous l'autorité avertie de Franca Marcato, avec six crédits de cours par année. Je salue aussi Carla Fratta de Bologne et Pasquale A. Jannini de Rome, Liana Nissim et Floriane Cotnoir-Ranno de Milan, et combien d'autres ... Tout cela pour illustrer comment certains écrivains québécois sont lus, traduits et «enseignés» en Italie — je ne saurais ajouter et vice et versa.

Entre deux conversations, on ne se gêne pas pour souhaiter recevoir davantage de livres et de revues québécoises afin de satisfaire une demande de plus en plus grande de jeunes Italiens francophiles.

Retour à l'hôtel (de la) Grande Italia aux petites heures du matin. Pluie torrentielle, encore, en compagnie d'une jeune étudiante italienne (elle n'aura décidément jamais de nom pour moi) de Turin, lectrice inconditionnelle du théâtre québécois, élève du professeur Zoppi, traducteur de Miron, de *L'homo rappezzato*.

Le congrès devait se terminer par une table ronde qui aurait regroupé une vingtaine d'écrivains francophones afin de discuter d'une double problématique : comment exprimer son identité dans une langue qui n'est pas notre langue maternelle d'une part et, d'autre part, l'écrivain serait-il un éveilleur de conscience. Cette discussion devait avoir lieu à Venise, à l'Isola di San Giorgio (Fondazione CINI), dans un décor à la fois sobre, riche, solennel et propice à la réflexion.

Toutefois, cette table ronde n'a pas eu lieu. Sous une pluie tenace, dans le cadre d'une grève générale de 24 heures, des grévistes avaient décidé d'organiser une marche de protestation depuis la seule route qui donne accès à Venise jusqu'au terrain de stationnement des voitures. Ce qui devait avoir lieu à 10 h le matin fut reporté aux calendes grecques... Parmi les écrivains et les professeurs, le souffle des travailleurs. Parmi les vieilles pierres nobles et décadentes, la non moins puissante marée de parapluies multicolores. Et dans l'horizon rapproché, le va-et-vient des pétroliers.

Le soir, un dernier souper copieux entre Français, Allemands et Italiens. Décidément la nuit se fait éternelle à Venise. Puis, bagages en main, je dois quitter mes nouveaux amis. Nous étions au «Paradiso perduto». Il venait de cesser de pleuvoir.

Le statut social de l'écrivain

Comme les sous-titres le laissent entendre, le statut de l'écrivain est (a)perçu ici selon trois points de vue à la fois superposés et complémentaires. Ce texte gigogne est par moments partial et parfois même moqueur. Il n'est alors que le reflet de nos pratiques idéologiques, à nous les intellectuels, ici professeurs-journalistes-littéraires, là éditeurs-critiques-écrivains, et ailleurs lecteurs-spectateurs d'un univers de signification et de séduction auquel nous participons et succombons tout à la fois. Le miroir de la signature, le regard, en coulisse, du signifiant.

Dans cette difficile tentative de sortir du mythe romantique de l'écrivain, nous proposons ici une ébauche de réflexion sur l'institution même qui rend possible par exemple :

a) la reconnaissance d'un essai comme appartenant à la littérature;
b) la sélection d'un scripteur comme devant représenter l'écrivain de (la) fiction nationale;
c) peut-être, la fabrication publique du scribe.

Tantôt arbitre, tantôt arbitraire, l'écrivain est aux prises avec la représentation et la légitimation même des pourvoyeurs d'autorité.

«Les membres souhaitent que l'Union augmente son *membership* en recrutant, notamment, les auteurs scientifiques.» C'est ce que l'on pouvait lire dans le procès-verbal de l'Assemblée générale de l'UNEQ qui s'est tenue le vendredi 8 octobre 1982 à Montréal. Il s'agissait en réalité d'un souhait du président sortant de l'UNEQ de l'époque, Denis Monière, qui affirmait en une sorte de volonté testamentaire que l'Union devait élargir le nombre de ses membres en s'efforçant de recruter en son sein des écrivains qui exercent leur plume ailleurs que dans le réseau dit «littéraire».

Cette suggestion de Denis Monière, pour ne pas dire ce conseil, ne semble pas avoir reçu toute l'attention qu'elle mérite. Les auteurs scientifiques sont-ils des écrivains, au sens où on l'entend ordinairement quand il s'agit de romanciers, de poètes ou de dramaturges? Et si ce sont des écrivains, le champ de production des littéraires peut-il en tirer profit ou, en d'autres termes, a-t-il intérêt à frayer avec des «auteurs scientifiques»? Qu'on pense à Julien Bigras, à la fois médecin, psychanalyste, romancier et essayiste — (il est membre de l'Union), ou encore à Jean Royer, journaliste, poète et essayiste à sa façon — (il n'est membre que depuis 1983) ou à Marcel Rioux, professeur, sociologue chevronné, auteur d'un grand nombre de volumes, etc. — (qui est sans doute membre d'une ou plusieurs associations autres que celle de l'Union) ou enfin à Jacques Godbout, poète, romancier qui publie surtout en France, journaliste polémiste, cinéaste, et l'un des fondateurs de l'UNEQ en 1977.

Ces exemples suffisent à amorcer une réflexion sur ce qu'est dans notre société un écrivain, un auteur, un littéraire. La distinction anglaise entre «fiction» et «non-fiction» suffit-elle à distinguer les écrivains qui produisent des oeuvres de fiction (récit, poème, texte de théorie-fiction, etc.) de ceux qui accouchent d'ouvrages divers que l'on coiffe de l'étiquette «essais», mot passe-partout, *intransitif*? Cette distinction reproduirait-elle la division du travail séculaire du champ de la culture : les «artistes» d'une part et les «clercs» de l'autre, ces derniers étant mieux nantis, plus proches des appareils institutionnels et des instances de pouvoir, salariés, tandis que les «artistes», à la merci du mécénat, sont auréolés des vertus de la pauvreté, de l'errance symbolique et des consécrations posthumes, quand ce n'est pas de la folie.

Nous ne désirons pas nous engager outre mesure sur le terrain (passionnant par ailleurs) des catégories esthético-sociales que délimitait naguère Roland Barthes en distinguant les écrivains des écrivants. De toute manière, cette césure n'est pas nouvelle. Gramsci distinguait les intellectuels traditionnels des intellectuels organiques (ces «fonctionnaires des superstructures») et Sartre, dans son célèbre *Plaidoyer pour les intellectuels*, distinguait les techniciens du savoir pratique (qui se servent d'un savoir à visées scientifiques pour définir et soutenir au XIXe siècle la nouvelle idéologie bourgeoise dominante) et les intellectuels proprement dits qui, eux, ne sont pas dupes de contradictions qui les identifient organiquement à l'idéologie de la classe bourgeoise, et qui doivent surmonter ces contradictions qu'ils incarnent : ne vivent-ils pas eux aussi de la plus-value; la valeur sociale que leur statut leur confère ne les rend-elle pas privilégiés par rapport à l'ensemble des classes travailleuses; ne doivent-ils pas taire l'aliénation que leur confère ce privilège même du monopole du savoir (croire à l'égalité des hommes, masquer les instances de pouvoir, faire comme si son savoir était au service de la majorité, etc.)? Cette problématique du statut de l'intellectuel nous entraînerait trop loin[1]. Gramsci, Sartre, Barthes, on pourrait aussi rappeler les réflexions de Régis Debray sur ce produit historique que constitue le scribe, mi-chien de garde de l'ordre mi-incarnation des déchirures sociales... Rappeler enfin les travaux de Marcel Fournier, attentif aux travaux de Pierre Bourdieu, sur les professionnels de la science au Québec et sur les professionnels de l'art...[2]

Nous nous contenterons ici d'essayer de situer le statut du littéraire. Nous en amorcerons l'étude en soulevant, par exemple, le nuage nébuleux de sens qui compose l'expression *essai littéraire*. Nous resterons ainsi dans le cadre de la littérature (le littéraire) et des genres qu'elle a sélectionnés et classés (l'essai). Cela nous semble aussi un raccourci économique pour reprendre notre interrogation du début à propos de l'ouverture éventuelle de l'UNEQ — aujourd'hui dominée par des écrivains littéraires de fiction — à des essayistes plus ou moins scientifiques et dont les activités s'exercent souvent à l'extérieur des frontières (de discours) de la littérature proprement dite[3]. Raccourci économique aussi pour apporter quelques éléments historiques sur le changement de statut et le rôle de l'écrivain-professeur de la littérature, au Québec, depuis une cinquantaine d'années.

La représentation idéologique de l'écrivain ou l'écrivain des littéraires

Il existe un philosophe qui m'a toujours intéressé et qui a longtemps cherché à la fin des années 70 à rendre service à l'équipe de *Livres et auteurs québécois*. Son nom : André Vidricaire, professeur à l'UQAM. Lorsqu'il fut responsable de la section «essais» de *Livres et auteurs*, son premier réflexe — puisqu'il n'est pas un littéraire au sens consacré du terme — sa première tâche lui a semblé être de définir ce qu'est un «essai» par opposition aux autres genres littéraires, de définir l'essai aussi par rapport aux diverses pratiques d'analyse (et) des *textes* et de la *réalité* socio-culturelle québécoise, ce qui ne fait pas toujours l'objet d'une même représentation du réel.

Ses textes de présentation de la production «essai» de 1979 et 1980 seraient à citer et à commenter. Je me contenterai de mettre ici en évidence ce que ces réflexions peuvent avoir de vivifiant et de décapant. Vidricaire accompagne son projet de classification textuelle d'un besoin d'historiciser les pratiques d'analyse de textes, d'un besoin d'opposer à une conception *organique* du champ culturel une conception *conflictuelle* des rapports sociaux.

Son premier texte s'intitule : «Pour une politique de l'essai en littérature». Son deuxième, plus explicite encore : «Les genres en littérature, en histoire, en art, etc. : un conflit de disciplines». Ajoutons un troisième texte, un compte rendu de lecture du tome II du *Dictionnaire des oeuvres littéraires du Québec (1900-1939)*, texte dans lequel Vidricaire reprend obstinément sa réflexion. Nous le citerons abondamment, sans même les excuses d'usage.

La revue *Livres et auteurs québécois* lui apparaissait — et encore aujourd'hui —, comme un bon indice de la constitution et de l'autonomisation du champ littéraire.

> (...) Il suffit de lire *Livres et auteurs* depuis 1961 (...)! L'opération a consisté année après année à catégoriser, à regrouper, à substituer, à ajouter et à supprimer des genres et des discours au profit du territoire de l'imaginaire (universitaire).

En 1961, en effet, la littérature regroupait en son sein presque toutes les formes d'écriture, tant de fiction (les ouvrages dits d'imagination) que de réflexion (les ouvrages issus des disciplines non littéraires, comme si ces disciplines n'avaient pas vraiment d'autonomie propre). Tout se passe comme si la notion de littérature devait coïncider avec celle de l'imprimé... On a même connu vers 1968 huit genres d'essai différents. L'édition québécoise produisait en effet de plus en plus de publications diversifiées issues des différentes disciplines scientifiques que la création du ministère de l'Éducation puis des Affaires culturelles avait eu tendance à favoriser, et pour cause. Comme *Livres et auteurs* devait avoir un mal fou à classer cette abondance et cette diversité, les critères de sélection ont donc dû s'expliciter, forçant ainsi la littérature à devenir une véritable discipline.

> (...) suppression des publications «officielles», des manuels, des rééditions, des monographies, des ouvrages en collaboration, des livres spécialisés, des travaux philosophico-théologiques parce qu'ils «ne sont pas de grands révélateurs de la québécité» (1974, p. 274)...
>
> Mais ce geste montre que ce sont justement ces autres disciplines aux dénominations de plus en plus précises et univoques qui ont affirmé leur propre DIFFÉRENCE. L'éducation d'abord. Puis la linguistique et les arts. Enfin les sciences de l'Homme qui regroupent de multiples pratiques discursives. C'est l'ère de l'expansion de ces SAVOIRS, de leur différenciation et de leur autonomie dans leurs propres réseaux.

C'est alors que les littéraires — «ce groupe d'intellectuels universitaires» qui partageaient encore en 1973 l'idéologie dominante québécoise de la grande culture classique — ont dû prendre acte d'une orientation dans le champ culturel, d'une nouvelle répartition des rôles et d'une autre division du champ, travail social dont ils n'a-vaient ni l'initiative ni le contrôle, donc ni le monopole d'antan ni la légitimité sans faille. Selon Vidricaire, *Livres et auteurs* n'a reflété jusqu'en 1973 que «la pratique et les intérêts du groupe des Lettres, non pas ceux des Écrivains québécois», la nuance est de poids :

> Mais au fur et à mesure que les savoirs se sont affirmés comme autres que littéraires, c'est la littérature elle-même qui a précisé, enfin, sa propre sphère d'activités. En effet, elle va se spécialiser, se démultiplier, se différencier en genres autonomes au point d'exclure des discours. Mais en changeant elle garde son hégémonie. Par exemple, la littérature ne sera plus considérée comme une forme d'essai mais comme tout le territoire de l'imaginaire, lui-même fractionné et divisé en genres autonomes. (... l'ESSAI littéraire) a pour fonction de récupérer ce que les Littéraires ont supprimé et ce que les non-Littéraires ont refusé. En effet, il suffit que tous les «tâcherons» des autres disciplines acceptent d'être des «auteurs», des «écrivains», s'ouvrent à l'imaginaire pour qu'ils voient leurs textes devenir des oeuvres et entrer dans le champ des Lettres. Par ce biais, dans l'écriture, il y a des objets littéraires et des objets non-littéraires. Ou plutôt, l'écriture est littéraire et le reste... n'est pas de l'ÉCRITURE. Tel est le jeu de délimitation et de sélection.

Le syllogisme est en effet simpliste et vicieux, et Vidricaire a beau jeu de s'en moquer. La catégorie «écriture» (et aujourd'hui «nouvelle écriture») devint le critère de délimitation et de légitimation de ce qui pouvait et devait être retenu comme «littérature». Et comme c'est le cas avec toute catégorie commode, les frontières ne manquaient pas d'élasticité. Tout un jeu d'intégration, d'extension et de transformation allait s'exercer de la part de ceux qui ont pour fonction de «parler» (de) l'essai. En 1975, dans *Livres et auteurs*, Guy Laflèche allait même jusqu'à définir l'essai comme «un discours fictif sur la réalité». Et encore en 1982, celui qui remplaça Vidricaire à la section «essai» de *Livres et auteurs*, Pierre L'Hérault, reconnaissait que l'essai était une catégorie bien élastique : «Entre l'étude scientifique, l'édition critique, la monographie historique et le récit autobiographique, il y a place pour à peu près tout, y compris le pamphlet et le folklore». L'année suivante, en 1983, toujours dans *Livres et auteurs*, L'Hérault tente de sortir de l'impasse et affirme dès l'ouverture de son texte de présentation des essais de l'année 82 :

> Nous parlerons ici des essais plutôt que de l'*essai*, renonçant à élaborer une théorie au nom de laquelle certains textes seraient retenus, d'autres exclus. (...) Entre les extrêmes (...) il y a toutes les combinaisons et tous les jeux possibles. (...) Du reste, les genres littéraires — leur étanchéité en tout cas — ont sufisamment été remis en cause pour qu'on sache que la frontière entre le fictionnel et le non-fictionnel est de plus en plus difficile à préciser! S'il faut parler de l'*essai*, nous en parlerons donc comme de cette voix plurielle qui joue des consonances et des dissonances des voix singulières. Mais ce n'est sans doute (et c'est moi qui souligne) *que dans l'acte de lecture* que peut se recomposer un portrait d'ensemble (...).

Cela me rappelle le Colloque tenu à l'Université de Montréal le 5 octobre 1979 et qui mettait en question(s) l'essai québécois. La littérarité de l'essai y était invoquée à coup de renfort rhétorique ou esthétique, dans une sorte de crainte d'admettre, dans cette curieuse nécessité d'établir un corpus «littéraire» de l'essai québécois, que les critères de littérarité sont d'ordre idéologique avant d'être linguistique ou autre. Dans l'essai comme genre littéraire ou l'essai comme québécois, le problème ne réside pas, en effet, dans la difficulté de définir l'essai comme québécois, mais de définir l'essai comme *littéraire*. Tous ceux qui s'y sont essayés, remarque Vidricaire, «donnent toute l'apparence d'appartenir à un club fermé». Et le réseau institutionnel des revues, par exemple, n'est-il pas là pour maintenir le paradigme, pour délimiter, différencier et autonomiser des catégories littéraires dont un des enjeux consiste, poursuit Vidricaire, «à laisser intacte l'hégémonie d'un groupe d'universitaires».

> Même un quotidien comme *Le Devoir* n'échappe pas à cette spécialisation du champ littéraire par rapport à ce qui l'exclut. En effet, alors que l'essai non littéraire (...) figure à

> côté de la page éditoriale, plus spécialement dans la section «Des événements, des hommes», le roman, la poésie, en un mot tout ce qui s'appelle l'oeuvre de fiction ou d'imagination appartient au cahier «Culture et société». Seuls les discours psychanalytique (...) et linguistique côtoient la Littérature.

Lors du colloque sur l'essai québécois en 1979, Pierre Vadeboncoeur en perdait son latin. Et pour cause, puisque ce n'est pas lui qui décide de l'étiquetage de ses textes. Les Littéraires l'ont toujours reconnu comme un des leurs depuis *La ligne du risque*. C'est l'écrivain qui est valorisé, non le syndicaliste. Par contre, lorsque le professeur Tremblay écrit sur le syndicalisme québécois, c'est l'homme de «science» que l'on retient, et l'écrivain que l'on ignore. Gilles Leclerc avait raison d'affirmer que *nous* sommes tous des essayistes et tant mieux si la société marche avec nous. Le «nous», c'était tous les Littéraires qui étaient réunis en colloque, et la «société», c'était ceux qui prenaient la peine et l'intérêt de se reconnaître comme participant à un champ d'activités intellectuelles spécifiques.

Les contaminations de plus en plus encouragées entre genres d'écriture depuis 1970 — journal intime, récit à thèse, poésie, théorie-fiction, etc. — sont liées à des efforts de monopolisation de discours (de récupération, désamorçage, légitimation, etc.). Les effets de fiction et/ou les effets de théorie sont alors traduits dans le but de proposer une classification, une typologie des discours, une hégémonie. Et dans les affirmations très souvent inédites d'André Belleau : tout n'est pas littérature, mais tout peut l'être, ou encore : toute tentative discursive est menacée (!) par l'écriture, je regrette de voir encore une fois confondues deux pratiques différentes : l'écriture et la littérature. Ce va-et-vient entre les deux pratiques ne mène pas à l'ambiguïté fondamentale de l'essai comme le signale A. Belleau, à la fois autotélique, fictif et référentiel; ce va-et-vient mène à la confusion, c'est-à-dire à l'impossibilité de saisir ce qu'est le littéraire, mène au brouillage, c'est-à-dire au refus de sortir du champ pour en comprendre les mécanismes de fonctionnement et en apprécier les enjeux.

Vidricaire y va d'une série de propositions qu'il présente à *Livres et auteurs* comme les pièces disparates d'une courtepointe, chaque carreau constituant un élément de résolution du casse-tête qu'est l'institution littéraire. Il propose alors une dizaine de pistes de réflexion que j'aimerais commenter rapidement. La colonne de gauche reprend presque mot pour mot le texte de Vidricaire, celle de droite constitue ma réflexion en marge de ses assertions.

1. Prendre au sérieux l'idée de Jean Marcel qui considère que l'essai se définit d'abord par ce que l'institution littéraire en dit et que «ça revient à donner une certaine crédibilité littéraire à la notion d'institution littéraire.

2. Considérer que l'institution littéraire revise ses définitions des genres littéraires au moment où d'autres institutions de savoir et d'écriture délimitent leur propre sphère d'activité.

3. Voir que tout ouvrage peut entrer dans plusieurs institutions de savoir en même temps, et ce, contre la volonté explicite de son producteur. Il suffit de délimiter le point de vue adopté et les intérêts en jeu.

4. Dans le champ cuturel, il existe une sorte de hiérarchisation pyramidale. Au sommet règnent les «écrivains», les «auteurs» issus de divers milieux. Ensuite divers réseaux autonomes, parfois an-

On ne saurait se satisfaire en effet d'affirmations vagues comme : «les véritables écrivains, ceux qui méritent d'être relus[4], même si j'admets que c'est au niveau de sa consommation seule que se décide l'appartenance ou non d'un texte à la littérature, sa classification et son fonctionnement. C'est en effet moins le producteur de textes originaux signés par un écrivain qui fait évoluer la littérature que le savoir variable de la critique (et ses besoins) qui modifie la fonction de la littérature dans l'histoire nationale d'une formation sociale. Un essai n'est pas littéraire en soi. Il le devient ou non selon la traduction, la transformation et la définition que les intervenants du champ littéraire lui appliqueront. Cela n'est certes pas exclusif au champ littéraire. En effet, on l'a vu, il faut tenir compte de l'émergence parallèle des disciplines en sciences humaines qui ont, elles aussi, imposé leur différence, leur mode de définition et de sélection aux disciplines plus anciennes comme l'histoire, la philosophie et la littérature.

Cela se passait autour des années 40 chez les francophones canadiens, à l'époque où la division sociale du savoir atteignait une certaine complexité et une décentralisation de plus en plus marquées. C'est en effet

tagonistes à cause des luttes pour le monopole d'une légitimité scientifique, littéraire, artistique ou idéologique. De ces réseaux émerge le champ littéraire. *Livres et auteurs* a d'abord cherché à servir les intérêts du sommet de la pyramide. Maintenant, on se consacre aux ouvrages de fiction et on maintient la pyramide d'antan.

5. S'apercevoir que l'institution littéraire, quand elle demande aux autres disciplines d'interroger ses propres «essais», postule qu'un *genre littéraire* prolifère de partout et qu'un penseur, un universitaire, un scientifique, un spécialiste peut devenir un écrivain, un intellectuel, un créateur! À l'inverse, noter qu'une discipline non littéraire a eu peu d'intérêt à s'interroger sur les genres utilisés pour se constituer comme savoir dans le champ de la culture.

6. Se méfier, par ailleurs, du refoulement de l'écriture dans le champ du savoir dit objectif. Qui refoule? Quand? Pourquoi? prendre au sérieux les scientifiques qui disent ÉCRIRE un essai (théorique). Le texte indique — ce faisant — un type d'intervention qui surtout entre les deux grandes guerres, en pleine crise économique, que des disciplines jusque-là considérées comme relevant des Lettres ou des Humanités vont se distinguer comme des sciences (botanique, histoire, sciences sociales...). L'institutionnalisation des sciences sociales va contribuer à la création d'un champ scientifique, lui-même socialement partagé en sciences humaines et sciences naturelles, à une époque où, du côté des lettres, demeurent encore confondues écriture et critique littéraire, l'une et l'autre s'épaulant et s'intégrant harmonieusement, se confondant même avec l'ensemble du champ culturel. Toutefois, la constitution du champ scientifique va forcer le champ littéraire à se structurer, l'obligeant à se définir davantage devant la montée des études linguistiques, la poussée de la pratique théâtrale (*Ti-Coq* de Gélinas date de 1948), celles des arts visuels (le *Refus global* fut signé en 1948 également) et l'effervescence du champ intellectuel (la grève d'Asbestos) où les places et les rôles forment des remous tellement il semble y avoir bousculade.

Le champ littéraire devra se spécialiser. Au fur et à mesure que s'enseignera dans les écoles notre «littérature qui se fait», selon la formule de Gilles Marcotte, on assistera à l'établissement d'un fossé entre les littéraires et les écrivains. La critique littéraire se voudra discours *sur* la littérature (et non plus simplement *de*, *pour* et *par*). C'est alors que les études littéraires universitaires se sont ouvertes aux savoirs et aux savoir-faire des sciences humaines

génère une forme spécifique non négligeable.
7. Interroger non seulement le rapport de l'écrivain à la société et au politique mais encore (et surtout) celui de l'universitaire. L'université dans ses institutions aurait intérêt à faire front commun avec certaines causes esthétiques, culturelles, politiques qui la remettent en question. Place à l'inquiétude au sujet de l'autonomie universitaire et de son pouvoir.
8. Convenir que c'est pour le moins aberrant que Louki Bersianik entre dans les catégories «essai» et «poésie». De même pour Suzanne Lamy. Convenir que c'est inacceptable que la majorité des textes des femmes ne peuvent pas figurer dans la section «Des événements, des hommes» du *Devoir*, parce que «fictifs».
9. Voir qu'un ouvrage casé dans une catégorie pré-établie est détourné la plupart du temps de sa fonction originaire, de ses visées spécifiques. Il n'existe plus selon son projet initial mais en fonction des Littéraires qui s'en nourrissent et qui existent grâce à lui.
10. Il serait intéressant que *Livres et auteurs* 80 consacre alors en émergence. Dans cette évolution qui va de la critique littéraire à la théorie de la littérature, les conflits entre écrivains-journalistes-professeurs iront en s'accentuant[5]. Lutte donc entre les Médias et l'École, et surtout entre les professionnels intellectuels et les intellectuels professionnels, lutte qui ne fera que s'amplifier avec la fondation des cégeps et de l'Université du Québec, lutte qui illustrera à merveille l'interpénétration progressive des champs scientifique, philosophique et littéraire au coeur d'une tension institutionnelle que nous vivons encore maintenant. Consacrer par exemple une demi-journée à la doxologie dans le cadre de la section littéraire française du dernier congrès de l'ACFAS constitue encore en effet un bel exemple des transferts constants et capricieux entre les champs de discours.

Si l'on fait l'effort (la fiction) de se mettre dans la peau d'un écrivain ou plutôt d'un producteur de textes, ce dernier semble plus ou moins libre (plutôt moins) de choisir le réseau institutionnel dans lequel il désire exercer sa plume. Cela dépend s'il veut en faire un passe-temps, une plateforme d'animation ou de propagande (comme ces écrivains qui soutiennent ou condamnent ouvertement et explicitement, même en racontant des histoires, tel ou tel discours idéologique dominant leur génération) ou un métier à temps plein et rémunérateur. Nous reviendrons plus loin sur le statut économique de la pratique de l'écriture.

Disons simplement, pour le moment, que

des sections à des groupes d'écritures : l'écriture des femmes, l'écriture des *Herbes Rouges* et de la *Nouvelle barre du jour*, l'écriture des Socialistes et de toutes les gauches politiques, l'écriture des universités, etc. En étant, en quelque sorte, reflet des remises en question des genres, des catégories littéraires, cette publication annuelle se verrait invitée à questionner son propre classement et à préciser année par année les intérêts qu'elle défend. À ce propos, les revues mensuelles et trimensuelles, de concert avec celle-ci, devraient organiser un colloque qui traiterait de la place et de la fonction qu'elles occupent. En outre, *Livres et auteurs* devra chercher à détruire le mythe de l'écrivain qui siège au-dessus de la mêlée. Pour ce faire, cette revue pourrait graduellement s'ouvrir à des genres littéraires qu'elle exclut : la bande dessinée, la science-fiction, le roman-feuilleton, etc. Elle pourrait aussi consacrer des dossiers à des thèmes d'actualité comme celui du nationalisme. Sismographe, elle chercherait à accompagner des combats, des expériences, des explorations.

les écrivains qui réussissent à vivre de leur plume sont très rares. Ils sont d'ailleurs tous impurs, tous contaminés par (ou impliqués dans) un champ d'activités connexes : Yves Thériault écrivait pour la radio, les adolescents; Victor-Lévy Beaulieu était un éditeur «littéraire» en même temps qu'un romancier, et son *Melville* est perçu et retenu comme un essai littéraire, de la même manière que le dictionnaire de Léandre Bergeron sur la langue québécoise est moins valorisé par les linguistes que par les littéraires et le grand public. Seul Michel Tremblay semble vivre de sa plume, et Nicole Brossard. Toutefois, son activité d'écriture est relayée par les spectacles, les traductions, les subventions, les prix littéraires, adaptations, etc. Même agitation chez Louis Caron qui rêve lui aussi d'écrire un *Matou*, s'efforçant tant bien que mal de nager, bien sûr, dans les eaux de Québec-Amérique plutôt que dans celles de VLB par exemple...[6]

D'autre part, il faut bien reconnaître que presque tous les écrivains connus au Québec exercent leur activité à travers un métier, à travers des appareils institutionnels divers : le clergé, le fonctionnariat, la presse, l'école, les médias électroniques, etc. Ce métier fait que l'écrivain est d'abord (et avant tout) un professionnel, quelqu'un qui doit obéir à des impératifs de carrière. Toutefois, exercer le métier de rédacteur-journaliste, de rédacteur-historien, de rédacteur-sociologue, de professeur, de scénariste, etc., c'est très souvent, par la même occasion, hériter d'un lieu dans lequel et à partir duquel seront évalués les textes produits; il n'en demeure pas moins qu'un texte peut s'ajuster à plusieurs champs de savoir — voyez ceux de l'abbé Groulx, on peut les retrouver dans un manuel d'histoire, un manuel littéraire, dans une anthologie littéraire ou *Le Québec en textes* — et par aileurs, cet ajustement peut se faire sans que son auteur ait eu à en décider. Un texte est celui d'un écrivain s'il répond aux goûts, donc aux intérêts mis en jeu dans le champ du moment. Idem dans les autres disciplines. Ces dernières font leur pâture de ce qu'elles reconnaissent comme pouvant être englobé à l'intérieur de leurs frontières respectives plus ou moins bien gardées.

Par contre, il existe des textes que les disciplines ne se disputent pas. La biographie de Louis Cyr, *Le rock et le rôle* de Pierre Voyer ou les mémoires de Jacques Normand trouveront plus difficilement preneur chez les littéraires que les *Lettres à sa famille* de Louis Hémon et moins d'emballement chez les historiens que les articles de Pierre Bourgault et même le *Désobéir* de Claude Charron. Il existe donc des réseaux divers et opposés qui sélectionnent et déterminent le destin des écrits. Comme quoi l'institution est à la fois un mécanisme de lecture, d'appréciation, de classement et de sélection. Les critères arbitraires varient et chaque appareil institutionnel a développé ses propres mécanismes de digestion et de rejet. Dans le champ littéraire par exemple, on pourrait aligner des essais dont les formes d'écriture sont aussi variables que l'autobiographie, la chronique, les mémoires, la critique littéraire et les multiples «disciplines» connexes auxquelles elle emprunte ce dont cette critique a besoin pour se nourrir et maintenir sa légitimité. Même chose pour les théoriciens de la littérature.

Il faut donc admettre que l'écriture devient ainsi *un espace de lutte* au sein même des disciplines et à plus forte raison entre les disciplines qui font valoir leurs propres règles d'appréciation et d'utilisation des textes.

De fait, il n'existe pas de champ de production (de discours) complètement autonome. Ils sont plutôt spécifiques. Les champs intellectuel, artistique, littéraire et scientifique par exemple s'auto-influencent au sein de ce qu'on appelle généralement le champ culturel. Plutôt que de se représenter le fonctionnement des champs comme des cercles concentriques, Vidricaire s'en tient malheureusement à la vieille figure structurale de la pyramide, qu'il condamne par ailleurs, l'écrivain se trouvant au sommet, comme auréolé d'un statut symbolique irréfutable. Mais cette pyramide d'antan n'est plus ce qu'elle était, malgré tous les efforts des Littéraires pour revivifier la croyance au paradigme de l'écrivain roi mage, à la fois rêveur et réflexif, inventif et analyste, libre penseur et scribe, occulte et engagé, etc. Le champ littéraire a incontestablement connu ces trente dernières années un mouvement de recroquevillement et de rétrécissement (cf. annexe 1) qui va à l'encontre du fourre-tout idéologique et textuel que son hégémonie lui garantissait auparavant. Cette autonomisation s'est faite, on l'a vu, sous la pression (parfois violente) des sciences humaines et des arts visuels qui se sont taillé une place et qui ont imposé leur position dans la hiérarchie des champs de production de discours. Le mythe de l'écrivain qui siège du haut de sa tribune (et qui en profite parce que son nom se trouve encore augmenté en tant que prêtre ou journaliste ou professeur) a cédé la place à celui de l'intellectuel professionnel qui, dans la course du mouvement nationaliste moderne, a auréolé d'une crédibilité nouvelle le militantisme au sein des appareils d'État en pleine transformation; mythe de l'intellectuel professionnel qui, à son tour, a peu à peu cédé la place au professionnel intellectuel, au technocrate des pratiques culturelles, ce dernier se définissant davantage par sa condition économique que par sa position politique et idéologique.[7] Dans le champ strictement littéraire, la poussée professionnaliste aidant, on a assisté à la spécialisation technocratique des fonctions, puis au cumul tactique des postes, comme dans les autres disciplines d'ailleurs, les frontières disciplinaires correspondant à divers domaines définis du savoir et/ou diverses pratiques professionnelles. Dans ce contexte de professionnalisation des rôles et de parcellisation des savoirs, le statut traditionnel de l'écrivain en a pris pour son rhume. Ses opinions ou ses cris se sont trouvés noyés dans une mer de pratiques culturelles que lui disputaient *aussi* les mass-médias électroniques modernes : radio, télévision, cinéma, etc.

Les écrivains se sont alors recroquevillés encore davantage, leurs discours se sont faits de plus en plus hermétiques, s'adressant à un public de plus en plus restreint, creusant encore le fossé entre leur manière de dire et de revendiquer et celles des autres — ou celle des romans-feuilletons auxquels le grand public était fidèle depuis toujours, ou celle des discours spécialisés et jargonneux des sciences humaines. C'est ainsi que la modernité est devenue le fer de lance d'une hyperlittérature pour initiés, d'une métalittérature pour écrivains-professeurs-critiques-éditeurs qui s'auto-évaluaient dans les cadres restreints des tirages peu risqués des 500 exemplaires subventionnés.

La pyramide d'antan dont parle Vidricaire serait devenue une pyramide sans tête, tronquée, l'écrivain ayant été évincé du trône qu'il occupait au sommet du discours idéologique bourgeois de la grande culture de nos collèges classiques. Les sciences humaines l'ont occupé par la suite (la linguistique, la sociologie, la psychanalyse), comme naguère la philosophie ou l'histoire, etc.[8]

Vidricaire est très exigeant envers les Littéraires et beaucoup moins envers les écrivains proprement dits qu'il ne questionne pas ou peu. Dans son esprit, les Littéraires sont des universitaires qui refusent de remettre en cause les catégories un peu vieillottes et les représentations un peu mythiques dont ils se servent pour maintenir un champ de pratiques discursives aujourd'hui socialement inopérant (ce qui n'a pas toujours été le cas). Quand on prend la peine de constater jusqu'à quel point les discours critiques littéraires changent avec les décennies, on ne peut que reconnaître que les Littéraires n'ont plus l'initiative au sein des pratiques idéologiques et qu'ils ne font que se conformer au diktat des discours mieux articulés ou mieux légitimés de l'heure. Toutefois, se plier aux instances du pouvoir est encore une excellente manière de durer et de garder en formation les différents secteurs d'activités de la discipline. Quant aux écrivains eux-mêmes, Vidricaire semble obligé d'admettre que voilà une catégorie difficile à saisir. Il n'est pas possible de prétendre étendre sa portée à tous ceux qui écrivent. Il est vrai qu'il y a toujours quelqu'un ou quelque chose qui parle dans le théorique comme dans l'idéologique. Refuser cette évidence n'est qu'une illusion théorique de plus. Mais reconnaître un sujet (psychologique, social, historique), est-ce toujours celui d'un écrivain?

D'ailleurs, Barthes l'a assez répété : *écrire* est un verbe transitif. Et c'est là-dessus que les Littéraires devraient travailler, et les autres champs de savoir également. Un texte ne serait l'oeuvre d'un écrivain que lorsque son intention initiale d'écriture est *transitive* et son effet reconnu comme tel. Toutes les autres formes d'écriture intransitives — même la critique littéraire elle-même — ne sauraient être retenues comme une activité d'écrivain. Considérer la critique «littéraire» comme un genre «littéraire» n'est défendable et compréhensible que pour un Littéraire et la (les) discipline(s) qu'il enrichit et réactive. Mais la tautologie est la même chez le philosophe, parfois présente chez le psychologue, souvent chez l'historien, évidente chez le théologien, vivante chez les travailleurs en communication(s)... Tout texte intransitif, qu'il porte sur un autre texte, un(e) personn(e)age ou un événement, enrichit le corpus et le discours d'une institution. Le discours encourage alors d'autres pratiques d'écriture, de lecture et d'enseignement; il favorise des modèles, des récupérations, des transferts de fonctions d'un texte à l'autre, le *référent* s'avérant tout autant textuel que réel, idée que réalité.

L'université se présente alors comme le lieu d'une foire aux discours — je préfère cette représentation à celle de la poubelle —, avec ses animaux savants, ses dompteurs, ses jongleurs, ses charmeurs, ses risques, ses monstres, ses miroirs déformants, etc. On y apprend plein de choses. On y fait parfois des découvertes qui bouleversent le monde. Ces sauts épistémologiques s'effectuent aussi dans un milieu de plus en plus enclin à la conservation et à la transmission des savoirs qu'à leur remise en question. On y parle davantage qu'on y écrit... et *la relève* semble marquer le pas à ses portes. La relève assiste sans enthousiasme à sa propre reproduction.

Le statut économique de l'écrivain ou la fiction légale de l'écrivain

En effet, le numéro spécial de *La nouvelle barre du jour* sur l'«intellectuel/le en 1984?» ne se paie pas d'illusion.[9] La fonction de critique et de vigilance narquoise qui caractérisait l'intellectuel classique et qui le définissait a tendance, depuis 1976 (!), à se confondre avec la fonction devenue banale de dire, de faire des traces. Cette confusion du dire (et quelle ironie quand on songe à la venue de «l'âge de la parole») et de la critique (c'est-à-dire du discours de l'analyse rigoureuse, du refus, de la prise sur le réel de ce fou du roi masqué qui devient à la fois le juge, l'éducateur et le prophète de la collectivité qui se paie le luxe de le tolérer, de le maintenir, etc.) n'engendre plus que tiédeur, neutralité, comme on dit mettre sa vitesse au point mort; donc perte de la foi qui animait la génération des 40 ans, aujourd'hui enrichie et sans passion apparente, issue de la Révolution culturelle et institutionnelle de la belle Province; perte de la foi et aussi absence de mission particulière, absence de stratégie collective. La génération des 30 ans se voit réduite à des tactiques ponctuelles et quotidiennes, sans grande conviction, sauf peut-être chez les féministes qui continuent obstinément à travailler le social. Les 30 ans subissent la «crise» dans le désenchantement et l'impuissance de l'inertie obligée, quand ce n'est pas dans l'insouciance ou la fuite dans l'*egotrip*. «Pour plusieurs en ce moment, explique Sylvie Gagné en parlant de l'exil des intellectué(e)s en 84, il ne s'agit pas de se demander comment travailler efficacement à l'intérieur des institutions mais bien comment survivre hors les murs». Génération d'exilés à l'intérieur des champs de savoir, génération de pigistes à la merci de l'esprit corporatiste et compétitif (plutôt que combatif) des disciplines, génération de chômeurs instruits, de professionnels sans emploi, etc.

Cette dimension *économique* du statut de l'écrivain commence à prendre de plus en plus de place dans les réflexions et les débats publics actuels. Il est certain que l'UNEQ y est pour quelque chose, et il est heureux que l'UNEQ délaisse un peu l'idéologie romantique de l'écriture comme vocation, ou le discours idéologique d'appartenance à une collectivité francophone en Amérique... pour des considérations plus pragmatiques sur la situation socio-économique des rédacteurs culturels. Son IIIe Congrès annuel, tenu en avril 1984, portait justement sur cette question et le document de travail qui a servi d'amorce à la discussion ne manquait pas de porter flanc à la critique, à cause même de son grand intérêt sociologique : «Damnés écrivains, damnées écrivaines». Ce document se voulait-il aussi ambigu qu'il n'était, au carrefour d'un misérabilisme exagéré, d'une parodie déconcertante et d'une revendication mi-corporatiste mi-pamphlétaire.[10] Je ne saurais trop le dire, étant moi-même «positionné» comme disent les sociologues, en tant qu'écrivain, professeur et éditeur.

On peut tout de même retenir des choses très intéressantes pour notre propos dans ce document de travail. D'abord le fait que l'écrivain n'ait pas de statut légal. En plus de souffrir de l'exil institutionnel, il souffre de l'exil économique : «économiquement, nous ne représentons à peu près rien». En effet, comme il n'a pas de revenus importants (entre 2 000 $ et 5 000 $ en moyenne), l'écrivain ne paie pas d'impôts, il n'est pas considéré comme un travailleur, il ne peut pas bénéficier de prestations d'assurance-chômage ni de sécurité de revenu, il n'est donc pas un citoyen à part entière. Il est un «quêteux», dans le sens de celui qui possède très peu et qui quémande pour vivre. À peine touche-t-il des droits en échange de ses «oeuvres»; à peine jouit-il de profits symboliques en terme d'honneurs, de voyages, de banquets, prisonnier d'une *mondanité* à la fois empesée, solennelle et indispensable à l'édification et au maintien du paradigme et de la croyance en l'écrivain. Ce dernier ne possède qu'un statut de fiction, symbolique, même si c'est lui qui fournit la matière première (ses oeuvres) à tout un réseau d'activités de marché qui, lui, possède un statut légal et économique, profite des programmes gouvernementaux, depuis l'imprimerie et la bibliothèque publique en passant par l'éditeur, le libraire, le distributeur, le professeur, etc.

Nous sommes loin du discours qui faisait de l'écriture une vocation. Aujourd'hui, on se demande de plus en plus si elle peut être un métier, une profession, tout en maintenant tout de même ici et là quelques relents d'idéalisme pour répondre aux instances encore agissantes de la littérature (cf. annexe 2). L'écriture ne semble d'ailleurs une vocation peu rentable qu'en littérature, au grand scandale de ceux-là même qui la pratiquent, la maintiennent et l'enrichissent comme institution. Récemment, cette dernière redorait chez les écrivains la notion de *travail*, la lecture-écriture y devenant un travail *de*, *sur* et *dans* la langue, elle-même forteresse du symbolique à l'assaut de laquelle l'écrivain devait participer s'il voulait laisser se construire (de) l'imaginaire... et j'ajoute qui sera lui-même à son tour assiégé par (de) l'idéologie qui en fera de la littérature, etc. Aujourd'hui, ce discours qui traque l'idéologie et en dessine les masques n'a plus aussi bonne presse, même chez les intellectuels. Il tourne à vide, il est chargé à blanc, il ne change rien, apparemment. En pleine caricature, cette noble notion qui est celle du travail se transforme — on est en crise — et expose la dimension économique de sa pratique. L'écriture peut-elle (encore) être un travail rémunérateur, un métier?

Jean-Pierre Guay posait la question en ces termes : «Y a-t-il une relation de cause à effet entre l'existence d'un marché du livre et celle d'une littérature nationale»?[11] En d'autres mots, l'artifice du marché québécois dépasserait-il la fiction d'une littérature locale vivante? En 1982, 80% des livres vendus au Québec n'étaient pas des livres produits ici. On est alors en droit de se demander quels intérêts on veut défendre en maintenant un marché du livre au Québec, les intérêts des francophones d'ici ou ceux des francophones d'Europe.

> En somme, la collectivité québécoise s'est dotée d'une industrie du livre dont 20% des activités seulement la servent en regard de ce qu'on pourrait appeler sa volonté d'exister culturellement, les mêmes chiffres s'appliquant d'ailleurs à l'ensemble des autres secteurs culturels; disques, spectacles, arts visuels, radio-télévision, cinéma, etc.[12]

Bien plus, de ce 20% de produits québécois du marché du livre, il n'y en aurait que 20% qui relèverait de la littérature. C'est bien peu quand on connaît la fringante boulimie de l'édition québécoise de ces dernières années (5 000 titres par année). Faisons le calcul : en 1982 les ventes de livres au Québec ont atteint 150 millions de dollars; le 20% représente trente millions, une modeste somme que se disputent les éditeurs, les imprimeurs, les distributeurs, les libraires... et les écrivains. Voilà une bien maigre pitance à partager.

Le nombre d'écrivains actifs au Québec serait un peu supérieur à 1 000 et l'UNEQ en regroupe déjà environ 350 sous sa bannière. Je cite et je souligne :

> *De réputation*, il y a bel et bien une *littérature québécoise*. Un ensemble imposant d'oeuvres en affirme et en maintient l'authenticité. Mais cette littérature a-t-elle un avenir? (...) (les écrivains) devront passer du rêve à la réalité, choisir entre le *symbolisme* de leurs oeuvres et leur *coefficient de changement*, s'interroger, enfin, sur la plus fondamentale de leurs motivations : écrit-on pour être inscrits au répertoire d'une *littérature nationale* ou n'écrit-on pas, au contraire, pour faire vivre les *projets collectifs et individuels* que toute littérature digne de ce nom a pour fonction de mettre à jour?[13]

Ce beau discours parle mal de l'indigence réelle de ceux qui rêvent de vivre exclusivement de leur plume — à moins qu'ils ne réussissent à obtenir le droit au salaire minimum et à toutes les prestations dont peut bénéficier tout honnête travailleur autonome; il faudrait alors changer de discours, faire en sorte que l'UNEQ, qui est reconnue comme un syndicat professionnel au même titre que l'Union des artistes par exemple, puisse se munir d'un contrat de travail collectif à partir duquel ses membres pourront faire reconnaître leurs droits... En réalité, ces droits seraient plutôt des privilèges, il faut bien l'admettre. Et comme la majorité des écrivains travaillent ailleurs — «la vraie vie est ailleurs»! — ces privilèges jouent en plein symbolique, dans le surplus, le surcroît, le tissu de la plus-value, les marges du loisir, les règles du *spectacle* social, etc., ces privilèges doivent se justifier, se mériter, être défendus aussi puisque des privilèges ne sauraient être des droits universels; enfin ces privilèges sont convoités, distribués et partagés par tous ceux qui se disputent le marché à la fois culturel et commercial de la pratique de l'écriture.[14]

«Écrire est un choix, remarque Jacques Godbout, le cinéaste et l'écrivain. Demander que l'État prenne les écrivains à sa charge plus qu'il ne le fait actuellement est ridicule. Les écrivains deviendraient des fonctionnaires de l'État.»[15]

Même si l'UNEQ devait consacrer la plus grande partie de ses énergies et de ses fonds à ouvrir ses frontières et solliciter non seulement les écrivains de fiction mais aussi tous ceux qui font acte d'écriture, que cette écriture soit conventionnelle ou moderne, aux intervenants aussi d'autres pratiques culturelles comme les scénaristes (qu'en pense la SARDEC?), les auteurs-compositeurs de chansons, les gens de théâtre, etc., serait-ce là travailler à une solidarité intellectuelle à laquelle aspireraient les travailleurs textuels — moins les professionnels intellectuels et les travestis de notre vieille religion nationale que les marginaux, les déclassés, les exclus du jeu de la chaise musicale de la pige?...

D'autre part, l'UNEQ n'inspirerait-elle pas, à son insu, la nostalgie et/ou la résurgence de l'hégémonie d'antan de l'homme de lettres, comme le retour à la surface sociale d'un refoulé (encore vivant, on le verra plus loin, dans l'imagerie *populaire* de l'écrivain)? ... Dans la représentation plus *savante* de l'écrivain, ce mal-refoulé formulerait le désir de réunir sous la bannière de l'«écrivain» non seulement ceux que la typologie traditionnelle a consacrés comme écrivains mais aussi les écrivants, les intellectuels professionnels, les professionnels intellectuels, les chercheurs en sciences dites humaines, tous ceux qui écrivent pour transmettre leur savoir respectif — car ils n'écrivent pas tous, et quand ils le font, ils ne le font pas tous en français, loin de là.

L'UNEQ aura besoin d'affûter davantage son discours d'appel ou d'accueil et surtout le discours qui la marque idéologiquement comme association professionnelle. Dans son bulletin du 27 mars 1984, par exemple, on pouvait lire ceci à propos des largesses du Conseil des Arts du Canada pour les traducteurs et les essayistes : «Le

Conseil des Arts a aussi approuvé un budget de 400 000 $ qui lui permettra d'ouvrir ses programmes aux essayistes. *Ce Conseil reconnaît ainsi la part de littérature et de création* qui est celle de bon nombre d'essayistes» (je souligne).

Cette phrase mérite d'être analysée : qui parle, à qui et de quoi? C'est l'UNEQ qui se réjouit que le Conseil reconnaisse, par une aide, la part de création et de littérature chez bon nombre d'essayistes. En reprenant le schéma actantiel de A.J. Greimas, on a :

Destinateur		**Objet**		**Destinataire**
le *Conseil* et ses programmes d'aide = l'instance de reconnaissance	→	a approuvé 400 000 $ en guise de soutient = la sanction	→	*essayistes* qui se trouvent ainsi reconnus = chercheurs légitimés, écrivains, créateurs
		↑		
		L'UNEQ et les valeurs qu'elle défend		
		Sujet		

L'UNEQ récupère ainsi à son profit la signification du geste du Conseil des Arts. Elle révèle et projette en même temps les goûts, les intérêts et donc les valeurs qui la définissent comme représentante (déléguée) d'un groupe. Chacun des membres de ce groupe se trouve alors défini par les mêmes valeurs : celles de la création et de la littérature. Me voilà bien avancé!... Tout de même, je constate et je comprends mieux maintenant comment fonctionne l'institution littéraire, en elle-même, dans ses relations avec les autres pratiques culturelles et dans son rapport au pouvoir (le savoir du pouvoir). C'est là que se définit le littéraire : a) comme effet de structure, donc un système de places et de rôles, et b) comme processus, donc qui se joue selon l'ensemble de la formation sociale. Le professeur est encore, tout de même, un excellent adjuvant culturel.

Le statut de l'écrivain est à réévaluer sans cesse. Chaque époque lui concède et/ou accorde la place et le rôle qu'il réussit à gagner et à maintenir au sein des luttes que se livrent les intervenants des disciplines intellectuelles. Devant le recul évident des littéraires (universitaires) dans leur rôle de valorisation de l'écrivain, l'UNEQ semble vouloir prendre la relève et en professionnaliser les activités.

Mais cet écrivain est-il encore le même que celui des Littéraires?

La figure de l'écrivain dans le grand public ou la séduction du scribe

Il suffit de fréquenter assidûment les «salons du livre» pour mesurer l'engouement que de telles manifestations provoquent dans la population. Tout l'univers du livre s'y trouve condensé : éditeurs, libraires, distributeurs, bibliothécaires, associations diverses et, bien sûr, écrivains de tous genres viennent rencontrer «en personne» les lecteurs encore nombreux. Les interviews succèdent aux séances de signature qui, elles, entrecoupent les lancements individuels ou collectifs. Salon, marché, foire du livre, commerce intellectuel. La culture de masse qui est la nôtre est en effet une culture de marché. Mais comment le Québec, dont le marché est très restreint, se sort-il d'affaire? Là-dessus, les chiffres varient et les discours abondent, les discours «culturels» étant plus nombreux que les discours économiques.

La part de vente de livres édités au Québec représentait il y a vingt ans moins de 15% du marché local. Elle dépasserait maintenant 30%, ce qui représente un progrès économique et culturel important. Les programmes de subventions gouvernementaux ont ainsi réussi, semble-t-il, à administrer quelques remèdes à une industrie depuis toujours maladive (cf. le Rapport Bouchard). Toutefois, dans ce 30% de volumes édités au Québec, peu de titres sont des produits purement québécois, c'est connu. La Bibliothèque nationale du Québec a bien pu enregistrer, en 1982, au service du dépôt légal, quelque 4 336 titres venant de 1 110 *origines* éditoriales[16]; toutefois, il n'existerait qu'une soixantaine de véritables éditeurs au Québec selon Statistique Canada, et l'Association (francophone) des éditeurs canadiens ne réunit que 47 membres. Par ailleurs, on peut estimer à 680 titres les textes littéraires habituels et à un millier les autres titres d'ouvrages : livres didactiques, techniques, littérature pour enfants, etc.

En général, les tirages «littéraires» sont relativement bas. Exception faite des Anne Hébert, Antonine Maillet, Marie-Claire Blais, Gaston Miron, Victor-Lévy Beaulieu, Alice Parizeau, Michel Tremblay, Denis Monière, etc., les tirages ne dépassent pas les 3 000 exemplaires et l'autofinancement des livres est un phénomène exceptionnel. Cette situation chronique s'est davantage détériorée depuis les dernières années : hausse constante des coûts de fabrication; diminution du pouvoir d'achat des lecteurs, dont le bassin est déjà bien réduit sur le continent; réticences des libraires qui ne misent que sur ce qui se vend bien, les best-sellers, le plus souvent étrangers; absence du livre dans les médias électroniques, surtout à la télévision, là où se trouve le marché potentiel (pour ne pas dire le marché rêvé)... Et pourtant!

Et pourtant plus de 55% de la population adulte lit régulièrement des livres au Québec. Le ministère des Affaires culturelles dévoilait qu'en 1978-1979, près de 23% des amateurs de littérature avaient lu de un à neuf livres, 44% de dix à vingt-neuf et 32% plus de trente titres. Mais ces chiffres nous informent assez peu sur le contenu des livres consommés, sur les motivations des lecteurs dans le choix qu'ils font a) de l'activité de lecture elle-même dans l'éventail possible des pratiques culturelles, b) des titres qu'ils privilégient dans la jungle commerciale et intellectuelle qu'est le marché du livre en général.

La catégorisation des ouvrages eux-mêmes est approximative :

— au *scolaire* correspondrait le manuel, le volume à vocation didactique;
— au *littéraire* répondraient les ouvrages d'imagination (par leur contenu «romanesque») et ceux qui jouent sur le signifiant textuel : les jeux typographiques de la poésie, les didascalies des textes dramatiques ou des scénarios par exemple;

— au *documentaire* se grefferaient les ouvrages en sciences humaines — donc les «essais» de toutes sortes —, et les ouvrages en sciences exactes, objectives...

Comme on l'a vu dans la première partie de ce travail, la figure de l'*écrivain* se manifeste surtout au sein des catégories du littéraire et des sciences humaines, cela presque exclusivement. De plus, les marques d'appartenance d'un titre à telle ou telle discipline littéraire et/ou scientifique proviendraient non seulement de marques textuelles évidentes livrées par le titre, la typographie, la mise en page, la «poétisation» ou non du discours, etc., mais aussi de tout un discours d'accompagnement qui se greffe et soutient en quelque sorte ce titre à l'intérieur de frontières disciplinaires plus ou moins étanches selon les moments de l'histoire de ces disciplines et leurs besoins. Il apparaît aujourd'hui évident que la catégorie «écrivain» est le résultat d'une longue gestation institutionnelle et tout particulièrement le produit de l'école. La représentation ou le portrait-robot que l'on se fait de l'écrivain sera donc tributaire du modèle «scolaire» que véhiculent encore de nos jours manuels et histoires littéraires, critiques journalistiques et discours radiophoniques sur la Littérature.[17]

Dans *Situation VIII*, Sartre insistait déjà sur le «non-savoir» que constitue la littérature comme pratique scolaire et sociale. Parce que la communication s'opère en littérature par le déchiffrement d'un système de symbolisation et non par la transmission directe de significations, il devient clair que les critères de classification et d'élection de tel ou tel auteur se trouvent déplacés et qu'on ne peut plus réduire ni le texte ni l'écrivain à représenter des valeurs explicites. Les élèves de cégep ou encore le grand public savent d'emblée que la littérature dont on (leur) parle est bien différente de ce qu'ils découvrent seuls et au hasard de leurs lectures (sauvages).

> Le choix, dans un manuel, porte évidemment sur la qualification de l'écrivain et sur sa présentation (...). L'exclusion n'est explicable qu'au regard du portrait des élus. (...) l'écrivain scolaire n'*existe* que dans la mesure où il peut entrer dans un modèle préétabli de discours. (...) le manuel

> ne retient pas tous les gens qui, dans un temps déterminé, ont publié un livre (et il) ne prend pas pour critère objectif les chiffres de tirage qui, au moins, expriment quantitativement la consommation réelle de matière imprimée par une société donnée dans un temps donné. Absurdes ou grossiers, le refus de ces critères renvoie la sélection à une idée de la littérature. Or on sait qu'elle n'est presque jamais définie directement, tant elle doit aller de soi pour les gens de goût.[18]

Ce texte de Georges Raillard ne fait que durcir la boutade de Barthes qui affirmait que la littérature (n')était (que) la série des textes et des auteurs qu'on enseignait à l'école. En corollaire à cette argumentation, il faut constater l'insignifiance quantitative de la consommation littéraire chez ceux qui ne fréquentent pas l'école. Il faut encore ajouter que cela démarque deux lieux de consommation «littéraire», un peu comme le fait Bourdieu quand il délimite les champs de production restreinte d'une part et de production de masse d'autre part. Tout cela se conçoit fort bien pour ce qui est déjà «classé» dans la littérature, poursuit Raillard, mais cela s'embrouille lorsqu'il s'agit de la matière imprimée en cours de distribution et qui, elle, en instance de classement, est l'enjeu scolaire. Or, si ce classement engage la représentation des écrivains (la réduction paradigmatique) et leur sélection, le problème devient réel quand on se situe hors de la clôture à l'intérieur de laquelle s'opèrent la transmission et la consommation scolaires de la littérature. C'est cet état de fait que dénonçait avec véhémence André Vidricaire. Il s'en prenait aux littéraires universitaires, au discours universitaire, au court-circuit connu (écrivain, lecteur d'une maison d'édition, critique, professeur, lecteur, etc.) qui a tendance à récupérer (comme modèle valorisé), en un corpus référentiel et révérentiel, même les produits les plus invraisemblables de la modernité, l'avouable et la clandestine, la quasi conforme (la mode) et la quasi irrecevable (l'effet de snobisme). Cette sacralisation comme valeur autonome a en effet de quoi être questionnée, surtout si l'on prend la peine de sortir de la clôture, ou même tout simplement de sortir du passé sacralisé et de surveiller le passé encore présent ou l'écriture en train de se proposer dans l'actualité littéraire.

C'est alors, comme le remarque encore Raillard, que se manifeste une ambiguïté, un trouble, une hésitation entre deux formes du temps : le temps sélecteur et le temps vécu de la consommation, la valeur culturelle (éternelle) et la valeur ustensile (fugitive). Le Temps sélecteur est alors appelé à autoriser la composition d'un panorama qui tend à justifier autant l'investissement dans le social (le nationalisme des poètes de l'Hexagone par exemple) que la recherche gratuite et esthétique de l'art à la condition que ce dernier fonde l'autre comme valeur, et non l'inverse, quoique la littérature ait horreur du vide, de l'absence, du médiocre :

> Aussi ne prend-on à l'endroit de la littérature que des risques calculés et fait-on participer les valeurs littéraires de celles qui assurent la prospérité économique : la valeur sûre s'oppose à la mode, le succès tient à la fois à la consommation immédiate (être accessible), et à une réserve de sens (la profondeur), la «cote» de l'écrivain est calquée sur les qualités du chef d'entreprise ou sur celles du produit industriel : rareté, originalité, audace, ambition, mais aussi universalisation, sagesse, durée... Réunissant ces qualités, l'Écrivain *doit* bénéficier de la sélection naturelle du temps.
> (...)
> Et le temps apparaît définitivement moins comme un processus de «décantation», voire de choix par une société qui invente de nouvelles valeurs, que la mise en place d'un système où doit tenir sa place quiconque en a tenu une (fût-ce dans la «tradition orale») dans ce qu'une société est convenue d'appeler la littérature.
> (...)
> Modèle pédagogique, l'Écrivain est donc la figure nécessaire du système. Mais l'exaltation de la personne, l'attention biographique sont trompeuses : c'est moins des individus qui sont présentés que des porteurs de valeurs. (...) Il ne s'agit pas de permettre par les textes (des manuels) l'apprentissage de la symbolisation, mais de parcourir une

> Voie sacrée. Il n'y (a) donc pas lieu de définir la Littérature.[19]

Les représentations que l'on se fait de l'écrivain révèlent donc des interférences que tissent l'institution scolaire et l'institution littéraire. Ces institutions transmettent un cadre de valeurs que les sujets scolarisés ont intériorisé et qu'ils investissent souvent à leur insu, au moment de l'usage qu'ils font des produits culturels. Mais la coïncidence de l'univers clos de la littérature et de celui de l'école ne s'explique que par l'hérésie de l'autonomisation des deux univers. Cette autonomisation est entretenue. Elle n'a d'existence que celle qui la fonde en discours. Celle de la littérature et, par conséquence, les représentations symboliques et économiques qu'elle entretient à propos de l'écrivain sont le produit d'un immense dispositif institutionnel dont on peut énumérer les pièces maîtresses dans la liste suivante : l'école, bien sûr, comme on l'a assez répété, mais aussi les appareils de la littérature elle-même : les revues, la presse quotidienne, l'édition et sa publicité, la télévision et ses émissions culturelles, ses «jeux» tellement scolaires, les colloques nationaux ou internationaux, les prix, les foires du livre — on les retrouve donc ici.

Particulièrement actifs dans l'organisation de la mise en scène de l'écrivain, les salons du livre véhiculent en effet et donnent en pâture une image apparemment hétéroclite de l'écrivain. Cependant, c'est l'image scolaire qui domine tout le long de ces manifestations, en dépit des efforts évidents qui y sont déployés pour rendre l'écrivain plus accessible (on peut le voir, lui toucher, communiquer avec lui), donc plus familier que dans le mythe que l'appareil a imposé aux esprits, et davantage pluriel (il peut être une femme autant qu'un homme, ne porter ni barbe ni lunettes, être timide ou bavard, manifester des signes de richesse ou de pauvreté (légendaire) dans sa tenue vestimentaire, etc.). Au même titre que les médias, ces «contacts» publics directs avec les auteurs contemporains (même pour les non-lecteurs) ont donc pour résultat de multiplier et de vulgariser l'image des écrivains.

L'organisation de séances de signature accuse toutefois le côté rare et exceptionnel de cette présence, de cette rencontre. L'écrivain est d'ailleurs assis derrière une table... La remise de prix littéraires rappelle que les conditions de production des textes demeurent occultes, que les jurés ont sélectionné et choisi, parmi la masse (visible) des livres produits (par les éditeurs) au cours de l'année, celui qui leur a paru répondre le mieux à leurs exigences (reconnues) de perfection, d'originalité et d'intérêt certain pour le public-lecteur-achateur présent.

Dans la mouvance de l'idéologique et de l'imaginaire, le lecteur se trouve ainsi transformé en «spectateur» d'une scène canonique de consécration par les pairs du haut d'une tribune. Spectateur encore de discussions, de tables rondes, le plus souvent animées par une personnalité locale, ce qui met l'accent sur la familiarité (la grande famille sociale), mais à propos de thèmes ou de sujets pour lesquels le lecteur-spectateur se sent rarement concerné, du genre : qu'est-ce que la poésie? pourquoi écrivez-vous? où va la littérature? etc., ce qui a pour effet de renvoyer le même spectateur au mystère de l'écriture. Il écoute peu, il regarde. Si l'écrivain se trouve interviewé par des personnes familières de la radio et/ou de la télévision, il devient alors une vedette, au même titre que ces «artistes» qui envahissent quotidiennement le petit écran. L'écrivain continue donc d'être perçu comme quelqu'un d'exceptionnel (un savant, un doué, un témoin, un exemple). Simulacre de rencontres, certes, mais ô combien fascinant! L'illusion biographique demeure et elle augmente avec l'impression de naturel et de réalité que proposent les médias.

> Clef de son oeuvre, l'auteur est en même temps perçu comme un être mystérieux du seul fait qu'il écrit. On rêve sur sa puissance, qu'on mesure à l'*effet* ressenti pendant la lecture. Et puisqu'il est publié, il est fatalement (...) un exemple de réussite sociale. Mage, et self-made, investi aussi d'un double pouvoir charismatique.
>
> Cette personnalisation et cette sacralisation du rôle de l'auteur constituent un fait culturel général, historiquement datable, qui n'est pas un produit de l'institution scolaire, même si sa *re*production passe, bien sûr, par le discours de l'école et des manuels. Et sans doute le rôle des médias qui assurent aujourd'hui l'information littéraire est-il aussi im-

> portant : le professeur de français le plus écouté aujourd'hui, c'est peut-être Bernard Pivot.[20]

Par contre, les salons ont permis au grand public de modifier *un peu* les images qui traduisaient par trop cette distance révérencieuse à l'égard de tout ce qui s'imprime. L'univers du *best-seller* hante en effet toutes ces foires du livre et marque une reconnaissance du livre en tant que marchandise, une reconnaissance de l'écrivain en tant que sujet social déterminé par les instances économiques de la production des livres et de leur reproduction, une reconnaissance (même floue) du statut de l'écrivain et de l'histoire de l'écriture — ce que les appareils informatisés ne manquent pas d'actualiser. Le public est même invité à venir écrire lui-même ses poèmes... Y a-t-il là de quoi démystifier et même émousser ce désir de «connaissance» et de contact exceptionnel qu'a toujours inspiré l'écrivain (et ses livres)?

> À la télévision, enfin, la voix et l'image se sont trouvées réunies. Plus rien à imaginer, désormais : l'auteur du livre qu'on a lu, ou plus souvent, du livre qu'on n'a pas lu et qu'on ne lira pas, est là, «en chair et en os», et en direct. S'il reste quelque chose à imaginer, paradoxalement, c'est ce qu'il a bien pu écrire. (...) l'oeil cherche immédiatement la *ressemblance*. On confronte ce qu'on voit à ce qu'on a lu, on cherche à imaginer ce qu'on aura à lire d'après ce qu'on voit.[21]

La stratégie consiste immanquablement à ramener le livre à un contenu-résumé, à quelques phrases-synthèses ou citations exemplaires, puis à présenter ce livre en même temps que son auteur, les liant intimement, le style étant l'homme, l'écriture une confidence, un aveu, une vie. La référence biographique est exploitée et renforcée. À l'extrême, le livre n'est qu'un accessoire. L'essentiel est le spectacle télévisuel, l'expérience racontée, la présence, la séduction. Cette dernière est capitale. L'écrivain faisant *corps* avec son livre, son paraître doit induire le désir de lire ses livres. Moreau, le jovialiste, joue à tour de bras de cette mise en scène; Alex Tanous est un médium dont les apparitions dans les médias électroniques permettent ce phénomène de *reconnaissance* si cher aux auditeurs et aux téléspectateurs, phénomène qui se répète *en nature* dans une foire commerciale du livre. On peut alors questionner l'écrivain, confronter son image publique et son image «réelle», mettre à l'épreuve l'effet de séduction en achetant (ou pas) le livre, etc. C'est le tourniquet des représentations dominantes sur l'écrivain.

Il ne faudrait pas se scandaliser d'un pareil dispositif. Qu'il y ait confusion du personnage à la personne vient du fait même de parler des livres, de répéter et de déplacer l'effet qu'ils doivent produire, d'en faire les miroirs de leurs auteurs... les miroirs de leurs (futurs) lecteurs...

> Opposition, donc, entre le grand public, le monde de l'édition et des médias, d'une part, et une fraction de l'appareil scolaire et universitaire qui cherche à former de nouveaux lecteurs et espère par un travail pédagogique dissoudre un faisceau de pratiques illusoires. (... mais) la focalisation sur l'auteur et l'illusion de transparence sont (...) nécessaires? (Et il) serait naïf de penser pouvoir les dissoudre sans dissoudre en même temps la littérature, — et la société?
> (...) Le rôle d'un moyen d'information de masse est de continuer à reproduire l'idéologie dominante, d'encourager les gestes indispensables à la consommation des biens culturels. Et le succès d'*Apostrophes* s'explique aussi sans doute par l'habileté avec laquelle Pivot a réalisé l'une des fonctions des *mass médias*, la *neutralisation*. Libéralement, les extrêmes sont introduits (mais à dose réduite) dans un ensemble où tout tend à devenir équivalent, et ils sont transformés en «virus atténués» contre lesquels l'organisme social peut ainsi s'immuniser.
> (...) le champ culturel est transformé, moins d'ailleurs du fait du «mode de vulgarisation», que parce que le livre se trouve pris dans un ensemble de consommations culturelles plus large.[22]

Il faut décidément relire *Le pouvoir intellectuel en France* de Régis Debray (Ramsay, 1979) et l'adapter à l'histoire culturelle du Québec. Debray distingue, dans l'histoire du champ intellectuel français, trois âges comme autant de cycles au cours desquels une instance du champ a dominé les autres : il y eut d'abord le cycle universitaire (1890-1930), puis le cycle éditorial (1920-1960) et enfin le cycle médias (depuis 1968). Au Québec, nous avons vécu les deux derniers cycles presque simultanément depuis le début des années 60. Il y avait de quoi parler de rénovation culturelle; et pour toute «tranquille» qu'elle ne paraisse, une révolution pose toujours la question des rapports de pouvoir. C'est encore la réflexion que poursuit Debray dans *Le scribe* :

> Or les traditions ne se maintiennent pas toutes seules; laissées à elles-mêmes, elles se perdent en inertie. La tradition a un coût social élevé, il faut y mettre le prix : l'entretien d'un *corps* sacerdotal, d'une *caste* d'administrateurs ou d'un *appareil* bureaucratique ponctionne sévèrement le surplus social, mais sans cette ponction nulle organisation ne se produirait.[23]

L'alibi de l'organisation fait alors appel et légitime l'existence de tout un système de structures, de toute une hiérarchie de places et de positions d'agents au sein d'appareils institutionnels nécessaires au maintien et à l'efficacité de catégories et/ou de valeurs de discours véhiculées en des énoncés d'autorité.

La cohérence du système est le souci premier des donateurs d'autorité. Toutefois, cette cohérence permet suffisamment d'élasticité — ce qui n'est pas la moindre (de ses) performance de discours — pour voir cohabiter au sein d'un même «champ» de pratique culturelle trois types de conception, par exemple, et/ou trois types de fonctions de l'écriture, fonctions que l'on pourrait préciser, avec tous les risques d'hérésie que cela comporte : celle de l'écrivain transitif, celle de l'intellectuel intransitif et enfin celle du producteur de masse.

Ces catégories sémio-sociologiques (et non concepts) me permettent de boucler ce texte qui risque de sombrer dans la tautologie de sa redondance. La recherche sait parfois reconnaître ses risques de lucidité. Enfin, j'ai lu quelque part qu'on établissait un triptyque commode pour une typologie sociale de l'écrivain :

a) La conception solipsiste de l'écriture : elle équivaudrait au mythe romantique de l'écrivain; elle est celle de l'écrivain narcissique; sa valorisation présuppose le recours à l'institution littéraire et à la légitimation de ses productions restreintes par les pairs.

b) La conception de l'écriture engagée, celle de l'intellectuel classique, le plus souvent bicéphale, à la fois auteur et écrivain, comme Zola par exemple, romancier et auteur de *J'accuse*, ou comme Sartre, écrivain des *Mots* et fondateur des *Temps modernes*.
c) L'anti-écriture ou plutôt l'anti-littérature, celle dont l'instance de légitimation est d'abord l'audience populaire, plutôt que l'École, les médias divers plutôt que les pairs.

Puissent ces quelques réflexions rejoindre et alimenter celles de jeunes écrivains et/ou chercheurs intellectuels qui font l'effort et prennent le risque critique de situer leur pratique et d'en évaluer la portée. Il faut se le répéter souvent : les divisions professionnalistes du savoir intellectuel sont d'abord sociales; elles sont le décalque de la division sociale du travail intellectuel.

Le débat a sans cesse besoin d'être vivifié et entretenu, jusqu'à ce que nos catégories institutionnelles qui identifient la valeur des produits, le rôle des agents, la fonction des instances de légitimation des objets culturels, la frontière entre les disciplines, et j'en passe, jusqu'à ce que nos catégories suivent et obéissent (plutôt que d'imposer) à l'évolution de la réalité sociale et des pratiques symboliques. Problème de rentabilité, oui, et qui exige que l'on sache ce que (qui) nous cherchons à servir.

Annexe 1
Ce qu'est la littérature

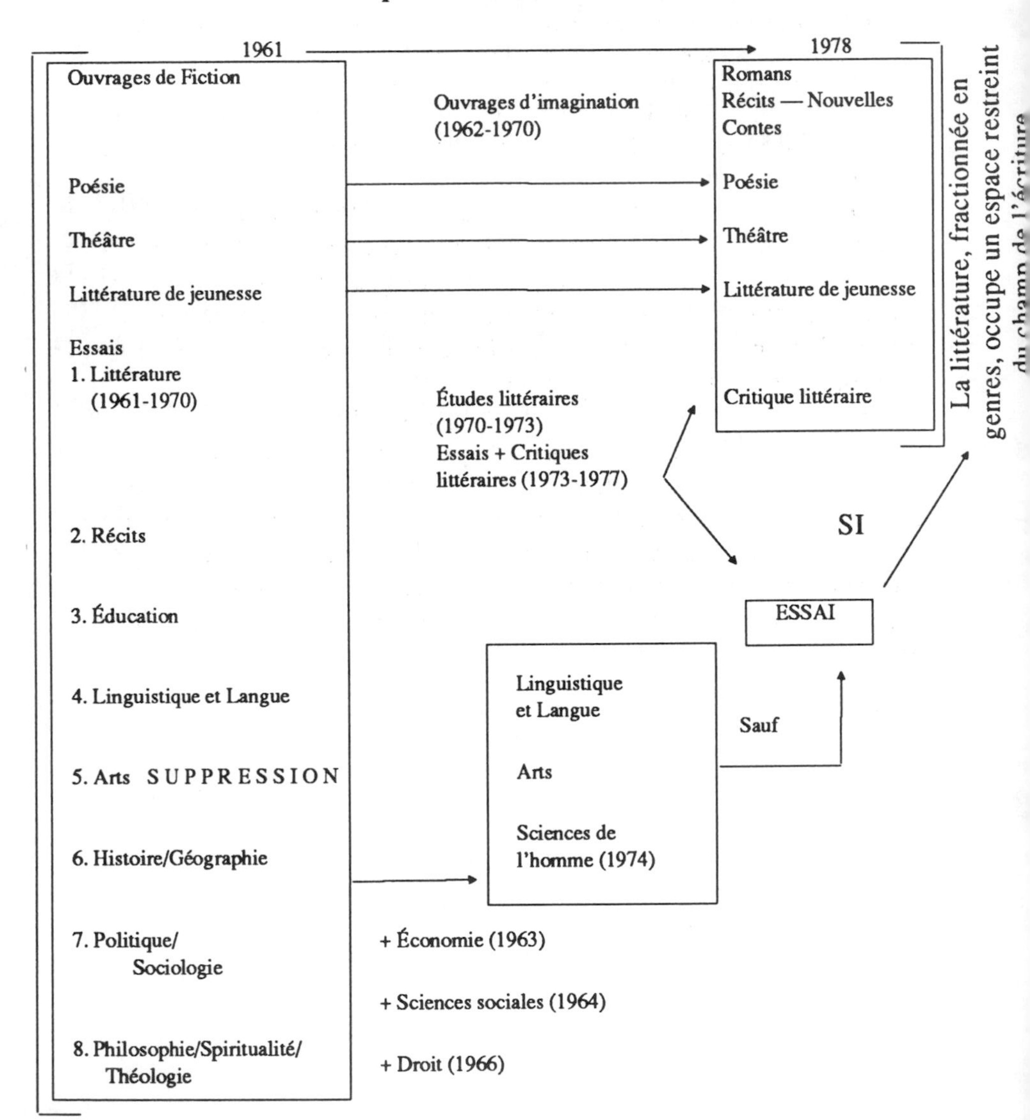

Force est d'admettre que l'*essai* est une forme d'écriture dont le statut est assez instable — et non d'abord un genre littéraire; ses composantes didactiques (argumentation, rhétorique, iconographie, etc.) et ses circuits de sociabilité (marques d'énonciation, narrataires, idéologie...) sont ajustés aux/à la mesure des différentes disciplines scientifiques qui pratiquent l'essai, dont l'une impose parfois aux autres son modèle grâce au haut niveau d'autorité qu'elle acquiert un temps dans la hiérarchie des institutions et des discours : philosophie, sciences sociales, linguistique, psychanalyse, etc.

Vidricaire souhaiterait de la part des Littéraires des grilles moins limitatives, qui éviteraient les exclusions comme dans *Livres et auteurs québécois*, les transformations inacceptables comme dans le *Dictionnaire des oeuvres littéraires québécoises* ou encore les classements a priori comme dans le quotidien *Le Devoir* qui considère à l'avance les textes des femmes comme des oeuvres «fictives». Un tel projet implique des déplacements, exige un questionnement de la place occupée par le littéraire, par l'universitaire-analyste dans le champ intellectuel. Déjà son monde bouge. Le journal *Le Devoir* vient d'adopter récemment une nouvelle répartition de ses dossiers : les affaires publiques, nationales et internationales d'abord, suivies de trois cahiers : Le Devoir économique, Le Devoir culturel (remarquons le générique) et Le Devoir... à loisir.

Annexe 2

Au Québec comme ailleurs, il faut se rendre digne de l'institution littéraire et «il faut avoir été écrivain à plein temps, affirme Jean Royer, c'est-à-dire faire *un travail connexe à l'écriture* : enseignement, journalisme, critique d'art et même le cinéma, pour être admis dans l'histoire littéraire sur le même pied que les autres (écrivains). À moins de faire comme Réjean Ducharme et de se cacher de l'institution pour garder sa liberté d'écrire et de publier» (*Le Devoir*, samedi 23 avril 1983).

> *Reconnaître* les écrivains comme des *citoyens* à part entière, affirme Jean-Pierre Guay, le président actuel de l'U-NEQ, c'est évidemment les *payer* pour leur travail. (...) Les écrivains québécois, comme d'ailleurs ceux de l'ensemble de la francophonie, ont des questions précises à poser à ceux qui se targuent politiquement, dans le commerce et dans l'industrie, dans l'armement aussi, de faire les choses en *français* plutôt que dans une autre langue. Mais encore faudrait-il qu'ils nous couchent sur leurs listes informatisées. Comme écrivains. Tout bonnement. Puisque ce *métier* en vaut bien d'autres. Et que celui dont on reconnaît le travail est toujours un interlocuteur valable. C'est qu'il paiera ses impôts, comme tout le monde. Et acquérir le *droit* de payer ses impôts, c'est aussi acquérir celui de parler. (*Littérature du Québec*, Bulletin d'information de l'UNEQ, 1983.1).

Jean-Pierre Guay admet donc l'existence de *deux ordres* : l'un symbolique, celui sur lequel s'attarde Jean Royer et qui finit par prendre toute la réalité de la pratique littéraire... et l'autre, économique et politique, l'ordre dans lequel on travaille, comme tout le monde, dans lequel on gagne son pain et paie ses impôts... Dans un cas, on cherche une reconnaissance d'écrivain par les pairs; dans l'autre, on cherche une reconnaissance d'écrivain aussi, mais en tant que citoyen à part entière, participant à la formation sociale à laquelle on appartient par une activité qu'on veut voir reconnue comme un métier, etc. L'intellectuel devient un travailleur culturel, comme tant d'autres, mais un travailleur qui veut (pouvoir) se payer le luxe (droit) d'une «liberté» de parler et d'écrire en français.

Il manque encore au Québec une étude du genre de celle qu'a entreprise en France l'économiste Michèle Vessillier-Ressi sur le métier d'auteur : *Le métier d'auteur* (écrivains, compositeurs et cinéastes, auteurs de théâtre et de radio-télévision), chez Dunod, 1982, 400 pages. Comment vivent-ils? Voilà la question à laquelle elle a savamment tenté de répondre, avec les dimensions légales, politiques et symboliques qu'elle recélait. On peut supposer que ce travail est en cours au Québec puisque je viens de recevoir du ministère des Affaires culturelles du Québec, par l'intermédiaire de la SARDEC, un questionnaire qui vise à établir le profil socio-économique des auteurs/es québécois/es : «Enquête auprès des auteurs et auteures québécois», mai 1984. Il est intéressant de constater que cette enquête s'ajoute à trois manifestations récentes : le numéro spécial de *La nouvelle barre du jour* sur les intellectuels en 84, l'Assemblée générale annuelle de l'UNEQ sur le statut économique de l'écrivain, et la dernière livraison des *Herbe rouges* : «Qui a peur de l'écrivain?». Le milieu s'agite de l'intérieur.

Notes

1. Il faut lire à ce propos l'excellent article d'Alain Boisvert intitulé : «Statut et contradictions des intellectuels dans la société», *Philocritique* n°2, Montréal, automne 1981, pp. 123-170; et, de Danielle Bleitrach : *Le music-hall des âmes nobles, essai sur les intellectuels*, Messidor/Éditions sociales, Paris, 1984, 186 p.
2. «L'institutionnalisation des sciences sociales au Canada français», *Sociologie et société*, vol. 5 n°1, Montréal, mai 1973, pp. 27-57.
3. Dans *La Presse* du jeudi 10 novembre 1983, on pouvait lire cette vignette très éloquente pour nos dires : «Les prix littéraires sont rarement attribués par un jury de 1532 personnes. [...] le Prix du public a ses deux vainqueurs, Roger Lacasse pour son livre *La Baie James, une épopée* [...] et Madame Michelle Jean, du collectif CLIO pour *L'Histoire des femmes au Québec*».
4. Sous la direction de Gilles Marcotte et François Hébert : *Anthologie de la littérature québécoise*, tome III, La Presse, Montréal; 1979, p. 45.
5. Scission entre littérature et études littéraires, et à l'intérieur de celles-ci entre la critique littéraire et la théorie de la littérature.
6. Le cas du *Matou* d'Yves Beauchemin est unique au Québec. Tirage à Montréal de 85,000 exemplaires, puis à Paris de 45,000 en coédition. Après un accord avec un club de lecture, le tirage augmente à 575,000. Les droits d'adaptation du livre ont aussi été vendus à une société de production de films. La sortie du film relancera le roman. Des accords ont été passés avec des maisons d'édition étrangères qui le traduiront en plusieurs langues. Déjà célèbre en France, Beauchemin a eu l'honneur de participer à l'émission *Apostrophes*, prestigieux tremplin pour les écrivains. Et tout cela sans avoir obtenu un grand prix littéraire tapageur. Proportionnellement, on peut imaginer l'aventure économique d'auteurs comme John Irving, Norman Mailer, Guy des Cars, Soljenitsyne, etc.
7. Certains intellectuels sont difficiles à situer. Madeleine Gagnon me servira d'exemple et j'espère qu'elle ne m'en voudra pas. Enseignante et écrivaine, elle offre également des services de consultation qui tournent autour de l'écriture et de la psychanalyse : «Corps, parole, écriture». Elle propose donc une pratique et un savoir, qualifiant ce dernier a) de transmissible, b) de monnayable, c) d'agissant, d) de curatif et e) de libérateur. Soulager le corps, libérer la parole, faire surgir l'écrit : voilà le programme... Il faudra se souvenir de cet exemple quand on

abordera le statut économico-légal de l'écrivain et le caractère de séduction de la représentation publique du scribe.

8. Mais comme il existe toujours quelques zones d'ombre au sein desquelles les pratiques idéologiques trouvent à s'exercer, la pyramide décapitée va peut-être se voir greffer une nouvelle tête. C'est ce que semble nous promettre l'actuel virage technologique. Le 6ème Congrès mondial de la FIPF de juillet 1984 le laisse présager, surtout que L'UNEQ elle-même y a organisé un colloque d'envergure portant sur les effets et contributions des nouvelles technologies sur les métiers «culturels» : «Culture et technologie, fusion ou collision?»
9. Numéros 130-131 de *La nouvelle barre du jour*, octobre 1983, préparés par Normand de Bellefeuille et Louise Dupré, avec des textes de Sylvie Gagné, Laurent-Michel Vacher, Diane Lamoureux, André Yanacopoulo, Francine Saillant, André Lamarre, Gordon Lefebvre et Robert Hébert; pour la plupart des professeurs de cégep et des littéraires au sens large du terme.
10. Le ton de contestation du document de travail affiche parfois des conclusions un peu hâtives et très abusives, et je souligne : «Il n'est pas exagéré de dire que les écrivains et les écrivaines sont, économiquement et socialement, parmi les *travailleurs les plus exploités du Québec.* [...] *doivent obtenir* en priorité qu'on leur reconnaisse le droit de se consacrer à *plein temps* à leur travail [...] l'accès au statut de citoyen et de citoyenne à part entière. Actuellement [...] nous n'existons pas légalement [...] nous ne travaillons qu'en temps supplémentaire, [...] des «hors-la-loi» [...] les rendre aptes à payer leurs impôts et donc à remplir intégralement leur rôle de citoyen».
11. *Littérature du Québec*, bulletin d'information 1983/2, publié par l'UNEQ.
12. *Idem.*
13. *Idem.*
14. La pratique, bien sûr, ne se confond pas avec la production comme telle et encore moins avec les produits eux-mêmes. Ces derniers circulent, sont évalués, transformés et utilisés par quiconque y trouve de l'«intérêt»... Je regrette avec N. De Bellefeuille que l'intellectuel québécois soit souvent «un être plus *compétitif* que *combatif*», plus soucieux du paraître, du personnage, de la compétition entre disciplines et institutions que des nécessités réelles de la vigilance, du refus et de l'animation qui ont toujours caractérisé les écrivains qui méritent d'être lus, c'est-

à-dire les intellectuels (professionnels). D'où l'urgence d'un ralliement des forces, poursuit de Bellefeuille : «Encore plus que les lieux d'action si prestement liquidés, peut-être est-ce cette idée d'une *solidarité intellectuelle* qui fait ici défaut [...], le souhait — sans doute bien naïf — que l'on apprenne, lorsque les circonstances l'exigent [...], à subordonner nos disparités à la nécessité de faire front, de s'opposer, de proposer [...]» (*La nouvelle barre du jour*, pp. 130-133). Mais au nom de qui parle-t-il? Des professeurs de lettres des cégeps! Devant l'urgence de quoi? Le droit au travail pour tous! Qui aura l'initiative du mot d'ordre et des stratégies correspondantes? Le Parti québécois, les déléguées féministes, l'AÉPCQ, le Secrétariat d'État!...

15. Jacques Godbout, interviewé par Monique Gignac, «Pouvez-vous vivre en créant?», in *Les diplômés* (de l'Université de Montréal), n°345, printemps 1984, consacré au prix de l'art, p. 24.
16. Ces chiffres comprennent les 2,000 brochures éditées par le gouvernement, les municipalités, des organismes comme Hydro-Québec ou la Cinémathèque, qui ne sont pas à proprement parler des éditeurs. Ces chiffres sont tirés d'un article de Louis-Martin Tard, «L'édition québécoise : livre noir ou roman rose?», in *Les diplômés*, n°345, printemps 1984, pp. 10-12. «Selon le Rapport Drouin/Paquin (1980-81), le Québec compte 54 éditeurs, 250 auteurs, 250 libraires, 250 bibliothèques. Additionnons le nombre de ces professionnels du livre en donnant à chacun un époux ou une épouse, et nous atteignons un total de 1598, le chiffre de vente moyen du roman québécois publié au cours de cette dernière année. [...] Allons chercher la clientèle des cinémas, des théâtres et des salles de spectacles, et nous rejoignons 50,000 personnes, soit l'équivalent du public qui lit *Le Devoir*, le tirage faramineux de quelque palpitant *thriller* ou sensationnel *best-seller* [...] Au début des années 60, 70% des ventes de livres se faisaient aux établissements d'enseignement et services gouvernementaux, et 80 à 90% de ces ouvrages étaient importés. [...] Vingt ans plus tard, la tendance paraît s'être inversée : 30% du marché littéraire (comprenant 40% de livres québécois) alimente les écoles et bibliothèques, le reste est absorbé par la vente au détail. (Madeleine Ouellette-Michalska, «Le livre d'ici : oser séduire et persuader, *Le Devoir*, samedi 16 avril 1983, p. 33).
17. À propos des figures mythiques produites par l'histoire, celles du Poète et du Livre au XIXème siècle, il faut lire *Mythes et rituels de l'écriture* de Claude Abastado, Complexes (Creusets), Bruxelles, 1979, 352 p.

18. Tiré de l'excellent article de Georges Raillard : «Esquisse pour un portrait-robot de l'écrivain du XXe siècle d'après les manuels de littérature», *Littérature*, #7, octobre 1972, p. 74.
19. Raillard, art. cité, pp. 82-86.
20. Philippe Lejeune, «L'image de l'auteur dans les médias». *Pratiques*, # 27, juillet 1980, p. 31. De Lejeune, on peut lire encore *Je est un autre*, Seuil, 1980, et *Le pacte autobiographique*, Seuil, 1975.
21. Lejeune, art. cité, pp. 33-34. Si l'émission *Apostrophes* marche si bien, remarque Lejeune, c'est qu'elle doit rencontrer, tout en les renforçant, les attentes et les attitudes de lecture d'un très vaste public. Il faut ajouter que l'émission est moins littéraire que culturelle.
22. Lejeune, art. cité, pp. 38-39.
23. Régis Debray, *Le scribe*, p. 73.

Le statut (fictif) de l'écrivain

> *«La (re)constitution d'un horizon d'attente n'est possible que s'il y a et que parce qu'il y a un horizon de constitution de l'entente, d'une entente contactuelle, qu'elle soit contractuelle ou même conflictuelle.»*
> (J.-M. Lemelin, *Signature*, Triptyque, 1989)

Dans *Le spectacle de la littérature*, mon texte intitulé «Le statut social de l'écrivain»[1] cherchait à illustrer, entre autres choses, en quoi la notion d'écrivain et plus précisément la catégorie du «littéraire» étaient arbitraires (dans le temps, la géographie, les cultures). Pour illustrer mon propos, j'ai pris l'exemple de l'essai comme type de discours, et j'ai essayé de voir en quoi un essai littéraire pouvait se différencier d'un essai... historique, philosophique ou scientifique.

Les organismes subventionnaires eux-mêmes ont du mal à faire le partage entre la fiction et la non-fiction et, à l'intérieur de la non-fiction, c'est le fourre-tout inextricable tant et aussi longtemps qu'on ne fait pas appel à des champs constitués et autonomisés pour classer et sélectionner ces écrits non fictifs, ce que la tradition appelle un essai, un texte de réflexion libre, un texte comme celui que vous êtes en train de lire.

J'ai constaté que la catégorie du *littéraire* sert à la fois à récupérer (tirer à soi) et à sélectionner (choisir ce qui est conforme aux normes et aux codes, selon des stratégies de contrôle et de prospection, et rejeter hors frontière ce qui n'y répond pas). Le littéraire retiendrait comme un filet à papillon des essais que d'autres disciplines pourraient revendiquer (l'histoire par exemple) et, comme un tamis, ne retiendrait que ce qui peut l'identifier, le servir, abandonnant au vent les biographies des «variétés» artistiques par exemple, mais récupérant comme siens les «journaux intimes» d'écrivains connus.

Bref, il existe des réseaux institutionnels divers et parfois opposés qui sélectionnent et déterminent le destin des écrits et de leurs scripteurs. Comme quoi les appareils institutionnels développent leurs propres mécanismes de lecture, c'est-à-dire leurs critères d'appréciation et d'utilisation des textes, leur procédure de digestion, de contrôle et de rejet.

Plutôt que de reprendre cette illustration de l'arbitraire du littéraire à partir du sort que l'on réserve à certains essais (j'y reviendrai plus loin) et de l'étiquette que l'on accole ou refuse à leurs auteurs, j'ai orienté ma réflexion sur le statut de l'écrivain à partir du statut le plus humble que peut revendiquer un écrivain : celui du compte d'auteur.

La circularité éditoriale

Dans la chaîne qui va de l'écriture à la lecture (et qui y revient), il y a lieu de circonscrire des maillons, des points d'ancrage plus ou moins déterminants pour le bon fonctionnement d'un réseau serré d'intervenants. Cela n'a vraiment rien de bien neuf, je le concède, mais je voudrais attirer l'attention sur le fait que j'insisterai moins sur des individus-personnes que sur des rapports (des places, des positions, des postures, des rôles...), donc des valeurs.

À un bout de la chaîne, même si elle risque à coup sûr de se refermer abouchée à l'autre bout, se trouve le scripteur, celui qui écrit, le rédacteur, celui dont la tâche est de transcrire une parole, dans le but de la conserver, donc de pourvoir cette parole d'une durée, d'une mémoire, telle la tâche de l'historiographe; ou celui qui transcrit une parole dans le but de communiquer à distance. Mentionnons aussi le copiste, celui qui reproduit... Parlons enfin du scribe, du fonctionnaire chargé de la rédaction d'actes administratifs, juridiques ou religieux, du chargé des sceaux, le graveur de la loi, le docteur de la loi chez les Juifs, celui qui est assez docte pour la formuler et l'interpréter, donc celui qui est autorisé à lire, à parler, à écrire, le clerc instruit des choses de la vie sociale, le conseiller. Mais le scripteur moderne qui ne se trouve pas d'emblée plongé dans un ordre institutionnel, d'où peut bien lui venir l'idée d'écrire, le désir d'écrire, cette volonté de faire valoir ces traces qu'il s'applique à rassembler et à signer. Ce vouloir faire valoir est à questionner, et comme en deçà se manifeste un vouloir faire faire un peu occulte, c'est ce sur quoi/qui je voudrais surtout vous entretenir. Cela me paraît en effet un préalable à toute réflexion sur l*e sujet littéraire*. L'auteur (du latin *auctor*), n'est-ce pas celui qui est le responsable, la cause, celui qui est autorisé. Mais autorisé de quoi, par quoi, par quelles instances de légitimation?

D'entrée de jeu, à l'autre bout de la chaîne (de transformation), posons la littérature, et comme *litteratura* signifie en latin écriture, posons donc également d'autres champs de transcription de discours, d'autres disciplines plus anciennes comme l'histoire, la philosophie, ou plus contemporaines comme la psychologie, la philologie, plus récentes comme les sciences sociales, les sciences politiques, donc des disciplines ayant établi des frontières de champ de production de discours, chacun de ces champs se définit selon des catégories socioculturelles ou scientifiques spécifiques, véhiculées par des agents autorisés, grâce à des appareils reconnus et efficaces (journaux, revues, livres, vidéo...), en des lieux délimités par des rituels de transmission et de circulation, et s'adressant à une communauté de pairs... ou parfois à un public plus large, interdisciplinaire par exemple, quand ce n'est pas le grand public. À ce bout de la chaîne donc, ne peut être défini et retenu comme écriture que ce qui réussit à être produit et à circuler, à faire parler de lui, à être utilisé, échangé... Ce bout de la chaîne enserre donc tout à la fois l'écriture, la lecture, les modes de diffusion, le marché culturel, le commerce intellectuel, les instances d'autorité, la loi.

Entre l'écriture et la lecture (que je sépare pour le bénéfice de l'analyse puisque ces deux activités ne sont pensables que dans leur réciprocité), il y a bien sûr l'impression, la distribution, c'est-à-dire la mise en public, la librairie..., sans parler de toute une série d'autres sous-systèmes liés les uns aux autres, de moins en moins artisanaux (exigeant bien au contraire des compétences toujours plus spécialisées), donc des professions constitutives d'un grand réseau de production et de circulation, à l'intérieur d'un système de production aujourd'hui tout aussi mass médiatisé que tout autre moyen de communication, système qui impose ses propres lois de fonctionnement, de mise en marché, de libre concurrence (souvent acharnée)...

Entre la pratique de l'écriture et celle de la lecture publique s'interposent ainsi des relais. Ces relais ont trait à trois opérations institutionnelles majeures ou trois politiques nourries de stratégies complexes :

a) la sélection de manuscrit par un éditeur (correspondant à sa politique éditoriale, idéologico-économique);
b) la fabrication d'un livre par ce même éditeur (sa politique rédactionnelle);
c) et la mise en marché du livre, la circulation (sa politique commerciale).

J'ai l'air de multiplier les truismes! Cependant, je simplifie volontairement et laisse sous silence des stratégies de toutes sortes, depuis le choix du titre et de la signature jusqu'au rituel de «passage» dans les médias, sans oublier l'avance sur les droits d'auteur, les tournées, les concours... De plus, j'essaie d'éviter l'écran de l'idéologie en révélant des traits qui rendent compte le mieux possible du fonctionnement interne de la pratique éditoriale et de ses rapports avec l'organisation sociale. Bref, le scripteur entretient obligatoirement ou des relations d'amitié (la collégialité) et d'intérêts (le prestige et/ou l'argent), ou des relations disciplinaires (échange de textes et/ou de titres) et techniques...

Dans la chaîne, l'écrivain dépend de tous les chaînons qui lui permettront d'atteindre sa cible, le public. Ce n'est qu'en parcourant la chaîne en sens inverse que lui parviendront (ses maigres) «revenus».

En deçà même de l'auteur comme individu préexiste donc tout un éventail de mises en condition objective du sujet. Pierre Bourdieu parle à cet effet d'*habitus*. Et au-delà du lecteur (lui-même prédisposé par des conditions objectives de mises en condition culturelle) se trouve institué tout un éventail de mises en circulation, dans le but d'atteindre ce lecteur, de le multiplier, soit pour des raisons économiques (vendre le livre), soit pour des raisons symboliques (illustrer le nom de l'auteur ou agir sur lui, l'inviter à l'action). J'aimerais m'attarder à cet en deça de l'auteur et à cet au-delà du lecteur dans la carrière d'un écrivain.

Le sujet littéraire et sa croyance

Selon Bourdieu, un des indices les plus révélateurs de l'appartenance de classe d'un sujet, c'est son rapport à l'art, et ce rapport à l'art se mesure à la distance manifestée par ce sujet entre la connaissance (le savoir) et la reconnaissance (la croyance) de la culture dite légitime, c'est-à-dire de la culture savante, de celle que l'on identifie à l'ensemble des savoirs et des pratiques exercés et produits *par* la communauté intellectuelle, artistique et scientifique, et *pour* elle-même.[2]

Les *habitus* (de classe) d'un sujet se mesurent ou s'identifient selon trois modes de médiations correspondant à trois types d'effets :

a) un mode d'acquisition de connaissances, médiatisé principalement par la famille, le milieu, l'environnement, et par l'école : lui correspond un effet d'inculcation;

b) donc un mode d'acquisition de dispositions, ce qui est en réalité l'acquisition de «goûts». Ces goûts seront soit innés, acquis par un apprentissage immédiat (la familiarité, l'aisance, le talent, les aptitudes naturelles), soit acquis par un apprentissage scolaire

prolongé, là où les goûts deviennent des savoirs : lui correspond un effet de trajectoire scolaire, professionnel et social, donc un effet d'imposition symbolique a) dans le corps et b) dans le social, cette incorporation et cette institutionnalisation (le corps institué) servant à déterminer;
c) un mode de participation, un mode d'usage social des produits que l'on fabrique ou que l'on consomme. Et selon les connaissances acquises et les dispositions que l'on a développées... les goûts personnels en viennent à se confondre aux intérêts sociaux du groupe auquel on s'identifie. La valeur étant un *rapport*, la valeur des produits culturels et celle de la pratique (artistique) elle-même se mesurent à l'*usage* que tel ou tel groupe fait de ses produits, donc au mode d'appropriation qu'il privilégie.

Tout cela pour dire que, à l'auteur comme individu psychologique — comme personne — préexiste tout un éventail de mises en condition objectives, dans l'acquisition de connaissances, de dispositions, de participations... Ces mises en condition du sujet — cette longue «formation» scolaire et sociale — est une mise en condition culturelle, au sens anthropologique du terme culturel. C'est cela l'*habitus*, c'est cela qui conditionnera grosso modo un type d'insertion dans telle ou telle pratique sociale, avec une conscience plus ou moins grande des règles du jeu et des enjeux.[3] L'*habitus*, qui règle par exemple la formation littéraire, semble en pleine perte de vitesse au Québec, mais il faut toutefois tenir compte du fait que le champ littéraire existe encore bel et bien, avec ses règles de jeu, ses enjeux et des joueurs très actifs.

Au-delà du lecteur se trouve ainsi institué tout un réseau de mises en circulation sans lequel les produits — leur fabrication et eux-mêmes comme objets — n'auraient aucune valeur, puisqu'il ne leur serait accordé aucun usage, aucune lecture, aucun sens. Ce sont en effet les lectures conjuguées

— de la presse écrite,

— des médias électroniques,

— de l'école et ses programmes d'enseignement, ses nombreux médias de diffusion, ses discours de recevabilité qui prennent souvent le relais du discours critique journalistique qui, lui, définit, classe, sélectionne, reconnaît ou rejette la valeur du produit,
— des manifestations publiques comme les salons du livre, les séances de signature, les tournées d'auteurs,
— des instances de reconnaissance officielle comme les subventions, les traductions, les adaptations, les prix...
— donc de toutes ces formes de publicité, de *ces mises en public* qui augmentent considérablement la publicité proprement dite de l'éditeur, équivalente en cela à l'effet de matraquage du disque à la radio.

ce sont donc toutes ces lectures conjuguées qui donnent du sens à l'écrit, qui le traduisent en texte puis en oeuvre, et qui transforment également le statut de celui qui l'a signé, de qui en est le propriétaire, l'auteur.

Si l'on veut bien oublier le cas d'exception qu'est *Le crime d'Ovide Plouffe* de Roger Lemelin, on peut affirmer dans ce contexte que la publication à compte d'auteur est un cul-de-sac, et cela à tous les maillons de la chaîne éditoriale.

Un cul-de-sac financier pour l'auteur parce que non seulement le coût de production est très élevé, mais le problème de la distribution est énorme. La circulation étant faible, la visibilité du livre l'est aussi, limitée à un groupe restreint d'amis et/ou de confrères. Mais économiquement parlant, ses revenus ne sont pas très inférieurs à ceux qu'un éditeur pourrait en tirer à la vente! L'avantage pour l'éditeur, c'est qu'il ajoute un titre à son catalogue (l'enrichit), profite d'une subvention globale qui lui permet de «miser» sur tel ou tel titre sans trop de risque, profite d'une distribution standardisée en librairie... Par contre, l'auteur à son compte est seul, isolé, inconnu (comment pourra-t-il être reconnu?), ne publie qu'un ou deux titres et s'arrête, ne sentant aucun appui institutionnel, aucune compensation capitalisable, aucun encouragement qui l'inciterait à reprendre le travail, à répéter...

Il pourra dénier l'aspect économique et miser sur le long terme. Il pourra dénier l'aspect institutionnel et vanter sa liberté d'expression et sa liberté de manoeuvre, mais pas pour longtemps. Cul-de-sac institutionnel donc, même s'il existe un Regroupement des auteurs-éditeurs autonomes. D'ailleurs, la critique ignore l'auto-édition[4] et, de ce fait, la rature.

Mais qui ou qu'est-ce qui insiste, pousse, encourage un scripteur à publier, à multiplier sa copie, à abandonner au hasard des réceptions un texte qui ne lui appartiendra plus?[5] Qu'est-ce qui le pousse à publier? Dans le schéma actantiel que proposait A.-J. Greimas et le système des modalités, le Destinateur, c'est ce qui fait vouloir, c'est ce qui fait faire, ce qui commande, ce qui autorise aussi. C'est, compte tenu de l'*habitus* du sujet littéraire, ce qui fait croire suffisamment pour que le sujet endosse et assume le devoir faire.

Dans l'écriture d'érudition, au sein d'une institution comme l'école par exemple, c'est le *devoir* qui est la mise en condition du travail, de la besogne, du faire valoir, du succès... en deçà du désir ou même du plaisir. Dans l'écriture de fiction, la *croyance* (le sens) semble la mise en condition de l'élaboration du texte et de sa publicité éventuelle. Cela se projette par-delà le simple désir ou plaisir d'écrire. Je pense tout particulièrement au discours féministe banalisé de certaines femmes de lettres. On y revendique le désir. Est-ce une motivation suffisante pour justifier la poursuite de l'au-delà de l'écriture. Le désir d'écrire est transitif, comme le verbe : j'écris. Mais le désir d'être lu, commenté, sanctionné, élu, par cela même qui m'incite, me sollicite et me harcèle dans la pratique de l'écriture, ce désir institué, c'est la littérature qui agit, qui réussit à transformer l'individu scripteur en sujet littéraire. La littérature, paradigme disciplinaire légitimé, fonde alors une croyance :

— elle suscite le vouloir, fait croire, fait faire;

— l'axiomatique propre à la pratique de la littérature impose aussi un savoir faire textuel, une réglementation, une éthique, un éventail de stratégies;

— l'adhérent désire répondre à cet appel (dit intérieur parce qu'incorporé : c'est la vocation) et souhaite répondre aux attentes de ce qui alimente sa pratique.

Écrire devient ainsi une activité qui fonde un état, établit un statut : être écrivain. La valeur (littéraire) est alors intimement liée au sujet qui la fonde. Le statut de l'écrivain résulte chez le sujet de cet effet de fascination et de dénégation, tout à la fois, des lois de l'institution qui l'a produit. L'artiste doit donc paradoxalement affirmer le sujet, fuir l'institution, même s'il n'en est que le produit, maintenir à vif la fascination et la croyance... dénoncer la mainmise institutionnelle sur le rapport à la valeur, non pour la barrer mais pour lui résister, la déplacer.

Cette *croyance* et ce *devoir* s'indexent bien sûr de contenus différents selon les frontières disciplinaires (de discours) qui en délimitent l'exercice, qui en marquent la clôture.[6] On est écrivain ici, intellectuel là, littéraire ici, littérateur ailleurs...

Je profite de l'occasion pour ouvrir une longue parenthèse à propos d'un excellent compte rendu de lecture de François Ricard du livre (essai) de Luc Bureau, *Entre l'éden et l'utopie : les fondements imaginaires de l'espace québécois*. Le texte de Ricard s'intitule : «Le géographe littérateur». Il n'en fallait pas plus pour piquer ma curiosité. Il subdivise son article en deux parties, avec deux sous-titres continus et bipolaires : «Des bienfaits de la géographie... aux méfaits de la littérature».

Dans la première partie, le critique vante l'intérêt de l'essai du géographe. Il insiste sur la façon nouvelle d'éclairer les déterminations idéologiques qui ont marqué au Québec les modes d'occupation et d'organisation de l'espace (et non l'inverse). Ricard saute tout de suite au chapitre V dans lequel Bureau analyse la «territorialité symbolique» du Québec paysan à travers deux romans traditionalistes : *Maria Chapdelaine* et *Les anciens Canadiens* dans lesquels s'illustre, contrairement au «repli» sur l'environnement immédiat, une culture «ouverte» sur un espace qui déborde le terroir, un univers plus complexe et plus riche que ne nous l'a dépeint la génération de la Révolution tranquille. Cette ouverture d'esprit se manifeste également au chapitre IV où Bureau fond en deux récits de voyages fictifs les observations des visiteurs du XVIIIe siècle sur l'établissement de la Nouvelle-France. Cette prise de possession du territoire se serait faite sous l'inspiration de modèles intellectuels et de mythes, ce qui entraîne l'étude de Bureau dans deux directions, l'une historique, l'autre mythologique (pour simplifier), l'une et l'autre ayant en commun un même refus de la nature et du donné géographique premier, la même volonté de nier et de transformer la réalité dans le sens de l'intimité heureuse (l'Éden) ou de l'organisation fonctionnelle (l'Utopie), bref de substituer au présent un passé ou un avenir tant désirés. La relation carte/terrain ne serait pas d'abord et seulement une adaptation mais plutôt une projection du sujet dans la nature, secondarisant la nature réelle au profit d'une nature imaginaire, d'un modèle, fictif et construit, conçu ailleurs et en fonction de nécessités, d'attentes et de normes d'un tout autre ordre. Bref, pour Bureau, la géographie est culture, le monde est habitable et vécu d'abord comme une fiction.

Tout cela est fort intéressant! Je me retrouve devant un très bon essai de géographie humaine rédigé par un géographe compétent et cultivé, qui sait mêler l'analyse littéraire traditionnelle de deux romans du terroir et la création de deux récits de voyage, donc d'une fiction historique, et qui propose une thèse séduisante dans laquelle prime non pas l'adaptation de l'homme à la nature mais la projection de l'esprit en elle, l'éradication du réel naturel au profit d'un réel fictif. Je risque ici une analogie : le mode d'occupation et de colonisation de l'espace ou du champ culturel (littéraire) serait moins une adaptation chez l'écrivain qu'une projection de ce dernier dans la fiction que constitue le paradigme, à la fois recherche de l'éden passé et poursuite de l'utopie, paradoxalement négation et transformation de la réalité «éditoriale» présente dans le sens de l'intimité à exprimer, à affirmer — l'inspiration, l'incorporé — et de la marque à inscrire pour la survie, la poursuite de la littérature — l'institution. Etc.

Cela dit, et revenant à Luc Bureau, ce géographe cultivé n'aura pas que des qualités d'analyse et d'approfondissement. Selon Ricard, il posséderait aussi un vilain défaut : il juge, accuse, polémique, bref il se fait écrivain, il fait du style; il a cette triste tendance à ce que Bourdieu appelle la maladie de l'essayisme, c'est-à-dire de l'essai dont le contenu intellectuel est contaminé par les modes et qui souffre des manies du journalisme. Bureau se consacre en effet à cette prestigieuse manie de faire du style, de briller, de se faire passionné, ce qui est inutile dans un discours «rigoureux» et «scientifique», centré sur son objet. «C'est par la critique seule qu'on se libère, remarque Ricard, et non par la condamnation intempestive. Or cette critique, ici , n'a pas lieu. Tout au plus, on a du 'style'.» Tout se passe comme si Ricard cherchait à guérir Bureau de cette attitude désinvolte avec le savoir, à enrayer cette contagion de la science par la littérature, à guérir cette tentation de l'opinion et de la moquerie. D'un côté, il y aurait l'étude (l'objectivité), l'analyse (sans parti pris), la compréhension (la raison), la critique (dans sa complexité), l'argumentation, la réflexion. De l'autre, en littérature, il y aurait l'humeur (la moquerie, la polémique, le jugement de valeur, la prise de position, l'intention), le pamphlet (dans sa facilité simpliste), le récit, la fiction, le style.

Le cas est cocasse. Ricard accorde à Bureau le titre d'écrivain, mais en se moquant. En quel lieu se situe donc Ricard? À l'intérieur du champ «littéraire» ou à l'intérieur du champ «scientifique»? Là opère l'institution, à la frontière ou au seuil, là où se manifestent les rapports de force, préférant tout à la fois les qualités scientifiques du texte mais se situant en territoire littéraire (la revue *Liberté*). Il traitera le géographe de «littérateur»!

Un modèle efficace

Et pendant que Marc Angenot fait son deuil des études littéraires, dans le dernier numéro de *Liberté* qui porte sur les universitaires, dans un article percutant intitulé : «Pour en finir avec les études littéraires» et dans lequel il démonre 1) que la littérature n'intéresse plus que les jeunes élèves à la poursuite d'un diplôme en études littéraires, 2) que la demande sociale de spécialistes de cette sorte ne cesse de s'amenuiser, 3) que l'enseignement littéraire stérilise la littérature vivante du pays où il sévit; face à l'appel pressant au recyclage des professeurs de lettres par Angenot, je demeure tout de même perplexe devant la vitalité du champ de la littérature. Je devrais plutôt parler d'agitation, un peu comme la surface de l'eau d'un aquarium lorsque vous en nourrissez les petits poissons (voilà que mon image du filet refait surface!). Le champ littéraire actuel est fort saupoudré de subventions, à tous les maillons de la chaîne de production, de circulation et de publicité des produits. D'autre part, le champ littéraire est aussi un milieu où s'agite une foule impressionnante de bénévoles, de chômeurs instruits, d'étudiants, de professeurs... tous plus mordus les uns que les autres par le démon de l'activité littéraire, dans l'édition de livres ou de revues, dans le montage de spectacles, de lectures publiques, les uns engagés dans l'institution, les autres dégagés, autonomes, sans «affiliation institutionnelle», selon la formule des organismes subventionnaires. On est membre de l'Association des éditeurs canadiens ou de l'AÉPCQ, membre de l'UNEQ dont les bureaux sont logés à la même adresse que ceux de l'Association des traducteurs littéraires, de la Fédération internationale des écrivains de langue française, de la Conférence des associations de créateurs et créatrices du Québec, du Secrétariat des prix du *Journal de Montréal*, du Secrétariat du Prix Molson de l'Académie canadienne française, du Secrétariat de la perception des droits de reprographie (c'est moi qui le nomme ainsi)... On se regroupe donc, et pour cause!

Il est de notoriété publique que presque tous les écrivains connus au Québec ont exercé et exercent leur activité à travers un métier, au sein d'appareils institutionnels divers : le clergé, le fonctionnariat, les professions libérales, la presse, l'école, les communications... Historiquement, la spécialisation professionnelle des intellectuels traditionnels en journaliste, scénariste, essayiste en sciences humaines, n'a rien de bien sorcier.[7] L'arbitraire relatif des champs de discours, des frontières entre les savoirs, entre les disciplines de champs rapprochés (la musique, la danse, le spectacle) ou les disciplines d'un même champ (la littérature, le théâtre, la chanson par exemple), cet arbitraire n'a pas besoin d'être démontré à coup d'exemples multipliés. La diversité des activités des rédacteurs culturels a tout de même accentué la spécificité de l'écrivain littéraire que représente presque exclusivement l'UNEQ. C'est en effet au sein de cette association et des organismes subventionnaires également que l'on entretient le plus jalousement le portrait-robot romantique de l'écrivain de l'école et des manuels d'histoire de la littérature nationale. Cette configuration de l'écrivain est aussi véhiculée par la presse, la critique journalistique notamment, et les médias électroniques, là où l'on s'occupe de son maintien et de sa reproduction auprès du grand public. S'y trouve entretenue une représentation de l'écrivain comme un individu à la fois exceptionnel et familier, avec l'accent mis sur l'être d'exception :

d'une part	d'autre part
- l'écrivain appelé, marqué par la vocation, au destin singulier : l'élu	- un visage, une voix, une personne
- l'usage savant ou ornemental de la langue en un langage original et distingué	- un individu qui témoigne d'un vécu propre à dévoiler la commune nature humaine, même si c'est dans une certaine marginalité positive

- le nom augmenté par les discours institutionnels et auréolé d'une mondanité indispensable à l'édification et au maintien du paradigme : la statue.

- le même nom enrichi et placé sous les projecteurs de la renommée, de la scène, telle une vedette, une star.

Loin de ternir ou de banaliser l'image romantique de l'écrivain comme être d'exception, les médias électroniques et la multiplication des sorties de l'écrivain dans le grand public réussissent à produire *une simulation de la présence* à la fois familière, admirée et lointaine. C'est sans doute là une conséquence de la culture de masse (de marché) à laquelle nous participons. La grande culture elle-même se trouve dévorée par la publicité.[8] On assiste

— à une démocratisation de pratiques longtemps réservées à une élite savante et/ou possédante;
— à une projection de la représentation dominante de la culture dans les modes de consommation populaire;
— à une rétroprojection de cette représentation, un retour au modèle savant et à ses modes de production (l'auteur inspiré), de circulation (l'auteur commenté et légitimé, coopté au besoin, ce qui fait de lui un écrivain et ce qui le console de la mévente en librairie).

La logique du champ de la culture restreinte reprend le dessus. Alors que l'économique est déterminant du côté du best-seller (on vante le tirage élevé et le nombre d'exemplaires vendus), c'est plutôt le nom, la signature, le cumul des fonctions, le prestige accumulé, la valeur ajoutée symbolique qui font l'autorité d'un titre ou d'un ensemble de titres.

Pendant ce temps, les deux gouvernements alimentent les appareils qui rendent possible l'existence de cette littérature nationale québécoise. Cependant, le mode d'existence de cette littérature nationale n'est surtout pas à confondre avec le mode d'existence du marché du livre au Québec. En 1982, par exemple, 80% des livres qui se sont vendus au Québec n'étaient pas des livres québécois, et sur 20% qui le seraient, 5% seulement sont des productions littéraires (livres pour la jeunesse inclus). *La vraie vie de l'écrivain du Québec est donc «ailleurs»... que dans le tirage ou le marché : elle est fiction, sacralisation, spectacle social.*

Sans l'État et ses subventions, que serait l'écrivain au sein d'une industrie du livre en faillite, au sein d'une industrie qui manquera toujours de lecteurs, ici, au Québec? Par une boutade (il le faut bien!), André Beaudet explique pourquoi il ne publie pas plus souvent : «D'être devenu posthume, j'ai maintenant tout mon temps».[9] Pendant ce temps, on se rend compte pourtant que les écrivains parlent au féminin. Le langage change, peut-être, sa circulation, non.

Le maintien d'une institution coûte donc toujours très cher. Le maintien du statut fictif de l'écrivain est à ce prix. Le gouvernement québécois vient encore d'ajouter au prestige de l'UNEQ. En effet, l'UNEQ prend un coup de croissance inattendu avec le dossier de la reprographie dans les maisons d'enseignement : sous couleur de sauvegarder les «droits» des écrivains (et non seulement des membres), l'UNEQ gère une somme très importante, consolide ainsi ses structures institutionnelles, se met en situation de force pour maintenir et alimenter cette aura autour de l'écrivain de fiction, des traducteurs, des illustrateurs, des créateurs...

Avec le gros dossier de la reprographie, l'UNEQ, aujourd'hui dominée par des poètes, ne fait plus de distinction entre les différents types de rédacteurs. Il suffit d'avoir publié un titre, d'avoir traduit un texte publié, d'avoir illustré un livre, d'avoir des droits sur un «texte», peu importe le domaine culturel, l'écrivain reçoit 65% et l'éditeur 35% d'une somme fixée à l'avance (!), à la condition que l'éditeur ait signé préalablement une acceptation de principe de participer à cette politique de rétribution. C'est peut-être la raison pour laquelle on publie beaucoup à la périphérie de l'UNEQ et pourquoi on fait signer aux auteurs des cessations de droits à la reprographie, que ce soit pour un livre (ce qui est une pratique courante entre un écrivain et un éditeur) ou un texte destiné à une revue culturelle (ce qui est une pratique nouvelle et surprenante).

En conclusion à cette tentative trop brève de cerner la stature du sujet littéraire au Québec, je dirai simplement que, dans la chaîne de transformation que constitue l'édition du livre,

— la typographie et l'imprimerie sont les seules entreprises rentables de l'institution littéraire : elles ne sont pas subventionnées mais elles sont presque certaines d'être payées pour leur travail;

— l'éditeur est un aventurier, mais s'offre à lui une telle gamme de subventions que l'aventure se joue en terrain connu... sans parler des revenus potentiels de la vente de droits dérivés; mais quel travail!

— l'auteur est financièrement perdant, et c'est ce qui explique son acharnement à être reconnu rapidement comme un écrivain véritable afin de profiter de revenus de subventions, de conférences, de tournées, de traductions et, parfois, de droits d'auteur si l'éditeur réussit à vendre ses livres.[10]

Notes

1. Robert Giroux, «Le statut social de l'écrivain», dans *Le spectacle de la littérature*, Montréal, Triptyque, 1984, pp.15-61.
2. *Cf.* cette enquête de Pierre Bourdieu auprès de gens peu instruits de l'art qui défendaient les vertus et la noblesse du théâtre contre la facilité et la vulgarité du cinéma.
3. Émerge ici toute une configuration complète, imaginaire et arbitraire du culturel, configuration à laquelle le sujet adhère ou s'oppose selon sa position dans le marché culturel ou la hiérarchie sociale, donc selon le type d'incorporation et d'institutionnalisation qu'il aura assumé.
4. La critique ignore le compte d'auteur. Elle va cependant le rappeler quand l'auteur réussit à s'imposer après coup grâce à l'édition officielle; qu'on pense à Alain Grandbois, à Anne Hébert... Ou bien elle le cache, le laisse sous silence comme aux Herbes rouges, à l'Hexagone et ailleurs... afin de ne pas démystifier, par des textes d'étudiants, la naissance, l'émergence et la consolidation de lieux devenus de véritables «institutions».
5. Le droit de propriété se traduit par le droit d'auteur, forme archaïque de rémunération mais ô combien noble, comme chez les artistes de scène par exemple. On est loin de la logique du best-seller... même si bon nombre d'écrivains en rêvent.
6. J'évite de me laisser entraîner dans l'élaboration d'une théorie typologique, taxinomique et empirique des genres (de discours).
7. L'institutionnalisation de la littérature s'est faite progressivement au Québec à partir de *L'histoire du Canada* de F.-X. Garneau et du *Répertoire national* de James Huston (où la littérature semble se confondre avec l'imprimé) jusqu'à la constitution d'écoles littéraires, celle de Québec d'abord puis celle de Montréal (mais le nombre de titres publiés au XIXe siècle est si faible qu'on peut en douter sérieusement). L'institutionnalisation s'est ensuite accélérée à partir des années trente : en effet, la consolidation des sciences naturelles et des sciences sociales au sein du champ scientifique en pleine restructuration va obliger les littéraires à affirmer leur différence et leur autonomie. La période de la guerre va accentuer le processus : devant la montée des études linguistiques, la poussée de la pratique théâtrale et des arts visuels, l'effervescence du milieu intellectuel (syndical et scolaire), le manque de textes littéraires autochtones, etc., la fin des années quarante marque en effet un tournant très important, qui va se répéter d'ailleurs au début des

années soixante, avec le recul de la domination du champ religieux d'une part et avec la création des ministère de l'Éducation et des Affaires culturelles d'autre part, création qui allait donner une nouvelle impulsion au champ culturel, entraînant une nouvelle répartition des rôles, une multiplication des appareils culturels et des sphères d'activités, notamment en communications, donc une autre division du champ, forçant la littérature à se spécialiser encore davantage, à couvrir surtout la fiction ou l'imaginaire (par opposition à la «science» et à l'«art»), cet imaginaire étant lui-même fragmenté en genres littéraires autonomes, l'essai demeurant le genre un peu trouble qui récupère ce que boudent les autres disciplines, qui a du mal à intégrer le théâtre ou la chanson, qui accentuera également le fossé entre les littéraires universitaires et les écrivains proprement dits, lutte qui ne fera que s'amplifier avec la fondation des cégeps et de l'Université du Québec, lutte qui se poursuit sur le mode mineur depuis qu'il ne semble plus y avoir de consensus significatif autour d'un projet (littéraire) collectif, ni chez les collets blancs ni chez les collets bleus de l'institution littéraire.

8. Thorstein Veblen le déplorait déjà en 1899 dans sa *Théorie de la classe de loisir* (Gallimard, 1970), commentée par Adorno dans le collectif «Révoltes logiques» : *L'empire du sociologue*, Paris, La Découverte, 1984.
9. André Beaudet, «Déchéance de la chose écrite», *Liberté*, n° 134 (mars-avril 1981), p. 121.
10. On peut consulter *La juste part des créateurs* (pour une amélioration du statut socio-économique des créateurs québécois), Service des publications officielles, Gouvernement du Québec, 1980, 82 p.; et l'ouvrage de l'économiste française Michèle Vessillier-Ressi sur *Le métier d'auteur*, Paris, Dunod, 1982, 400 p. Le ministère des Affaires culturelles poursuit en ce moment une enquête sur le statut socio-économique des auteurs. C'est à suivre. On peut encore réfléchir sur la «Déchéance de la chose écrite» d'André Beaudet, *op, cit.*, pp. 119-127.

PAUSE 4

Le Québécois et sa littérature, sous la direction de René Dionne, Éditions Naaman et l'ACCT, 1984, 462 p.

Dictionnaire des oeuvres littéraires négro-africaines de langue française, sous la direction d'Ambroise Kom, Éditions Naaman et l'ACCT, 1983, 669 p.

Le titre de René Dionne est trompeur (incomplet) puisque le volume passe en revue non seulement les genres traditionnels de la classification de la littérature, mais porte aussi sur la langue, la chanson, le cinéma et la bande dessinée. Plus d'une vingtaine d'articles de longueur et de valeur inégales, un collectif donc de 19 chercheurs qui proposent ce qu'on appelait autrefois un manuel d'histoire littéraire, c'est-à-dire un ouvrage général destiné à l'information et à la formation (pédagogique) de personnes en apprentissage.

Le Québécois et sa littérature semble vouloir brosser le portrait de la *culture* québécoise dans toutes les manifestations qui impliquent l'utilisation de la langue. C'est la seule raison qui m'explique pourquoi il n'y est pas question de peinture ou de danse ou d'émission de télévision. Le titre vise donc un public «lettré», des professeurs de langue française ou de littérature, et cela à l'échelle de la francophonie. De ce point de vue, les éditeurs ont fait un coup de maître puisque le livre répond à tous les critères de qualité et de prestige institutionnels exportables. Le travail est sérieux, soigné, bien documenté avec bibliographie et index, un peu conventionnel dans l'ensemble, mais comme il ne se limite pas à la «littérature», toute riche et cohérente qu'elle paraisse, son intérêt s'en trouve agrandi, élargi à une dimension plus grande et plus vraisemblable du champ culturel québécois.

Au milieu des chapitres qui traitent tantôt d'histoire ou de psychologie d'un peuple, tantôt d'évolution des genres littéraires ou de paralittérature, je m'attarderai au texte de Robert Saint-Amour sur la chanson québécoise, non qu'il soit le plus intéressant, mais tout simplement plus risqué que certains autres, s'attardant à un corpus complexe et peu exploité jusqu'à ce jour, et avec les mêmes présupposés méthodologiques de la plupart des autres chercheurs : miser sur des titres ou des noms, ces derniers devenant des relais et des balises pour la mise en perspective historique et interprétative d'une période et/ou d'un type de production culturelle.

C'est ainsi que l'histoire se confond avec l'apparition d'une vedette qui, tout à la fois, bouscule ses aînés, impose un style, propose un modèle : la Bolduc, Félix Leclerc, Claude Léveillée, Gilles Vigneault, Robert Charlebois, Beau Dommage, etc., tels sont les moments de rupture les plus marquants de l'évolution de la chanson québécoise. Leurs personnages se mythifient, deviennent les porte-paroles d'une configuration idéologique à laquelle ils participent : le petit peuple de la Bolduc ou de la crise économique sur des airs folkloriques; les bouffées d'air frais de F. Leclerc ou de l'«authenticité» d'un soliloque; le Concours de la chanson canadienne ou de la transformation de la télévision en un miroir social grossissant et euphorisant; l'expression du pays (qui n'en est pas encore un) chez G. Vigneault ou de la prise de parole d'une génération scolarisé; la «fête collective et désordonnée» ou, son envers, les «cris de désarroi» ou du joual-créole comme signe d'une dégradation sociale ou — on ne sait plus! — «un Québec *urbanisé* dans une économie capitaliste», telle est la projection que réussit avec une efficacité déconcertante le décapant Robert Charlebois, à cheval sur le rock, le pop, le pep(si), la parodie d'un Garou qui avoue n'être au bout du compte qu'un «bum de bonne famille», qu'un «gars ben ordinaire», qu'un chanteur parmi les grands porte-voix de la Chant-août de 1975, qu'un phoque en Alaska québécois, etc.

Le portrait de l'évolution du champ de production de la chanson semble ici vraisemblable, conforme d'ailleurs à l'évolution de l'ensemble des champs culturel et intellectuel du Québec de ces cinquante dernières années. J'aurais aimé en savoir davantage sur les débuts de l'industrie du disque, la programmation des postes de radio durant les années 40 et 50, le circuit des boîtes à chanson dans l'ensemble de l'industrie du spectacle et du disque : Saint-Amour s'en est tenu à une étude à caractère idéologique, socio-historique, nationalisante. Je ne veux pas le lui reprocher. Il me faudrait alors exiger des autres collaborateurs des indications sur l'industrie du livre au même titre que sur le commerce intellectuel. Le projet d'ensemble du volume se voulait moins ambitieux, le public-cible étant perçu comme un ensemble de lecteurs non spécialisés, et parfois même peu concernés par le propos.

Le ton aurait-il su s'élever jusqu'à la douche froide et décapante que nous fait subir Nathalie Petrowski dans ce bigarré numéro spécial que la revue *Autrement* a consacré au Québec (n° 60, mai 1984, 255 p.). Dans un article court et un peu bâclé, «à soir j'ai le rock'n roll pis toé...», Nathalie Petrowski nous entraîne» «au pays fade de la variété», là où la musique a deux langues et deux religions, là où les dieux ont perdu le contrôle des opérations.

> L'Église, la rhétorique nationaliste, les discours édulcorés sur la québécitude sont désormais impuissants à calmer notre appétit de consommateurs en déroute. Nous avons édifié des monuments à Vigneault, Leclerc et Pauline Julien. Nous les avons coulés dans le bronze de la pérennité en espérant secrètement qu'ils ne viennent plus nous déranger dans notre lâcheté quotidienne. Notre coeur de rocker vogue et divague ailleurs.
> (...) Je ne sais plus à quelle musique adhérer, ni même quelle langue parler» (p. 173).

Mais parmi cette désolation tout de même agitée, bruyante et parfois très drôle, certains «Lundis des Ha Ha», parmi les va-et-vient que mutiplient les chanteurs entre les pays, les langues, les modes, etc., il est un discours dont la journaliste a raison de reconnaître le dynamisme prometteur : «Ailleurs dans la ville, les seules voix qui s'élèvent et déchirent les voiles opaques sont des voix féminines. Chantal Beaupré, Sylvie Tremblay, Louise Portal, Louise Forestier, Belgazou, Marjo de Corbeau, (...) s'arment de stylos, écrivent avec l'encre indélébile de leurs corps et chantent la résistance sur le clavier de leur dactylo» (p. 174). Quelle plume que celle de Petrowski! Elle est partiale et virulente, bien éloignée de la coutume soi-disant objective du milieu universitaire. Elle fait vraiment partie de ces voix qui élèvent enfin le ton.

En dépit de mes préjugés favorables en faveur du discours qui bouscule, je ne peux que rendre hommage à René Dionne pour l'énorme travail que la réalisation de ce volume a dû exiger.

Le Québécois et sa littérature demeure un livre de référence précieux. Il appartiendra au lecteur de poursuivre le travail et d'évaluer les relations qu'entretiennent les différents champs de production culturelle; on les investit ici d'une autonomie trop grande, d'un chapitre à l'autre. Il reste donc encore du pain sur la planche pour quiconque veut approfondir le portrait socio-culturel du Québécois, surtout si l'on se place moins du côté du producteur symbolique lui-même que du côté de la consommation et/ou des usages sociaux de la production culturelle.

Le projet d'Ambroise Kom était moins risqué. Son *Dictionnaire des oeuvres littéraires négro-africaines de langue française* représente un travail documentaire unique. Kom ne soulève aucun problème critique relatif à la division des genres littéraires, aux frontières disciplinaires, à la sélection du corpus, à l'origine ethnique et/ou nationale de tel ou tel écrivain de l'immense territoire qu'est l'Afrique Noire, etc. L'ordre alphabétique sert à classer une liste impressionnante de titres dont la présentation des collaborateurs se calque sur celle adoptée par les responsables du *Dictionnaire des oeuvres littéraires du Québec*. L'intention anthologique est la même.

De ce point de vue, le réflexe institutionnel qui consiste à confondre l'imprimé et le texte, le document d'époque et l'oeuvre littéraire, dans ce souci discutable d'exhaustivité historique, n'est pas facile à défendre puisque la littérature est précisément ce que l'institution a classé, sélectionné et *retenu* de l'ensemble des textes produits à travers l'histoire. Par ailleurs, le résultat est appréciable. L'ouvrage est facile à consulter et contient une somme énorme d'informations socio-historiques (et littéraires). À la suite de cette liste alphabétique des titres, on peut profiter d'un index des écrivains présentés, d'un index des genres et enfin de la liste des collaborateurs et de leur institution d'attache.

On peut donc savoir gré à l'éditeur de mettre à notre disposition deux ouvrages touffus et utiles.

Situation de la littérature québécoise depuis 1980 à la lumière des éditeurs (de livres et de périodiques) qui la régissent

En guise de préambule, deux remarques : a) ce texte est une réaction à des rumeurs selon lesquelles la littérature québécoise serait essoufflée, à l'agonie; b) ce texte ne vise aucunement à étudier le contenu ou la signification ou les personnages de fiction de la littérature; il cherche plutôt à interroger certains appareils institutionnels dont on parle peu et qui rendent pourtant possible ce que l'on appelle la littérature, notamment l'édition et son marché.

J'en conviens, le titre de cette communication est à la fois ambitieux et prétentieux. Dans un même ordre d'idée, j'ai demandé, il y a quelque dix mois à un ami parisien de me brosser le tableau de la chanson française actuelle. Très flatté, enthousiaste et très bien documenté, il me promettait l'article pour la date prévue.

Quelle ne fut pas toutefois ma déception lorsque, six mois plus tard, il déclinait mon invitation et se réfugiait dans les sables de la nébuleuse culturelle hexagonale de ces vingt dernières années (l'après mai 68). Selon lui, personne de sérieux n'oserait brosser un tel tableau d'une façon objective et satisfaisante. La chanson est en effet un objet et surtout une *pratique* culturelle trop complexe aujourd'hui pour que nous puissions en rendre compte cavalièrement : les rapports socio-culturels, technologiques et économiques de la chanson au disque, à la radio, au cinéma, à la télévision, etc., sont si complexes que même une équipe importante de chercheurs n'en viendrait pas à bout. Et comme il n'y a pas assez de «recul», la perspective ou la vision risquerait d'être à la fois tronquée et déformée, partiale et déviante, en dépit des statistiques qui sont, de fait, de plus en plus disponibles.

La même situation ne se retrouve-t-elle pas dans l'industrie du livre? Mais n'est-ce pas le propre de l'idéologie de traduire, déformer et même transformer la réalité en une interprétation conforme à l'ajustement de lunette qu'elle dicte? L'idéologie nationaliste par exemple, dans le Québec des années 60 et 70, s'est avérée un outil d'interprétation commode pour les critiques, les porte-parole officiels — le fameux thème du pays — et c'est cette vision dominante que les professeurs d'Europe francophone ont adoptée pour parler de notre littérature, de notre chanson, de notre «joual» linguistique, etc.

Durant les années 70, après la «Nuit de la poésie» et après les événements d'Octobre, de très jeunes écrivains ont cherché à secouer l'édifice et à l'envahir par de nouveaux slogans idéologiques... Ces jeunes formalistes ou textualistes — des poètes surtout, dont certains se retrouveront à La barre du jour puis à la NBJ, au Noroît également puis aux Écrits des forges tout à la fois —, ces avant-gardistes se trouveront fortement appuyés; ils profiteront et abuseront même de différents adjuvants institutionnels :

— les moins jeunes professeurs d'universités (souvent les maîtres récents des professeurs de cégeps) qui, dans la vogue et la vague sémioticiennes, vont encourager une hyperlittérature, une super-écriture quasi illisible...
— les cliques de la NBJ et des Herbes rouges vont monopoliser l'UNEQ et profiter de ses services, tout en imposant à juste titre son prestige;
— le mouvement féministe va soutenir, inspirer et actualiser les discours alors subversifs des doyennes comme Nicole Brossard, Madeleine Gagnon et France Théoret;
— la complicité non équivoque de certains journalistes, tant au *Devoir* qu'à *La Presse*, jusqu'à ce qu'ils perdent un peu de leur crédibilité, va élargir l'influence des «modèles» formalistes;
— etc.

Ces deux discours dominants (nationalisme d'une part et modernité de l'autre) et parallèles se sont maintenus jusqu'au début des années 80, grosso modo jusqu'au 25e anniversaire de l'Hexagone (et de la revue *Liberté*) et/ou du très lucide numéro de la NBJ sur l'intellectuel en 84... Depuis ce début des années 80, le champ littéraire semble dans l'impasse ou, pour employer une expression d'André Beaudet, dans l'*im*posture. Depuis le référendum, la crise économique, l'exode de nos chanteurs, etc., le Québec littéraire semble un véritable *terrain vague*. On ne sait trop ce qui va pousser et encore moins ce qui va se ramifier. Le terrain est très riche, certes, mais on ne devine pas bien ce qui va s'imposer comme modèle textuel. Comparée à la décennie précédente, la littérature des années 80 semble *en broussailles*. Serait-elle mal entretenue, envahie par la fardoche?

Cette métaphore agricole a toujours servi les historiens de la littérature québécoise : semer, récolter, trier surtout, départager le bon du mauvais, le conforme du non-conforme. Cette métaphore agricole voilait, de fait, les véritables mécanismes de sélection et de contrôle que l'orthodoxie institutionnelle imposait à l'ensemble des écrits qui circulaient *en vrac*. Faute d'être un outil de prospection, la critique (ou la théorie!) se réjouit plutôt de la reconnaissance des constantes, se réconforte de la sélection des maîtres.

Pierre Nepveu le reconnaît aussi quand il parle de l'absence d'un axe idéologique prégnant chez les «littéraires» depuis le début des années 80. La littérature québécoise est en effet *en crise*. Je ne parle pas de panne mais de crise. Elle serait en panne si les organismes subventionnaires coupaient les vivres. On verrait alors les éditeurs piquer une formidable crise de nerfs, une panne qui se répercuterait à toute la chaîne de production et de circulation du livre littéraire, depuis l'auteur qui remettrait son manuscrit dans le tiroir jusqu'au lecteur à qui on ne servirait plus que les textes du répertoire, en passant par l'imprimeur qui maudirait la haute technologie moderne de l'avoir obligé à s'endetter jusqu'au cou... Il faudrait à ce moment-là sonner l'alarme. Fort heureusement pour nous, ce scénario n'est pas pour demain. La littérature québécoise n'est pas en panne.

Au niveau de la production — subventions obligent — de nouvelles revues voient le jour (*XYZ, Trois, Stop, La parole métèque, Urgences*...), les recueils de poésie se font moins encombrants, remplacés par des récits enfin lisibles. Les femmes parlent moins fort et elles n'écrivent plus ensemble comme une rumeur, en une sorte de rhétorique empruntée par exemple à Marguerite Duras. Des voix s'affirment, d'autres se font plus discrètes. Les revues *Arcade* et *La parole métèque* essaient de composer avec cette nouvelle conjoncture. Les tenants de l'avant-garde ne monopolisent plus indûment les services de l'UNEQ, les pages du *Devoir* et le réseau des bourses. Certaines revues se transforment en magazines, raccourcissent les textes critiques au profit du discours publicitaire (payant), rêvant ainsi d'une plus grande autonomie face aux organismes subventionnaires. Après avoir fait prendre conscience de la multiethnicité de la population de Montréal, la revue *Vice versa* a tenté de mettre de l'avant, non sans un succès évident, quoique de séduction éphémère, le concept de transculture vite désamorcé par la vigile nationaliste québécoise (et étouffé par les remous de la loi 178) et, il faut bien l'avouer, par les ambitions plutôt internationalistes des dirigeants de la revue, etc.

Et on viendra me dire là-dessus que la littérature québécoise piétine, qu'elle s'essouffle, que la relève est quasi inexistante, qu'il ne se produit que des déchets parce que les éditeurs sont trop subventionnés. Tout cela est faux.

Voyez l'Hexagone. Là où on ne produisait que de la poésie, Alain Horic multiplie aujourd'hui les romans et les essais (tout en cultivant les prix de poésie dans son écurie). Voyez les éditions Boréal : on y publie maintenant des textes littéraires (et non plus seulement des études socio-historiques), misant à la fois sur des valeurs sûres comme le journal posthume de Gabrielle Roy, de nouveaux talents comme Jacques Savoie (*Les portes tournantes*) ou François Gravel (*Bénito*) et sur des documents didactiques reliés à l'enseignement de l'histoire littéraire ou à la rédaction de travaux de recherche. Les éditions scolaires Guérin fondent également Guérin Littérature : on y publie beaucoup, un peu en vrac, on y offre un prix et ce prix fait mouche très rapidement en nous révélant *Les dimanches sont mortels* de Francine d'Amour. Les éditions Québec-Amérique, de leur côté, imposent ce phénomène nouveau au Québec : le best-seller. *Le matou* de Yves Beauchemin par exemple se vend comme des petits pains chauds, se fait traduire en plusieurs langues, se voit transposé au cinéma et à la télévision, etc. Et comme les médias électroniques, de plus en plus puissants, ne couvrent que ce dont *on* parle (déjà), il n'y en a plus que pour les best-sellers — dont la plupart sont des succès américains traduits par les éditeurs français et «dumpés» au Québec. Heureusement que le Québec a ses propres best-sellers (comme il peut se vanter d'avoir ses propres téléromans, et qui marchent) : *Le matou* et peut-être aussi *Juliette Pomerleau*, *Les filles de Caleb* d'Arlette Cousture, toujours chez Québec-Amérique, *Maryse* et *Myriam première* de Francine Noël chez VLB et aussi, paraîtrait-il, *Comment faire l'amour avec un nègre sans se fatiguer* de Dany Laferrière, roman qui vient de passer l'épreuve de l'écran avec un certain bonheur, semble-t-il, et qui fait oublier le fiasco du deuxième roman : *Érosshima*. Si l'on ajoute quelques autres titres comme les romans de Michel Tremblay, chez Leméac, *Au nom du père* de Francine Ouellet, aux éditions La Presse, on a là de très bons vendeurs qui couvrent au moins les dix doigts de la main. Jacques Godbout continue d'écrire avec succès, Anne Hébert également, Marie-Claire Blais, Jacques Poulin, etc.

L'engouement actuel pour la nouvelle profite à «XYZ», à «L'instant même», à «Stop». On constate aussi avec étonnement toute l'énergie qui anime la bande à *Moebius* et celle des éditions Triptyque (la même : Raymond Martin, Nicole Décarie, Daniel Guénette, moi-même) : quarante-quatre numéros en onze ans, quinze titres par année depuis cinq ou six ans, pas de dettes et d'excellents livres en circulation, des monceaux de manuscrits et une couverture de presse de plus en plus à la hauteur de ses mérites.

Certains éditeurs font donc leur miel avec certains titres. Et je n'ai même pas parlé du théâtre, très actif par les temps qui courent, ni des sciences humaines et encore moins de la littérature pour la jeunesse, cette dernière étant devenue, semble-t-il, très lucrative. Et comme les titres québécois sont quasi inexistants en France, il faut bien admettre que les éditeurs réussissent à rejoindre passablement de lecteurs — trop peu, bien sûr, compte tenu de la «faiblesse» de la population — des lecteurs qui fréquentent assidûment les sept ou huit salons du livre annuels... Il faut donc aussi admettre que ces lecteurs, on se les partage avec énergie, quand ce n'est pas avec férocité.

Bref, la littérature québécoise n'est pas en panne, bien au contraire. Vous en voulez d'autres preuves : les prix littéraires se multiplient, les enchères montent, les cliques serrent les rangs : en poésie (Nelligan, Fondation des forges); en roman (Robert Cliche des Quinze); les prix Molson; les prix du *Journal de Montréal*; les prix du Québec; les Prix littéraires du Gouverneur général; les prix régionaux; les prix francophoniques; etc.

Chaque salon du livre dévoile aujourd'hui des prix, publicisant et popularisant ainsi ces événements symboliques. Autre preuve de la vitalité éditoriale : les collections de poche. C'est étourdissant. Il y en a une qu voit le jour à chaque année : Typo, 10/10, Boréal Compact, VLB, B.Q., etc.

Non, il n'y a pas de panne de la littérature québécoise, mais il y a une crise. J'en ai pour preuve les indices suivants :

— Les professeurs regroupent de plus en plus en volume leurs articles éparpillés ici et là : François Ricard, André Beaudet, Jean Larose, André Brochu, Gilles Marcotte, Jacques Brault, Pierre Nepveu, et même Madeleine Gagnon.[1] Et ça ne fait que commencer, paraîtrait-il. Parallèlement à l'effervescence de la place publique, l'institution semble à l'heure des rétrospectives (anthologie par ici, dictionnaire par là) ou des mises en ordre. Les professeurs font la pause. Par contre, on les voit de plus en plus présents au sein des maisons d'édition elles-mêmes...

— La «machine NBJ» a enfin lâché prise et laissé choir une avant-garde qui n'intéressait qu'un petit nombre de personnes qui se lisaient mutuellement et qui se distribuaient les bourses. Plus tenaces, la revue et les éditions des Herbes rouges fêtent leur 20e anniversaire, ce qui fait prendre conscience à leurs auteur(e)s qu'ils n'ont plus vingt ans et que la relève tarde à se manifester; trop occupés à mesurer la place qu'ils ont animée, ils ne voient pas qu'ils font trop d'ombre aux jeunes qui publient depuis déjà quelques années (par exemple R. Yergeau, D. Guénette, Joël Pourbaix, etc.).

— Donc la poésie recule : des expressions comme traversée de l'écriture, désir du texte, le corps du texte, la théorie fiction, la mort du genre, etc., ces expressions se voient pipées par ce qu'elles voulaient présisément, semble-t-il, désamorcer.

— Si la poésie recule, le récit au contraire gagne de plus en plus de terrain, et avec un peu de chance la littérature peut maintenant revenir dans les écoles où on ne l'enseigne plus, dit-on — et si on en croit la boutade de Roland Barthes, si la littérature ne s'enseigne plus à l'école, c'est qu'elle n'existe plus. Elle y retournera sans doute avec le récit, tout comme la chanson a réussi à y gagner ses lettres de noblesse.

— Quant à l'université, son enseignement de la littérature est en train de subir une métamorphose historique : l'université ne forme plus surtout des professeurs de lettres, ni des critiques littéraires, ni des lecteurs spécialisés, ni des historiens de la littérature et encore moins des champions de la textualité.

Les étudiants demandent des ateliers d'écriture, non plus des professeurs (le discours du maître) mais des animateurs. Ces phénomènes viennent grossir les rangs des producteurs, des *écrivains* eux-mêmes. Avec le recul des textes d'élite et les changements qui s'opèrent chez les cliques, la notion d'écrivain s'élargit : on écrit pour la radio, le cinéma, la publicité, et on sait parfaitement que c'est là que l'écrivain peut gagner sa vie.

Et dans les remous que créent les nouvelles lois sur le statut de l'artiste et de l'écrivain, les différentes associations cherchent à augmenter leur membership à tout prix, de manière à devenir représentatives (donc reconnues) par les différents paliers gouvernementaux. Le milieu «littéraire» s'agite donc et ne manque pas de dynamisme, tant chez les écrivains, leurs adjuvants et leurs représentants.

En guide de conclusion, je risque certaines observations générales (en vrac) :

Prolifération du côté de l'édition de livres et de périodiques.

Perte de vitesse et d'influence du côté du discours critique (surtout universitaire) à la remorque (au profit) du discours journalistique (des quotidiens, des revues et des médias électroniques, même si la place occupée par la littérature y est de plus en plus précaire. D'où moins grande force de classification, de sélection et de cohésion du discours littéraire (donc idéologique) général.

Nombreuses tentatives d'élargissement du marché québécois en débordant sur les pays européens francophones, la France surtout : subventions d'aide à la coédition, à la distribution, à la promotion, etc.

Fermeture quasi complète du marché français de l'édition et de la librairie, très protectionniste et ethnocentriste vis-à-vis la francophonie en général. Au profit de l'anglomanie, bien entendu. D'où nécessité de forcer ce marché... ou de protéger davantage le nôtre!

Ouverture et invention du côté des périodiques. Professionnalisme accru, saine compétition, etc.

Contradiction des organismes subventionnaires qui obligent les revues à faire de l'acrobatie de gestion et de survie : rentabiliser une entreprise selon les vues du Québec *et* démontrer un bilan déficitaire selon les vues d'Ottawa.

Élargissement des lieux de la pratique de l'écriture, soit à la radio, à la télé, au cinéma... ou encore la traduction.	Recul de la spécificité du statut de l'écrivain littéraire. D'où banalisation de sa figure mythique au profit d'une pratique de plus en plus professionnalisée.

Depuis le début des années 80, les essayistes québécois pensent la littérature tel un phénix qui doit renaître et vivre de ses cendres vives. La métaphore est belle et justifie l'espoir d'un dynamisme interne constant : prévoir la mort de la littérature, pense Nepveu;penser contre la littérature, affirme Ricard; réagir à la petite noirceur, déclare Larose. Très simplement, je dis qu'il faut penser la littérature en fonction de sa circulation, de son statut de *commerce intellectuel*, et enfin en fonction des tensions qui existent entre les rôles occupés par les agents littéraires : les écrivains et les lecteurs, certes, mais aussi et surtout les éditeurs et les instances de reconnaissance.

Note

1. François Ricard : *La littérature contre elle-même*, Boréal Express, 1985. André Beaudet : *La littérature, l'imposture*, les Herbes rouges, 1984. André Brochu : *La visée critique*, Boréal, 1988. Jean Larose : *La petite noirceur*, Boréal, 1987. Gilles Marcotte, *Littérature et circonstances*, L'Hexagone, 1989. Pierre Nepveu : *L'écologie du réel*, Boréal, 1988. Jacques Brault : *La poussière du chemin*, Boréal, 1989. Madeleine Gagnon : *Toute écriture est amour. Autographie II*, VLB éditeur, 1989. Par ailleurs, tous des essais aussi intéressants les uns que les autres, preuves tangibles de leur passage en littérature d'ici.

Les médias : vitrine indispensable du livre

Qu'est-ce que les écrivains et les éditeurs littéraires attendent des médias? C'est à cette question qu'était consacré un colloque intitulé vaguement «Littérature et médias», qui s'est tenu en novembre 1987; ce colloque est malheureusement passé quasi inaperçu quand il aurait pu soulever beaucoup de poussière ou de passion.[1]

Cette rencontre avait été organisée par l'Académie canadienne-française, en collaboration avec la Société des écrivains canadiens, le PEN Club international (Centre francophone canadien) et l'UNEQ. C'est donc dire combien les organisateurs souhaitaient porter un discours qui partait du lieu même où se fait la littérature, où elle se décide et s'organise, semble-t-il.

Par bonheur, les organisateurs avaient eu la bonne idée de faire entendre des praticiens de la radio comme Gilles Archambault, Denise Bombardier, Paul-André Bourque et Jacques Languirand, des écrivains, somme toute, mais en même temps des intervenants-écrivains qui ont l'expérience des lieux de la critique journalistique, radiophonique et télévisuelle. Le constat était unanime : la littérature occupe de moins en moins de place dans les médias. Et quand elle s'y trouve, c'est la littérature «française» qui occupe presque toute la place. Inexistante à la télévision — ou si peu, le dimanche —, de moins en moins présente à la radio (le nombre d'heures du réseau MF de Radio-Canada à contenu littéraire est passé de 17 heures à 6,5 heures, soit une chute de 65% entre 1979 et 1987), les attachés de presse réussissent encore tant bien que mal à la maintenir dans les médias imprimés...

Le débat ne date pas d'hier et il est toujours d'actualité puisque la situation est encore la même en 1989. Gaétan Lévesque a tenté récemment de secouer l'édifice en dénonçant la place occupée par l'édition française sur le marché québécois. À ma connaissance, il n'y a eu que Réginald Martel et Gilles Archambault pour faire écho à cette protestation, le premier avec prudence, le second en insistant sur l'importance capitale de la présence du livre français au Québec.

J'aimerais ajouter quelques éléments de réflexion personnels, étant tout à la fois professeur, éditeur, directeur de revue et écrivain. Ce cumul de fonctions m'occupe à plein temps, bien sûr, mais cela me permet aussi de fréquenter ou d'expérimenter différents lieux de la chaîne de production et de circulation du marché du livre, que ce livre soit littéraire ou non.

Dans le débat de 1987 et dans celui (le même) de 1989, il me semble qu'il manque des voix. Ce débat m'apparaît «orienté» par et pour les écrivains, pour la littérature, confondant *littérature* et *livre*, marché intellectuel et marché du livre en général, champ de production littéraire et champ de production de l'imprimé, englobant dans le même bout de lunette ce qui relève 1) de la *production* (littéraire) elle-même, 2) de la *diffusion* que les médias ont pour fonction de favoriser et 3) de la *lecture* comme activité à la fois économique (l'achat d'un livre), socio-culturelle (le choix délibéré parmi la masse des livres offerts) et politique (l'achat ou l'appropriation de ce qui est produit chez soi).

Quand le ministère des Affaires culturelles refuse d'augmenter la subvention d'aide à l'édition de la revue «x» parce que cette revue a un prix de vente égal à celui de son coût de revient, on sent tout de suite que les motivations diffèrent selon que l'on se situe du côté des rédacteurs de la revue ou du côté des membres du jury constitué par le ministère.

Quand *Le Devoir* profite régulièrement et avec abondance de la publicité des éditions du Seuil, on comprend que le journal contracte comme une obligation «morale» de parler des livres du Seuil; le texte critique du chroniqueur s'ajoute ainsi au discours publicitaire de l'éditeur (qui va bien sûr récidiver), donne une chance supplémentaire au livre d'être vu en librairie et d'être acheté, donne à l'auteur la possibilité de prêter une voix à son livre, par la radio, et un corps à cette voix, par la télévision, etc., au risque de reprendre le scénario bien connu de la machine *Apostrophe* (si bien nommée) et de son animateur Pivot (encore mieux nommé). Et comme les médias électroniques ont la fâcheuse «habitude» de ne parler que de ce dont on parle déjà, il ne faut pas se surprendre de voir Christiane Charrette, tant à la radio qu'à la télévision, braquer ses projecteurs sur les livres qui sont déjà des best-sellers, renforçant ainsi le pouvoir de séduction de certains titres et/ou de certaines signatures, reléguant au second rang le discours critique au profit du discours publicitaire proprement dit.

Quand on voit les chroniqueurs médiatiques québécois dérouler le tapis rouge parce que d'illustres inconnus débarquent de France, envoyés par les éditeurs français déjà bien implantés à Montréal, accueillis par des attachés de presse bien rodés qui souhaitent matraquer les médias le temps du court séjour promotionnel de l'invité, il y a de quoi rester songeur. Que l'on pense à la turbulence causée par un livre comme *Le zèbre*... Ces ébats médiatiques coïncidant le plus souvent avec la rentrée de l'édition, donc aussi avec le Salon du livre de Montréal (pour ne nommer que le plus important), c'est-à-dire avec la rentrée en bloc de l'édition québécoise qui, visiblement, ne fait pas le poids, ne crée pas autant de curiosité chez les chroniqueurs... et les lecteurs potentiels. Quand je vois dans la vitrine d'une bibliothèque de petite ville de province les nouveautés qu'elle vient d'acquérir et que je n'y retrace que des traductions de best-sellers américains diffusées par des éditeurs français comme Albin Michel, Acropole ou Belfond, j'ai beau essayer de défendre l'intérêt des catalogues de VLB ou de Triptyque, on me dira que le comité de sélection trouve les livres de VLB et de Triptyque trop difficiles à lire pour les lecteurs locaux. Le budget d'achat de la bibliothèque portera donc sur le livre «pratique» et le best-seller (qui est par ailleurs très coûteux).

Des colloques comme ceux dont je parlais au début de ce texte, il faudrait les multiplier dans le but de susciter une *concertation* dans le milieu du livre — et non seulement du livre littéraire — au Québec. Les éditeurs ne sont pas assez sollicités à prendre part à de tels débats.

Dans l'opinion publique générale, les écrivains ont bonne presse : ils fournissent la matière première et ils sont pauvres tandis que les éditeurs profitent de cette matière grise en faisant signer des contrats qu'ils ne respectent pas.[2] Toutefois, le public devrait admettre qu'il y a loin du manuscrit initial au livre fini que l'on peut retrouver en librairie. L'éditeur doit faire des choix : des choix de manuscrits dictés par une politique éditoriale plus ou moins précise, des choix de production dictés par des considérations techniques et économiques, et enfin des choix parmi les stratégies promotionnelles que dicte le marché. Le marché québécois étant très restreint, les éditeurs rêvent de conquérir le marché français en multipliant des alliances avec le milieu de l'édition de l'Europe francophone (coédition, vente et/ou achat de droits, etc.). Cependant, dans leur for intérieur, ils s'interrogent : comment et pourquoi opérer sur le marché européen quand ils n'arrivent même pas à dominer leur propre marché, quand ils n'arrivent même pas à *se faire valoir* (et par conséquent à se faire faire valoir) dans les médias, quand ils se font damer le pion par leurs compétiteurs français?... comme en Belgique, en Suisse et dans (presque) tous les pays africains francophones, etc.

Ce n'est pas au niveau de la production que le bât blesse au Québec. De très nombreuses subventions et bourses profitent aux écrivains et aux éditeurs, aux bibliothécaires et aux distributeurs, comme dans tous les milieux industriels d'ailleurs. Il ne faut donc pas rougir de la nécessité de subventionner le livre au Québec. Dans ce domaine, il n'y a que les imprimeurs qui ne soient pas subventionnés, et c'est à voir. Au niveau de la production donc, les bons écrivains sont très nombreux, le nombre de titres publiés à chaque année est effarant.

C'est au niveau de leur *mise en valeur* que ça cloche. Le livre (littéraire) québécois et le périodique tout autant sont quasi absents des médias, même si ces médias suscitent la diffusion de la littérature, favorisent la lecture et même la production littéraire proprement dite. En effet, les médias peuvent solliciter des textes inédits, animer des débats culturels, adapter des textes de fiction pour la télévision ou le cinéma, développer des spécialités dans le métier même des écrivains (le scénariste par exemple), favoriser l'oralité tout en accordant une épaisseur culturelle et artistique au texte imprimé, améliorer la situation financière des écrivains et leur position dans l'échiquier des rapports de forces de la lutte pour la reconnaissance (de leur valeur), etc.

Cette capacité des médias de susciter la «création» chez les producteurs, les éditeurs sont donc *en droit de l'attendre* aussi du côté de la promotion des livres qu'ils fabriquent et font circuler. Ils ont beau mettre en marché des livres superbes, tant au niveau du contenu, de l'expression que de celui de la matérialité même du produit, cet acte professionnel, donc socio-culturel et économique, est nul, sans effet, sans autre signification que l'acte de produire chez un éditeur — ou mieux, chez un imprimeur —, *si* une parole ne vient pas prendre en charge ce livre, *si* un délégué de parole ne vient pas le sélectionner, le classer, le transformer, le signifier comme objet culturel (littéraire ici, pour la jeunesse là, pratique ou fictif, etc.), donc lui donner une signification, lui offrir une vitrine, une tribune, un public et même des publics, bref une ou des fonction(s), un ou des usage(s). Autrement, le livre ne sert à rien ni à personne.

La responsabilité des médias est donc très grande quant à l'existence d'un marché du livre au Québec et encore davantage quant à l'existence et à la santé d'une littérature d'ici. La présence de l'édition de France pourrait représenter un élément positif de compétition et de collaboration si elle n'était, comme elle semble l'être depuis longtemps (!), avec la *complicité* des médias, un éteignoir, un étouffoir.[3] Pourquoi la revue *Nuit Blanche*, de la ville de Québec, consacre-t-elle plus de pages aux livres français qu'aux livres québécois? Et que nous répondrait *Spirale*?

Pourquoi le magazine *Châtelaine*, qui s'adresse bien sûr à une sphère de consommateurs bien plus large, quoique ciblée elle aussi, pourquoi, dans l'unique page consacrée aux livres, fait-il la recension, en août 1988 par exemple, un numéro pris au hasard, de quatre romans français : *Replay* (Seuil), *Une saison de feuilles* (Fayard), *Danger mortel* (Sylvie Messinger) et *Comme des ombres sur la neige* (Robert Laffont); en mai 1989 de deux romans français et d'un roman québécois; et en juin 1989, de trois livres français? Pourquoi Gilles Archambault, à la radio, ne manifeste-t-il pas autant de vive curiosité pour la littérature québécoise que pour l'étrangère, ou encore le jazz? Cela dit sans préjuger bien sûr de l'ouverture d'esprit du chroniqueur, car j'aurais pu nommer Jacques Languirand... À qui diable s'adressent certaines des émissions culturelles de Radio-Canada MF de la fin de l'après-midi? Quant à l'émission «En toutes lettres», qui était diffusée très tard en soirée, sans doute parce qu'elle misait totalement sur l'actualité du livre d'ici, son succès est aujourd'hui tel que son horaire s'est trouvé modifié en conséquence. Et pourquoi la formule de «En toutes lettres» ne serait-elle pas transposée à la télévision? Et pourquoi les quotidiens ne parleraient-ils pas davantage de ces émissions littéraires qui marchent, soit pour en appuyer les qualités soit pour en dénoncer les préjugés, les conflits d'intérêts ou les oublis. Les radios et les télévisions «communautaires» auraient là l'occasion de sortir de l'ombre et de se faire valoir.

De la même manière qu'il faudrait multiplier les indispensables revues des revues un peu partout dans les médias, une revue des émissions serait également très stimulante et très éclairante sur les choix et les enjeux mis en cause. Idem pour les chroniques des quotidiens. Des débats publics, à «En toutes lettres» par exemple ou ailleurs, pourraient avoir lieu entre écrivains, critiques, éditeurs et de bons animateurs, c'est-à-dire des animateurs soucieux d'être des éveilleurs plutôt que de simples publicistes. Ce serait là une bonne occasion et une bonne école d'interventions pour les intellectuels qui ont beaucoup à apprendre des médias modernes d'information et de divertissement.

Il faut, bien sûr, parler de l'actualité du livre français, mais les chroniques devraient être motivées, pour ne pas dire justifiées, à la lumière de l'actualité de ce qui alimente et anime le livre québécois. Les chroniqueurs gagneraient en crédibilité, le livre québécois en légitimité (et par le fait même en visibilité et en influence). Quant aux publics lecteurs, ils se trouveraient petit à petit contaminés par ce désir accru d'écoute de ce qui est dit à propos de ce qui peut être lu, par ce désir ou ce besoin de participer à cette circulation du livre, circulation sans laquelle tout commerce intellectuel serait impossible, sinon vain.

Notes

1. *Écrits du Canada français*, n° 64, 1988. L'automne suivant, on passa le micro aux revues «culturelles». Le ton général et dominant a été celui des récriminations, le bouc émissaire principal s'avérant être les organismes subventionnaires. Au coeur de cette pauvreté du débat, il y avait pourtant matière à réflexion. On pourra lire aussi avec intérêt un numéro de *Études françaises* portant sur «La littérature et les médias» (vol. 22, n° 3, 1987) dirigé par Lise Gauvin.
2. Il faut admettre que ces «droits» intellectuels relèvent d'une conception à la fois archaïque et élitiste de l'appréciation de la «valeur» des produits «artistiques» en général. Cette valeur symbolique flirte avec une valeur économique sans cesse déniée, mais bien réelle quand elle doit être revendiquée ou négociée.
3. Dans le domaine musical, les médias électroniques sont *réglementés* dans le but de promouvoir les produits canadiens et, pour le Québec, les produits francophones. Peut-on imaginer le CRTC intervenir dans le débat qui nous intéresse! Pourtant, un juriste pourrait nous éclairer sur les lois qui régissent le commerce du livre en général entre le Canada et les pays qui utilisent les mêmes langues. Il y aurait lieu, je crois, d'évaluer l'urgence d'une politique de protection de notre industrie culturelle, pour le livre ou le film par exemple, comme on semble le faire pour la chaussure ou le meuble.

II

LE SOUPÇON
OU
LA CULTURE EN MUTATION

L'imposture

Il semble y avoir des relents d'inquisition dans l'air! Pourfendre quelques ténors de la poésie québécoise des années 70 au nom de la vérité et du redressement de la grande culture me semble digne d'un néo-fascisme que je ne saurais tolérer. Et voilà que le fascisme éveille mes dégoûts et mes répulsions en un fabuleux jeu de miroirs dont je me méfie comme de la peste. Tout de même, il y a des risques qu'on ne saurait refuser, la tentation est trop forte.

Dans *Poètes ou imposteurs*? (Louise Courteau éd., 1985, 176 p.) Michel Muir dénonce le pouvoir quasi occulte qu'ont acquis en leur temps les féministes Nicole Brossard et France Théoret — ah la belle époque des discours qui portaient! — ou encore les herbes-rougistes François Charron et André Roy dans la foulée de la querelle des revues *Chroniques* et *Stratégies*, aux prises avec cet urgent besoin de gueuler leur amertume, de vomir les tabous et de susciter les levées de sexes, etc. Enfin, Muir dénonce le clinquant rock'n roll de Lucien Francoeur qui amuse encore (mais jusqu'à quand?) les élèves du secondaire V et les étudiants de certains cégeps. Ici et là, des flèches atteignent les frères Hébert des Herbes rouges, les amateurs de chansons, le «Dieu» de Carole Massé, les élucubrations de Sylvie Gagné, les divagations modernistes de Claude Beausoleil, et j'en passe.

Michel Muir a-t-il beaucoup de courage? Il faut admettre que oui et ajouter qu'il fait preuve aussi, pour le moins, de beaucoup de maladresse et de quelques erreurs de cibles. D'abord, aujourd'hui, ce ne sont pas les écrivains des Herbes rouges qui sont les cols blancs de l'institution littéraire de la métropole québécoise et qui auraient besoin d'être surveillés, malmenés, stimulés. Ensuite, ce ne sont pas les qualités intrinsèques d'une oeuvre qui font les bons ou les mauvais poètes mais les discours concertés de la critique, qu'elle soit journalistique ou universitaire, ce sont ceux qui décernent les prix au sein de jurys qu'on souhaiterait plus objectifs, que ces jurés soient écrivains eux-mêmes ou professeurs de littérature, etc. Enfin, ce n'est pas au nom de Dieu ou de la Vérité ou de la Justice que l'on dénonce le cumul des gratifications symboliques d'une clique. D'ailleurs, tout appareil institutionnel se renouvelle et se dynamise grâce à la ferveur d'une clique. Les cliques passent, les structures restent, les discours se perpétuent ou se bousculent à la faveur des cliques et/ou des modes : par exemple, Jean Royer ne rate jamais une occasion de vanter la modernité exclusive des dernières pages de *Lèvres urbaines*, Hugues Corriveau fait de l'insomnie s'il ne publie pas au moins un livre par année, Claudine Bertrand veut élever le niveau de la revue *Arcade* en n'ouvrant ses pages qu'à des textes de femmes, le secrétariat de l'UNEQ se confond parfois avec celui de la *NBJ*, les revues littéraires universitaires se surveillent et essaient de préciser leur orientation éditoriale respective parce que les organismes subventionnaires trouvent qu'elles se redoublent (semble-t-il, et même que la rumeur court à savoir que le critère sur lequel on se basera pour trancher dans le gras n'aura rien à voir avec la qualité ou l'intérêt de telle ou telle revue mais qu'il tiendra plutôt à la position géographique ou régionale de la revue; comment imaginer que Laval perde sa revue littéraire? *Voix et images* saurait-elle pallier à l'absence d'*Études françaises*?), etc.

Tout cela pour illustrer qu'un peu de connaissances empiriques de l'institution littéraire québécoise aurait permis à Michel Muir d'asseoir sa polémique sur une étude des cliques et des réseaux qui se superposent et se complètent (quand ils ne se combattent pas à mort) dans le champ littéraire.

Il a préféré s'en tenir à une connaissance des textes. Ce qui nous vaut, bien sûr, quelques bonnes pages dans lesquelles il nous cite des passages tout à fait loufoques, dans lesquels il nous décrit des plaquettes de poèmes d'un rachitisme déconcertant. Michel Muir s'en prend également à la critique complaisante et agiographique de ceux qui soignent leurs intérêts d'amitié, de ceux qui affichent leurs intérêts de prestige, etc. Effets de cliques qui redoublent des effets de modes qui, eux, redoublent des effets de génération. Il y avait là suffisamment de matière pour développer toute une réflexion sur la signature. Car à la connaissance des textes doit s'ajouter un savoir sur la valeur ajoutée (ou retenue) des signataires.

Il manque à Michel Muir la chance (?) d'habiter Montréal, d'y enseigner l'écriture (il n'est même plus nécessaire de connaître la littérature), de fréquenter les lancements, de participer aux prix littéraires, de collaborer à telle ou telle revue, bref il lui aura manqué l'honneur d'être admis à participer à cette «mondanité» somme toute archaïque mais ô combien opérante, qui projette la valeur bien plus sur la stature et la posture des signataires que sur les textes eux-mêmes. Ces derniers n'ont d'intérêt et d'utilité que dans la mesure où ils maintiennent les places et les positions des participants à cette collégialité qui a tout l'arbitraire nécessaire à son maintien et à sa reproduction.

Michel Muir joue alors au grand prêtre d'une inquisition d'un autre âge, d'une inquisition impossible — à moins que les enjeux ne deviennent autre chose qu'une peau de chagrin. Son discours est moral et carrément théologique. Il n'aura donc pas d'écoute. Son pamphlet vite étouffé dans le silence et le mépris de ceux-là mêmes auxquels il se sera attaqué.

J'ai pris la peine de relever l'existence de son indignation. Je le rabats et m'insurge contre son tapage. Mon intention n'est pourtant pas de vouloir défendre l'intérêt de trop nombreuses plaquettes subventionnées et encore moins la place qu'occupe leur signataire. Je n'ai pas à moucher ceux qui se sentiraient morveux. Mais je m'élève contre le discours fasciste qui domine tout le propos de Michel Muir. Et, en ce sens, j'ai de beaucoup préféré les réflexions d'André Beaudet sur le statut de l'écrivain dans son livre au titre pour le moins équivoque : *Littérature, l'imposture* (Les Herbes rouges, 1984, 207 p.). Non seulement ce livre a été publié aux Herbes rouges, ce qui me fait sourire après avoir lu Michel Muir, mais le sens qu'il donne à «imposture» n'a rien à voir avec la connotation morale et théologique de ce dernier : Beaudet parle de l'im-posture de celui qui se colletaille avec la langue et le langage dans une société où la maîtrise et le pouvoir passent par la technique et l'argent. L'écrivain n'aurait pas de posture, pas de poste, pas de statut, figure archaïque d'un paradigme imaginaire : «Comme écrivain, affirme André Beaudet, je n'ai d'autre ennemi que moi-même. (...) L'*im*posture indique la manière de me déplacer (...). Donc quatre messagers : Kafka, Joyce, Gauvreau, Nelligan, tour à tour se disputent ici la bonne nouvelle, s'échangent leurs places, m'interpellent, me contestent au fur et à mesure que je les commente à y prendre mon nom des effets qui le dépassent» (pp. 12-14).

Ce sont là quelques-uns des grands phares de la littérature bourgeoise internationale cultivée. Quatre messagers pour l'approche (la tentation) et le déplacement nécessaire pour ne pas déchoir, la reprise obstinée de la lecture, de l'écriture, de la traversée ironique de la culture à laquelle nous participons. Beaudet rappelle aussi l'existence intense de S. Mallarmé, de R. Barthes, de M. Blanchot et de nombreux autres complices. Les citations s'entrechoquent, provoquent, éclairent le nébuleux problème qui court à travers tout le livre de Beaudet, «irrémédiablement compromis, ce livre se veut aussi une réflexion *déplacée* sur la condition de l'écrivain où se faufile le paradoxe d'une jouissance comme rupture de contrat (social, discursif)» (p. 14). À la suite d'une superbe citation de Blanchot,

> S'il écrit seul, seul à écrire, c'est que mieux vaut être seul pour apaiser l'imposture. L'imposture, ce qui en impose dans le souhait détourné de mourir (d'écrire).

des réflexions à vif sur l'écrivain et l'institution littéraire, sur les «voix de ventriloque» et la société informationnelle, bref des fragments d'*im*posture comme les appelle A. Beaudet : «L'*im*posture de l'écrivain, c'est d'être sans place, toujours «déplacé» par rapport au régime et la machine où chacun doit se tenir à sa place» (p. 205). Et ailleurs : «J'écris pour encore respirer, prévenu et convaincu d'*avoir la main coupée*. Question de souffle» (p. 115). Enfin, au coeur même de la contagion : «Comme imposteur, le porteur d'écrit est aussi, au sens fort, un porteur de faux (le plagiat), un porteur de germe (la peste). Dans la tourmente qui le fait écrire, il prend contact avec l'innombrable des hordes» (p. 107).

Le livre de Beaudet mérite d'être médité longuement. Michel Muir ne manquerait pas d'y trouver matière à réflexion, ne manquerait pas de s'y retrouver et de se prendre lui-même en otage. Je souhaite le même type de lecture complice et engageante à Gérald Gaudet qui semble avoir passé bien des heures à s'entretenir avec vingt-cinq écrivains. Son livre : *Voix d'écrivains* (Québec/Amérique, 1985, 293 p.) est en effet fort sympathique, au sens large et vague du terme. D'abord il est très beau, comme presque tous les livres des éditions Québec/Amérique. On a donc droit à vingt-cinq entretiens (commentés), accompagnés de magnifiques photos d'écrivain(e)s pour la plupart bien connu(e)s, et d'une «fiche littéraire» c'est-à-dire bio-bibliographique. Gérald Gaudet a une attitude positive tout au long de sa démarche : il aime les livres, admire ceux qui sont reconnus comme écrivains et ramène les préoccupations fondamentales de tout être humain à une problématique de l'écriture, intime et subjective, exclusive à chacun.

L'attitude de G. Gaudet est celle de l'écoute avertie, du commentaire tantôt élogieux (l'originalité) tantôt simplificateur (le résumé d'une démarche qui évolue de livre en livre) tantôt érudit (la connaissance des intervenants du champ littéraire). Cette attitude ne suffit pas toutefois pour faire oeuvre de *critique*. Comme Michel Muir, il connaît bien les textes, très bien même, les questions qu'il pose aux écrivains en font foi. Comme M. Muir encore, il dénie les mécanismes de fonctionnement des cliques littéraires. Mais tandis que Muir dénonce et refuse d'admettre l'arbitraire symbolique des représentations que construit et légitime l'institution littéraire, G. Gaudet nage en pleine évidence, se situe d'emblée au sein de l'institution et, loué dans les discours qui se sont petit à petit imposés depuis une quinzaine d'années, interroge et/ou discute un nombre important d'écrivains, sans jamais justifier le choix qu'il a fait parmi les écrivains québécois d'aujourd'hui, sans jamais les confronter ou les unir les uns aux autres.

Membre du comité de rédaction de la revue *Estuaire*, chroniqueur littéraire au *Devoir*, professeur de lettres au Collège de Trois-Rivières, Gérald Gaudet nous transmet l'intérêt qu'il porte aux divers rôles institutionnels qu'il a cumulés avec le temps. Les entretiens qu'il reproduit avec Jean Royer, Madeleine Ouellette-Michalska, André Major, Suzanne Lamy, etc., sont remarquables de sympathie, d'adhésion et de générosité. Cette attitude me laisse cependant un peu pensif sur le rôle ou l'effet qu'elle souhaite jouer dans la «littérature» québécoise en train de se restructurer depuis le début des années 80. Muir bouscule au nom d'une éthique malheureusement sans engrenages sociaux objectifs. Gaudet réconforte et renforce le bien-fondé arbitraire de la «fiction» (au sens mallarméen du terme) que constitue le champ littéraire. André Beaudet offre plutôt l'exemple et de la lucidité et de l'efficacité critique. Ni simple pourfendeur du dehors ni simple serviteur du paradigme littéraire, Beaudet met de l'avant une réflexion qui tente d'*excéder* la contradiction de la pratique sociale de la lecture et de l'écriture.

Gérald Gaudet avait pourtant bien articulé ses intentions dans son avant-propos. Préserver l'intimité et le vécu de l'écriture plutôt que la rumeur et la signature du livre qui circule (et qui, là, selon moi, prend du sens, se transforme, se trouve traduit dans les termes du discours dominant du temps, ou bien reste dans l'ombre et le silence). Gaudet a opté pour la «voix» singulière, la différence. «Autant de nécessités et de passions en mouvement pendant que la main transcrit et détaille dans son grain la pulsion de créer qu'il m'importe de redécouvrir dans la diversité de leurs textures» (p. 11). Cette phrase est magnifique, mais je n'adhère pas à l'intérêt du projet qu'elle propose. Je préfère la thèse de l'imposture de la pratique littéraire selon l'expression d'André Beaudet. *Voix d'écrivains* apporte tout de même, il faut bien l'avouer, beaucoup de renseignements sur la démarche d'écriture chez tel ou tel écrivain. Comme Claude Beausoleil, Gaudet «imagine» difficilement comment un individu pourrait se retrouver à faire autre chose que d'écrire un livre» (p. 208). C'est étonnant. Et à propos de Suzanne Lamy, il affirme que «là où elle devient plus intime, c'est quand elle fuit la théorie pour me confier...» (p. 237). Ils bavardent. C'est intéressant.

Avec *La table d'écriture* , poétique et modernité (VLB, 1984, 391 p.), Philippe Haeck semble plutôt vouloir boucler discrètement le programme poétique majeur qui fut celui des années 70, programme auquel il a participé à sa façon et sur lequel il paraît revenir moins en poète qu'en critique littéraire, en professeur surtout, même si la représentation qu'il projette du professeur est peu orthodoxe.

Ce beau livre me rappelle moins ses recueils de poèmes antérieurs que ses «essais», *L'action restreinte de la littérature* notamment, titre emprunté à qui vous savez et que je lui ai toujours envié, et *Naissances. De l'écriture québécoise,* qui date de 1979. Déjà! Les textes réunis ici dans *La table d'écriture* sont très divers, tant par la forme que par le contenu; ils ont été écrits pour la plupart entre 1973 et 1983, donc peu d'inédits, avec cette technique bien particulière qui est propre à P. Haeck et à quelques-un(e)s de sa génération, cette sorte de poétique du fragment, poétique sur laquelle je n'ai pas l'intention de m'étendre mais dont je dirai qu'elle permet de fabriquer des textes qui ne s'engendrent pas paragraphe par paragraphe mais par bouts de textes juxtaposés, sorte d'étagement de la réflexion, abandonnée ici, reprise plus loin, le temps d'en faire oublier les détails et de manifester par moment sa reprise, et sans jamais (ou rarement) la mener jusqu'au bout, le tout parsemé de citations, elles-mêmes aidant à la dérive, jusqu'à ce que les lectures s'épuisent et par le fait même l'*écriture* qu'elles ont engendrée, le sujet même de l'ensemble du livre dont la structure globale s'apparente à la structure étagée des textes pris isolément, le fruit d'une poétique du fragment.

Une même préoccupation poursuit inlassablement le désir d'écrire de l'auteur : l'*écriture* elle-même, sa pratique, son enseignement à l'école, ses fonctions, et, par extansion, la *lecture* des livres d'ici, les multiplicateurs du désir de parler, de trouver sa voix, bref de prendre la parole, donc de critiquer, la *critique* étant étroitement liée aux deux autres activités, comme prise au piège d'une même passion, celle de la liberté, de l'expression, de la voix (re)trouvée, de la vie.

Cette obsession enthousiaste et riche n'est pourtant pas sans assises théoriques sur lesquelles P. Haeck revient inlassablement.

Ces trois activités imbriquées n'ont de valeur à ses yeux que si la parole a préséance sur la langue, sur l'écriture même, sur le discours, que si elles permettent l'expression et/ou l'écoute d'une voix. Ce parti pris à la fois naïf et très stimulant est à la base de toute une réflexion romantique (au sens fort et historique du terme) sur la modernité. En effet, à côté d'une artillerie de gros canons comme Freud, Nietzsche et Marx, sorte de triangle magique et autoritaire — il est vrai qu'ils ont bouleversé toute la philosophie (de la vie) occidentale —, donc à côté... ou plutôt sous le parapluie de cette trinité dont la modernité ne trompe pas, P. Haeck exploite tout un réseau sémantique susceptible de faire saisir ce que cette modernité peut avoir de positif et de fascinant, non pas celle d'un Saint-Denys Garneau ou d'un J.-P. Sartre ou d'une Nicole Brossard, trop nocturnes à son avis, trop purement réflexifs, mais plutôt celle d'un Bachelard, tout rivé qu'il était à la matérialité sensuelle de la relation du corps au monde, tout libéré également du fait que cette sensualité, cette attention au monde rende possible la rêverie, la fraîcheur de la découverte, la révélation de la nouveauté, équivalent de l'air à respirer pour vivre (p. 253), la jouissance donc, l'amour, le rire dans la langue (p. 47). Quel merveilleux professeur il doit être s'il réussit à susciter cette croyance chez ses jeunes étudiants, quel plaisir ce doit être que de les entendre rire et de les voir faire écho à sa propre voix.

La position d'écrivain-critique qu'il défend n'est pourtant pas facile à maintenir. Ne veut-il pas *jouer* précisément entre la critique et la célébration (p. 266), entre l'éthique et le chant, entre l'écriture serrée (p. 15) et la parole vive, entre l'enseignement et l'écoute, un pied dans la salle de cours et l'autre dans l'atelier d'écriture et de lecture, entre l'ascèse et le plaisir, entre le nom, le renom et la naissance, bref, entre la littérature et l'écriture, comme s'il n'y avait rien d'autre à apprendre qu'écrire (p. 47), prendre la parole, son envol, naître! C'est là le pari de la poéthique, celui de l'écrivant.

> (...) nous avons hâte de nous lire, nous attendons de nos compagnons et compagnes qu'ils et elles gardent vivante en

> nous l'envie de continuer à inventer le grand texte québécois, celui qui nous met dans tous nos états, nous donne le goût de notre vie, une meilleure qualité d'air. (p. 121)

Cet avènement de la polyphonie n'aura pas été vain : «la constellation de nos camarades nous définit» (p. 275). On peut dire en effet que cet esprit de bande (ou d'école) aura marqué les ténors poétiques des années 70. La littérature est alors vue comme un grand atelier d'écriture ou chacun est appelé à (se) sauter en l'air. À partir d'une telle vision, toutes les analogies sont possibles et les rêveries collectives sans bornes.

Mis à part le ton parfois un peu prêcheur de P. Haeck, son livre mériterait plus d'échos aujourd'hui, à l'automne 1985. Ne sommes-nous pas au seuil d'un siècle... Il ne suffit pas de le laisser venir comme si l'on se préparait à regarder un bon film, souhaitant qu'il nous mette l'eau à la bouche. Écrire en français est encore au Québec un acte politique! Haeck fait abstraction de tout ce qui est économique dans les pratiques culturelles! Il y aurait lieu, là, d'amorcer quelque chose, de reprendre le livre.

Dispositions

Chaque fois que je vois le nom de Mallarmé écrit quelque part, je ne peux pas résister à la tentation de m'approprier le discours qui le porte. J'ai réagi ainsi au *Mallarmé* de Sartre (chez Gallimard). Je l'ai dévoré d'un coup. Toutefois, dans le livre de Christie V. McDonald : *Dispositions*, quatres essais sur les écrits de Rousseau, Mallarmé, Proust et Derrida (Hurtubise HMH, 1986, 107 p.) je croyais que mon fantasme allait me coûter une indigestion de lecture. Il n'en fut rien, bien au contraire.

Le livre est fort beau, comme tous les livres de la collection Brèches. Le nom de Mallarmé est prestigieusement entouré de ceux que l'intelligentsia philosophique française (non politisée) considère comme les contemporains fondamentaux : Rousseau et Mallarmé, deux noms que Derrida lui-même a beaucoup «travaillés». La présence de Proust est plus surprenante ici. L'énigme est vite résolue quand on apprend que ces quatre figures sont réunies autour d'une réflexion sur la musique. En effet, l'auteur explique ainsi le regroupement de ces quatre articles en un seul volume : «Les textes réunis dans ce volume ont été écrits entre 1980 et 1983. Le premier, présenté en dernier (...) autour du travail de Jacques Derrida. Les autres résultent de travaux présentés à Montréal dans le cadre d'un séminaire interdisciplinaire intitulé : «La musique et la théorie du texte» mené conjointement au département d'études françaises et à la faculté de musique de l'Université de Montréal».

Je connaissais bien les réflexions de Mallarmé sur la musique et les lettres, prêtant à la première les vertus du jaillissement («chant jailli») et aux autres l'avantageux regret de structurer ou fixer le «sens» à ce signifié absent que soutient la musique. La rencontre ou la croisée des réflexions des autres écrivains m'a permis de relire Mallarmé et d'enrichir ses analyses de celles des autres : «Ces quatre moments, précise McDonald, qui parlent ou qui partent de musique et textes se laissent lire comme autant de spectacles d'une écriture sans fin ni origine». Chacun tente de rendre compte de ce que Mallarmé annotait comme «l'au-delà magique produit par certaines dispositions de la parole». Par-delà la représentation, il touche à la mélodie et oriente sa rêverie jusqu'à ne plus considérer l'art (qu'il soit théâtre, danse, musique, poésie, etc.) que comme un jeu de rythme(s) entre des rapports.

C'est dire l'abstraction à laquelle nous convient les travaux de McDonald. La lecture en est ardue. Mais les enjeux sont primordiaux. Dans le déplacement du logocentrisme, du mélocentrisme et du phallocentrisme, c'est toute la philosophie occidentale qui bascule. Nous assistons pourtant bien moins à un bouleversement conceptuel, argumentation serrée à l'appui, qu'à une redistribution de signifiants, en texte et en musique, mise en scène très mallarméenne qui consista à réaliser le programme de Rousseau : faire chanter la langue et parler la musique. C'est toute la problématique de la voix qui me semble ici évoquée. McDonald ne la traite pas comme telle. Et préfère jouer du côté de la dissémination, de la signature et du simulacre, du côté de ce que Mallarmé scandait comme étant «le numérateur divin de notre apothéose».

Un livre sérieux donc, fidèle à ses promesses, multidisciplinaire, et construit comme une partition. La structure majeure de la table des matières laisse en effet entrevoir les grands titres suivants :

— Entrata

— En-harmoniques : l'anagramme de Rousseau

— Un dérèglement de comptes : poésie et musique

— Re-parutions

— Coda — La portée des mots

Les disciplines qui se croisent ici sont la philosophie, la sémiologie et la théorie de la littérature. Un heureux mélange et des effets toujours surprenants, donc re-vitalisants, stimulants pour l'esprit. Ce sont d'ailleurs les disciplines et les effets, mais en plus élargis, que mettaient en jeu *Sédiments 1986*, une série de textes réunis par Georges Leroux et Michel van Schendel (Hurtubise HMH, 263 p.). J'évoque ce dernier ouvrage pour mieux mesurer les «dispositions» que McDonald a ponctuées dans son livre.

Sédiments élargit la piste de jeu et superpose encore davantage les discours. Les textes retenus ne me semblent pas toujours justifiés mais l'ensemble consitue un *dépôt* considérable. Le court texte introductif de Georges Leroux oriente la lecture autour d'une réflexion sur le temps... de l'institution, ou plutôt sur le mouvement, le passage, l'effort des discours théoriques récents vers la convergence, l'illusion (idéologisée) d'une synthèse. «La pensée s'est sédimentée, elle s'est déposée, laissant sur place la trace de ses efforts (...) de celui qui veut encore accepter la tâche critique de la pensée : voir ce qui s'est passé. (...) Porter attention ensuite à ce qui émerge (...) laisser le fragment parler sans grande attente.»

Sous le ton paisible de celui qui s'attarde à l'examen des traces, aux alluvions — non sans quelque nostalgie puisque Foucault n'est plus, Pêcheux s'est suicidé, Althusser également, tous les noms qui rappellent notre rapport au temps —, ce sont les notions de texte, de sujet, de discours, d'institution, de cohérence, etc., qui sont ici interrogées. Faute d'un «concept intégrateur fictif» qui rendrait compte d'une synthèse de réflexion, force est d'admettre la mobilité des marges, le passage de l'époque; «n'est-ce pas l'indice qu'en fait il n'y a pas de parcours, mais que des embûches».

Il faut beaucoup de sagesse pour admettre que les discours passent, et beaucoup d'obstination aussi pour affirmer la nécessité du lieu de réflexion des sciences humaines (même si ce lieu se confond ici avec l'université) pour «investir les lieux mêmes où l'époque dit annuler la pensée».

Le transculturel damerait-il le pion à la modernité?

Le numéro 30 de *Moebius* porte sur le polémique. Ce qui devrait surprendre ici, ce n'est pas tant qu'on ait voulu ouvrir nos pages au polémique mais qu'on y trouve très peu de textes de fiction.

Des textes de fiction auraient pu illustrer une polémique entre des personnages, mimer une querelle à même une explosion de langage, susciter une controverse à partir d'un problème ou d'une situation chaude d'actualité, bousculer le lecteur en l'interpellant dans la dramatisation de cas sociaux connus de lui, etc. Bref, la fiction aurait pu servir de support et/ou de relais à un discours progressiste — on se rappellera par exemple les belles heures du discours féministe en littérature — ou à un discours de droite — on se tournera alors du côté de certains textes pseudo-avant-gardistes qui traitent de la modernité en termes purement esthétiques. N'a-t-on pas déjà parlé abondamment de théorie-fiction ou de fiction théorique dans le but avoué de définir un type de texte qui ne serait ni pure fiction (donc hors des sentiers battus de la littérature) ni pure théorie (donc pas encore dans le champ de discours des sciences humaines), mais un mélange de tout cela, question d'annoncer que ce n'est pas parce qu'on a des lettres qu'on n'a pas aussi des savoirs.

Bref, ce numéro contient peu de fictions. Il est surtout composé de textes argumentatifs. Il est possible que «les temps» ne s'y prêtent pas. L'intellectuel n'aurait-il plus le panache qu'il avait? Il remplit d'autres fonctions, plus fonctionnaristes que critiques. Qu'aurait-il à mettre en fiction? Pourtant, le film *Le déclin de l'empire américain* a fait mouche. Qu'aurait-il à critiquer par ailleurs, porté lui aussi par la vague néo-conservatrice et technologique qu'on connaît? Le discours dominant est économique. En sciences humaines et en littérature, chacun emprunte le virage avec la conviction de ne pas être dans le coup. Plusieurs répètent même, ici en ces pages, que la polémique est impossible dans le champ culturel du Québec, qu'elle existe mais qu'elle ne se pratique pas ouvertement, à cause d'un pouvoir occulte qui ferait taire, qui maintiendrait un équilibre convenable, c'est-à-dire respecté par les parties, entre les diverses tensions qui se manifestent occasionnellement.

Dans ses *Lettres sur le Canada*, Arthur Buies dénonçait un tel état de fait en s'attaquant courageusement à l'époque au pouvoir occulte que le clergé exerçait sur les esprits «libéraux», sur ceux que l'on qualifiait de «rouges». L'idéologie cléricale avait réussi à imprégner les institutions à un point tel que le consensus socio-culturel s'est maintenu jusqu'au milieu de notre siècle.

Mais on la contestait cette monopolisation idéologique! Buies a vécu l'époque de la signature de l'Acte de la Confédération canadienne. Il fallait le faire. Il y avait de quoi faire une mélancolite de l'épopée garibaldienne. Il y avait de quoi virer à droite et même se réfugier dans le giron d'un des représentants de ce pouvoir occulte qu'il avait déjà pourfendu. Un siècle plus tard, je me permets de lui rendre hommage en ces temps noirs de la modernité. Vous allez croire que je me cherche un giron. N'ayez crainte. Je voudrais tout simplement profiter de l'occasion pour amorcer une discussion qui saurait avoir des retombées d'envergure : *le transculturel damerait-il le pion à la modernité*?

Je suis prêt à l'admettre. Mais est-ce une notion ou une catégorie positive recevable pour les Québécois? Le brassage culturel a toujours eu des effets rentables au cours de l'histoire. Les exemples sont multiples. Mais ils ne sont recevables que pour les cultures qui sont parvenues à assimiler l'autre ou à la maintenir sous sa domination.

Au Québec, qui semble apparemment avoir vécu longtemps en marge de l'histoire, la cohabitation entre francophones et anglophones ne s'est pas faite sans heurts. Quand une des cultures est dominante et légitimée, elle peut se permettre — et réussir — de valoriser l'autre dans sa différence, de s'en nourrir même, à la condition que l'autre, qui s'en trouvera «marginalisée», ne vienne pas la bousculer et la faire vaciller sur son socle. On comprendra que le Québec francophone ne perçoive pas l'Anglais avec la même lunette qu'il perçoit l'Italo-québécois par exemple, et vice versa. Et chez ce dernier, la culture anglaise et la culture francophone du Québec ne sont pas vécues ou mesurées avec la même jauge (idéologique).

La notion de «transculture», au risque de me tromper ou de paraître néo-conservateur, me semble le cheval de Troie actuel qui viendrait mettre à l'épreuve la vigile du Québec (pour reprendre une expression consacrée). Elle me semble le nouvel argument internationaliste de l'intellectuel québécois (mode 1986) qui, après la déception du rêve indépendantiste, trouve normal que le bilinguisme s'affiche à nouveau, que le biculturalisme rappelle que le Québec est en Amérique du Nord, que le multiculturalisme canadien n'est pas qu'un thème de «speech» électoral mais une réalité concrète, etc., avec tout ce que ce discours culturel «libéral» peut véhiculer comme justification politico-économique, «from coast to coast».

Je voudrais poursuivre la présentation de ce numéro sur la polémique sans vouloir à coup sûr en soulever une. Je voudrais tout simplement, par fragments successifs, pointer des exemples sur lesquels exercer une réflexion sur le *transculturel*. Cette réflexion n'est qu'embryonnaire et devra être reprise et poursuivie en temps voulu. Je l'amorce à partir de ce que j'ai retenu comme expériences «éloquentes» pour appuyer au cours des derniers mois mon propos : a) le pétillant spectacle d'Elton John au Musicfest de l'été dernier; b) la superbe et sobre émission de clôture de Station Soleil à Radio-Québec; c) la lecture d'un article du brillant sociologue Paul Yonnet sur la nécessité du métissage dans la dynamique culturelle d'une communauté ou d'une formation sociale; et enfin d) les faveurs dont semblent profiter l'attrayante revue *Vice versa*.

Moi qui voulais être court! J'y vais donc à grands traits, suscitant plus de questions que de réponses, soulevant plus d'interrogations que d'explications chicanières.

Pourquoi un tel engouement des jeunes pour le rocker britannique Elton John? J'y étais à ce spectacle. J'avais l'air d'un beau grisonnant parmi une meute en quête d'excitations... J'étais si loin de la scène que je me suis résigné à admettre que le spectacle devait être tout aussi intéressant chez les spectateurs. Pour le son, ça pouvait aller. Nous baignions dans le familier... Pour la vue, je me suis vite lassé des jumelles que mes voisins s'empressaient de me mettre sur les yeux, craignant sans doute que je rate ce qu'ils attendaient eux-mêmes depuis le début : un effet de surprise... qui ne venait visiblement pas.

En réalité, ils écoutaient très peu. Très vifs à réagir aux premiers accords d'une chanson connue, ils criaient, sifflaient et frappaient des mains pendant quelques secondes, et poursuivaient ensuite leur conversation jusqu'à ce que la «toune» suivante, re-connue, provoque une nouvelle unanimité. Bref, mis à part ceux qui sautillaient près de la scène, abasourdis par les colonnes de son et ivres de lumière et de costumes scintillants, la grande majorité des milliers de spectateurs québécois — pour ne pas dire montréalais — participaient à une fête musicale dont l'officiant n'était autre qu'un des représentants (quinquagénaire tout de même) de la musique populaire dominante anglo-saxonne de ces trente dernières années.

Après ce spectacle de prestige, le groupe UZEB pouvait remballer ses instruments de jazz... la centaine de spectateurs ne suffisant plus, hélas, à réchauffer l'automne précoce. Les effets de métissage me semblent ici assez problématiques. Et moi, je ne me sens pas dans le coup.

La dernière émission estivale de Station Soleil a heureusement vite fait de me consoler. Jean-Pierre Ferland a réussi là un point d'orgue inoubliable. Au menu, d'excellents musiciens et des intervieweurs très doués comme à l'habitude, mais surtout une Ginette Reno plus touchante que jamais, une Marie-Claire Séguin d'une dignité inimitable, une Louise Forestier très émouvante, donc trois femmes artistes en pleine possession de leur art, en pleine maturité d'émotion. J'étais loin des gadgets des grands stades. Puis une nouvelle figure (pour moi), Joane Blouin, avec une version d'une chanson anglaise, «La main gauche». Un peu guindée, la gorge nouée, il faut qu'elle revienne plus souvent sur les ondes à l'avenir. Le talent ne se construit-il pas à l'usage? Et en fin d'émission, Lewis Furey y est allé de son interprétation de «Notre sentier» de Félix Leclerc, avec plein d'ampleur et de plaisir à chanter, soulignant les contrastes et amplifiant les élans, etc. L'anglophone rendait par là un touchant hommage au doyen de la chanson francophone d'ici. Pourquoi l'aurait-il traduite?

Cette émission, avec des moyens très réduits, donnait la preuve d'une performance de très haute qualité. Enfoui dans ma barbe, un vilain sourire moqueur me rappelait la défunte série d'émissions ratées de Michel Jasmin, lui qui souhaitait justement, à grand renfort de budgets de déplacements, faire cohabiter sur une même scène de music-hall, comme dans le bon vieux temps, des artistes de tous âges et appartenant aux trois cultures dominantes à Montréal, celle de la France, des États-Unis et du Québec. On avait là une preuve que le transculturel n'est pas une valeur à endosser les yeux fermés. Elle doit être orientée, articulée. D'ailleurs, en tant que catégorie socioculturelle, le transculturel (l'interculturel serait déjà autre chose) n'est que le bout d'un iceberg idéologique difficile à évaluer quand on reste à la surface de l'eau.

L'article de Paul Yonnet, dans *Jeux, modes et masses*, à propos du rock français, n'a pas toujours échappé à cet écueil (sans jeu de mots), même si je le juge d'un très grand intérêt et digne de figurer parmi les lectures obligatoires de tous ceux qui se préoccupent des questions qui touchent la pratique d'un art populaire comme la musique dite «rock-pop-punk», la musique transnationale par excellence. J'analyse plus en détail le livre de Yonnet dans la section «Yeux fertiles» du présent numéro de *Moebius* (n°30). J'y renvoie donc le lecteur, signalant au passage que la réflexion sur le «métissage» culturel, surtout quand elle ne se cantonne pas à la pratique des arts d'élite, est une excellente porte d'accès à une évaluation des violents rapports de force que vivent les différents promoteurs de cultures diverses qui cohabitent au sein d'une même formation sociale. Que pensent par exemple les Parisiens de la musique qui domine les ondes radiophoniques françaises? Pourquoi Radio-Québec a-t-il abandonné l'émission «Arrimages»? Peut-on parler d'une culture «noire» chez les Américains? Autant de questions qui ne peuvent pas éviter le débat. Réglera-t-on la loi 101 du Québec de la même façon que l'on a adjugé la publicité destinée aux enfants à la télévision?

Au lieu de parler de métissage, la revue *Vice versa* endosse plutôt le mot de ralliement du «transculturel».

Cette revue est vraiment superbe. Ses qualités typographiques sont supérieures à la moyenne des magazines qui circulent au Québec. Ses qualités rédactionnelles sont aussi, par moments, très intéressantes. L'engouement que cette revue semble susciter chez certains intellectuels québécois me semble toutefois devoir être interrogé. D'abord journal officiel des Italo-québécois, cette revue s'est transformée de fond en comble et se propose maintenant, dans une formule trilingue et avec une équipe très élargie, comme le lieu d'expression du transculturel. Il est significatif que cette catégorie soit défendue farouchement par un groupe ethnique minoritaire (de Montréal), à cheval entre la culture anglophone du continent et la culture (minoritaire elle-même) francophone du Québec, sans parler de cette culture «immigrée» dont parle Marco Micone. Ce dernier a par ailleurs le souci d'en politiser les enjeux (et pour cause!), ce que les autres collaborateurs ne font que rarement, déplaçant vers le champ psychologique et culturel le combat profondément politique et économique qu'est la survie du Québec francophone moderne dans la confédération canadienne et dans l'océan anglophone de l'Amérique du Nord.

Le magazine *Actualité* pointe l'équipe de *Vice versa* comme représentative des valeurs montantes au Québec en 1986. Est-ce un fantasme ou une réalité? Et pour qui?

Les affaires de la culture

Michel Deguy est professeur d'université, rédacteur en chef de la revue *Po&sie*, poète et critique, donc écrivain, préoccupé par la littérature mais aussi par l'«affaire culturelle» (remarquez le singulier); il est donc aussi un intellectuel au sens large du terme, c'est-à-dire ce qu'on appelait autrefois un philosophe de la cité.

Ce recueil d'articles disparates, au titre quelque peu surprenant, un peu fourre-tout, *Choses de la poésie et affaire culturelle* (Hachette, 1986, 223 p.), l'avant-propos nous le présente comme le dépôt ou sédiment de ce qui circule dans le milieu (!), comme ce qu'*apporte le présent*, ce présent tiraillé entre la pratique des arts et celle de la technique, entre la poétique et le culturel, deux substantifs qui traduisent pour lui, dans la contradiction qu'ils exacerbent, la *crise* singulière d'aujourd'hui ou l'extrême défi moderne que nous ne finissons pas de traverser depuis le début du siècle.

«Mais que peut la poésie en ces temps difficiles?» La question n'est naïve qu'en apparence. Quelle disposition générale permet-elle ou promet-elle à qui accepte le risque de sa pratique? «Si une grande oeuvre en est une qui se représente comment le monde va finir (Baudelaire), et s'appareille en bateau ivre pour transborder sur les eaux du Déluge les choses de la poésie, la préoccupation poétique, aujourd'hui où l'inondation est la culturelle, pourrait s'énoncer : comment transformer le réel devenu culturel. La question de la ligne est celle d'une ligne de flottaison.» Sous la métaphore commode de la ligne de flottaison couve le lieu d'une réflexion (moderne?) qui médite obstinément sur le virage technologique que les sciences humaines (artistiques et/ou interprétatives) subissent avec de plus en plus d'acuité!

Ce virage, Deguy se le représente ou (se) l'articule en se tenant à cheval entre une rétrospective de la culture «poétique» moderne et une prospection de l'ère «culturelle» contemporaine. L'appel aux catégories de la grande rhétorique ne suffit plus à résoudre l'intelligence des seuils entre le naturel ou le réel d'une part et l'univers logique ou l'artifice des discours d'autre part. C'est en effet cet *artifice* tout-puissant que propose aussi et impose aujourd'hui la publicité médiatique omniprésente, toute séductrice, «l'entraîneuse de la Technique-Fiction» comme l'interpelle Deguy, l'écran hypnotique du divertissement moderne.

Mais «l'existence est une chose trop sérieuse, poursuit-il, pour être confiée à tout autre qu'aux grands artistes et à l'imitation, médiante, de leur savoir-faire. Évasion donc», disposition à la liberté. Mieux vaut en effet être comme en liberté plutôt que d'être comme en prison, faire comme si l'option pour la libération s'offrait à qui vivait l'aliénation, la captivité. C'est cet univers du *comme si* qui s'offre à qui choisit le poétique plutôt que le culturel — tout en apprenant à maîtriser la relation obligée des deux dispositions d'esprit.

Visiblement, Deguy prêche ici pour les vertus de la philosophie. «La libération consiste à passer, par une transformation réelle des conditions, à une transformation intérieure dont le résultat s'appelle sagesse, et dont le cours est favorisé par l'art.» Il ne faut pas se surprendre alors de le voir s'en prendre au rire de Lénine, à la haine de la philosophie chez Althusser et surtout à la distinction hautaine du sociologue Bourdieu. Si ce dernier parvient à évaluer les différents niveaux de l'échelle sociale dans leurs relations à l'ensemble de l'échelle, c'est parce qu'il occupe le «cadre» limitatif et privilégié du sommet : «garder le privilège du sujet démasquant la structure où sont pris les autres». Ce que Deguy lui refuse.

Aux discours sociologisants, somme toute de pouvoir, il préfère ceux de la marge — pour reprendre un concept de Derrida —, ceux des poètes-critiques de la fin du siècle dernier : Baudelaire et l'infini, Rimbaud et le dérèglement, Verlaine et le rythme, Mallarmé surtout, avec des incursions chez les rhétoriciens qui ont poussé à la limite du cadre (de la langue) leur réflexion sur les tropes, les passions, les catégories du beau en art (le sublime par exemple), etc., toujours aux prises avec la *mimesis*.

La première partie du livre réunit ces «figures poétiques». La deuxième, beaucoup plus savante, regroupe sous le titre de «rhétorique et modernité» deux textes très denses, l'un sur le sublime (le grand-dire) et l'autre sur la figuration du rythme, rejoignant ainsi les préoccupations très modernistes d'Henri Meschonnic sur le rythme. Enfin, la troisième partie, la plus longue et la plus polémique, s'attarde à la marche contemporaine «vers le culturel». C'est ici que Deguy simule des discussions serrées avec Althusser et Bourdieu, l'anthropologue Pierre Clastres sur l'étranger, la «sauvageté», la légitimité des cultures, etc.; et puis à partir de Raymond Queneau et de ses *Exercices de style*, Deguy s'interroge sur la contamination progressive du littéraire et de l'art par les slogans de la technique, sur ce qui expliquerait par exemple les faveurs qu'ont connues les propositions des ouvreurs de l'Oulipo ou des formalistes de l'Alamo.

Enfin, fermant le livre, un examen passionné de cette «escalade» du culturel, c'est-à-dire de cette banalisation et de cette généralité qui entourent des objets, personnes et événements très disparates, mais moulés aux discours qui les élèvent tous, sans distinction (!), au rang de/du culturel : l'inculture croît avec l'acculturation, l'insignifiance de l'Art avec son marketing; le savoir se métamorphose en informations, l'élite en foules, le progrès en déclin, cette «interconnexion (d'un maillage) planétaire accéléré», où tout est changé en le même (comme dans la rêverie de la vampirisation, la technique ayant tout *vampirisé*). Tout ce chapitre sur l'escalade, sur «l'emprise radicale» de la technique et sur les multiples déportations modernes, des excroissances du consommable, tout ce chapitre est à lire et à relire par quiconque sent le besoin de secouer le joug de la technique — ce qui requiert l'organisation et la sûreté planétaire — surtout par l'écrivain ou l'intellectuel qui aujourd'hui «fait retraite» et subit la «mise en culturel»...

La libération que souhaite Deguy ne doit pas conduire les usagers culturels au leurre de la caverne-cinéma ni s'opposer aux activités culturelles, mais doit inclure une fonction *critique* acide contre les utopies et les clichés. Ainsi se lit, à quelques mots près, la dernière phrase de ce livre (de réflexion) inégal, dans lequel on sent au fur et à mesure de sa lecture comme une tension qui monte, comme une urgence à inscrire. Il est donc faux d'affirmer que les intellectuels s'enferment aujourd'hui dans leur mutisme. Peut-être qu'ils n'arrivent pas à se faire entendre, qu'ils ne parlent pas assez fort pour susciter l'écoute? Peut-être qu'ils devraient se concerter davantage et savoir enfin à qui ils veulent et doivent s'adresser.

Les bruits de la culture ou le désarroi des intellectuels

Après *L'éloge de la folie* d'Érasme puis, quelques siècles plus tard, *L'éloge de la fuite* de Laborit, Bernard-Henry Lévy nous convie à *L'éloge des intellectuels* (Grasset, 1988, 157 p.). Lévy ne traite donc pas d'un état comme ses prédécesseurs, d'un état d'esprit ou d'une mentalité, mais plutôt d'une situation, d'une position, de la posture d'un agent culturel qui ne ferait plus beaucoup de bruit depuis plus d'une décennie maintenant : l'intellectuel.

On peut même lire un essai de Marc-Henry Soulet intitulé *Le silence des intellectuels* (québécois) paru tout récemment aux éditions Saint-Martin. Plus tôt, Jean-Marc Piotte évoquait avec nostalgie *La communauté perdue* à laquelle il s'identifie comme intellectuel (un professeur qui écrit et qui publie), sorte d'écho en mineur (quoique simultané) des «Années de rêve», tome I de *Génération* de Hamon et Rotman. Je pourrais continuer encore longtemps de piger parmi les titres récents qui ne sont pas autre chose que des prises de parole d'intellectuels. Ils ne sont donc pas si silencieux.

L'année 1987 a en effet vu paraître un très grand nombre d'ouvrages en langue française qui s'interrogent sur le sort de la culture. Cette dernière semble bien mal en point. Chacun y va de son constat de «malaise», quand ce n'est pas de «crise», de «trahison», de «péril». Dans ce nouvel univers culturel, l'intellectuel se trouve discrédité, presque muselé, littéralement inutile puisqu'on lui refuse même les rôles traditionnels et complémentaires de chien de garde, de crieur (d'alarme) et de conseiller.

Bernard-Henry Lévy se refuse de «bouder sans combattre» et rallie les troupes à l'affrontement qui oppose «l'intelligence à ses ersatz, l'esprit à la sous-culture». Optimiste, l'épilogue à *L'éloge des intellectuels* se veut un appel aux «grandes valeurs classiques de l'homme européen». D'ailleurs, le «devenir-ondes du monde», la folie télématique, informatique et cybernétique contemporaine, tout ce vertige rappelle à Lévy le vieux rêve mallarméen du Livre. Mais en attendant, l'intellectuel saura-t-il s'adapter et dominer — oui, c'est bien de cela qu'il s'agit, du pouvoir —, cette révolution en train de se faire? Faisant écho à Guy Scarpetta qui frémissait devant la prolifération des ondes, ces nouveaux «terroristes», ces responsables de l'«impureté», Lévy résiste à la médiaphobie contemporaine et accepte, au nom de l'écrivain, de relever le défi et de travailler à une «intégration réglée d'un certain nombre d'éléments venus de la planète médias». Selon lui, il est vain de résister et/ou de tourner le dos au «grand déferlement hertzien». Cet éloge de l'«homo cathodicus» par Lévy m'a un peu surpris. Son livre est un refus d'abdiquer, et la place qu'il souhaite aux clercs n'est pas une leçon d'humilité mais de nécessité.

> L'intellectuel, en fait, n'est pas un homme. C'est une dimension de la société. C'est une part bénie des choses. L'intellectuel, c'est une instance, sans quoi le monde irait plus mal encore. L'intellectuel, c'est une institution aussi vitale — peut-être davantage — dans une culture démocratique que la séparation des pouvoirs, la liberté de manifester ou le droit de s'insurger. Ontologie du clerc.

La tirade a le verbe haut. Le ton est égal à la conviction qui le profère. Le lecteur, lui, hésite. La contagion n'est pas garantie. Mais la lecture est si aisée, si rapide qu'il a tout le loisir d'y réfléchir et de relire.

Cet optimisme de circonstance — puisque la diminution des clercs a souvent, selon Lévy, présagé des désastres et la barbarie — est malgré tout moins barbant, permettez-moi l'expression et le jeu de mots, que le discours développé dans *La barbarie* de Michel Henry (Grasset & Fasquelle, 1988, 249 p.). Mieux vaut lire *La défaite de la pensée* de Finkielkraut (NRF, Gallimard, 167 p.) et ce livre plein de bonne volonté d'Allan Bloom : *L'âme désarmée*, avec comme sous-titre : Essai sur le déclin de la culture générale (Julliard, 1988, 332 p.). Édité également chez Guérin, au Québec, ce dernier sous-titre est devenu le titre du volume, accentuant ainsi le souci de l'éditeur de mettre en évidence la réflexion de l'auteur sur le déclin de la culture cultivée plutôt que sur cette «âme» d'un autre âge. Même souci, quoique plus serein et plus distant dans le dernier livre de Fernand Dumont : *Le sort de la culture* (Hexagone, 1987), comme si cette culture était un objet en perpétuelle métamorphose, bien plus près du discours que de la réalité proprement dite.

Partout on s'en prend à la perdition de la pensée, de la signification, etc., au profit de la vibration, de la transe passagère, des variétés... Crise de la culture, destruction de la culture, barbarie... «Parce que c'est la vie même qui est atteinte, affirme Michel Henry, ce sont toutes ses valeurs qui chancellent, non seulement l'esthétique mais aussi l'éthique, le sacré — et avec eux la possibilité de vivre chaque jour.» Le tableau est plus que sombre. La culture aurait perdu toutes ses valeurs (la sensibilité, la crainte, l'incertitude, l'art, la vie même) au profit de la prolifération et de la spécialisation des savoirs scientifiques qui se sont constitués des structures de pouvoir et de pratiques qui sont carrément, toujours selon Michel Henry, à l'*extérieur* de ce qui a toujours, historiquement, constitué une civilisation, c'est-à-dire «cette éclosion simultanée des savoirs pratique, technique et théorique». Il faut croire que l'utopie chez Henry ne se lève qu'au fond du rétroviseur historique de sa culture de philosophe et/ou d'homme de lettres.

La quatrième page couverture fait écho à B.-H. Lévy : «La science livrée à elle-même est devenue la technique, objectivité monstrueuse dont les processus s'auto-engendrent et fonctionnent d'eux-mêmes, les idéologies célèbrent l'élimitation de l'homme, la vie enfin est condamnée à fuir son angoisse dans l'univers médiatique». En effet, la mise entre parenthèses, en science, du sujet et de l'histoire — ce qui est bien vite dit — a conduit nos sociétés médiatiques et techniciennes à se gargariser d'une modernité qui n'a conduit qu'à la barbarie, c'est-à-dire à l'exclusion de la vie au sein même des plus nobles institutions (notamment l'université). En bon philosophe, Michel Henry met en garde et sonne même le tocsin, comme une sorte de victime impuissante de ce qui se joue ailleurs, depuis quelques décennies, dans d'autres sphères d'activités que celles qui ont traditionnellement été l'apanage des intellectuels : le livre, le périodique, l'université, l'Église, etc.

Il faut répondre que les enjeux culturels ne sont plus les mêmes, que les pratiques culturelles se sont diversifiées en même temps que les moyens de production et de diffusion se sont multipliés et perfectionnés : la photographie, le disque, la radio, le cinéma, la télévision, la reprographie, etc., débordant les frontières nationales et instituant une sorte d'internationale de la consommation de «nouvelles» valeurs culturelles, valeurs culturelles dont Michel Henry n'a que faire puisque ce ne sont plus des universitaires comme lui qui les proposent et les contrôlent.

Les sept dernières pages de son livre résument parfaitement l'ensemble de son propos. Il y crie ce fort désir de sauver le monde, ce désir qui n'est plus partagé que par quelques-uns, ceux qui se reconnaissent marqués du même signe (lequel?), des individus isolés, gardiens de la Culture qui ne se développe plus qu'en clandestinité puisqu'ils travaillent à l'extérieur des médias, sont exclus des moyens de transmission moderne de la «culture», tout occupés à «échapper à l'insupportable ennui de l'univers technomédiatique, à ses drogues, à son excroissance monstrueuse, à sa transcendance anonyme», réduits au silence... «La culture est rejetée dans la clandestinité d'un underground où sa nature et sa destination changent complètement — en même temps que celles de la société dont elle vient d'être exclue.»

Décidément, ça va très mal en notre «monde des médias dont l'humanité est en train de mourir». Les sept dernières pages intitulées «Underground» sont encore lisibles, mais le cri est trop global, trop excessif. Cracher sur les médias de la culture moderne dans le but de réhabiliter les médias (artistiques) de la culture classique et humaniste, c'est là faire preuve, à mon sens, d'une naïveté manichéenne qui n'est pas digne d'un éveilleur de conscience comme Henry semble vouloir en être un. Laissons-le à sa dernière phrase, dans l'aura de l'art, de l'éthique et du sacré : «Le monde peut-il encore être sauvé par quelques-uns?» Je vous laisse lui répondre.

Henry garde une profonde nostalgie des fonctions de la salle de cours et du musée. Aujourd'hui, «la vraie pédagogie, c'est la télé!». Les temps ont bien changé. Les nouveaux clercs influents sont maintenant «ceux à qui on tend les micros» : les hommes politiques, les journalistes, les vedettes de cinéma, les médias eux-mêmes.

C'est le même constat que nous sert Allan Bloon dans *L'âme désarmée*. Mais comme il est anglo-saxon (!) et parce qu'il aime (parler de) ses étudiants, Bloom évite d'appuyer sur l'amertume que lui inspire ce qu'il appelle le déclin de la culture générale. Il s'amuse aussi à débusquer les préjugés et les contradictions chez ceux-là mêmes qui prêchent l'ouverture, la tolérance, le respect, etc. Selon lui, la «formation» actuelle que l'on inculque aux jeunes Américains à l'université les conduit au contraire à une incapacité de savoir (manque de curiosité), de reconnaître leurs propres préjugés (dénégation de l'ethnocentrisme), d'apprendre à douter et à se protéger contre les séductions vulgaires : «l'*ouverture* authentique consisterait à *fermer* les oreilles à toutes les séductions qui rendent confortable l'existence présente. (...) songeons à tout ce que nous apprenons sur l'âme par ceux qui y croient. Si l'on ampute l'âme de l'imagination qui projette sur les murs de la caverne les dieux et les héros, on n'en favorise pas la connaissance; on se contente de lobotomiser l'âme et d'estropier ses pouvoirs». On comprendra que l'auteur s'en prend aux sciences humaines, toutes axées sur la raison et le discours analytique, parce qu'elles empêchent de philosopher...

Le livre de Bloom est passionnant à lire, même si je suis très souvent en désaccord avec lui. Le ton est celui de la conversation (simulée), de la discussion serrée (soliloquante), de l'érudition parfois, mais le tout est parsemé d'anecdotes, d'exemples très concrets, relevés d'humour, ce qui ne fait qu'ajouter à la maîtrise évidente du sujet. Il n'est pas surprenant dans ce cas d'entendre l'auteur vanter l'intérêt scientifique et pédagogique des dialogues de Platon. C'est donc le philosophe, ici encore, qui fait la leçon à l'homme des sciences humaines plus occupé par la «vanité et le désir de faire de la propagande plutôt que d'enseigner (...), de préférer l'enseignement à la connaissance, de s'adapter à ce que les élèves peuvent ou veulent apprendre, de ne se connaître soi-même qu'à travers ses élèves. La philosophie est une quête solitaire, et celui qui s'y livre ne doit jamais regarder un auditoire». Remarquez comme le ton est ferme, l'éthique prégnante, et la générosité partout présente.

Il faut lire ce qu'il raconte à propos de la génération des années 60, de l'âge du rock, du règne de Mick Jagger, de la pauvreté de la lecture, de la solitude, de l'ignorance enfin, et tout cela au sein même de l'institution sur laquelle tout l'occident tente de fonder la réflexion et la formation des sujets les plus remarquables de ses collectivités : l'université. À telle enseigne que, privé du terreau qui a longtemps constitué la culture de base des étudiants américains, la Bible et la Déclaration d'indépendance, il devient possible de «devenir Américain en une seule journée». La perte des valeurs religieuses et politiques chez les étudiants modernes, «la perte des livres les a rendus plus étroits et plus plats, sans *goût*. Il y a donc chez ces jeunes une couche de terreau trop mince pour que l'enseignement universitaire puisse y prendre racine.»

C'est oublier combien les Américains sont nationalistes; mais c'est affirmer aussi que le terreau culturel est mince — quand on fait abstraction bien sûr des diverses cultures nationales. Pourtant, il y aurait là tant à apprendre, tout à apprendre, autant à la télé que dans les livres, dans le monde du travail qu'à l'université. Bloom fait donc preuve du même désarroi que Michel Henry. Au mauvais goût de la culture populaire, celle de la télé (le western, Walt Disney, le rock, le fast food, Dallas, etc.), ils regrettent le goût autrefois dominant des élites :

> Le raffinement de l'esprit qui permet de discerner jusqu'aux plus petites différences entre les hommes, entre leurs actes et entre leurs mobiles et qui est ce qui constitue

> le véritable goût, ce raffinement-là ne peut être acquis sans l'aide d'une littérature de haute portée.

Quand les arguments font appel à la notion de goût, c'est qu'ils sont à bout de conviction, et tout à fait impuissants, sinon archaïques. Force est de regretter que les étudiants n'aient plus de livres de chevet, n'aient plus de héros et soient singulièrement intoxiqués par... la musique. C'est elle en effet qui a tous les pouvoirs sur l'âme, qui affecte la vie en profondeur. Nous sommes à l'âge du rock! Et cette culture répond pourtant parfaitement à la définition que Bloom donne de la notion de culture commune : «un fond instinctif de communication réciproque et une sténographie psychologique». Les étudiants sont jeunes. Leurs professeurs de plus en plus vieux...

Platon ne prenait-il pas la musique très au sérieux; il la savait résistante à la philosophie. Elle était vue comme barbare, «alogon», puissance dionysiaque. Il voudra lui tordre le cou... tout cela donne envie de relire *Bruits* de Jacques Attali... Bloom se désole de constater que les jeunes sont sourds, gavés de musique, intoxiqués par la musique, pure prolongement des baladeurs qu'ils s'enfoncent dans les oreilles; ils continuent bon an mal an de fonctionner jusqu'à la fin des études universitaires; mais leur vie profonde et intime se trouve ailleurs, alimentée par la quincaillerie du show-business. Les gigantesques spectacles rock et les modes éphémères et étourdissantes ne sont que l'envers de l'égocentrisme, du nombrilisme, de l'isolement dont feraient preuve les jeunes.

Ce chapitre de Bloom sur la musique manifeste beaucoup de désolation. Il me laisse, encore une fois, perplexe. Même impression à propos du chapitre sur l'université, le lieu par excellence où pourrait fermenter l'amitié et la solidarité d'une petite communauté d'initiés, nostalgique fantasme de «l'atmosphère magique de l'Athènes antique». Décidément, ce livre arrive à son heure; le propos est plein d'actualité; le ton et le niveau d'écriture sont très accessibles; le point de vue est celui d'un moraliste ou d'un pédagogue, donc discutable mais le plus souvent stimulant pour la réflexion et surtout la discussion, que l'on soit lockiste ou rousseauiste (pour reprendre les deux pôles de référence «philosophiques» de Bloom lui-même).

Même constat chez Alain Finkielkraut de la «défaite» de l'arbitraire culturel qui légitimait chez les clercs d'afficher une *distinction* artistique et scientifique, une distanciation certaine vis-à-vis les nécessités de la vie quotidienne des individus et de la communauté à laquelle ils appartiennent. *La défaite de la pensée* reprend les cris d'alarme de *La crise de la culture* d'Hannah Arendt, de *L'ère du vide* de Gilles Lipovetsky, de *Se distraire à en mourir* de Neil Postman, etc., tout en se méfiant comme d'une nouvelle peste de positions défendues par Paul Yonnet dans *Jeux, modes et masses*, trop libérales à son goût, trop tolérantes également devant la «logique de la consommation (qui) détient la culture».

Suivons Finkielkraut dans le procès qu'il fait de l'école par exemple, histoire de rester dans le droit fil de la réflexion sur l'éducation, l'instruction et la culture.

> Que l'homme doive, pour être un sujet à part entière, rompre avec l'immédiateté de l'instinct et de la tradition, cette idée disparaît des vocables mêmes qui en étaient porteurs. D'où la crise actuelle de l'éducation. L'école, au sens moderne, est née des Lumières, et meurt aujourd'hui de leur remise en cause. (...) L'activité mentale de la société s'élabore «dans une zone neutre d'éclectisme individuel» (Georges Steiner) partout, sauf entre les quatre murs des établissements scolaires. L'école est l'ultime exception au self-service généralisé. Le malentendu qui sépare cette institution de ses utilisateurs va donc en s'accroissant : l'école est moderne, les élèves sont postmodernes; elle a pour objet de former les esprits, ils lui opposent l'attention flottante du jeune téléspectateur (...) et confondent dans un même rejet de l'autorité, la discipline et la transmission, le maître qui instruit et le maître qui domine.

Ce décalage entre l'*éducation* que les professeurs tentent de transmettre et le *goût* que manifestent les élèves est, là, manifeste. La jeunesse constitue depuis vingt-cinq ans, soit depuis la démocratisation massive de l'enseignement, ce que Edgar Morin appelait une «bio-classe», avec son mode de vie propre, s'étant constituée un monde à eux, «miroir inversé des valeurs environnantes», constate

Finkielkraut. Paul Yonnet en veut pour preuve ce système de communication très particulier «véhiculé par la culture rock pour qui le *feeling* l'emporte sur les mots, la sensation sur les abstractions du langage, le climat sur les significations brutes et d'un abord rationnel (...). Que l'on écoute ou que l'on joue, en effet, il s'agit de se sentir *cool* ou bien de s'éclater».

Refus de la culture fondée sur les mots, adaptation et adoption d'un système de communication qui s'adresse au groupe plutôt qu'à l'individu, donc refuge dans l'identité collective, régression parfaitement inoffensive, remarque Finkielkraut, si ce n'était que ce style de vie adolescent est en voie de devenir l'étalon à partir duquel et vers lequel circulent les fantasmes de l'ensemble de la société. En effet, puisque la mode est jeune et que la chasse au vieillissement est impérative, l'hédonisme de la consommation dans nos sociétés occidentales culmine aujourd'hui dans l'idolâtrie des valeurs juvéniles : et «l'industrie culturelle trouve en lui (l'adolescent) la forme d'humanité la plus rigoureusement conforme à sa propre essence», faisait déjà remarquer Stefan Zweig. Paul Yonnet, quant à lui, reconnaît là l'aboutissement d'une lutte depuis longtemps aveugle, d'une rude bataille entre les dominances différenciées des hémisphères du cerveau, conflit épuisant, et ce qu'on appelle aujourd'hui la communication l'atteste : «L'hémisphère non verbal a fini par l'emporter, le clip a eu raison de la conversation, la société est devenue adolescente» — tout en vieillissant inexorablement, ajouterai-je, en raison de la dénatalité que l'on connaît dans les pays industrialisés.

Cette contradiction profonde ne peut que confondre aujourd'hui les intellectuels qui tentent de l'excéder, de l'exacerber. Un peu comme Bourdieu qui fait voir comment le discours pédagogique ne peut former les esprits sans appliquer une «violence symbolique» certaine. Elle a donc besoin d'être légitimée, même si d'aucuns la trouvent scandaleuse. Tout le livre de Finkielkraut est par ailleurs fondé sur l'illustration de contradictions profondes, le plus souvent binaires, qui ont marqué l'histoire des idéologies européennes, depuis la Révolution française jusqu'à la Déclaration des droits de l'homme de l'UNESCO en passant par le développement des cultures nationales, la colonisation, etc. Je ne me suis attardé qu'à la dernière des quatre parties que constitue *La défaite de la pensée.*

L'ensemble du livre démonte les mécanismes d'un balancier qui est constant mais qui s'accélère chaque fois qu'un événement militaire vient modifier l'échiquier international. Ce balancier oscille entre deux conceptions de la culture et/ou de la nation, entre deux systèmes que les idéologues se sont obstinés à défendre ou à pourfendre avec plus ou moins de virulence selon l'urgence des situations (ces systèmes ne fournissent-ils pas des arguments aux politiciens et ne forgent-ils pas une opinion publique) : le litige entre la nation-génie d'une part et la nation-contrat d'autre part. Il est très amusant de voir par exemple Goethe et Renan tiraillés entre la défense des valeurs nationale typiques (la Volksgeist, enracinée dans l'histoire de la communauté) ou celle des valeurs qui transcendent les frontières linguistiques et ethniques (la Culture universelle, la Littérature, incontestables parce qu'immuables). Ces querelles à propos de la distinction entre culture nationale et culture humaine se répercuteront lors de l'affaire Dreyfus qui divisera la France en deux, à chaque fois que les états coloniaux auront à défendre les vertus de l'eurocentrisme et à réfuter les thèses du droit à l'indépendance des nations, à l'égalité des races, à l'équivalence des cultures et à la liberté des croyances. Finkielkraut rappelle ainsi F. Fanon, J. Benda, C. Lévi-Strauss, M. Foucault, R. Debray, etc., jusqu'aux moteurs actuels du *pluriculturel.*

Avec ces derniers, nous entrons dans l'ère postmoderne : les thèmes modernes de l'identité et de l'enracinement font place à ceux du métissage, du multiculturel, du polymorphe. On y prône moins le «droit à la différence que le métissage généralisé, le droit de chacun à la spécificité de l'autre». Toutes les cultures sont légitimes. Tout est culturel : le slogan publicitaire efficace vaut le poème de Mallarmé, un rythme rock vaut une mélodie de Ravel, etc. Paradoxalement, «ce n'est pas la grande culture qui est désacralisée (...) ce sont le sport, la mode, le loisir qui forcent les portes de la grande culture. L'absorption vengeresse ou masochiste du cultivé (la vie de l'esprit) dans le culturel (l'existence coutumière) est remplacée par une sorte de confusion joyeuse qui élève la totalité des pratiques culturelles au rang des grandes créations de l'humanité». La frontière entre la culture et le loisir s'estompe : «aucune autorité transcendante, historique ou simplement majoritaire ne peut infléchir les préférences du sujet postmoderne ou régenter ses comportements». D'où notre nouvelle conception prévalente de la culture, sans frontières, sans exclusion, sans repères, etc., à la merci de la volonté de puissance du show-business, de la mode ou de la publicité. «Les intellectuels ne se sentent plus concernés par la survie de la culture. Nouvelle trahison des clercs? L'industrie culturelle ne rencontre aucune résistance, en tout cas, lorsqu'elle investit la culture et qu'elle revendique pour elle-même tous les prestiges de la création.»

L'antiracisme de Benda, Barrès et Lévis-Strauss se trouve tout à coup démodé et se voit opposer un nouveau modèle : l'*individu multiculturel.* Et pour qu'il puisse exister, il faut transformer en *options* toutes les *obligations* de l'âge autoritaire qui prévalut jusqu'à aujourd'hui. Au Québec, jusqu'au non du référendum, jusqu'à la réaction des revues comme *Vice versa*, et même *La parole métèque.* — Le coq-à-l'âne indique que je dois conclure.

Nation, culture, race, ethnie, métissage, pluriculture, transculture, et combien d'autres termes encore, tous ces mots véhiculent et rendent compte de tensions et de luttes dont les objets culturels ne sont que des prétextes. La dérive sémantique des concepts a toujours existé. Elle illustre à merveille que la notion de culture, par exemple, ne peut se concevoir que dans sa dimension historique, changeante, jamais arrêtée, toujours tendue, contrariée et vivante.

Les livres récents qui ont été rassemblés ici sont très différents les uns des autres. Ils se rejoignent toutefois, ne serait-ce que par la résistance qu'ils manifestent à l'égard d'un univers «culturel» de plus en plus *à la merci* des gestionnaires et des puissances d'argent. Pourtant, chez chacun des auteurs, le même clivage se manifeste : on semble bien plus enclin à valoriser l'opéra plutôt que le cirque, le théâtre plutôt que le cinéma, etc., reproduisant, sans trop se méfier, les frontières entre ce qui est culturellement valable et ce qui ne le serait pas. Il ne me reste plus qu'à lire les articles que réunit *Le sort de la culture* de Fernand Dumont.

Je prévoyais poursuivre ici la réflexion que j'ai amorcée dans le no 35 de *Moebius* à propos du présumé déclin de la culture occidentale. J'avais lu les livres de quatre intellectuels dont on parle beaucoup depuis quelque temps, et je terminais mon texte sur le projet de lire le dernier livre de Fernand Dumont : *Le sort de la culture.* J'ai aussi lu en complément d'une série télévisée qui a fait couler peu d'encre malheureusement, *Nous l'avons tant aimée, la révolution* de Daniel Cohn-Bendit (Bernard Barrault, 1986). Tandis que Dumont a regroupé des textes que j'avais déjà lus aileurs, Cohn-Bendit a repris, grosso modo, le propos de son film...

En dépit du grand intérêt de ces ouvrages, fort différents par ailleurs, même s'ils insistent tous les deux sur la nécessité de concevoir une société et sa culture en termes de lutte, de crise, ils n'apportaient pas l'eau fraîche que je souhaitais ajouter au moulin à discussion que j'avais actionné avec Lévy, Finkielkraut, Henry et Bloom.

Je me suis rabattu sur un récent numéro du *Magasine littéraire* (déc. 1987) qui portait, à ma grande et joyeuse surprise, sur «le rôle des intellectuels». Au rang des têtes d'affiche habituelles, j'ai remarqué le nom d'un intervenant inattendu : Yves Simon, romancier et auteur-compositeur-interprète bien connu, même au Québec (j'ai même déjà entendu Lucien Francoeur faire l'éloge de son raffinement). Simon y va d'un «Éloge des bruiteurs» et, en même temps, d'une dénonciation décap(it)ante de ceux qui cherchent à ameuter la cité sous prétexte qu'il s'y fait trop de bruit :

> Au nom d'une menace et au lieu de produire un discours sur lequel appuyer et articuler une réflexion nouvelle, ils formulèrent des interdits de penser et cernèrent de barbelés le champ des possibilités pour qui avait accès à un micro ou à une caméra. Délimiter le rêve et la parole, cela porte un nom : l'encadrement. Depuis Tocqueville, les démocraties produisent de l'individualité. Après le nous révolutionnaire

> des débuts du siècle, le «moi je» des années soixante-dix amplifié par la multiplicité des lieux techniques où la parole et la musique se diffusent, qui peut et veut arrêter cette multiplication de voix? Au nom de qui et de quoi? Après «Hitler, connais pas», n'est-ce pas une génération «les clercs, connais pas», qui vient de prendre figure?

Un grand nombre d'intellectuels se reconnaîtront ici, honteux ou outrés. Mais Yves Simon ne donne pas que des coups de poing. Il profite de l'occasion pour rendre hommage à des esprits qu'il juge ouverts : Husserl en son temps, Michel Foucault, Michel Serres, B.-H. Lévy, André Glucksmann... Il salue ceux qui semblent comprendre que le changement n'est pas le signe d'une fin de millénaire mais peut être l'indice de mutations profondes, de «change» (au double sens de transaction, échange et transformation).

«*Le son traverse là où l'écrit bute.*» C'est moi qui souligne. Pourquoi vouloir endiguer son influx, son influence? L'écrit ordonne, indexe. La musique émeut, transporte. Toujours cette même vieille dichotomie! Simon rappelle à son tour Platon qui n'enseignait que pour prendre le pouls d'un individu ou d'une communauté, il fallait «noter sa musique». Et aujourd'hui plus que jamais, semble-t-il, parmi les cinq sens, «l'ouie se trouve promue intermédiaire privilégié entre un monde mutant et nous. (...) la musique, à travers la chanson qui, sans forcément discourir sur les problèmes qu'elle met en lumière, sait le mieux briser les silences, l'apathie et les indifférences des peuples repus d'information». Ce que je cite, Simon le pose sous la forme interrogative. Moi, je le relis comme une affirmation, à laquelle j'adhère, et sur laquelle je travaille depuis plusieurs années (avec toutes sortes de résistances qui me viennent de ma formation universitaire, de mon univers *dicté* par l'écrit) en me penchant sur la chanson populaire, c'est-à-dire sur les états de la musique depuis l'enregistrement sonore et les positions de discours qui s'affirment à leur propos. C'est de là que vient la mutation. Cette invention technologique extraordinaire a provoqué, pour parler comme Bachelard, un saut épistémologique dont nous ne faisons que commencer à mesurer les effets.

Utopie pour les uns, et naïveté aussi : la musique «avance, envahit, sans jamais prendre quoi que ce soit, elle est un éther qui murmure des mots incompréhensibles puisqu'il n'y a rien à comprendre ou à prendre, seulement être envahi par elle pour mieux se sentir sur la terre, vulnérable, petit, conquérant... Être quelqu'un quelque part, qui ne sait rien de rien et se sent à cet instant précis, égal à tous les autres».

Scandale pour les autres, et mauvaise foi aussi : «les saltimbanques et les médias complices ne seraient-ils pas en train de niveler la pensée pour en faire des slogans de l'air du temps et de vendre les misères du monde comme on promotionne une chanson ou un spectacle»?

On perçoit de mieux en mieux dans ce débat les lieux communs du discours de notre époque. Serait-il sur le point de s'exacerber!

Le monde est aujourd'hui visuel et sonore, *en plus* d'être imprimé, et cela depuis plus de soixante ans. Il faudrait tout de même que les intellectuels y adaptent leur(s) discours; même s'ils ne sont plus maîtres de ce qui anime et/ou bouleverse les discours, il demeure qu'ils sont là pour fabriquer une capacité de recul propre à exercer un métadiscours. Il appartient à chacun d'eux d'adapter son discours à la mouvance du temps et d'en tirer des significations. L'exemple de Barthes est éloquent à cet effet : les choses étant ce qu'elles sont, l'écrivain ne peut travailler que sur le discours, il n'est que discours. Et puisqu'il fait partie de réseaux sociaux, il ne peut que participer à une tension de discours, à des luttes que se livrent les porteurs de discours et plus encore les délégués de discours.

Éloge de la raison silencieuse chez les uns, éloge de l'émotion porteuse chez les autres. Ces luttes ne sont pas banales. Bien au contraire. Sous les querelles de clochers, de chapelles ou de partis se dissimulent des enjeux politiques, économiques et sociaux fondamentaux. Comme tous les conflits de goûts d'ailleurs. Sous les discours veille tout un système d'appareils institutionnels et de supports matériels très divers qui débordent largement l'imprimé.

Il faut lire comment Yves Simon (qui est aussi l'auteur de plusieurs romans, dont *Le voyageur magnifique*, chez Grasset, 1987,

287 p.) défend la valeur d'un disque, la signification sociale et esthétique de ses chansons. Contre ceux qui cherchent à en banaliser la portée, il compare les disques à un annuel, comme on dit aussi un mensuel ou un quotidien, avec dix chroniques ou

> dix mises en scène sonores de la réalité. Ce captage de l'air du temps est aussi un travail. [...] construire une chanson, c'est une adéquation entre une recherche sur les mots, sur les sonorités, sur les rythmes, sur la voix, il y a du journalisme dans ce travail, de la réflexion, de l'intuition et de la grâce [...]. Les chanteurs sont les bruiteurs de l'information, leurs chansons et leurs musiques sont le bruit d'aujourd'hui. C'est là-dessus que devraient travailler les intellectuels et se demander que signifie ce bruit du monde nouveau qui relie les êtres [...] leur fait rassembler des facultés éparpillées, aimer, penser [oui!], agir?

Comme le soulignait Michel Serres au début de *Genèses*, il ne suffit plus de penser le multiple, il faut aussi l'entendre, l'ouïr.

On remarque combien ces réflexions véhiculent des tensions culturelles et sociales à la fois séculaires et très modernes : l'arbitraire des jugements de goût, les usages sociaux des inventions technologiques, la toute-puissance des médias électroniques, le débat entre le langage verbal codifié et une morale de la dépense immédiate (non verbale, comme en musique par exemple, surtout dans le rock, même si cette «perte» est symboliquement représentée et contrôlée de manière à permettre sa reproduction), bref les enjeux de la production artistique comme de la formation de l'opinion...

Les intellectuels sont peut-être aujourd'hui déclassés, mais leur rôle demeure encore très important, ne serait-ce que celui de suivre et d'alimenter ces débats, au nom d'une éthique, d'un savoir, d'une clairvoyance singulière dans notre univers urbain de simulacre et de séduction. Il me reste encore à lire la livraison de *Nuit blanche* (no 31, février-mars 1988) : «Pour une philosophie de la lecture», un numéro qui m'apparaît très prometteur.

La dérive

La communauté perdue, petite histoire des militantismes (VLB éditeur, 1987, 141 p.). Les militants n'ont pas bonne presse depuis une dizaine d'années, et le livre de Jean-Marc Piotte n'a pas échappé à la matraque journalistique lors de sa parution l'hiver dernier.

Pourtant, il tombait bien; il arrivait au moment où Pierre Vallières sortait d'un long silence avec un roman et une série d'interviews; au moment où Cohn-Bendit nous offrait un documentaire télévisuel de quatre heures sur la situation et/ou la position actuelle des célèbres militants qui ont eu le plus d'influence, tant en Europe qu'en Amérique, durant les décennies 60 et 70; au moment où Hervé Hamon et Patrick Rotman faisaient paraître le premier tome du «récit» de *Génération : les années de rêve* (Seuil, 1987, 619 p.), et je pourrais multiplier ainsi les indices d'une sorte de bilan qui se dresse du côté des idéologies militantes.

Militer pour ou contre quoi, avec ou contre qui, dans quel but? toutes des questions simples et naïves dont les réponses, toujours insatisfaisantes, ne sont que l'envers du désenchantement, de l'impuissance et de l'isolement dans lequel s'agitent les militants dans la conjoncture nouvelle, créée depuis le tout début des années 80. La génération des «baby boomers» virait de cap à ce moment-là, et cela lui a totalement échappé. Elle a dû constater à l'évidence la fin d'un univers socio-culturel dont les mutations avaient ponctué les (leurs) vingt dernières années.

Le recul aidant, la majorité des militants s'entendent sur la vision hygiénique et utopique des rapports sociaux auxquels ils rêvaient de participer : excès de jeunesse, enthousiasme, rêve, dévouement à une «cause», besoin de justice, foi en un avenir meilleur, esprit communautaire, libération sexuelle, etc. J.-M. Piotte insiste beaucoup (trop) sur le fait que ces valeurs apparaissent toutes conformes à l'univers social et religieux qui était celui des Québécois durant les années 50. Je ne veux pas insister à mon tour sur ce rapprochement plus moral et psychologique que socio-politique. Je retiens plutôt cette synthèse des témoignages que l'on retrouve dans le chapitre intitulé : «L'immersion dans le présent» :

> Le militant vit en fonction de l'autre par l'intermédiaire de l'organisation à laquelle il se dévoue : l'ex-militant vit pour soi. [Le militantisme] est la manifestation la plus radicale d'une remise en question des valeurs d'une société. Il marque une époque de libération où l'énergie créatrice circule dans une atmosphère de complicité. [...] Le militantisme m'a montré, au-delà de ma vie privée, comment fonctionne la société : j'ai pu la penser et m'en sentir responsable. Mais à cette vision d'ensemble, j'ai malheureusement sacrifié des pans de ma vie personnelle et, en son nom, j'ai contribué — parce qu'on ne respectait pas la différence — à la répression d'éléments de la culture populaire. (p. 115)

Ce témoignage mériterait un livre de commentaires. J'en retiens la vision positive de ce qui poussait des gens à vouloir participer à un projet collectif, même si c'était en posant des mines au sein même des institutions dans lesquelles ils se sont progressivement intégrés. On ne va tout de même pas se scandaliser d'une telle contradiction. J.-M. Piotte insiste plutôt quant à lui sur le désenchantement de ceux qui se sont rapidement sentis isolés, plus marginaux que jamais, renvoyés à leur miroir. Sans passion, sans défi, sans véritable projet mobilisateur , ils vivent aujourd'hui au jour le jour, à l'image de l'époque actuelle, sans perspective.

N'est-ce pas le propre d'une incapacité de vivre l'utopie, une incapacité d'investir le paradigme d'un contenu satisfaisant, une maladie du désir. Les plus équilibrés semblent ceux qui ont réussi à *ajuster* leur rêve à la nouvelle conjoncture; au militantisme, ils ont préféré l'animation populaire ponctuelle, sans vouloir à tout prix que ce travail prenne une dimension transcendante dans la formation sociale à laquelle ils participent; à la lutte pour le savoir et surtout le pouvoir au sein d'un groupe ou entre des groupes radicaux (intolérants), ils ont opté pour la résistance, à leur mesure, dans toutes les facettes du quotidien.

Résister, n'est-ce pas le titre du dernier chapitre de Piotte. C'est aussi le message ultime du texte de Patrick Straram qui ferme le présent numéro de *Moebius*. Résister à l'effritement, à l'indifférenciation, au dérisoire et à la solitude.

Il faut savoir gré à J.-M. Piotte pour l'interview de ces vingt-six militants québécois, même si son livre déçoit par la minceur de certaines interprétations et la mollesse du désenchantement. Il faut croire que le «récit de vie» a ses limites quand il veut jouer dans des eaux qui ne sont pas uniquement ou volontairement celles de la fiction. Piotte brosse là un premier bilan. L'ensemble mérite d'être repris, le projet gardant encore beaucoup de fascination.

III

RÉFLEXIONS SUR LA CHANSON (et le) POPULAIRE OU L'ORALITÉ DANS LE SOCIAL

Liminaire

«La chanson est un artisanat, écrit Gérard Authelain, et c'est pour visiter l'atelier de l'artisan que ce livre a été écrit.» L'auteur de *La chanson dans tous ses états* (coll. Musiques et société, Éd. Van de Velde, 1987, 219 p.) annonce donc clairement ses couleurs. Il ne s'agit pas de gloser sur des problèmes de goût, de public ou de diffusion. Authelain veut plutôt insister sur la chanson elle-même, avec sa chair et ses os; il centre son attention sur ses éléments constitutifs et interreliés : textes, musique, mélodie, harmonie, rythme, orchestration, interprétation.

Le souci pédagogique est évident. On désire fournir au lecteur des outils pour une écoute *attentive* de la chanson, une écoute amoureuse, avertie, pour mieux l'apprécier d'une part, et aussi pour susciter peut-être l'envie de créer, d'écrire, de composer. Les exemples sont donc très nombreux, et il n'est même pas nécessaire de bien connaître la musique pour suivre les illustrations d'analyse. Il suffit d'avoir sous la main un disque ou une bande, et de lire en écoutant. Alors tout devient clair. On comprend mieux ce qui motive tel auteur-compositeur à choisir tel rythme plutôt que tel autre, tel agencement instrumental : on finit par admettre que la consommation amoureuse de cet art nécessite un minimum de rite et de respect, et même un minimum de connaissances, que la musique enfin, qu'elle soit savante ou «populaire», illustre des faits de société, des ancrages culturels et même de civilisation, des faits auxquels une communauté s'identifie, à moins qu'ils ne lui soient imposés...

Le propos le plus original d'Authelain est surtout concentré dans les premiers chapitres de son livre. Il attire en effet l'attention sur une *évidence* qu'il s'avère essentiel de reconnaître aujourd'hui. Depuis que la musique est reproductible par le disque, puis omniprésente à la radio par exemple, il s'ensuit que la connaissance que le consommateur en a, de par cette «audition imposée» elle-même, est une connaissance *globale*. Contrairement à la chanson folklorique ou même plus récemment à la chanson qui s'impose à la mémoire collective de bouche à oreille, avec des «versions» plus ou moins libres par rapport au(x) modèle(s) connu(s), la chanson s'impose aujourd'hui comme le discours publicitaire, *globalement*, avec son texte, son orchestration, son interprétation, son iconographie, etc. Le consommateur endosse le tout, et toute variante devient frustrante, toute interprétation d'amateur devient insuffisante, insupportable. On voit ce que ce fait de culture entraîne comme conséquences, ne serait-ce que la difficulté d'admettre que l'on puisse chanter autrement que ce à quoi nous a habitués le disque (et sa haute technologie performative). Le risque est grand d'être réduit à se taire. La musique ne serait plus que marchandise, produit conforme. On chante donc de moins en moins. Le baladeur prend la relève... et je me surprends à turluter cette chanson qu'interprétait Charlebois : «Consomme, consomme...».

Le projet d'Authelain consistait surtout à illustrer la qualité de ce qui fait la spécificité d'une chanson (et ce qui la discrédite souvent aux yeux d'un public qui ne sait pas l'écouter), c'est-à-dire sa concision, sa densité, sa capacité de réunir en si peu de temps une énorme capacité d'émotion. On peut dire alors que l'auteur a réussi son pari. En de rares occasions, il a outrepassé avec bonheur le fil conducteur de son propos, sentant la nécessité de rappeler la richesse et la diversité de cette pratique culturelle qu'est la chanson :

> Cet ouvrage avait pour but de s'attacher aux composantes musicales de la chanson. Le lecteur aura néanmoins pu lire en filigrane que cet art est réellement un lieu de genres musicaux différents, un lieu de mise en scène, un lieu de

créations et de recréations successives, un lieu de références, un lieu d'interdisciplinarité!

Une chanson, un poème chanté, un texte rythmé, accompagné, il y a en effet là de quoi éveiller ce que plusieurs siècles de culture savante ont occulté au profit de l'imprimé pur et simple : l'oralité. C'est pourtant cette oralité qu'on a redécouverte et alimentée dans la vague de la révolution tranquille.

Nos «chansonniers» ont alors été les premiers surpris de l'accueil chaleureux qu'on leur réserva alors. Ils chantaient depuis les années 50 surtout et, comme par magie, les publics étaient là, s'élargissant d'année en année; ces publics entendaient la poésie amoureuse d'un Claude Léveillée, la poésie folklorisée d'un Félix Leclerc (et des Cailloux) ou les personnages légendaires d'un Gilles Vigneault — et la liste pourrait être bien longue —, des publics davantage auditeurs que lecteurs, tout heureux de se retrouver en ces lieux si bien nommés (boîtes à chanson). L'intérêt de cette expression consacrée «boîte à chanson» ne s'épuise pas dans la seule évocation du mot «chanson» mais dans son articulation à la «boîte», boîte de nuit, boîte de musique, lieu de spectacle et de rencontre, lieu de séduction et d'échange, de communion même. Cependant, sommes-nous vraiment justifiés de parler de «chanson québécoise»? Et quel(s) public(s) vise-t-elle? Nous y reviendrons.

Quand on s'arrête un peu à cette dimension sociale du phénomène, on comprend mieux ce que le mot *spectacle* peut charrier d'épaisseur de sens et de complexité des réseaux d'intervenants. On comprend mieux également pourquoi un Gaston Miron, par exemple, s'évertue depuis quelques années à répéter que le nationalisme dont on a taxé les écrivains de sa génération se retrouve assez peu dans les textes poétiques eux-mêmes. Et il a raison. Ce même nationalisme québécois est d'ailleurs presque aussi absent des textes de nos chansonniers (même si Raymond Lévesque chantait le Parc Lafontaine ou

Rosemont sous la pluie), et cela jusqu'aux *Poèmes et chants de la résistance* au tournant de l'année 70.

Cet étiquetage des productions culturelles a de quoi laisser songeur quiconque prend la peine de se ménager du recul, après coup, et de l'extérieur tenter d'analyser ce qui dans le champ culturel d'une époque réussit à émerger et à se faire remarquer des critiques, c'est-à-dire de ceux qui ont pour fonction de parler..., de traduire, définir, classer, sélectionner, apprécier ce qui aurait de la «valeur» ou pas.

Ce serait surtout la critique littéraire qui aurait traduit les plaquettes des années 60 en termes nationalistes. Ce serait le discours d'accompagnement, journalistique et/ou universitaire, alimenté par la dynamique revue *Parti pris* (morte en 1966), stimulé par le discours politique autonomiste d'alors et encouragé par un extraordinaire désir de prise de parole qui se manifestait dans un grand nombre de secteurs culturels, dont la chanson; ce serait ce discours d'accompagnement qui *transforma* les produits culturels au profit d'une configuration idéologique dominante, à moins que ce ne soit cette configuration qui, par sa cohésion, sa séduction et sa force de ralliement, parvint à «standardiser» les discours de manière à imposer partout les mêmes types de traduction et d'interprétation des faits et des événements, que ce soit dans les champs politique, scientifique ou artistique.

Cet âge de la parole, mal nommé en littérature, même si la formule de Roland Giguère a rallié la majorité des écrivains et des littéraires, longtemps même après la Nuit de la poésie de 1970 et Octobre 70, cette prise de parole donc, mal nommée chez les écrivains — la preuve en est que les plus jeunes réunis autour de *La barre du jour* ne brandiront pas cette bannière de la parole libérante mais celle de l'écriture explorante, du travail du texte, de la contestation de la langue, et le discours féministe venant amplifier et donner un peu de sens et de chair à ce projet, on se mettra à l'écoute du corps, du désir pulsionnel d'expression, on rédigera son journal intime, ses fragments de réflexion et de dérive verbale, etc., accentuant par le fait même le fossé entre cette écriture «exploréenne» et l'oralité, entre cette recherche hors langue et la parole vociférante, entre le graphème et la voix porteuse —, cette prise de parole a été réussie chez nos chanteurs, dans ce qu'on s'est plu à reconnaître comme la chanson québécoise.

Prudent, Stéphane Venne ne parlait que de «chanson d'ici» autour de 1965. Ce n'est que par la suite que la chanson se trouva suffisamment institutionnalisée (avec la multiplication des disques, l'envahissement des ondes radio et du petit écran, la prolifération des boîtes à chanson, etc.), suffisamment industrialisée même pour que l'on qualifie sans risque cette chanson de québécoise.

Et de fait, cette chanson s'est très vite imposée par des traits spécifiques propres à la distinguer : relents folklorisants dans les rythmes, évocations régionalistes dans les thèmes, nouveau public relativement bien instruit et tout oreilles à cette chanson nouvelle interprétée par des jeunes auteurs-compositeurs de nos collèges et universités, politisation lente et progressive, urbanisation et «rock'n rolisation» parallèles, au diapason de la culture dominante et «moderne» de nos voisins du sud, reproduisant même leur contradiction fondamentale, tiraillée entre la contre-culture et le «small is beautiful» d'une part, jusqu'à ce secret désir de conquérir la France par la qualité, la quantité et la modernité de notre chanson «made in Quebec».

Cette période extraordinaire de turbulence s'est soldée par un refroidissement inattendu et imprévisible à la fin des années 70. Crise économique oblige, et la chanson n'a pas échappé à cette règle, loin de là. On peut même parler d'effondrement : rareté des spectacles, chute libre de la vente des disques, redéfinition de la vedette nationale, exode des grandes stars en France (tiens! star est un mot féminin en français), démission des rockeurs, une relève qui semble vouloir chanter en anglais, etc. Tout se passe comme si, après les ténors que l'on a connus et qui ont dominé la scène du grand spectacle social des vingt dernières années, tout se passe comme si après tant de prises de parole et d'écoute (oui d'écoute), c'était le déluge. Mais il n'y a pas de déluge! On veut le faire croire. La relève piétine d'impatience; elle est nombreuse, riche et talentueuse, mais on ne l'écoute pas. La relève souffre du manque d'écoute; elle est privée de son droit de parole à la radio, à la télévision, ailleurs. Elle a du mal à justifier auprès des princes ses droits aux subventions gouvernementales au même titre que les pratiques culturelles jugées plus nobles, légitimées comme la littérature, l'imprimé... La chanson attend d'être prise en charge dans la foulée de la récente valorisation des arts d'interprétation comme le théâtre et la danse. La chanson finira bien par gagner l'écoute qu'elle mérite...

Justement, dans le tome III des Actes du congrès «Langue et société au Québec» (Éditeur officiel du Québec, 1984, 248 p.), congrès qui s'est tenu en 1982, conjointement organisé par la revue *Québec français*, l'Association québécoise des professeurs de français et le Conseil de la langue française, ce tome III donc contient trois textes relatifs à la chanson dans la société québécoise. André Gaulin, Bruno Roy et Denys Lelièvre brossent un tableau assez fidèle de la représentation que l'on se faisait au début des années 80 des fonctions de la chanson dans le champ de production culturelle : «La chanson québécoise définisseuse de l'homme d'ici»; «Qui chante pour qui?»; «La chanson dans la société québécoise».

Le tableau est surtout brossé à grands traits et l'appartenance de la chanson à la culture de masse se voit sans cesse ramenée, tirée, incorporée à la culture humaniste traditionnelle qui se mire en elle comme en un miroir à peine déformant : «L'art poétique-poélitique, de préciser André Gaulin, de la chanson québécoise va chercher sa dynamique dans la mémoire du temps... mémoire sonore, reels, plain-chant, folklore, vents et marées du Saint-Laurent matrice, vieux mots, anciennes rimes, placotage et jaserie» (p. 35). Gaulin regrette qu'aucune étude sociologique de la chanson québécoise n'ait encore été réalisée. J'endosse sa réflexion. Encore faudra-t-il abandonner les textes à eux-mêmes et se pencher davantage sur leurs conditions de production, de circulation et d'appropriation, et cela depuis le tout début de l'industrie du disque au Québec. Je répète : l'industrie du disque et non l'histoire des thèmes.

La question de Bruno Roy est davantage polémique : «Qui chante pour qui? (...) Au centre du débat : la rupture des artistes avec le peuple, le retard d'une culture par la folklorisation de nos symboles, l'accès à la modernité, la reconnaissance de notre espace américain, la nécessité d'une conscience universelle, la confrontation des modèles culturels, la revendication politique» (p. 38). Bruno Roy est conscient du statut socio-politique du phénomène de la chanson au Québec, bien plus prégnant encore que la littérature, très près de la réalité des pratiques culturelles de masse puisqu'elle se trouve davantage à la merci des fluctuations socio-économiques que ne le sont les productions culturelles élitaires traditionnelles, ces dernières se voyant maintenues par l'élite contre vents et marées. Comme le propos du conférencier se centre sur l'aspect linguistique surtout, le discours humaniste se montre vite le bout du nez : «le chansonnier s'est donné pour fonction de formuler la force spécifique de notre parole collective» (p. 39). «Depuis Charlebois, ce qui a changé ce sont les conditions mêmes du langage» (p. 46). L'étude de Roy est tout de même solide et serrée. Les rapports à la langue française (écrite), à la musique rock (anglo-américaine), au corps, aux médias électroniques, etc., sont passés en revue et enrichissent la réflexion habituelle des historiographes de la chanson québécoise. La vocation idéologique de cette dernière se trouve rappelée à la fin du texte de Roy, exagérée peut-être, mais toutefois affirmée.

Le court texte de Denys Lelièvre insiste sur «cette énergie des musiques populaires des grandes villes et le sens du spectacle» (p. 55), sur cette spontanéité et cette improvisation apparente que la chanson québécoise affiche depuis qu'elle s'est trouvée vivifiée par le rock. Par ailleurs, lucide, Lelièvre avoue tout de même la nécessité d'en entretenir la vitalité de l'extérieur, d'en accroître le champ d'action, notamment dans le domaine de l'enseignement. Le dossier est à (pour)suivre.

Dans l'état actuel de nos connaissances, il faut travailler à constituer une galerie de «portraits» et à proposer, ici et là, des outils de travail et de réflexion, ce que représente bien humblement l'ensemble des comptes rendus de lecture qui courent tout au long de cette troisième partie de notre *Parcours*. La musique/chanson populaire s'étant internationalisée très rapidement — à cause de l'amorce proprement industrielle des premiers usages de l'enregistrement sonore au début du siècle — nous saluerons au passage tant des Français, des Américains que des Québécois, tout en sachant que la pratique chansonnière ne prend son sens que dans un contexte social circonscrit.

Nous avons divisé cette troisième partie selon trois points de vue : la biographie, l'anthologie et, enfin, la perspective historique. Cette subdivision nous apparaît commode et met en lumière trois perspectives différentes qui permettent d'aborder la chanson : par ses auteurs - compositeurs - interprètes d'une part, donc les personnages; par les chansons elles-mêmes d'autre part, donc le répertoire; et, enfin, par leur évolution socio-historique, c'est-à-dire leur signification mise en discours (à eux, les personnages, à elles, les chansons).

BIOGRAPHIES

Hommage à Félix Leclerc

Félix Leclerc est mort à une date aussi inoubliable que lui-même ne l'est. *Moebius* est sensible au chiffre 8 qui s'apparente au ruban qui porte son nom.

L'auteur-compositeur-interprète Jacques Bertin lui a rendu un bel hommage l'année dernière en lui consacrant une biographie pleine d'empathie et de générosité : *Le roi heureux* (Arléa, 1987, 315 p. et publié en poche chez Boréal), reprenant pour la circonstance le titre d'une chanson de Félix. Le prénom familier garde donc toujours cet effet un peu magique. Cette biographie est parue en France, comme si elle répétait le pied-de-nez que les Parisiens nous avaient adressé en reconnaissant avant nous la très haute valeur de son chant. Mais comme le Québec gagne en maturité, on ne la lui fait pas deux fois. Johanne Blouin nous a en effet offert cette année, il y a quelques mois à peine, un très bel album dans lequel elle interprète, à sa manière, un échantillon des meilleures chansons de notre vieux poète. Pouvait-elle entonner *un plus bel hymme au printemps pour celui qui nous a quittés.*

On pouvait, bien sûr, ne pas aimer l'homme, son côté fanfaron — qui cachait sans doute une profonde timidité —, se moquer même de son côté passéiste, de ses petites histoires paysannes, quand ce n'est pas de cette image un peu fleurie du poète qui nous vient de son ami «du soir qui penche», mais «L'alouette en colère» commande tout le respect que l'on doit à un père qui a osé poser le geste qu'il fallait, qui a refusé la gifle d'octobre 70 et qui s'est levé avec les autres. Et d'ailleurs, quelle façon inimitable il avait de jouer de la guitare, quelle voix pleine de fermeté, quelle belle tête l'on découvre quand on feuillette l'album de photos de sa carrière d'homme public, combien de chansons toujours vivantes, quel style singulier!

Sa mort n'arrivera pas à nous plonger dans la nostalgie. Félix est vivant. Il a réussi à séduire trois générations et même à mobiliser la dernière, ou du moins à participer à ses aspirations les plus nobles. Comme pour conjurer le temps, en un dernier clin d'oeil, il s'est éteint le 8 du 8ième mois de 1988, à 8h.

Regardons de plus près le livre que lui a consacré Jacques Bertin. Félix est passé à la légende depuis belle lurette en France. Le Canadien a en effet séduit le public parisien dès le début des années 50, et le jury du prix du disque de l'Académie Charles-Cros l'a honoré dès 1951. Et il répétera l'exploit à deux autres reprises au cours de sa carrière de chanteur.

Au Québec, Félix a aussi réussi à passer à la légende. Il a dû y mettre le temps, bien sûr, et jusqu'au dernier moment il a travaillé à la maintenir. Son dernier clin d'oeil a tout de même de quoi laisser songeur. Les médias se sont emparés de l'événement et l'ont exploité comme s'il s'agissait de la perte d'un prince. Le livre que lui a déjà consacré Jacques Bertin ne parlait-il pas de lui comme d'un roi heureux, reprenant ainsi le titre d'une des anciennes chansons de Félix. On a pu alors mesurer, au Québec, la place et la stature que la population lui reconnaissait. Et les périodiques français n'ont pas manquer de rappeler le rôle important qu'il a joué dans l'évolution de la chanson d'expression française.

N'a-t-il pas imposé une image : celle du beau grand gaillard simple de la forêt québécoise, frais sorti de cette boîte à musique que se révélera être cette fameuse «cabane au Canada» immortalisée par Line Renaud. N'a-t-il pas inspiré un style, une tenue de scène, qui sera celle de Brassens et de Brel, et de très nombreux autres : guitare en main, le pied sur un petit tabouret, éclairage réduit et centré, tout devait concourir à fixer l'attention sur l'essentiel, à savoir la chanson elle-même et l'interprétation recueillie du chanteur. C'était avant les rituels de la musique rock, en marge du tapage du showbiz, mais dans la lignée des mises en scène auxquelles nous auront habitués Édith Piaf, Juliette Gréco, Jacques Douai, etc. Enfin, Félix a réussi à léguer une poétique. Après les horreurs de la Dernière guerre, ses thèmes se sont imposés par leur simplicité, leur santé écologique si je puis dire. Il y était question d'arbres et de terre mouillée, de petits bonheurs et de pincements de coeur, de voyages familiers et de présages intimes.

Le mérite du livre de Jacques Bertin consiste à bien distinguer la carrière française de Félix de celle qu'il a menée au Québec, de même qu'à distinguer ses activités d'écrivain de ses activités d'auteur-compositeur-interprète. En effet, en début de carrière, Félix souhaitait bien davantage la reconnaissance du statut d'écrivain (que ce soit par le livre, la radio ou le spectacle de théâtre) que du statut de chanteur. Et pourtant, c'est le chanteur que découvrira Canetti de passage à Montréal, c'est le chanteur que consacrera Paris en l'espace de quelques années, c'est le chanteur que le Québec accueillera à son retour — un retour qui coïncidera avec celui de Raymond Lévesque et de Pauline Julien, qui sentaient eux aussi que le Québec changeait très rapidement et qu'il était prêt à consommer autre chose que des chansons américaines et/ou françaises.

L'écrivain devait paraître un peu «simpliste» pour un Européen, et Bertin ne cache pas sa déception devant ce qui demeure (encore) souvent un brouillon, un désordre «où cohabitent les traits de génie et les banalités sans relief» (p. 225). Pourtant, de toute évidence, Félix est le premier écrivain du Québec à avoir pu vivre de sa plume, et cela dès ses premières publications en 1943-1944. Les nouvelles rassemblées dans *Adagio*, *Allegro* et *Andante* ont eu un énorme succès. Chose plus curieuse encore, puisqu'il ne vient pas de l'élite urbaine, comment se fait-il que ce soit grâce à l'école que ses livres seront surtout connus, lui assurant une fidélité de lecteurs et une notoriété qui retomberont sur les livres qu'il fera paraître par la suite. Il faut admettre avec Bertin que Félix fut surtout un homme de théâtre, à la fois un écrivain de l'oralité et un écrivain d'ancien régime (c'est-à-dire, pour moi, d'avant la «révolution tranquille»), ce qui faisait qu'il se sentait très près des gens, qui d'ailleurs le lui rendaient bien, et très près de la scène où il a progressivement dû monter lui-même.

Le livre de Bertin est très chaleureux. On sent qu'il aime son homme et qu'il a développé plein d'atomes crochus avec la culture québécoise. Son projet consistait à écrire une sorte de roman historique sur la nation québécoise, choisissant son héros parmi les pauvres, un fils de pionniers, petit-fils de bûcheron, un gars typique de ce peuple humilié, peureux, silencieux, et en même temps habité par un rêve immense : la forêt, un pays à bâtir, la parole à conquérir (p. 313). Il a donc dû se documenter de manière à ce que sa biographie soit à la fois l'hisoire d'un individu et celle de la communauté dans laquelle il a évolué. «Ne m'en veuillez pas de manipuler Félix, avouera le biographe historien. C'est pour faire un beau livre. N'oubliez pas que je l'ai fait naître en Mauricie vers 1850...» (p. 285). L'itinéraire spirituel de Félix suit en effet la courbe de l'évolution idéologique du Québec, depuis l'agriculturisme catholique des physiocrates de la fin du XIXe siècle jusqu'au nationalisme social-démocrate actuel en passant par l'amorce de la «révolution tranquille» après la seconde Guerre mondiale. Dans l'ensemble, le tableau est assez juste. Félix porte en lui seul les contradictions fondamentales de sa génération, et comme il n'était pas un urbain, et qu'il défendait une vision nostalgique du Québécois «né d'une race surhumaine» (selon le poète Alfred DesRochers, le père de Clémence) de fondateurs et de défricheurs, il a même longtemps représenté un agent culturel conservateur jusqu'à ce qu'il endosse, en octobre 1970, le discours nationaliste alors dominant : un mélange de socialisme, de féminisme, d'écologisme et d'indépendantisme politique vis-à-vis le Canada. Cette option lui a permis de revenir sur la sellette et de devenir une figure dominante de la communauté québécoise jusqu'au référendum de 1980.

Bertin raconte tout cela avec la verve qu'on lui connaît et une sympathie maintes fois avouée. Ce qui peut parfois choquer le Québécois que je suis, ce sont les généralités que l'auteur véhicule sans vergogne. Avant la Crise de 1929, par exemple, le Québec n'aurait été, selon Bertin, qu'un désert de forêt hanté par des coureurs des bois, parsemé de quelques petites villes pittoresques. Mais si le Québec a mal vécu la Crise, c'est qu'il était déjà un pays urbain et industrialisé. Nos élites ne l'ayant reconnu et admis que vingt-cinq ans plus tard, Bertin a confondu la réalité sociale de l'époque et l'image que l'élite en a véhiculée jusqu'à la fin de la «grande noirceur» duplessiste. Il signale pourtant qu'en 1930 «un Canadien français sur trois est montréalais» (p. 74). Félix ne pouvait donc pas être un Woodie Guthrie. La société québécoise était alors trop fermée sur elle-même et trop monopolisée par le clergé. Ceci dit, un manque d'éléments progressistes ne signifie par un silence, «une absence de culture» (p. 127). À moins de vouloir se moquer.

Une autre généralité : Félix serait un bon conteur parce qu'il est issu «d'un peuple de parleries — pensez à Vigneault et à Sol» (p. 85). Une grande culture produirait des écrivains, une petite des conteurs, des raconteurs de sketches appris par coeur et destinés aux membres de la famille... Pourtant Bertin a vite compris toute l'importance mobilisatrice du mot d'ordre «Speak White» dans le contexte de notre culture minoritaire nord-américaine. Toutes nos élites ont réagi dans le sens de la valorisation du français depuis la Conquête de 1760. Bertin a parfois tendance à confondre les réseaux de communication que se créent les élites et les moyens de communication que privilégient les individus dans leurs contacts familiers. Bertin a parfois le réflexe de se situer à l'intérieur d'une sphère culturelle dont le centre est occupé par la métropole (coloniale!) et la périphérie par le Québec... Ce centre est-il encore ce bon vieux Paris? «Toujours le même refrain : pas de classe moyenne, par de bourgeoisie éclairée, par d'intellectuels, pas de culture!» (p. 134) Pas surprenant que Bertin considère «cette grosse bonne femme» que fut la Bolduc comme «affreusement simpliste» (p. 165), bien qu'elle fût très célèbre, la première auteure-compositeure-interprète populaire du Québec, vedette locale qui aurait peut-être eu beaucoup de succès en France si elle avait eu la chance de s'y faire connaître. Et voilà Félix tout fier d'avouer que sa belle maison de l'Île d'Orléans, il l'a construite avec de l'argent français...

Toujours selon Bertin, il n'y aurait pas d'anticléricalisme au Québec. C'est très discutable. Le débat actuel entre l'école publique et l'école privée le manifeste à chaque fois qu'on le ranime, comme en France d'ailleurs. Enfin, une dernière boutade : le pays du Québec serait si étroit le long du Saint-Laurent qu'il y aurait toujours manqué la place pour planter une caméra. Voilà qui expliquerait la non-existence du cinéma québécois. Mieux vaut en rire...

Bref, le livre de Bertin garde son lecteur en haleine. Il aurait gagné à être relu par une personne avisée, ne serait-ce que pour corriger certaines coquilles ou maladresses d'interprétation. J'en recommande donc la lecture, pour la belle rencontre qu'il nous réserve avec Félix, et pour le tableau stimulant qu'il nous dessine du Québec que j'habite. Une invitation à l'ouverture : «Tu te lèveras tôt / Tu mettras ton capot / Et tu iras dehors».

L'irrespectueuse

Dans le lot des biographies ou des monographies qui circulent en librairie depuis 1988 et qui ont trait au domaine de la chanson, une personnalité m'a tout particulièrement impressionné. Non pas *Aristide Bruant, le maître de la rue* par Henri Marc (Éd. France-Empire), même si le personnage ne manque pas de panache. Non pas *Léo Ferré, amour/anarchie* par Dominique Mira-Milos (Ergo Press), qui m'est plus familier, et qui continue de séduire ses publics avec l'art qu'on lui connaît. Non pas *Joseph Kosma* à qui *La revue musicale* vient de consacrer les numéros 412 et 415, un livre remarquable pour un musicien exceptionnel, bien connu pour le tandem qu'il a formé avec l'écrivain Jacques Prévert. Non pas non plus *Trenet, le siècle en liberté* par Richard Cannavo (Hidalgo Éd.), même si ce livre a remporté le Grand prix de littérature de l'Académie Charles-Cros, et même si Trenet symbolise encore l'entrée de la chanson française dans la modernité de notre siècle. Ni même *Goldman, portrait non conforme* par Christian Page et D. Varrod (chez Favre), celui qui semble le plus grand vendeur de disques en ce moment en France, non encore *John Lennon, mon frère* par J. Baird et G. Guiliano (chez Michel Lafon), un livre bâclé et mystificateur à l'excès.

Non, tous ces livres qui gravitent autour du soleil noir du showbusiness n'ont pas réussi à me faire oublier l'impression un peu trouble que me procura la lecture du volume que Claudine Brécourt-Villars a consacré à *Yvette Guilbert, l'irrespectueuse*, la grande star du café-concert (Plon, 1988, 366 p.).

Cette dame, pour le moins délurée, je ne la connaissais que de nom. J'ai d'abord appris que l'interprète de «La soûlarde», de «Le fiacre» et de «Madame Arthur», ses trois chansons fétiches si l'on peut dire, avait accumulé des surnoms dignes des plus grandes personnalités de sa génération : la Diseuse fin de siècle, la Sarah Bernhardt ou l'Eleonora Duse de la chanson (française)...

Ses domaines d'activité ont été si divers qu'elle a réussi à multiplier les publics susceptibles de maintenir sa renommée. Elle a chanté, fait du théâtre, donné des conférences, publié plusieurs livres, figuré au cinéma et réalisé des chansons filmées (les clips de l'époque). S'il avait fallu que cette autodidacte connaisse en plus la télévision, elle y aurait sans doute épaté la galerie là aussi. Elle est morte en 1944, après avoir tenu la scène pendant près de 50 ans.

Au cours de sa longue carrière, elle s'est d'abord spécialisée dans le registre grivois, et elle y a excellé semble-t-il. Par la suite, elle a curieusement cherché à (se) faire valoir les chanteries du Moyen-Âge et du XVIIIe siècle, ainsi que de très nombreux poètes qui lui étaient contemporains. Elle parlait plusieurs langues. Elle a même fondé une maison de théâtre à New York durant la guerre — son mari était juif. De fort bonne compagnie, elle avait des amis partout, à la fois admirateurs, protecteurs et animateurs. Elle m'apparaît, au risque de me tromper, l'équivalent à la scène de ce que semble avoir été Colette à certaines heures. Ses amis se retrouvaient pour la plupart dans les milieux de la pratique artistique : des écrivains, des musiciens, des comédiens, des peintres (qui l'ont immortalisée en des caricatures fort célèbres, celles de Toulouse-Lautrec ou de Sinet par exemple). Et même Sigmund Freud comptait parmi ses amis, avec qui elle échangea une correspondance nourrie. Kessel ira jusqu'à écrire que le pouvoir de fascination d'Yvette Guilbert lui paraissait irréductible à l'analyse... (p. 319).

Bref, une personnalité peu banale.

Le fou chantant

Charles Trenet confiait à un journaliste du *Devoir* que Johnny Halliday a eu le succès que l'on connaît en France parce que ses chansons correspondaient très exactement à son époque, parce qu'elles répondaient à l'attente pressante de sa génération, celle du rock and roll, tandis que ses chansons à lui, c'est la musique du siècle.

Cette boutade donne une idée de la représentation que Trenet se fait de son passage dans la chanson occidentale. C'est à la fois un peu abusif et un peu vrai. Un peu abusif parce qu'il occulte par ce fait toute la production anglo-américaine qui a dominé ces vingt dernières années, et Trenet lui-même reconnaît ce qu'il doit au swing-jazz américain qui florissait déjà en France durant les années trente et qui prit toute l'importance que l'on connaît après la Seconde guerre mondiale. Sa boutade est aussi un peu vraie si l'on considère *l'effet Trenet* sur deux ou trois générations de chanson française, du Front populaire jusqu'à mai 1968, si l'on songe également à l'audience très intense qu'il a connue à travers l'Europe et l'Amérique. Ses grands succès se fredonnent encore et gardent toute la fraîcheur et le senti du moment de leur composition.

Le livre de Richard Cannavo : *La ballade de Charles Trenet* (Robert Laffont, 1984, 467p.) est remarquable à plus d'un égard. Sur le plan biographique, Trenet n'a plus de secret, et les friands d'anecdotes sont servis à souhait. Sur le plan historique, non seulement le chanteur est bien resitué dans le contexte de l'évolution de la chanson française mais également dans celui de l'émergence de la culture américaine. Bien plus, les grands moments de l'histoire sont évoqués comme toile de fond. C'est toute une époque que restitue Cannavo, une histoire qui nous est encore contemporaine et qui ne couvre tout de même pas, il faut bien l'admettre, l'ensemble des chansons de Trenet...

Les démêlés de Trenet avec l'Académie française ne font que rappeler qu'il a toujours caressé une carrière d'écrivain, même si c'est en tant que compositeur-interprète qu'il a réussi à se mettre en évidence. L'Académie le boude toujours, manifestant encore aujourd'hui, plus que jamais, un retard de plusieurs décennies sur les transformations de l'ensemble du champ intellectuel (et culturel) français et européen en général. L'Académie ne semble pas avoir remarqué à sa juste mesure l'apparition du disque, de la radio, de la télévision comme modes de production et de reproduction d'objets culturels. Une seule exception : Georges Brassens, et dites pourquoi?...

Richard Cannavo est aussi l'auteur, avec Henri Quinquéré, d'un volume sur *Yves Montand, le chant d'un homme* et d'un autre sur *Alain Souchon*. Les praticiens de la chanson ont trouvé en lui un adjuvant à la fois passionné et soucieux du vraisemblable historique.

Le chansonnier

Le style «chansonnier», au Québec, doit beaucoup à Raymond Lévesque. On a réuni ses chansons et ses poèmes dans *Quand les hommes vivront d'amour* (Coll. Typo-poésie, Hexagone, 1989, 381 p.). Dans la foulée de l'après-guerre, Lévesque avait déjà côtoyé Fernand Robidoux, Monique Leyrac et combien d'autres, travaillant avec obstination à composer des chansons de types très diversifiés. Et il excella dans tous les styles. Comme chanson poétique, on retiendra «Sur les trottoirs». Comme chanson politisée : «Les archipels», «Le P.Q.» et bien sûr «Bozo-les-Culottes». Comme chanson sociale, toutes celles qui parlent de la fragilité de la jeunesse («Hippies» «Vingt ans déjà»), de l'amitié («Douze francs», «Paulin»), de l'injustice, de l'inconscience des «passants», des «croulants» et des «tuants», de la stupidité de la guerre («À nos morts»), des «mille solitudes» et des misérables gagne-petits :

> Les ratés ont tout gâché, ont tout perdu;
> Ils n'ont plus rien, et c'est pourquoi
> Ils peuvent toucher Dieu du doigt.

Comme le remarque Bruno Roy, qui signe une longue et sympathique préface, il y a de la Bolduc et du Jean Narrache chez R. Lévesque. Soit! Il n'y a qu'à se souvenir du «Grand raqué» ou «Dans les rangs»; on pourrait aussi rappeler un certain type de chansons que composaient Brel et surtout Ferré à leurs débuts à Paris, des auteurs-compositeurs que Lévesque a en effet fréquentés pendant plusieurs années. Il y a aussi une profonde naïveté chez lui. Peu scolarisé, ses dénonciations sont parfois sans nuances, primaires, plus morales que politiques, à mon sens. Il n'y a qu'à comparer «Ce n'est pas normal», ce cri d'alarme dans le désert de l'indifférence, à «Les affamés» de Léo Ferré ou encore «Yankee» de Richard Desjardins pour mesurer l'écart entre son discours un peu pauvre et franchement simpliste et celui d'un artiste qui crée l'artifice nécessaire à la transcendance du propos. Écoutez «Les militants» de Lévesque et mesurez cela aux «Anarchistes» de Ferré, et on en reparlera. Mais il y a chez Lévesque une telle désinvolture et un tel désabusement devant la bêtise des hommes, et une telle simplicité qu'il gagne le plus souvent notre adhésion.

Dans cet ensemble de textes inégaux, on trouve quelques bons textes bien sentis : «La prière», «Mon bateau» (sorte de «Vaisseau d'or» généreux et populiste), le classique incontestable qu'est devenu «Quand les hommes vivront d'amour», ce chaleureux «D'ailleurs et d'ici», ou encore «Combien de marins par le fond?», ces gentils devoirs d'écoliers que sont «La mort» ou «Les rêves», et cet humour si rare chez Lévesque avec «Le calendrier» ou «La famille», plus connue, le coeur gros qui nous vient à se rappeler «Médée» et surtout «Mon piano», et parfois cette honte qui nous monte vite au nez à nous reconnaître dans le «Chez nous» aux connotations partipristes des années 60...

Les poèmes de Lévesque sont de la même veine que ses chansons. Mais comme cette édition ne nous offre que des textes, je me réjouis de les voir ici tous réunis en un seul volume, tout en regrettant dans l'ensemble leur pauvreté et l'absence de la musique qui leur donnerait à l'occasion les ailes qui leur manquent parfois. Plusieurs textes ont été réunis sous le titre de *Chansons de cabaret*. On retrouve là quelques réussites incontestables, et même si l'oralité est corsetée par les contraintes de la versification, l'humour vient donner à tout cela une légèreté et une efficacité qui n'ont rien à envier à Yvon Deschamps. Je pense par exemple à «Séparatisme» ou à «La famille», des monologues chantés qui ne vieillissent pas du tout et que l'on n'entend pratiquement jamais.

«Toute son oeuvre chansonnière est soutenue, affirme Bruno Roy, par une logique anarchiste, un programme têtu, une fidélité constante. Chansons de simplicité quotidienne, turlute de la solidarité ouvrière, chroniqueur caustique (...)», oui Raymond Lévesque aura su donner une voix à l'humilité et à la soif de justice qui l'habitaient. Ce même état d'esprit et cette même voix, on les retrouve dans les mémoires qu'il publiait en 1987 chez Leméac. Je ne me doutais pas alors que *D'ailleurs et d'ici* reprenait le titre d'une de ses bonnes chansons.

Tout compte fait, Lévesque nous donne ici à lire bien plus que ce que la mémoire sociale semble vouloir nous léguer, c'est-à-dire un Lévesque qui n'aurait écrit qu'une bonne chanson utopiste : «Quand les hommes...». Ce serait nous faire oublier trop vite et trop facilement une personnalité et un travail qui méritent toujours d'être cités.

Aimez-vous Gainsbourg?

Dans la collection «Poésie et Chansons», chez Seghers, Lucien Rioux fait paraître un *Serge Gainsbourg*. Lucien Rioux est connu depuis longtemps de ceux qui suivent de près les publications qui touchent le milieu de la chanson et de la musique populaire(s). Déjà, au milieu des années 60, dans un numéro de la revue *Communications*, aux côtés d'Egar Morin et d'Umberto Eco, Rioux manifestait un intérêt et une érudition que ses ouvrages ultérieurs n'on fait qu'accentuer.

Serge Gainsbourg est certainement plus connu, dans la mesure où il gravite en effet dans un milieu qui offre à celui qui veut percer et s'imposer des moyens extraordinaires d'expression et de performance. D'abord la voix : elle sait porter bien plus loin que ne saura jamais le faire un imprimé, à la condition bien sûr qu'elle soit bien accordée. Gainsbourg, pourtant, chante faux, rauque : son registre est faible, il a l'articulation de plus en plus molle, engluée entre les murmures et les soupirs d'un fumeur ivre qui n'a plus de souffle. Tout cela fait partie du personnage qu'il a mis des années à mettre au point et qui a survécu à bien des décennies. Et ce qui lui fait le plus défaut, me direz-vous, c'est précisément la voix! Je serais prêt à l'admettre si la *voix* n'était que l'émission sonore des cordes vocales. En ce sens restreint, la voix de Gainsbourg est minable.

Mais il faut entendre par voix ce phénomène qui fait en sorte que la parole est projetée, qu'elle est portée par une musique qui lui convient, qui se trouve multipliée par le disque et la radio qui la reproduisent comme si elle sortait toute fraîche du studio d'enregistrement — sans jamais marquer son âge —, que cette oralité devenue familière se mêle à une physionomie, ce timbre à une mimique, ce rythme à un port de corps, etc. Dans ce jeu savant et complexe d'intonations, de cadences, de mouvements de scène, de photos, de pochettes de disque qui se multiplient, de refrains qui vont et viennent comme des proverbes ou des mots d'esprit comme cela arrive si souvent chez Gainsbourg, dans ce jeu complexe de ce que les médias parviennent à créer, la mémoire sociale fait sa caisse et restitue une image juste assez légendaire pour qu'elle perdure.

Le livre de Lucien Rioux tente de rendre compte de ce que cette mosaïque que constitue Gainsbourg peut avoir de toujours vivant et donc de toujours opérant. Rioux participe même à entretenir la légende. Iconoclaste, Gainsbourg a d'abord séduit ses premiers admirateurs de la Rive gauche; il les a ensuite reniés au profit (!) de la chanson yéyé en offrant à la très jeune France Gall «Poupée de cire, poupée de son», puis «Les sucettes»; il s'offre ensuite un collier de grandes stars auxquelles il propose des rengaines qui feront le tour du monde. Pour Dalida, Régine; «Je t'aime... moi non plus» pour Brigitte Bardot, «C'est un aquaboniste/Un faiseur de plaisantriste/ Qui dit toujours à quoi bon...» pour Jane Birkin, «Dieu fumeur de havanes» pour Catherine Deneuve, «Pull marine» pour Isabelle Adjani, et ainsi de suite. Il serait trop long d'expliquer pourquoi il n'a jamais proposé de chansons à Édith Piaf, Yves Montand, Nana Mouskouri, Johnny Halliday et à bien d'autres. Iconoclaste, son corps mime la désinvolture, l'ironie, le cafard, la provocation, la fatigue... : «Mes disques sont un miroir / Dans lequel chacun peut se voir / Je suis partout à la fois / Brisé (e) en mille éclats de voix», faisait-il dire à sa «Poupée de cire» il y a déjà belle lurette.

Plus près de nous, le scandale de «La Marseillaise» chantée sur un rythme reggae, la provocation du travestissement, les lueurs décadentes de l'inceste, etc. Le personnage ne manque pas de vigueur, et son public — large et varié — le lui rend bien, semble-t-il. L'effet Gainsbourg fait long feu.

La collection «Poésie et Chansons» de Seghers se prête admirablement bien à ce type de figures culturelles. Après «Poètes d'aujourd'hui», en littérature, là où cette collection n'était alors qu'une sous-division de la poésie, devenue autonome maintenant, et obéissant au même modèle, cette collection réunit elle aussi un texte à la fois biographique et critique et une anthologie des meilleures chansons d'un auteur-compositeur, et elle mérite qu'on s'y attarde. Ce livre sur Gainsbourg est le 54ième titre de la collection. Parmi les plus récents titres, nous retrouvons : Pierre Delanoë, Michel Jonasz, Boby Lapointe, Daniel Balavoine, Léo Ferré, etc. Toujours chez Seghers, une autre collection est en train de se constituer, il s'agit du «Club des stars. Paroles d'auteur», collection beaucoup plus luxueuse, bien reliée, un peu plus aérée, avec des photos plus nombreuses et certaines d'entre elles en couleur, des sous-titres plus accrocheurs, etc., mais toujours dans le même petit format carré auquel nous a habitués la collection «Poètes d'aujourd'hui», petit format qui a su profiter d'une nouvelle connotation de modernité puisqu'il correspond exactement à celui des coffrets des disques compacts. Depuis l'année dernière, la collection propose Coluche, Renaud, Sardou et, bien sûr, Gainsbourg.

On peut certes y regretter l'absence de la musique. Les textes de chansons sont en effet souvent perdants quand ils sont ainsi castrés.

Mais ces collections, à la fois modestes et racoleuses, ont le mérite de retenir ce que ce métier de chanteur — de saltimbanque affirme Renaud — peut avoir d'éphémère. Elles retiennent des traces.

Privés de la musique qui font d'eux des chansons, ces textes prennent l'allure de poèmes, et les éditeurs ne manquent pas de jouer sur cette ambiguïté de statut qu'on entretient autour de la chanson. Denoël par exemple vient d'éditer *Mon propre rôle* de Gainsbourg, en deux tomes, réunissant l'ensemble des textes écrits (et composés) entre 1958 et 1987, depuis le «Poinçonneur des Lilas» au scénario tout récent de «Charlotte for ever». On y retrouve avec plaisir le Gainsbourg familier, parodique et désabusé. On y rappelle qu'il a déjà publié ailleurs, donc qu'il est aussi un écrivain. Pour ma part, si je me réjouis de voir tous ces textes réunis et enfin faciles d'accès, ce n'est par parce qu'ils pourraient être des «poèmes». Privé du timbre, du souffle, de la voix et de l'arrangement musical, donc de l'interprétation, ces poèmes sont bien pauvres dans leur ensemble. Des bouts de textes réussis ici et là, des aphorismes bien tournés, une méchanceté parfois vitriolante, des calembours tordants, etc., cela devrait-il suffire? Faut-il endosser cette boutade acidulée de Gainsbourg lui-même selon laquelle la chanson ne serait qu'«un art mineur destiné aux mineures(...) car a-t-on besoin d'être initié dans une discipline qui n'en connaît aucune? (...) Tout art qui se peut aborder sans initiation préalable ne peut être qu'un art mineur...» Distinguant avec soin le génie et le talent — avec tout ce que cela peut traîner de préjugés culturels — Gainsbourg s'accorde tout de même la sphère du talent. Et du talent, il faut admettre qu'il en a, dans ses textes et beaucoup ailleurs.

Privée de sa musique, la chanson aura besoin de toute la quincaillerie médiatique pour se défendre et, en ce sens, l'album de Gilles Verlant, chez Albin Michel (Collection Rock et Folk) se défend mieux. À grand renfort de photos, bien sûr, c'est tout le personnage qui se trouve relevé, à la fois sincère et joueur, attendrissant et menteur : «Du petit roturier que j'étais j'ai gagné quelques télégrammes», écrit-il en préface. L'album nous rappelle qu'il n'est pas qu'un auteur-compositeur, mais aussi un chanteur, un homme de spectacle, une vedette, un metteur en scène et bien autres choses. Toujours sous les feux d'un projecteur, toujours sous la nécessité d'ouvrir l'oeil, de viser juste, de faire mouche, le personnage a su se garder jeune, même si les photos illustrent les changements de look, la vie qui passe et qui résiste, tout le travail de mise en scène sociale que commande un tel *métier*. «Je ne veux pas qu'on m'aime, mais je veux quand même», avoue-t-il à la fin du deuxième tome de *Mon propre rôle*. Cette petite phrase a fourni le titre à mon article. Et vous, aimez-vous Gainsbourg?

Léo Ferré se porte fier

S'il est un fleuron de la chanson dont la France peut être fière, c'est bien celui de Léo Ferré. Le livre que lui consacre Jacques Layani : *Léo Ferré, la mémoire et le temps* (coédition Seghers / Paroles et musique, 1987, 239 p.) retrace une carrière qui a marqué très profondément ce que l'on peut appeler encore aujourd'hui l'âge d'or de la chanson française : Yves Montand, Édith Piaf et Gilbert Bécaud d'un côté, Guy Béart, Jacques Brel, Georges Brassens et Ferré de l'autre, sans parler d'une faune extraordinaire d'interprètes qui se sont fait connaître à travers le monde.

La carrière de Léo Ferré débute en 1946, au Boeuf sur le toit, en même temps que les Frères Jacques et le tandem Roche-Aznavour. Raymond Lévesque a souvent raconté les années difficiles des auteurs-compositeurs-interprètes de l'après-guerre à Paris, lui qui y a vécu de 1950 à 1955, y croisant Félix Leclerc. Ferré ne fait pas exception. Au début, c'est surtout la chasse aux interprètes des chansons qu'il écrit qui l'occupe. Édith Piaf, par exemple, qui avait enregistré «Les amants de Paris» en 1948, déclinera «L'homme» et «Le piano du pauvre». Yves Montand, Mouloudji ainsi que les Frères Jacques lui refuseront «Paris-Canaille». Ferré l'interprétera alors lui-même et il réussira à la faire passer, non sans mal.

On connaît peut-être mieux la suite de ses quarante années de carrière, le succès ne venant cependant qu'à partir de la toute fin des années 50. De telle sorte que Charles Estienne publiera un *Léo Ferré* chez Seghers en 1962, dans la célèbre collection Poètes d'aujourd'hui. Plus tard, l'Académie Charles Cros reconnaîtra son immense talent. Enfin, le Printemps de Bourges lui rend aujourd'hui tous les honneurs qu'il mérite. «Critiqué à droite, vilipendé à gauche», fait remarquer Layani, Léo Ferré a traversé le temps et les modes capricieuses; il n'a cessé d'élargir son public et, mieux que tout autre, il s'est «rempilé» à l'imaginaire de mai 68. Il perdure encore, vingt ans après, et dans nos mémoires il parvient à constituer ce dépôt magnifique que ne réussissent que les grands artistes, ne serait-ce que des «artistes de variétés».

«Toute poésie destinée à n'être que lue, écrit Ferré, et enfermée dans sa typographie n'est pas finie. Elle ne prend vraiment son sexe qu'avec la corde vocale (...)». Qui osera lui refuser le titre de poète. Contrairement à Brel, Ferré accepte le titre. Il sera d'ailleurs très tôt imprimeur, amoureux des mots et du papier, et éditeur, produisant ses propres programmes de spectacle et aussi, à une certaine époque, ses propres pochettes de disque. Il publiera des recueils de poèmes et de chansons, dont *Poètes... vos papiers!*, et même un roman, *Benoît Misère*, commencé en 56, annoncé dès 62, et qui ne paraîtra qu'en 70 chez Laffont. Il acceptera de rédiger des préfaces, écrira pour le théâtre, composera pour le cinéma, publiera ce monumental *Testament phonographe* en 1980, chez Plasma, puis un texte fascinant en 1984 : «Introduction à la folie» (*Cahiers Créativité et folie*, n° 1, Actes Sud), et il continue encore, avec le même art de la formule percutante.

Mais ce qui en surprendra encore plus d'un, c'est qu'il est aussi l'auteur d'un livret de ballet, intitulé *La nuit* et datant de 1956, qui deviendra en 1983, dans un esprit un peu différent, *L'opéra du pauvre*, enregistré en quatre disques, avec une seule voix cette fois-ci, celle de Ferré lui-même qui y tient alors tous les rôles, même celui de directeur d'orchestre. Musicien, Ferré composera également deux concertos et une suite musicale : «Le chant du hibou» que l'on retrouve sur la huitième face de *L'opéra du pauvre*. Il a dirigé Beethoven et Ravel, ce qui ne l'empêchera pas de chanter avec le groupe Zoo, d'en faire un disque qui a eu un énorme succès, ou d'accepter une tournée avec Robert Charlebois en 1974. Enfin, il a réussi ce tour de force de mettre la poésie dans les «juke-box».

En effet, fait remarquer Layani, Ferré a imposé le grand orchestre, dirigé par lui; la bande préenregistrée en cours de spectacle; il a également ouvert la voix/voie aux textes parlés que le domaine des variétés ne pouvait accepter avant lui. Qualifié d'être trop savant par les uns, trop populaire par les autres, Ferré déjoue les étiquettes commodes qui lui imposeraient une seule place et un seul style dans le domaine des arts... de la scène.

Il a donné à la chanson française des registres jamais égalés auparavant, la sortant des marécages du show-business et la tirant vers la littérature, brouillant les frontières déjà friables entre la poésie écrite et la poésie chantée. Il a en effet su faire de la chanson, explique Layani, «une manifestation multiforme de la littérature» : de la rigueur avec «Si tu t'en vas» ou «Le conditionnel de variétés»; de la désinvolture avec «La zizique»; de la romance populaire avec «Le piano du pauvre»; de l'ironie grinçante avec «Cannes-la-braguette»; du coup de poing avec «T'es rock, Coco» ou «Le jazz-band»; du style chansonnier politique et social avec «Mon général» ou «Les anarchistes»; de l'art du portrait avec «L'homme» ou «Les retraités»; du texte confession avec «Et... basta!»; du manifeste avec «Le style»; du flot verbal avec «L'imaginaire», «Les amants tristes» ou cette série de 48 images qu'est «La vendetta»; de la poésie érotique avec «Ta source», «Cette blessure» ou «Ton style»; de l'argot omniprésent, etc.

On sait combien il a su piger dans le répertoire littéraire consacré, exclusivement français. À partir d'un montage d'extraits de plusieurs poèmes de Rutebeuf, il réussira à imposer son magnifique «Pauvre Rutebeuf» (que s'approprie même Claude Dubois, à sa manière); il osera jusqu'à donner un refrain au «Bateau ivre» de Rimbaud. Qui ne connaît aujourd'hui les albums dans lesquels il a mis en musique et/ou en chanson les poèmes de Baudelaire, Verlaine, Rimbaud, Aragon, et d'un abord sans doute plus difficile, récitées, les deux versions de «La chanson du mal-aimé» de Guillaume Apollinaire (1956 et 1972). Ferré chantera aussi Villon, Ronsard, Laforgue, Seghers et Caussimon, son ami de longue date.

L'image dominante demeure celle, romantique, du poète ou de l'artiste maudit, anarchiste et solitaire, forcément un peu fou. Qu'on réécoute les différentes versions de «Les poètes», «Les artistes» et «Les musiciens». S'y exprime toujours la même volonté d'appartenance et de fraternité, se dessine le même type de *personnage*, celui capable de composer des chefs-d'oeuvre comme «Le chant du hibou» ou de chanter ces merveilles que sont «Les vitrines» et surtout «Tu ne dis jamais rien». Comme le rappelle Layani : «Sa célèbre graine d'ananar a germé ici et là... Il l'a si souvent lancé devant lui, dans le trou noir de la salle!» Et avec lui toute une ribambelle d'interprètes qui lui relayèrent le flambeau : Catherine Sauvage, Juliette Gréco, Joan Baez, Barbara, Pauline Julien, Pia Colombo, Cora Vaucaire... Jacques Douai, Marc Ogeret, Yves Montand, Bernard Lavilliers, les Garçons de la rue, Joan-Pau Verdier, etc., parmi les plus connus.

Ferré a connu beaucoup de succès au Québec. On ne peut que regretter qu'il n'y vienne pas plus souvent. Restent sa voix et sa tête de patriarche encore vert. Malgré son âge, Léo Ferré est toujours très productif et se porte *fier*.

Makeba

Les travaux sur la chanson ou sur le contexte de sa pratique intéressent de plus en plus les francophones. Je voudrais pointer quelques monographies axées sur une «vedette» en particulier.

Par exemple, Maurice Chevalier aurait cent ans aujourd'hui. Alors Pierre Berruer nous offre un très sympathique *Maurice Chevalier*, raconté par François Vals (Plon, 1988, 239 p.); l'intérêt de la carrière de cet artiste vient surtout du fait qu'elle couvre une période qui va du café-concert à la fin des belles heures du music-hall, en passant par le disque et le cinéma. Étourdissant!

Et comme on a fêté en 1988 le 10ᵉ anniversaire de la mort de Brel et le 25ᵉ de la mort de Piaf, la collection du Club des stars s'est enrichi de nouveaux titres : d'une part *Jacques Brel I, de Bruxelles à «Amsterdam»* de Jean Clouz (dont la première édition date de 1964) et *Jacques Brel II, de l'Olympia aux «Marquises»*; et d'autre part *Édith Piaf, une femme faite cri* de Gilles Costaz, dont l'édition de 1974 n'a vraiment pas vieilli. Toujours dans cette merveilleuse collection, on a aussi droit à *Georges Brassens I, l'anar bon enfant* (dont la première édition date de 1963) et *Georges Brassens II, le poète philosophe* de Lucien Rioux. On peut y lire : «Du 78 tours au compact, Georges Brassens s'est constitué, par le disque, une oeuvre d'une rare cohérence.» On ne pouvait mieux dire. Cette collection est superbe : petit carré rigide, photos couleurs, analyse et anthologie des meilleurs textes de chansons, discographie, filmographie, bibliographie sommaire, etc. Du véritable professionnalisme éditorial.

Enfin, une perle nous vient des Nouvelles éditions africaines (Abidjan, 1988, 323 p.) : *Myriam Makeba : une voix pour l'Afrique* de Myriam Makeba et James Hall.

Myriam Makeba chante et danse l'Afrique. «Nous autres Africains avons toujours communiqué par la chanson. Qu'il se passe quelque chose aujourd'hui, quelqu'un le mettra en chanson demain. (...) Nos chansons ont plus de valeur que la presse et la radio officielles.»

Tout au long de cette autobiographie, elle nous décrit l'humiliation de sa jeunesse vécue en Afrique du Sud et toute l'admiration qu'elle voue au mouvement des droits civiques aux États-Unis, mouvement grâce auquel de plus en plus de Noirs américains des années 50 n'acceptent plus de se laisser marcher dessus. Tente-t-elle de s'implanter aux États-Unis, elle y réussit. Elle veut faire connaître la voix rebelle de l'Afrique aux Américains et elle le fait durant huit ans en accompagnant Harry Belafonte en tournée. Succès répétés. Elle témoigne également devant les Nations Unies pour les inciter au boycott complet de l'Afrique du Sud et à la remise en liberté de tous les prisonniers politiques sud-africains. Elle est vue comme une criminelle par le régime de Pretoria. Interdite de séjour à jamais. À la même époque, Nelson Mandela écope de la prison à perpétuité.

Bien qu'elle s'en cache parfois, tout dans sa vie est lié à la politique. Elle est engagée à défendre son peuple et tous les autres peuples africains qui prennent un à un leur indépendance durant les années 60. Et par le biais de spectacles et aussi tout au long de son union de dix ans avec le leader noir Stokely Carmicael; leur union représente la réunion de deux mondes noirs : l'ancien et le nouveau. Mais les Américains boycotteront cette union : après avoir adulé Myriam Makeba, ils la banniront des salles de spectacle. Elle décampe alors des États-Unis et retourne en Afrique, en Guinée cependant.

En 1968 donc, une autre vie africaine reprend pour elle et son mari avec spectacles en Europe et en Afrique. Tout au long de sa vie, Myriam Makeba a donc été souvent coincée dans de nombreux conflits politiques et elle a toujours dû se battre pour faire entendre sa voix d'artiste. Elle s'est beaucoup déplacée au gré des coups d'états africains et elle a réappris «que l'Afrique est un lieu de violence et d'imprévu».

Aujourd'hui, Myriam Makeba a cinquante-sept ans et elle chante toujours (tournée *Graceland* avec Paul Simon au Zimbabwe en 1987), consciente qu'un «système politique devra répondre de l'assassinat de sa famille et de ses ancêtres». Pour elle, mourir sur scène serait mourir comme un soldat au champ de bataille. D'ailleurs le côté spectacle de sa vie la fascine : «monter sur les planches, c'est entrer dans un monde parfait. Le passé n'existe pas. L'avenir n'a plus de menace. (...) La scène de concert : l'endroit où je suis chez moi, où il n'y a plus d'exil». Et de l'exil, Dieu sait si Myriam Makeba et sa famille en ont souffert.

Like a Rolling Stone

Encore une histoire de vedette! penserez-vous. Il n'y en a que pour ces saltimbanques, ces amuseurs publics qui font pâmer les foules de tous âges parce qu'ils possèdent un démoniaque pouvoir de manipulation et de séduction. Bien plus, toute une armée d'industrieux s'épuisent à les encadrer et à les vendre comme des êtres d'exception. Ça les aide, bien sûr, à émerger et à se tenir hors de l'eau. Le métier est si difficile, et les enjeux parfois disproportionnés... Sous les projecteurs, cette fois, voici Bob Dylan.

Robert Shelton lui consacre un livre remarquable : *Bob Dylan, sa vie et sa musique* (traduit de l'anglais par Jacques Vassal, coll. Rock & Folk, Albin Michel, 567 p.). Ce livre participe certes au maintien du cercle magique autour du poète-chanteur, autour de celui qui fut le plus grand troubadour qu'ait connu le XXe siècle. Et le livre est à la hauteur. Il risque même d'éclipser ceux qui existaient déjà en français tant il est volumineux et dense, bien documenté et bourré d'anecdotes inédites qui allègent et aèrent une biographie qui autrement risquerait de s'écraser elle-même sous le poids de la documentation, fut-elle extraordinaire. Depuis le temps qu'il est journaliste au *New York Times* jusqu'à son établissement en Angleterre, Shelton n'a jamais perdu contact avec ce chansonnier exceptionnel qui, dès 1961, débarquait à New York conquérir les *folk clubs* déjà bien nombreux.

Shelton reconstitue pour ainsi dire la vie de ce «météore» comme l'aurait appelé Mallarmé. Il multiplie les témoignages d'une foule impressionnante de témoins, y mêle des événements propres à la vie privée et professionnelle de Dylan, réfléchit sur les conversations qu'il a eus avec ce dernier, analyse avec abondance les chansons titre par titre, etc. Tout cela finit par brosser une sorte de fiction biographique dont la vraisemblance s'entrelace à cette légende que la mémoire sociale a très tôt façonnée autour du personnage.

Donc un ouvrage imposant, à lire par quiconque s'intéresse à la personne et au personnage que fut Dylan : un prélude, treize chapitres consistants, une importante coda, une bibliographie sélective, un index commenté des chansons par S.J. Estes, une discographie compilée par Roger Ford et, enfin, un index général. Et puis douze pages de photos. Bref, une somme. La traduction de Jacques Vassal m'apparaît fort correcte. Cela ne fait qu'ajouter aux fleurons que lui a valus son livre maintenant classique : *Folksong : Racines et branches de la musique folk des États-Unis*.

Robert Shelton est aussi l'auteur d'autres ouvrages sur la musique folk et country; c'est notamment à lui que nous devons la compilation de textes de Woody Guthrie connue sous le titre : *Cette machine tue les fascistes*. Guthrie ne fut-il pas un des pères spirituels de Dylan?

Yesterday

Toujours sur le versant de la nostalgie, des idoles font de l'ombre. À l'automne 1963, par exemple, les Américains sont plongés dans le deuil avec l'assassinat tragique de leur idole présidentielle. À l'automne 1980, un autre assassinat hautement symbolique consterne tout l'Occident : celui de John Lennon. Durant ces dix-sept années, c'était hier, «yesterday», les Beatles avaient réussi, grâce à une orchestration industrielle et publicitaire remarquable, celle de leur manager Brian Epstein, à imposer au monde entier un type de musique endiablée, la «pop music», un type de comportement scénique allié à une instrumentation électrique nouvelle.

L'émergence du groupe fut explosive, comme celle du King Elvis Presley dix ans auparavant, les chansons sur les lèvres de toute une génération, et quelques années suffirent à construire autour de ces vedettes une mythologie encore prégnante, un mélange complexe de libération sexuelle (cheveux long et «peace and love»), de démystification des rituels du spectacle traditionnel, de l'internationalisation rapide de la culture populaire anglo-américaine, un amalgame surprenant d'exotisme oriental (musique indienne, gourou contre-culturel, mirage de la drogue, amoureuse japonaise, etc.) et de banalisation populiste. Même pour un jeune étudiant intellectuel québécois (comme moi) qui découvrait en même temps la France de mai 68 et qui s'en est imprégnée jusqu'en 1972, le «yellow submarine» battait pavillon...

Le livre de Brown et Gaines : *Yesterday, les Beatles, voyage intime dans une légende* (Robert Laffont, 1984, 424 p.) nous restitue fidèlement, semble-t-il, l'aventure époustouflante du groupe, depuis les débuts modestes et pénibles de Liverpool et de Hambourg jusqu'à l'invasion progressive des ondes de Radio-Luxembourg et de la BBC avec «Love Me Do», le coup de foudre des Américains lors de l'apparition au Ed Sullivan Show, la multiplication des tournées et des apparitions à la télévision, jusque devant la Reine elle-même... Après le suicide de Brian Epstein, l'aventure des quatre se poursuivra, autrement, encombrée par les problèmes énormes que provoquent la gloire et l'argent, les extravagances et les affaires, soutenue par toute une génération d'adolescents qui s'identifient à leur cheminement, partagée entre le disque, la scène, le cinéma et la vie en solo de jeunes flyés devenus des hommes, aux prises avec leur légende et le tumulte des «sixties».

Un livre bien documenté, qui sait faire revivre toutes ces années vertigineuses à partir de ce groupe qui en a si bien exprimé et la fantaisie teintée de folie et le drame brouillé par les drogues. Il n'y a pas là de quoi battre un chat, mais le phénomène a eu une telle ampleur qu'il devait répondre à un profond besoin d'identification d'une jeunesse écartelée entre l'«american way of live» et la guerre du Vietnam. Rêves et désillusions, rêves surtout, non seulement au pays du showbiz international, mais aussi de la société du spectacle qui est la nôtre.

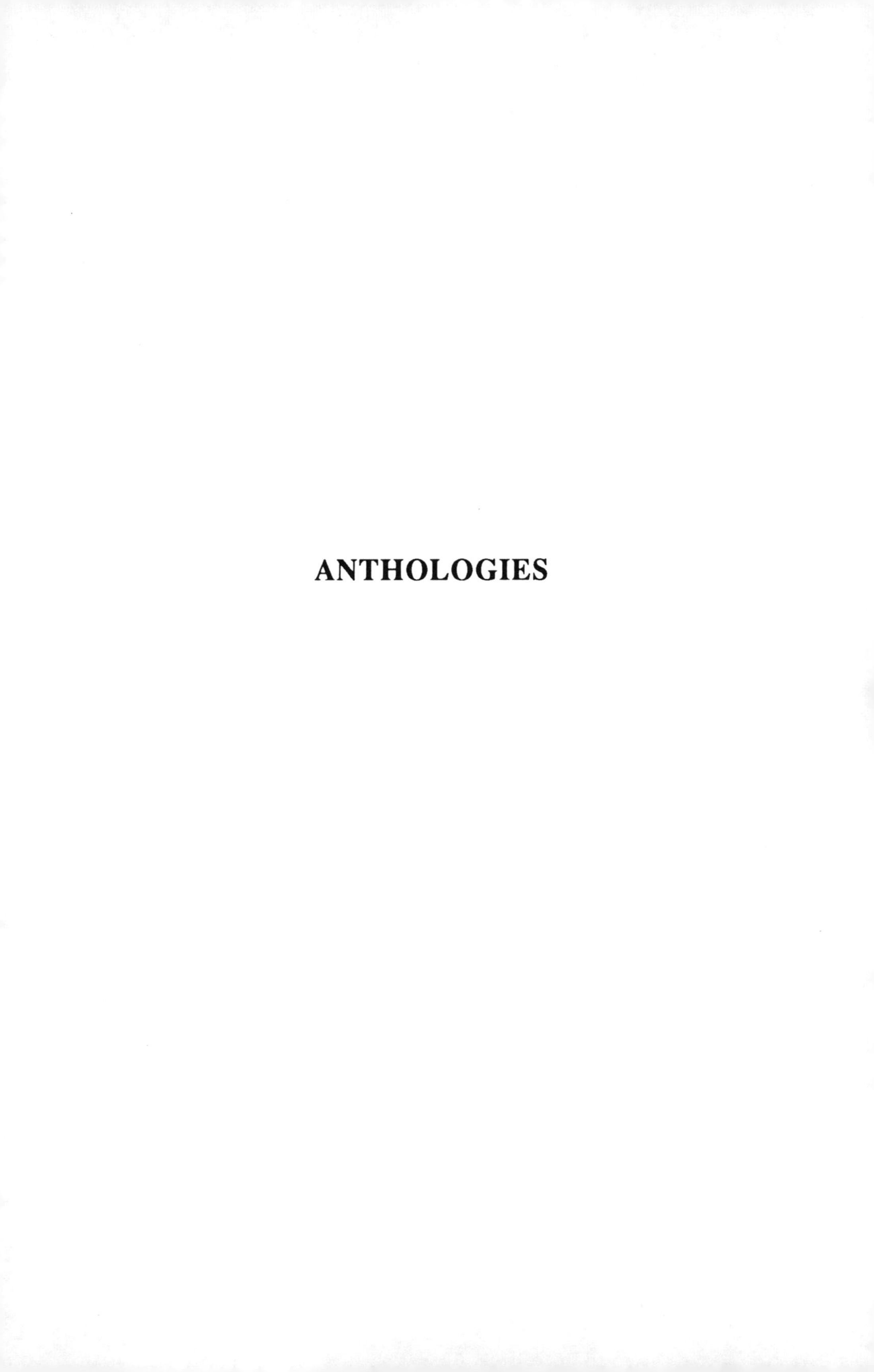

ANTHOLOGIES

Place aux textes! ou le retour de l'imprimé

Pierre Saka nous propose une anthologie : *La chanson française à travers ses succès* (Coll. Références, Larousse, 1988, 351 p.). Cette anthologie couvre six siècles de chanson française — c'est un peu ambitieux pour un si petit livre, même s'il a 350 pages —, depuis les chansons de l'époque des croisades jusqu'à celles de Guesch Patti ou Renaud en passant par les romances ou les hymnes que l'histoire a semés au fil des siècles. Tout près de 300 textes de chansons.

Saka a déjà publié une histoire de la chanson française chez Nathan, un fort beau volume, luxueux, accompagné de trois audio-cassettes, etc. Je me suis demandé pourquoi Larousse n'a pas misé sur un livre plus attrayant. Pourquoi Brassens sur la couverture? Pourquoi un format de poche? Le titre nous met la puce à l'oreille : *La chanson française à travers ses succès*. Cette notion de «succès» est bien médiatique. Pourtant, Saka n'en retient que le sens qui évoque la constitution historique d'une mémoire, d'un dépôt chansonnier national.

Lorsqu'on s'accorde à ne plus demander au livre ce qu'il n'a pas la prétention d'offrir, on se met à le feuilleter avec intérêt. Il est d'ailleurs assez bien conçu : en haut de la page, la date connue de chaque texte ; en bas de la page, un encadré regroupe des notes en petits caractères, des notes qui replacent rapidement la chanson dans son rapport à ses interprètes, ses auteurs, compositeurs, traducteurs, ses rapports à d'autres champs de pratique culturelle comme le cinéma, la scène, etc. Les textes des chansons sont complets, les refrains sont mis en italique, et la quatrième page couverture rappelle en quelques lignes comment la chanson s'est historiquement transmise d'abord de bouche à oreille, puis s'est trouvée fixée par l'imprimé avec la musique en feuille; vint ensuite l'évolution rapide des lieux de spectacle parallèlement à la révolution que constitue l'enregistrement sonore, les mille usages de la radio «qui ont consacré l'industrialisation du genre» et, enfin, avec le cinéma, la télévision et le clip, «le chanteur est obligé plus que jamais de prendre en compte la dimension visuelle de son art et d'en faire un spectacle complet». Des choses connues mais bien ramassées par Saka en une préface courte et dense de trois pages. Il faut le faire!

L'anthologie récupère également cinq grands de la chanson québécoise : Félix Leclerc, Raymond Lévesque, Robert Charlebois, Michel Rivard, Gilles Vigneault, et un sixième si l'on en juge par l'importance (toute proportion gardée) accordée au parolier Luc Plamondon à propos d'une chanson de Julien Clerc par ci ou du succès de *Starmania* par là. Mieux vaut s'en réjouir (même si Plamondon s'appelle un moment Jean-Luc), surtout quand, avec le recul qu'il faut, on fait le compte des oubliés : Catherine Lara, Anne Sylvestre, etc. Soit dit en passant, l'index des titres aurait pu être suivi d'un index des noms.

Bref, un petit livre utile, pour les textes et les commentaires brefs. À mettre à côté, comme complément idéal, du désormais classique *Cent ans de chanson française.* Pour la période d'après guerre, les choix ont dû être plus difficiles : je suggère de le parcourir en même temps que *Le guide du tube* (1000 tubes de 1950 à 1987, le Club des stars, chez Laffont/Seghers, 1987, 351 p.), dont je reparlerai plus loin.

Le territoire de la chanson souffre de la porosité de ses frontières. Elle a du mal à faire valoir la noblesse de sa pratique. Mais elle sait profiter de cette situation. La littérature récupère par exemple ce qui lui convient, transforme la chanson en poésie et les auditeurs en lecteurs. Ce que la chanson semble perdre ici, elle le gagne par l'intérêt qu'elle suscite chez les analystes qui multiplient les points de vue, diversifient les discours, accumulent les travaux relatifs à *la* chanson, à cet objet difficile à saisir.

Dans la liste des livres qui lui sont consacrés, on retrouve des anthologies de textes, des biographies en grand nombre, des études historiques, etc. À tout seigneur tout honneur, saluons ici les artistes : Yves Simon, Yves Duteil, Boris Vian, Charlélie Couture, Julos Beaucarne et Luc Plamondon.

Écrivains discret et auteur-compositeur-interprète prolifique, Yves Simon est à mon avis une figure importante du champ intellectuel français de ces vingt dernières années. *Le voyageur magnifique* (Grasset) a remporté le Prix des Libraires 1988. Son dernier album, *Liaisons*, ne cesse de me ravir tant par la qualité (engageante) de ses textes que par le raffinement des arrangements musicaux.

Ce livre préfacé par Harlem Désir, *Un autre désir* (Nathan, 1988, 216 p.) contient l'intégralité des 102 chansons publiées jusqu'à ce jour. Et il faut saluer cette initiative comme une reconnaissance du grand talent d'Yves Simon. Trop peu connu au Québec, son style permettrait, me semble-t-il, de ramener la chanson populaire actuelle à des mesures humaines, c'est-à-dire à un effet de communication durable. Privées de leur musique, ces chansons subissent aisément l'épreuve de la lecture. Pour les familiers de Yves Simon, quelques mélodies les font bien sûr «rechanter» dans nos oreilles. «Des jeux de mots en demi-teintes, des mélodies fragiles», commente injustement Fléouter dans *Un siècle de chanson*.

Les chansons sont regroupées selon leur date de parution publique, sans plus. On peut regretter qu'elles ne soient pas datées plus précisément, que le titre des albums qui les regroupent ne soit donné que dans la table des matières. Était-ce la volonté de Yves Simon ou de l'éditeur? Tel quel, l'ensemble ressemble davantage à un recueil de poèmes subdivisé à intervalles réguliers par des pages blanches (sur lesquelles auraient dû apparaître les titres des albums). Le recueil de poèmes tend vers la littérature et laisse un peu dans l'ombre le domaine de la chanson proprement dite qui, elle, est surtout véhiculée par le disque et la radio, là où règne l'oralité et non plus l'écriture.

La chanson semble d'ailleurs vivre de cette tension entre l'écrit et la voix porteuse, tension que ce livre semble vouloir carrément casser. Reste la compilation des textes, précieuse certes, mais simpliste sur le strict plan éditorial. Les textes sont ici très brièvement commentés de la main même de leur auteur, trop brièvement à mon avis. Malgré tout, les textes sont là, comme des condensés d'émotions, des «repères affectifs de nos histoires individuelles, (...) des pas vers d'autres mondes (... qui) nous conduisent au plus profond de nous». Textes ou chansons, ces écrits s'adressent à quiconque veut «savoir mieux vivre avec la désillusion», «rêver très fort pour ne pas être déjà mort à 20 ans» : «Révolte du chanteur qui n'a pas envie d'être un porte-parole ou un symbole. Un repère seulement : pas plus, pas moins».

Chez le même éditeur, on peut lire aussi un recueil de chansons intitulé *Yves Duteil*, et en format de poche, 34 chansons pour les jeunes : *Les mots qu'on n'a pas dits...* Duteil est un admirable chanteur et un excellent guitariste. Toutefois, ses chansons me touchent assez peu; il arrive même que la rhétorique de «La langue de chez-nous» m'énerve au plus haut point, surtout quand les idéologues s'en servent sans vergogne. Mais une chanson m'a toutefois beaucoup intéressé parmi toutes les autres : «La valse des étiquettes». À propos des qualificatifs que les chroniqueurs lui ont accolés depuis une dizaine d'années, Duteil répond : «Je resterai le troubadour / Le bûcheron de la chanson... / Le fermier du 45 tours / L'écolo du microsillon». Amusant.

Même absence de la musique imprimée dans les *Chansons* de Boris Vian (textes établis et annotés par G. Unglik, chez C. Bourgois, 1984, 733 p.). Toutes les chansons de Vian réunies en un même volume avec des indications sur les dates de composition, les collaborateurs nombreux avec lesquels il a travaillé, les interprètes innombrables qui ont fait circuler ses chansons à travers le monde (Magali

Noël, Henri Salvador, Serge Reggiani, pour ne nommer que les plus connus), les traductions, les interdictions, les légendes, etc.

Un fort volume de 478 chansons pour lesquelles on a retenu l'ordre alphabétique, de «À Cannes cet été» à «Zazou», et si «Le déserteur» est placé entre «Désert de l'amour» et «Dis-moi qu'tu m'aimes, rock», c'est très bien ainsi, de l'aveu même des responsables du travail de collection. Dès 1944, c'est presque déjà l'âge d'or de Saint-Germain-des-prés, «la chanson est pour Boris Vian un jeu, un exercice comme beaucoup d'autres, qui découle très naturellement de son amour pour la musique, du jazz en particulier, et de son goût pour l'écriture, déjà rapide, incisive et dévastatrice» (p. 5). Voilà d'entrée de jeu de quoi faire saliver tous ceux qui ont déjà eu le moindre contact avec l'univers fascinant de Boris Vian.

Un talent prodigieux, un animateur infatigable : écrivain, trompettiste, traducteur, adaptateur, interprète, critique, et pour ne s'en tenir qu'à la chanson, l'après-mai 68 lui fournira la place qu'il aurait dû occuper dix ans auparavant. De nombreux auteurs-compositeurs-interprètes actuels se réclament de lui et reprennent même ses titres : Gainsbourg, Higelin, Lavilliers, Renaud, les Rockin' Rebels, etc.

Un livre donc à posséder chez soi, à portée de la main, au même titre que *En avant la zizique, Derrière la zizique, La belle époque [variétés],* et les récits inimitables, le théâtre, la voix de Boris, cette voix mêlée à toutes celles qui modulent notre spectacle...

Papier glacé, photos couleurs, montage surprenant de photos et de dessins, caractère italique, tout cela confère au *Solo Boys & Girls* de Charlélie Couture (Seghers, 1988, 191 p.) une dimension «branchée», apparemment violente, urbaine, nocturne, etc. Il s'agit de la mise en livre du microsillon du même nom et, ma foi, une fois oublié ou atténué le vertige de l'écoute musicale, les textes parviennent parfois à nous séduire.

On ne peut s'empêcher de penser que certaines chansons ont été faites trop rapidement. Le texte est bâclé, répétitif, simpliste, banal.

La chanson est peut-être un art mineur, Charlélie la traite comme tel, et c'est dommage parce que l'on sent ici et là que le parolier pourrait avoir une très bonne plume. Il a le sens de l'image, de la formule inédite. Si l'on fait abstraction des mots ou expressions de langue anglaise qui parsèment son recueil — voyez le titre, et il y a même un refrain, fort intéressant par ailleurs, en espagnol —, Charlélie sait parler de la solitude et de l'amour, les deux thèmes majeurs de ce livre, avec originalité et séduction, emportement aussi, surcharge, surtout dans les textes qui accompagnent les chansons proprement dites. J'ai recueilli au fil de ma lecture quelques passages qui m'apparaissent propres à cette «culture» du métissage postmoderne :

— Y a marqué liberté / sur un badge en papier une rock star ou Baudelaire / collés sur un classeur vert (p. 11)

— une repro de Paul Klee / une affiche 1900 (p. 14)

— Elle aimait la lenteur du calcaire (...) déserte ou remplie de vide, un vide énorme et préhensible, un vide noble, un vide construit, le vide comme une matière. (...) Depuis qu'il était parti, elle n'avait plus de corps. (p. 21)

— au fond de la nuit quand le silence dort (p. 21)

— et son regard de pierre / avec le feu dans le sang / comme une poudrière (p. 42)

— j'entends les heures / disparaître (p. 84)

— le talent a ses limites comme une aiguille (p. 124)

Cette dernière ligne est fort surprenante, et c'est cela qui me plaît chez ce parolier : l'audace. Ce qui pourrait caractériser le style d'écriture de Charlélie Couture, ce qu'il appelle lui-même ses jeux de mots ou ses paradoxes élémentaires (comme «asphyxier la passion» ou «motiver comme un somnifère») se résumerait par ces vers :

— des mots à toute allure
des mots timidement violents (p. 12)

— je n'avais dans la poche
qu'un stylo banal en guise de pistolet

je suis un journaliste abstrait, un témoin muet
un voyeur inquiet (or a discret spy) (p. 66)

Un livre comme un découpage abstrait, dirait-il, scandé par des chansons, des commentaires, des dessins, des photos, de la couleur, etc. On se rapproche donc du clip... quand le livre fait un clin d'oeil à la télévision.

Dans le même esprit que le livre de Charlélie Couture, Julos Beaucarne présente, dans *J'ai 20 ans de chansons*, non pas son dernier album mais l'ensemble des textes de vingt disques qu'il a produits au cours de sa carrière de chanteur-poète. Le livre a donc vingt chapitres, chacun d'eux s'ouvrant sur la reproduction, en bleu, de la pochette du disque, des indications éditoriales d'usage (ce qui est fort précieux), la liste des titres des chansons qui composent le disque avec des indications sur les auteurs des paroles et de la musique de chacune d'elles; enfin, le texte proprement dit de chacune des chansons. Et ce n'est pas tout, chaque texte est accompagné d'un commentaire écrit à la main et en diagonale, commentaire variable qui révèle (!) le plus souvent les circonstances qui ont inspiré le texte ou les impacts qu'il a pu provoquer sur le public, la presse, etc. Quand je parle des textes, il faut entendre des chansons, des poèmes ou des contes.

Tout cela peut paraître enchevêtré. Il n'en est rien. Le format du livre est imposant (un carré de 21 x 21 cm) et chaque disque est parfaitement identifié : numéroté, daté, avec reproduction de la pochette, depuis la première en 1967 chez RCA (*Julos chante Julos*) jusqu'à la dix-neuvième de 1986 chez Blue Silver (*Contes, comptines et ballades*) en passant par le *Front de libération des arbres fruitiers*, *Le vélo volant* ou *L'ère vidéo-chrétienne*. Cet ensemble discographique est suivi d'une biographie sommaire, d'une bibliographie, d'un classement alphabétique des chansons. Un fort beau livre, parsemé de dessins, truffé d'esprit et de sensibilité à l'actualité socio-politique et culturelle de notre univers contemporain.

Il suffit de relire la «Lettre à Kissinger», «Les intellectuels fatigués», «Mon terroir c'est les galaxies», «La révolution passera par le vélo», «Mettez du Wallon dans votre juke-box» ou encore «Le front commun» pour apprécier la qualité d'écriture et la profondeur de réflexion d'un poète lisible par toute la francophonie. Et si l'on écoute ces textes, alors l'émotion se démultiplie, la voix se fait confidence et complicité. On se surprend alors à murmurer son prénom comme celui d'un ami de toujours : Julos.

(...) On dit Plamondon comme on dit Brassens, Brel, etc. Les initiales rappellent peut-être «Long Playing» comme le signale Jacques Godbout, mais ça ne suffit pas pour développer une empathie.

À feuilleter les 150 textes réunis dans *Plamondon, coeur de rockeur* (Éd. de l'Homme, 1988, 461 p.), j'ai été étonné de constater combien ces chansons étaient aujourd'hui très «populaires». Je les reconnaissais à leur titre, à leur refrain, sans besoin du support de la musique d'accompagnement. Comme Plamondon ne chante pas, ce sont donc les interprètes qui ont permis à ses chansons de circuler autant et d'acquérir l'épaisseur culturelle qu'elles possèdent toujours et même encore davantage depuis que *Starmania* joue au phénix sur la scène parisienne avec le succès extraordinaire que l'on connaît.

Des interprètes fabuleux et/ou fabuleuses ont cristallisé pour toujours ces chansons qui ne gagnent malheureusement rien à la lecture, au contraire : Monique Leyrac, Pauline Julien, Renée Claude, le trio emblématique des interprètes qui a déjà tant fait pour la chanson québécoise; sur des musiques de Paul Baillargeon, Germain Gauthier et François Cousineau pour ne nommer que ceux-là, et il faut insister là-dessus, les textes de Plamondon n'ayant pas été écrits pour être lus — ce que répète souvent l'auteur qui refuse avec raison le titre de poète — mais pour être relevées ou soulevées par les musiques qui font de ces textes des chansons, il faut bien reconnaître que le succès actuel et moderne de Plamondon tient à la triple intégration du texte, de la musique et de l'interprétation, ce qui constitue de fait la spécificité de la chanson comme pratique artistique autonome; ajouter à cela l'image conforme que projette sur scène chacun des interprètes et vous obtenez un produit durable. Fabienne Thibeault a immortalisé «Stone» et «Question de feeling»; Nanette Workman reste la «Call-Girl» à la voix et à la silhouette irrésistibles; et que dire de plus à propos du «Coeur de rockeur» de Julien Clerc, du «Blues du business-man» de Claude Dubois, de «Vivre avec celui qu'on aime» de Francine Raymond, et de toutes ces images modernes que rappellent les noms de Catherine Lara et surtout Diane Dufresne. Pour cette dernière ou avec cette dernière (et le musicien Cousineau), Plamondon a su créer tout un univers complexe d'énergie, de folie, et de tendresse.

Dans cet univers de rockeuse délinquante, d'enfant fragile et nostalgique, d'amoureuse en rut, mi-personnage de cirque, mi-actrice d'un cinéma à l'échelle occidentale, Diane Dufresne a su rassembler à elle seule toute la richesse mythologique de la modernité qu'évoquent et construisent les chansons de Plamondon. Diane Dufresne est vraiment la Piaf d'aujourd'hui. Oui, «Piaf chanterait du rock / Elle vivrait aujourd'hui / Avec son époque (...) / Elle serait elle aussi / Sous le choc / De la musique rock», nous répète Marie Carmen avec énergie et conviction.

C'est précisément cet univers de cinéma (plus vrai que le réel) qui a séduit Jacques Godbout, le présentateur du recueil de textes de Plamondon. Godbout nous propose un documentaire réussi et très intéressant. Il ne lui reste plus qu'à le réaliser en film, de la même manière qu'il souhaite lui-même voir *Starmania* sur grand écran. Godbout a su reproduire des extraits d'entrevues, rappeler des éléments biographiques de l'auteur (son père, ses voyages, son goût des langues étrangères, etc.), brosser un tableau très plausible et bien senti des années 60 et 70 au Québec (le joual, l'Expo 67, la contre-culture), tenter d'analyser la tradition à laquelle se rattache l'opéra-rock et en quoi l'opéra-rock innove aujourd'hui (dans sa relation au théâtre, à la comédie musicale, à l'opérette, à l'opéra et au cinéma), tout cela en de très courts chapitres, bien tournés et toujours dans le droit fil de son propos, comme au cinéma, en dépit des aller-retours et des digressions apparentes.

Ce qui fascine Godbout, c'est cet univers de masques, de fantasmes, de croyances aveugles, cet univers à la fois fellinien (le cirque, la rue, les masques) et hollywoodien (les stars, les voyages, les vacances, la folie qui double la solitude désespérante). Godbout, visiblement, est plein de respect pour cet imaginaire de la mouvance. Habituellement ironique et critique acerbe, Godbout est plutôt complice. Il laisse les valeurs de Plamondon s'exprimer librement. Elles circulent en un mobile complexe et moderne où s'affichent à la fois la liberté d'expression, la soif de vivre et les ratés de la communication. Plamondon exprime à sa façon — «On fait tous du show-business» — le *spectacle* que constitue fondamentalement la fiction sociale dans laquelle nous vivons. Godbout est là pour nous expliquer cela et son texte mérite le détour. Si Plamondon doit être lu avec de la musique, Godbout est à lire avec l'esprit alerte, avec le même plaisir que me procuraient plus haut les mots d'esprit et l'intelligence de Charlélie et de Julos.

Plamondon est pour lui «un poète tragique qui a choisi la chanson populaire afin de mieux s'y cacher qu'à l'université». Et dire qu'on se penche sur ses textes à l'université.

LA CHANSON ET LE SOCIAL

Dictionnaire et/ou guide, un peu des deux

J'ai été surpris de trouver un titre portant sur la chanson aux si sérieuses Presses Universitaires de France : *Un siècle de chansons* de Claude Fléouter (1988, 264 p.). Sur la page couverture, un jeu de lettrage comme sur les affiches de music-hall d'après-guerre, et deux photos très expressives sur fond noir : la première est celle d'Édith Piaf, devant un énorme micro sur pied, ce choix étant très bien motivé quand on sait qu'Édith Piaf demeure une des plus grandes interprètes de la chanson française; la seconde photo, en couleur, est une heureuse surprise puisqu'elle présente, micro en main, en pleine action lui aussi, non pas Brel ou Brassens ou encore Ferré, mais l'inimitable Michel Jonasz, ce qui est tout à l'honneur de Fléouter puisqu'il suscita chez moi l'envie de lire son livre au titre un peu banal (*Un siècle de chansons*). À l'intérieur, huit grandes illustrations très intéressantes; elles reproduisent les couvertures de partitions originales de chansons telles «Black Folish», «Debout Français!», «À la cabane bambou», etc.

Une bande rouge se glorifie d'une préface de Renaud. Et cette préface s'avère être un très vivifiant coup d'envoi, un texte court et percutant dans lequel Renaud distingue deux sortes de chansons : «celles qui énervent les militaires et celles qui m'énervent moi. Les premières sont généralement chantées par des hommes, les secondes par des chanteurs». Les hommes prennent à ses yeux figure de poètes rimbaldiens, tandis que les chanteurs ne sont que des faiseurs de bruit... Le livre de Fléouter n'a certes pas ce ton polémique, mais l'esprit vif de Renaud réapparaît ici et là au fil des pages, saluant ici les impertinences de Brassens, décortiquant là les fonctions socioculturelles de l'entreprise américaine Muzak, s'émerveillant encore des nouveaux princes de la chanson ou encore reproduisant des interviews fictifs entre Jane Berkin et Serge Gainsbourg ou entre Régine et Charles Aznavour.

La même bande rouge rappelle que le livre reprend la série de 14 émissions télévisées «Un siècle de chansons» réalisée par Fléouter pour FR3. Mais en plus de cette chronologie peu orthodoxe de la chanson moderne occidentale depuis le caf'conc' jusqu'aux pop stars d'aujourd'hui, Fléouter offre aussi un dictionnaire alphabétique d'une centaine de pages des grandes figures qui ont investi l'industrie musicale populaire... française. Enfin, en bout de course, quelques informations sur les «institutions» de cette industrie, tels le BLIM, la SACEM, le MIDEM, le Printemps de Bourges, etc.

Un livre de plus sur l'histoire de la chanson française, sans détours importants, sans grande surprise, mais du travail bien fait, surtout quand on sait que son public était d'abord celui de la télévision... Sa lecture a besoin d'être complétée par celle du *Guide de la chanson française contemporaine* de Gilbert Salachas et Béatrice Bottet (Syros / Alternatives). Ce guide se présente comme un véritable instrument de travail sur la chanson, d'avant la Belle époque jusqu'à aujourd'hui. Chaque période est envisagée selon trois points de vue : a) une brève étude du contexte historique, b) les lieux où l'on chante et les progrès techniques — ce qui constitue l'originalité du travail des deux auteurs — et, enfin c) une sorte de dictionnaire alphabétique des «artistes» qui ont marqué leur époque. Le tout est agrémenté de très nombreuses photos en noir et blanc. On y consacre même quatre pages aux chanteurs québécois, y saluant surtout deux «génies» : Leclerc et Vigneault.

Histoires de chansons de Sylvie Coulomb et Didier Varrod (Balland, 1987, 321 p.) se propose, de par son titre même, comme un ouvrage modeste, même si sa présentation est très soignée : papier glacé, photos très nombreuses, une typo très agréable sur deux colonnes, grand format, etc. Très documenté à propos des 20 dernières années de la chanson française — pour ne pas dire exclusivement hexagonale, — le livre est en effet construit d'une façon très séduisante : chaque chapitre tente de circonscrire un sujet autonome : «68 année zéro», «70 année variétés», «Le folk à travers les âges», «Mises en scènes», «Télévision», «La presse musicale», «Les musiques d'ailleurs», «Top 50», etc. Et la plupart de ces chapitres au titre alléchant sont entrecoupés d'«instantanés» sur telle ou telle star du show-business français, avec photos à l'appui, mais au texte trop souvent décevant, à la mesure de la promesse, sauf lorsque les auteurs ont la bonne idée de reproduire des extraits d'articles ou de livres.

Ne soyons tout de même pas trop sévère. Oublions ces instantanés et rendons justice au travail d'analyse de la plupart des chapitres, «le pilier d'un roman musical à l'action éminemment rebondissante». Les auteurs ont imaginé le portrait des personnages principaux de ce roman en ne retenant d'eux que «des instantanés, arrêts sur une image forte de leur message personnel. Un moment, une chanson, véritable totem d'une carrière, d'un parcours (...) reliés les uns aux autres par des paramètres échappant souvent à toute chronologie» (p. 13). L'index à la fin du volume regroupe plus de 300 noms, d'Antoine à Zoo en passant par Barbara, Cabrel, Dutronc, Escudero, Ferré, Gainsbourg, Halliday, Indochine, Jonasz, Kacel, Lara, Manset, Ogeret, Piaf, Renaud, Samson, Trenet, Vartan... et mille excuses pour ceux qui ne sont pas nommés. Ceux qui se trouvent parmi les plus souvent interpellés : Léo Ferré, Claude François, J.-J. Goldman, J. Halliday, J. Higelin, B. Lavilliers, M. Leforestier, Renaud, Sardou, Sheila, Souchon, Téléphone. La brochette est donc très variée. On prend un agréable bain de «variétés».

Plus encore, le chapitre qui semble le plus inédit pour un Québécois un peu réceptif, c'est celui qui rappelle les «musiques d'ailleurs». Aussi bien le dire tout de suite, les quelques chanteurs québécois que le livre mentionne sont intégrés à l'ensemble hexagonal. Par contre, avec les musiques d'ailleurs : «Métissage, le mot est lâché! Une formule au départ largement médiatique, amplifiée par un réseau journalistique du type *Libération* et *Actuel* qui développerait à perte de colonnes une idée forte selon laquelle la musique française ne survivrait qu'en intégrant les influences bienfaisantes des musiques beurs, latinos ou africaines» (p. 273). Nul n'ignore aujourd'hui le travail obstiné des Corazon Rebelde, Kassav, Touré Kunda, Mounsi, Kacel, Sapho, etc. Leur influence ne se mesure au Québec que par l'écho qu'en renvoient les vedettes françaises elles-mêmes. Pays à forte immigration, la France saura-t-elle profiter à fond de cette richesse musicale? Souhaitons-le. N'a-t-elle pas vu naître coup sur coup un Alan Stivell, un Higelin et les Rita Mitsouko. Une telle diversité est signe de vitalité.

Le guide du tube de M. Tolsca, P. Conrath et R. Kolpa Kopoul (Le Club des stars, Laffont/Seghers, 1987, 350 p.) propose une sélection de 1000 titres de chansons, tant françaises qu'anglo-américaines, 1000 tubes choisis par les trois auteurs à partir de critères qu'ils ne précisent pas, 1000 «succès» de l'industrie du disque de ces quarante dernières années, classés par ordre chronologique, avec de très nombreuses photos couleur (des pochettes de disques par exemple, ce qui est une excellente idée).

«Du 78 tours au vidéo-clip, du bal musette au Top 50, voici quarante ans de ces tubes qui entrent si facilement par une oreille... sans ressortir par l'autre. (...) chaque titre est une histoire. (...) chaque titre est dans l'Histoire.» Les auteurs présentent encore leur volume non pas seulement comme «un excellent catalogue ou un livre-souvenir, c'est aussi un livre à jouer», en ce sens qu'il peut répondre à des milliers de questions, que ces questions soient d'ordre biographique (touchant tel parolier ou tel compositeur ou tel interprète), d'ordre historique (des styles musicaux par exemple, des modes), d'ordre technologique ou encore économique (relatives aux innovations *hi-tech*, aux ventes de disques, aux super tournées internationales), aux bouleversements que provoque le clip dans le métier du chanteur, etc.

L'arbitraire est omniprésent mais l'ensemble est fort riche en informations de toutes sortes. Le ton est léger, les anecdotes fusent à toutes les pages, et certaines têtes de Turcs font les frais de l'humour parfois corrosif des auteurs.

Ces derniers, trois journalistes branchés, proposent six périodes historiques dominées par tel ou tel style : la ritournelle des années 1950-55, le rock de 1956 à 1961, le yé-yé de 1962 à 1967, le pop de 1968 à 1974, le disco de 1975 à 1980 et enfin le clip depuis le début de notre décennie. Ces épiphénomènes que constituent les modes musicales, et tous les comportements sociaux qu'elles véhiculent, demeurent des signes éloquents des transformations idéologiques qui secouent nos sociétés occidentales. Jacques Attali (*Bruits*) en a démontré les significations et les fonctions tandis que les intellectuels se plaignent de leur impuissance devant cette nouvelle culture médiatique. Allan Bloom dénonce «le déclin de la culture générale», plus de vingt ans après que Boris Vian — celui qui inventa le mot «tube» pour identifier les succès des palmarès — eût prophétisé l'intérêt de créer une (pata)science de la ritournelle...

Le livre de nos journalistes n'a pas cette ambition, bien sûr, mais leur manière journalistique de multiplier les aperçus sur les interrelations organiques des différentes pratiques artistiques et médiatiques depuis la Dernière Guerre mondiale, cette approche, traitée ici sur le mode le plus souvent amusé, s'avère tout de même une excellente ouverture pluridisciplinaire. Bref, un livre de référence à consulter souvent, à l'aide des trois index qui rappellent titres, interprètes et dates.

Bien entendu, une sociologie de la chanson ou musique populaire reste à faire. À force de multiplier les anthologies et les guides, on finira sans doute par *construire* une représentation intelligible de cette masse ou mélange de futilités, de coups de génie, de simulacre et de séduction. À force de porter l'oreille et d'*interpréter* ce que Jacques Godbout appelait *le murmure marchand*, on finira bien par restituer le système symbolique qui en détermine la portée et l'évolution.

Le n°58 (mars 1984) de la revue *Autrement* est consacré au showbiz (les stars, les pros, les fans).

Un numéro superbe d'une revue qui ne cesse de multiplier ses titres et qui fait preuve d'une vitalité, d'une originalité et d'un sens inégalé de l'actualité, comme il n'en existe pas encore au Québec. Un numéro très instructif sur le showbiz (français), cet univers d'artistes et de spécialistes du marketing, cet univers de la manipulation et de la séduction, cet univers mouvant qui inspire soit le mépris le plus profond soit la fascination la plus irrationnelle, etc.

Un numéro où se côtoient des articles sur telle ou telle vedette, telle ou telle institution des variétés, tel ou tel type de musique, etc. Du bon et du moins bon mais toujours de quoi relancer des débats passionnés et passionnants à propos d'une pratique culturelle omniprésente et en incessante métamorphose depuis la Dernière Guerre mondiale. Un numéro indispensable à lire par tous ceux qui s'intéressent encore un tant soit peu à la France, tant les nostalgiques des Trenet, Brassens et Brel que les «branchés» des ondes internationales anglo-américaines qui ignorent parfois totalement de quoi a vécu et comment a évolué pendant ces quinze dernières années ce qu'il faut bien toujours appeler la chanson française.

Des articles de Jacques Bertin, Louis-Jean Calvet, Jean-Claude Klein, Frank Tenaille, Jacques Vassal et bien d'autres. Des propos sur les métiers nombreux du showbiz, des analyses sur le(s) rock(s) français, les salles de spectacle, les publics, le métissage, les projets gouvernementaux, etc.

Un portrait stimulant, aussi bigarré et vivant que leur récent numéro consacré au Québec.

Paul Yonnet

Jeux, modes et masses (1945-1985),
Bibliothèque des sciences humaines,
Gallimard, 1985, 380 p.

Yonnet semble de ces nouveaux sociologues d'action qui s'intéressent enfin à ce qui imprègne les citoyens quand ces derniers ne sont plus au travail. Cette première phrase est volontairement injuste et ne fait qu'exprimer, maladroitement, comme un coup de poing dans l'eau, mon profond malaise devant la dépolitisation généralisée des discours, que ce soit dans le monde syndical, l'enclos universitaire ou la pratique artistique. Mon idéalisme en prend pour son rhume. Mais Yonnet a réussi à me river à son livre, ce qui prouve que les problèmes dont il traite sont socialement prégnants et sa façon de les articuler m'a tout particulièrement séduit.

Le sous-titre annonce une étude un peu vague sur «la société française et le moderne». Toutefois, la quatrième page couverture énumère les sujets sur lesquels Yonnet exerce sa perspicacité :

> Le tiercé, ou les voies imprévues de l'adhésion aux rituels de la démocratie; le jogging, ou la réponse par le corps à la crise; la vague rock, ou l'invention de l'internationale adolescente; le compagnonnage animal, ou l'épreuve des limites de l'humain; la société automobile, ou le basculement dans l'univers de la mobilité; la généralisation de la mode, ou l'entrée dans une nouvelle logique du paraître : autant d'échantillons du grand changement qui, depuis 1945, n'a

pas seulement révolutionné niveaux et modes de vie, mais créé littéralement une autre société. Ils sont analysés ici sous un double éclairage : dans leur signification universelle, en tant qu'expression de la *société démocratique de masse*, et du point de vue des résistances spécifiques de la société française à la modernité.

Chacun de ces faits sociaux est saisi à la fois comme un symptôme et un révélateur. Symptôme, parmi d'autres, d'un individualisme qui s'est généralisé depuis la Dernière Guerre mondiale; et révélateur des nouvelles sensibilités de la société démocratique de masse que les sociologues traditionnels, avec leurs catégories mal adaptées (comportement aliéné, idéologie petite-bourgeoise, complot des classes dominantes, manipulation, etc.), parviennent très mal à saisir.

Au tiercé près, ces analyses sont très proches de notre modernité sociologique nord-américaine. Et même que ce tiercé trouve son équivalent québécois dans l'engouement de plus en plus maniaque pour les rituels qu'a engendrés la Loto-Québec. Parmi ces objets d'étude, j'ai négligé la réflexion de Yonnet sur l'auto (sans jeu de mot) puisque je passe déjà trop mon temps à sillonner les autoroutes du Québec : *idem* pour le jogging et la rhétorique de notre «participaction»; quant aux animaux, mes amis souffrent tous d'allergies aux chats — et si nos trottoirs ne sont pas aussi merdeux que ceux de la douce France, nos supermarchés offrent tout autant de menus sophistiqués pour nos petites et grasses bêtes domestiques. Le chien est devenu, même chez les jeunes couples, l'enfant idéal et fantasmé : obéissant, sans surprise, dépendant et reconnaissant. De quoi nous rappeler un certain hôpital américain au service des poupées... une histoire qui a fait du bruit à l'époque et que tout le monde a vite oublié, désarmé, interloqué. La société du loisir comme on l'appelle se double d'un virage technologique qui offre à l'analyste une mosaïque si complexe de comportements que les mots lui manquent (ils sont vides de sens), de même que l'objectivité, si nécessaire pour en évaluer les mutations (des faits sociaux très peu étudiés jusqu'à ce jour).

Bref, j'ai surtout relu le chapitre qui traite de la musique populaire de ces trente dernières années : «rock, pop, punk : masques et vertiges du peuple adolescent» (pp. 141 à 203), et tout particulièrement l'annexe qui étudie le présumé impérialisme rock américain et son influence sur la chanson française.

Yonnet fait d'abord remarquer que l'impéralisme américain est plus une création d'idéologues en ce domaine qu'une réalité observable. Si la France manifeste dans le champ de la musique populaire une production rock tout à fait inexportable, jusqu'en 1978, «simplement francisée», donc à la remorque d'une mode toute-puissante, à l'exception d'Alan Stivell, on ne peut pas en dire autant de la Grande-Bretagne. Yonnet lui reconnaît, après bien d'autres, un rôle moteur et décisif, entraînant, dans la vague pop comme dans la synthèse punk. Quand Bob Dylan se décide à électrifier, en 1965, les Beatles ont déjà quatre très bons albums de pop à leur actif, et un cinquième (*Help*) quand sort «Highway 61 revisited» (Dylan), qui s'ouvre sur le fameux «Like a Rolling Stone». «L'Amérique fait encore les stars, en raison du poids de son marché, mais elle ne fait plus la musique.» Ce serait plutôt les musiciens américains qui se plaignent volontiers de l'impérialisme britannique.

Si, dans l'état des rapports de force «nationaux» au sein de l'univers *transculturel* rock, la France a fait si piètre figure, la faute en serait, selon Yonnet, au recroquevillement de la France d'après guerre sur elle-même, à l'éclosion d'une sorte d'âge d'or de la chanson française, favorisée par une unité culturelle sans pareil, en dépit de la polysémie culturelle des communautés qui composent la République. Incapable d'une ouverture au monde, la France aurait sécrété une belle grande culture jacobine au sein de laquelle même les «variétés» étaient spontanément perçues aux USA comme partie intégrale du folklore français.

Et, ce qui est plus grave encore, une culture hexagonale unifiée qui serait restée sourde au besoin d'ouverture de ses propres adolescents à l'époque. Ce ne serait donc pas la vacuité de la chanson française des années 50 qui aurait permis le balayage de la vague dite «yéyé». Ce serait tout le contraire : «c'est la force même de la chanson française tranditionnelle dans les années 1950-1960 qui a été un obstacle décisif, infranchissable pour les teenagers français» plantés devant un paysage musical monoculturel dominé par une très forte coalition d'auteurs et d'interprètes qui en ont figé le dynamisme et pastiché les valeurs; «les adolescents ont été conduits dans le processus de constitution de leur conscience de classe d'âge à délaisser la langue maternelle — délaissement qui n'était pas inéluctable comme l'a démontré 25 ans plus tard l'irruption d'un véritable rock français à la suite de J. Higelin, des groupes Téléphone, Trust, Starshooter et de tant d'autres»; à l'inverse, la musique qui naît aux États-Unis dans les années 50 résulte d'un échange culturel entre la jeunesse des communautés blanche et noire (procédés musicaux, comportements sociaux, etc.); toute la musique rock depuis cette époque est transculturelle, et volontairement. Obligés de s'abreuver à un rock anglo-américain soi-disant transculturel jusqu'en 1978 (c'est l'année où se manifeste vraiment un rock français autonome), les jeunes Français ont délaissé leur chanson, c'est-à-dire toute l'industrie culturelle qui s'y rattache, au profit d'une chanson et d'une musique étrangères.

Cette histoire récente des adolescents français n'est pas si étrangère à notre société québécoise, et il conviendrait d'en tirer les leçons qu'il faut lorsque l'on constate vers quels types de musique se projettent les goûts et les intérêts des jeunes par les temps qui courent.

Je voudrais surtout reprendre la réflexion de Yonnet à propos de la valorisation qu'il fait du *transculturel* comme apport dynamique et essentiel à la pratique culturelle, notamment la production chansonnière. Selon lui, il faut saluer comme des exceptions (qui confirment la règle) les cas de Charles Trenet, Django Reinhardt et Alan Stivell. Trenet a réussi la synthèse du jazz swing *contemporain* avec la chanson à texte française, qu'il a rendue créative et mâtinée d'une inspiration post-surréaliste; sans rencontrer l'adhésion populaire comme Trenet, Django Reinhardt a aussi participé à l'élaboration de la musique swing; il a réussi la synthèse, dans le cadre du swing, du jazz et de la musique gitane; par la suite, seul Alan Stivell semble avoir été un apport français populaire et d'envergure au courant pop. Entre les deux époques, on constate comme une perte de l'aptitude de la société française à la transculturalité, un manque de cette appétence qui avait fait d'elle une capitale artistique du monde au début du siècle.

La cause semble être d'avoir boudé dès le début le rock tel qu'il apparaissait aux USA en 1955 : une pratique de masse. En France, durant les années 50, on assiste soit à un début de folklorisation (M. Chevalier, É. Piaf, T. Rossi) soit à une valorisation des auteurs-compositeurs-interprètes (J. Brel, G. Brassens, L. Ferré et même G. Bécaud), culturellement légitimés par les appareils officiels traditionnels du livre comme l'école, l'édition littéraire, l'Académie, etc. Se cultiver, pour l'époque, remarque Yonnet, «ce n'est pas encore regarder la télévision»; c'est lire, c'est savoir reconnaître à la chanson son statut de poésie, etc. «Ces conditions d'accès au statut du poète rendent compte de l'inépuisable quiproquo et de l'inévitable déception provoquée par la réduction des chansons à leur texte». Cette attitude élitaire devant ce que doit être la bonne culture dans la France des années 50 explique non seulement le rejet primitif du rock américain mais aussi la manière avec laquelle il sera reçu :

> les questions d'identité nationale, rappelle Yonnet, et de revendication patriotique passent complètement au second rang; on reproche avant tout à Presley d'être un «illettré» (Boris Vian dans *En avant la zizique*), à Bill Haley de n'être qu'un «mauvais musicien» (...) et au rock de ne pas dépasser le niveau d'un «chant tribal ridicule, à l'usage d'un public idiot» (Boris Vian encore...). Le premier super-45 tours entièrement consacré au rythme rock est d'ailleurs l'oeuvre conjointe de B. Vian et d'H. Salvador (...). Dans ce premier accueil parodique du rock par la culture française, il y a toute l'ironie des défaites futures, une ruse finalement cruelle de la Raison.

Trenet sera traîné dans la boue lorsqu'il postulera au rang d'académicien. Et d'ailleurs l'école le valorisera toujours beaucoup moins que les autres. Mais je me permettrai de faire observer à Paul Yonnet que Trenet sera longtemps boudé parce qu'il avait été plus coopérant qu'il n'aurait fallu lors de la dernière guerre; faire observer également qu'il était ouvertement homosexuel, ce qui n'allait pas de soi il y a vingt-cinq ans; enfin, Trenet était apolitique, ce qui était difficile à faire valoir dans la France de l'époque (existentialiste, coloniale, etc.). Cela expliquerait peut-être son exclusion relative jusqu'à la fin des années 70. La grande Culture ne saurait avoir tous les torts.

Le succès de Reinhardt pourrait tenir au fait qu'il était exclusivement musicien — et non parolier —, que son génie était incontestable et sa production exportable à coup sûr vers une Amérique avec laquelle il était au même diapason.

Le succès de Stivell est contemporain d'une valorisation exceptionnelle de la folk music, parallèlement aux beaux jours de la contre-culture. L'idéologie de cette dernière lui a été très favorable : contestation de l'idéal impérialiste, vie communautaire précapitaliste, respect des minorités ethniques et linguistiques, communion utopiste par la musique, la drogue, le sexe, etc. L'évolution de Stivell lui-même est assez symptomatique du malaise que je veux mettre en évidence. Il a représenté un moment le barde breton par excellence, puis il a progressivement «électrifié» sa musique, jusqu'à ce qu'il ne se considère plus que comme un musicien parmi d'autres dans la vague musicale anglo-saxonne qui domine totalement le marché (français) depuis une dizaine d'années.

Selon Yonnet, la présumée décadence de la chanson française ne proviendrait pas d'une invasion extérieure, notamment anglo-saxonne, mais d'une carence interne au champ culturel français dominant jusqu'au début des années 60 :

> Un bloc artistique comme la France en a rarement connu, et qui fait date, mais monoculturel à l'ère où se constitue une internationale spontanée de l'adolescence, unidimentionnel au moment où le rock s'élabore à l'échelle tout d'abord américaine comme message transculturel et polysémique de portée universelle, et soudé à lui-même par une version critique, agonistique et discriminatoire des fins de la culture à l'époque des pratiques démocratiques de masse, où, justement, tout devient culture et matière à culture.

Il faudra attendre que s'affaiblisse et s'effrite ce bloc, autour de 68, pour qu'émerge un rock authentiquement français. Celui qui semble avoir été le déclencheur principal, c'est Higelin, qui, significativement, se réclame justement de la lignée transculturelle de Trenet.

La charge de Yonnet frappe juste. Le tableau historique qu'il brosse à grands traits semble correspondre à la réalité française telle qu'elle s'est illustrée depuis une cinquantaine d'années. Yonnet fait toutefois l'économie de ce qui semble un facteur essentiel dans l'anglomanie récente des Français : l'impérialisme technologique et économique des multinationales de l'audiovisuel. Avec le monopole de plus en plus assuré et grandissant des entreprises transnationales de production de disques et de spectacles, de programmation d'émissions de radio et de télévision, de vidéo-clip et de cinéma, et enfin de réseaux de distribution de produits culturels aux couleurs transculturelles (dont la langue est l'anglais, dont la technique, le beat et le son sont *rocky*, dont le look est dominé par le cuir, la jeunesse bigarrée et l'apparente liberté farouche d'expression), il y a tout lieu de croire ou d'admettre que ces entreprises ont réussi à faire en sorte que se confondent leurs intérêts et les goûts qu'elles défendent, leur rentabilité et les modes qu'elles suscitent et entretiennent, leur pouvoir et les modèles culturels qui s'imposent comme allant de soi, faisant en sorte que le transculturel ne soit plus que l'envers méconnu du naturel.

D'ailleurs, l'appellation rock-pop-punk dont Yonnet nous retrace l'histoire est devenue une notion si commode qu'elle recouvre des styles aussi divers que ceux de Madonna, Bowie, Lavilliers, Madame, etc. Les jeunes consomment ce qu'on leur propose en pâture. Ils achètent ce que la radio diffuse et répète du matin au soir. Ils s'abandonnent à l'effet persuasif du matracage publicitaire. Ils adulent ceux qui symbolisent la maîtrise technologique, la puissance sexuelle, la langue légitimée et / ou majoritaire selon les régions géopolitiques, etc. Ils accordent leurs faveurs aux plus offrants.

Yonnet est foncièrement optimiste devant l'engouement des jeunes Français pour les grandes stars du rock national, de Higelin à Catherine Lara en passant par Cabrel et Renaud, etc. Je m'en réjouis aussi. Est-ce une grappe musicale transculturelle pour autant? Je ne sais trop. Ces stars participent certainement, chacune à sa façon, à la culture dominante actuelle qu'est l'anglo-américain. Qu'on songe également aux rockeurs québécois (de Robert Charlebois à Lucien Francoeur surtout) qui ont dû un moment vanter leur américanité de manière à bousculer ce que le nationalisme autonomiste d'alors avait érigé comme valeurs légitimes. Il y a en effet de quoi laisser songeur! Admettons que le métissage culturel au Québec se fait entre le rock dominant, le fond folk des rythmes traditionnels, les deux langues nationales, etc. Le métissage culturel en France est de beaucoup plus complexe qu'ici. À l'amalgame des cultures régionales sont venues se greffer les cultures des anciennes colonies. Pourtant, l'homogénéisation actuelle de la musique sur les ondes-radio françaises est aberrante. Elle fait écran, elle crée l'illusion d'un monolithisme culturel dans un pays grouillant d'ethnies différentes et de plus en plus envahissantes.

Les promoteurs de musique populaire ne s'adressent, en effet, qu'aux jeunes, tant dans les discours qu'ils véhiculent (valeurs) que dans les produits qu'ils imposent à l'écoute. Les valeurs culturelles se jaugent aussi au pourcentage des cotes d'écoute, et donc à la rentabilité des manifestations, des événements, des actions culturelles de plus en plus massifiées. Cette uniformisation apparente de la culture de masse, et ici Yonnet ne voudra pas me contredire, cache des luttes non pas plus profondes ou plus importantes en termes de valeurs mais plus réelles selon les enjeux qu'elles arbitrent... C'est la raison pour laquelle les pratiques culturelles doivent être envisagées et évaluées selon des critères nationaux, selon les places et les positions qu'occupent les intervenants dans la circulation des produits, et non selon des critères transnationaux. Le transculturel n'est qu'une notion commode, comme ailleurs on parle de la modernité. Mais ces notions ne devraient pas nous desservir. Elles devraient inciter les producteurs à assimiler et à transformer les emprunts inévitables à l'étranger en un produit national, représentatif, exportable, etc., c'est-à-dire un produit dont la chaîne de fabrication, de transformation et de circulation est identifiée à des «intérêts» nationaux. L'autonomie culturelle, si elle est souhaitée, m'apparaît à ce prix.

À notre époque de turbulence culturelle, cet article de Yonnet suscite donc la réflexion. Tout son livre fourmille de ces controverses obligées quand, quotidiennement, les goûts s'affrontent, avec tout ce qu'ils charrient de social et de politique, et souvent à grands frais. La massification des goûts et des comportements est l'affaire du sociologue soucieux de comprendre ce qui se joue en profondeur. Yonnet a fait ici du très bon travail.

Les âges d'or du rock

L'âge d'or du yéyé
Ramsay, «Image», 1983, 317 p.

L'âge d'or du rock'n roll
Ramsay, «Image», 1980, 253 p.

L'âge d'or de la rock music (blues, country, rock'n roll, soul, San Francisco sound, underground, hippies, festivals), Ramsay, 1986, 256 p.

Voici trois livres qui sont le résultat de tout un travail de fouille dans les archives, d'interviews et de recherches folles. On peut toujours demander l'impossible à des auteurs. Jacques Barsamian et François Jouffa examinent même les miettes.

Dans *L'âge d'or du yéyé*, toutes les idoles de la chanson populaire française des années 60 nous sont présentées, qu'elles s'appellent Johnny Hallyday ou qu'elles n'aient été connues que grâce à une chanson. Le yéyé, qui consistait en du rock'n roll français (assez fidèle dans son imitation à ce que faisaient Elvis Presley et l'anglais Vince Taylor), s'adoucit et s'insère dans les variétés gentilles que les familles regardent à la télévision. Quelques personnages fantasques tels Antoine et Hector viennent mêler les cartes. Cependant, malgré son allure particulière, le yéyé français demeure à la remorque de la musique américaine.

Il faut souligner que la France cherche à se protéger contre les produits étrangers et que le rock ne peut entrer que par le cinéma (les films dans lesquels joue Elvis) ou les juke-box du Golf Drouot à Paris. Cette sorte de censure, ajoutée à la distance réelle entre la France et les Amériques, crée une mystification rêveuse des États-Unis et contribue à l'explosion violente du rock chez les jeunes que la société révolte inévitablement. Le yéyé français démarre de façon plus explosive que celui du Québec à la fin des années 50. Johnny Hallyday ne chante pas en complet comme Michel Louvain. Il porte un blouson de cuir noir, il gueule et il se roule par terre avec sa guitare. Les batailles éclatent dans le public. La police doit sévir.

Heureusement pour les bons parents, l'avènement du twist et l'assagissement d'Elvis Presley après le service militaire calment un peu l'agressivité des adolescents. Vers 1962, Johnny porte le smoking et les chanteurs inoffensifs (dans le genre des Sheila, France Gall, J.-François Michaël, Claude François, etc.) apparaissent à une vitesse incroyable. Jouffa et Barsamian indiquent comment l'industrie du disque fabrique les petites idoles et comment elle les délaisse quand celles-ci cessent d'être rentables. Les vedettes sont très jeunes et parfois naïves. On les manipule donc plus aisément. Les compagnies de disque s'associent de temps en temps à des compagnies de chaussettes (le groupe Les chaussettes noires, qui se nommait originalement les Five Rocks, doit son nom à une machination qui n'a rien à voir avec la volonté de ses membres), de lait ou d'autre chose. On utilise l'engouement musical de la jeunesse pour vendre divers produits. Le commerce a trouvé de nouveaux consommateurs en cette génération issue du baby-boom de l'après-guerre. Nous n'avons, à ce sujet, qu'à penser à la mode go-go chez nous et à tout ce qui de buvable ou de mangeable pouvait être «dans le vent». *L'âge d'or du yéyé* ne nous présente pas que des chanteurs, il dévoile une époque avec ses événements et ses enjeux sociaux.

L'âge d'or du rock'n roll dresse un tableau détaillé des idoles qui ont servi de modèles aux yéyés. Le volume commence d'ailleurs par un chapitre sur le rock français. Viennent ensuite les initiateurs américains, des chanteurs country (Hank Williams) et des bluesmen noirs qui inspirent le rythme des futurs Bill Haley («Rock Around the Clock») et Elvis Presley. Jouffa et Barsamian consacrent 34 pages au King. Le texte, touffu, permet de suivre la carrière et la vie de l'idole des débuts à la fin. De grandes photographies en noir et blanc accompagnent les articles (il arrive cependant que ce soient les textes qui accompagnent les photos). Les noms circulent, les scandales, les défaites. Les rockeurs viennent des mêmes milieux que les yéyés. Prolétaires, ils risquent toujours un retour au garage ou à l'arrière-boutique. Plusieurs d'entre eux ne savent ni chanter ni jouer d'un instrument de musique, mais ils apprennent rapidement sur le tas.

Dans ce petit monde où l'on essaie de faire évoluer les moeurs, les femmes trouvent peu de place. Durant les années 1950 et 1960, les filles sont repoussées du rock violent. Quelques-unes comme Janis Martin et Wanda Jackson réussissent à s'imposer. Plus tard, des chanteuses plus douces comme Connie Francis et Brenda Lee, font leur apparition, mais on n'en est pas encore au mouvement fleuri californien et les rôles sexuels ne sont pas dérangés outre mesure parce que des hommes ont commencé à se maquiller. Une chose cependant intéresse, et les auteurs ne cessent de la relever, le rock'n roll réunit deux cultures qui se haïssaient : la noire et la blanche. Elvis sera convié à utiliser sa voix à la manière noire. Les races se rejoignent quelque part.

Les deux livres de Jouffa et Barsamian sont construits à peu près de la même façon : articles condensés allant droit à l'information et déluge de photos. Nous apprenons énormément sur l'histoire de la chanson et sur l'histoire tout court. Un défaut majeur néanmoins : aucun des deux volumes ne comporte d'index. Cela nuit aux recherches sérieuses. Nous voici condamnés à feuilleter les bouquins en attendant que vienne le nom cherché. Les titres de chapitres à la table des matières peuvent toujours dépanner, mais il arrive que cela demeure insuffisant.

Mais nous n'avons qu'à relire le sous-titre pour mesurer toute la richesse musicale que les auteurs de *L'âge d'or de la rock music* avaient l'intention de répertorier : blues, country, rock'n roll, soul, San Francisco sound, underground, hippies, festivals. C'est ce sous-titre qui structure l'ensemble du volume et qui en constitue même la table des matières (si bien nommée). Le titre général du volume, quant à lui, m'apparaît un peu abusif, pour ne pas dire racoleur. Néanmoins, il s'agit bien de l'âge d'or d'un style, celui de la musique «beat» qui a dominé toutes les années 60, et les auteurs sont bien malins d'avoir réussi à sérier tout un éventail de manifestations culturelles et musicales qu'il est commode de coiffer du mot «rock».

Début 1960 : premier «sit-in» d'étudiants noirs contre la ségrégation à la cafétéria d'un magasin de la chaîne Woolworth en Caroline du Nord, pendant que Paul Anka chante «Puppy Love» et les Everly Brothers «Cathy's Clown». Milieu 1964 : premier raid de représailles américain au Nord-Vietnam, au moment où l'Amérique, dit-on, est secouée par la beatlemania. Fin 1969 : le lieutenant Calley est accusé du massacre de My Lai, les étudiants Noirs du campus de Cornell portent des armes, etc., tandis que l'opéra rock des Who, *Tommy*, fait fureur, et que le Festival de Woodstock joue de la séduction et du scandale. Le paysage est donc on ne peut plus américain made in U.S.A. Entre ces dates circulent également les discours du Président Kennedy et ceux du Pasteur Luther King (tous deux assassinés en 1968), les albums des chantres de la contestation et les écrits des maîtres de la contre-culture, à la croisée des disques des Rolling Stones et de Jimi Hendrix, des films *Easy Rider* et *2001, Odyssée de l'espace*, etc. On en a plein la vue, plein les oreilles, avec ce sentiment trouble fait de fascination et de révolte.

Comment une société peut-elle manifester autant de turbulence et de disparité en une période de temps si courte? Il faut reconnaître que le pays est bien grand et que son infrastructure économique, la plus puissante au monde, le rendait apte à exacerber ses contradictions sans jamais risquer d'éclater.

Barsamian et Jouffa n'étaient pas en terrain inconnu, on le sait maintenant. Ils avaient déjà réalisé de nombreux ouvrages portant sur la musique populaire et notamment, chez Ramsay, *L'âge d'or du rock'n roll* (1980), *L'âge d'or de la pop music* (1982), *L'âge d'or du yéyé* (1983) et *L'âge d'or du rock and folk* (1985). Tous ces travaux sont d'une très grande qualité, tant au niveau de l'historiographie, du commentaire critique qu'à celui de l'iconographie. Cette dernière est particulièrement abondante et révèle une société des plus bigarrées et franchement incontournable tant les symboles qui sont aujourd'hui universellement consommés proviennent directement de ses remous.

L'âge d'or de la rock music nous propose une sorte de kaléidoscope musical et culturel des années 60 nord-américaines. Les chapitres un et trois traitent respectivement des musiques issues de la culture noire : le blues et le soul, et leurs ramifications nombreuses. Le chapitre deux est consacré au western, de Kris Kristofferson à Kenny Rogers. Et puisque country - blues - rock devaient contribuer à fusionner et à apaiser les diverses tendances et tiraillements des cultures musicales (et raciales) américaines, et cela dès le milieu des années 50 avec Elvis Presley (le Blanc) et Freddie King (le Noir), le chapitre quatre se concentrera sur le «rock west coast» et le mouvement hippie, avec de très belles pages à propos de Janis Joplin; enfin, le chapitre cinq, celui qui m'a le plus intéressé, passe en revue les mouvements «alternatifs» avec comme figure de proue celle de Frank Zappa. Les dernières pages rappellent les grands festivals où se croisaient le jazz, le rock et le pop en un formidable métissage musical.

L'émergence et la consolidation de la chanson au Québec durant les années 60

«T'as un pays entre les bras»
chante Marie Savard à son amant en chômage dans *Québékiss*.

On a l'habitude de faire naître la chanson québécoise moderne avec le Concours de la chanson canadienne, en 1956, à la télévision de Radio-Canada. On reconnaît là *l'amorce* de la formation du champ de production de la chanson québécoise. Mais il faudrait plutôt à mon avis concevoir ce concours comme l'aboutissement ou le *résultat* d'une sourde mais efficace transformation socio-culturelle des francophones du Québec depuis les années 40. Les publics découvraient en effet des auteurs, des compositeurs et des interprètes, et ils s'emballaient pour les types de produits qui leur étaient proposés. À partir de ce moment-là, plus encore que ce qu'avait réussi à faire la radio, la télévision va insuffler une énergie toute nouvelle à l'industrie du disque (quasi inexistante) et à l'industrie du spectacle. On va voir se structurer ou se cristalliser un *intertexte* chansonnier comme le Québec n'en avait jamais connu. Félix Leclerc était déjà revenu d'un long séjour parisien en 1953, Raymond Lévesque, déjà célèbre sans trop le savoir, attendra 1958, et des interprètes comme Pauline Julien et Monique Leyrac allaient aussi ramener de Paris un répertoire nouveau, nourri de l'esprit de la Rive gauche.

Le Concours de la chanson canadienne, animé à la télévision, venait donc à son heure. Il allait stimuler la mobilisation et l'émergence de «musiciens» ou d'animateurs qui travaillaient d'arrache-pied depuis la fin des années 40, depuis l'après-guerre, à franciser les ondes.

L'après-guerre est en effet une période de très grande turbulence. Par exemple, dans les programmes de l'émission radiophonique «Chansons de Baptiste et Marianne», animée par Guy Mauffette, de 1951 à 1954 au poste CBF, on retrouve les noms de ceux qui vont bientôt envahir la scène, le disque, la radio et même la télévision jusque durant les années 60... et puis «Le cabaret du soir qui penche»...
Voir les témoignages de Fernand Robidoux, Robert L'Herbier, Lionel Daunais, Jacques Normand, Alys Robi et Guy Mauffette sur la radio d'après guerre (à CKAC, CKVL et Radio-Canada surtout), sur l'éveil de la chanson québécoise qui essaie de rivaliser avec les Français et les Américains sur leur propre terrain.
Voir «Les joyeux troubadours» : les variétés au quotidien pendant vingt-cinq ans.
Les programmes du Faisan doré, à Montréal, animé par Jacques Normand («J'aime les nuits de Montréal»), les Trois Baudets, le Cochon borgne (en 1952), la Casaloma, etc., et à Québec, tout ce que raconte Gérard Thibeault dans *Chez Gérard, la petite scène des grandes vedettes, 1938-1978*, (Les éditions spectaculaires, 1988, 542 pages). De véritables écoles du spectacle.
On engage des échanges entre impresarios et artistes français et québécois dans le domaine de la chanson et de la comédie musicale.
La maison Archambault s'implique de plus en plus dans l'édition musicale, la distribution et même la production du disque, et plus tard, durant les années 1950, de nos produits locaux. Les disques Starr font de bonnes affaires à partir de 1946-47, allant du folklore au monologue burlesque en passant par les artistes populaires de la «petite vie». Il y a aussi la musique western : Marcel Martel. RCA-Victor édite une collection québécoise, du music-hall (Alys Robi) au western (Willie Lamothe). Notons en passant que le microsillon ne sortira qu'en 1948 chez Columbia et le 45-tours en 1949 chez RCA-Victor.
Donc grande turbulence technologique, économique, sociale, culturelle, démographique, etc., durant les années d'après guerre.

Les années 1959-1960 vont voir émerger et s'imposer ce qu'on appellera le *phénomène* des «chansonniers». En effet, en décembre 1958, une grève à Radio-Canada semble devoir durer. Cette grève incite les artistes de la scène à se solidariser et à se trouver d'autres lieux pour travailler et pour se faire valoir. C'est ainsi que l'on voit naître le groupe Les Bozos et la première «boîte à chanson» : Chez Bozo (en rappel du titre d'une chanson déjà célèbre de Félix). Se manifeste donc déjà le désir de marquer une filiation, d'instituer une tradition, un réseau.

De ce groupe vont provenir les principales têtes d'affiche de la période des «boîtes à chanson» (jusqu'à l'Expo 67) : Clémence DesRochers, Claude Léveillée, Raymond Lévesque, Jean-Pierre Ferland, Hervé Brousseau et André Gagnon. Si l'on ajoute à ce groupe les noms de Jean-Paul Filion, de Gilles Vigneault, de Claude Gauthier et de quelques autres (Jean-Pierre Calvé, Pierre Létourneau, Tex Lecor, Georges Dor), on retrouve tous ceux qui, à l'époque, ont réussi à imposer des thèmes, des formes musicales, un rituel scénique et un réseau de production de spectacles... et tout cela parce qu'un public nouveau était là pour se l'approprier, s'en imprégner. Et on voit se dessiner ce marché dès la fin des années 50.

De fait, les «chansonniers» vont s'inscrire et profiter des *effets* d'une conjoncture socio-économique très dynamique, propice à l'éclosion de ce qu'on a appelé la «révolution tranquille» du Québec, c'est-à-dire, d'une part la modernisation des institutions (politiques, sociales, culturelles et économiques) et d'autre part l'ouverture sur le monde (une information et une sensibilité à ce qui se passait dans le monde occidental, notamment en France (la guerre d'Algérie, la décolonisation) et aux États-Unis (le racisme, la guerre du Vietnam, la contre-culture... et, bien sûr, très tôt, la musique rock).

On assiste donc, dès le début des années 1960 :

a) À la consolidation d'un répertoire autochtone et à une collégialité de plus en plus organisée et légitimée. Jacques Blanchet lance rapidement deux ou trois tubes et s'intéresse au jazz; Gilles Vigneault se fait remarquer dès 1960 (grâce à Jacques Labrecque) par sa voix impossible, son allure inusitée, sa verve et son dynamisme; Claude

Léveillée fait la Place des Arts dès 1963... etc., et n'oublions pas que Robert Charlebois enregistre son premier disque en 1965 (conforme au style chansonnier, s'inscrivant donc dans une tradition très récente mais déjà vigoureusement implantée. Ajoutons le travail efficace des interprètes féminines comme Lucille Dumont, Lise Roy, Renée Claude, Pauline Julien et Monique Leyrac qui amplifieront la présence et la prégnance d'un style de chanson.

Je parle de la consolidation d'un *répertoire* parce qu'on finit par voir se constituer une thématique récurrente (la mer, le voyage, l'amour, le pays...) et une forme qui rappelle le modèle Rive gauche parisien : une poétique soignée... et une mélodie harmonieuse (même dans la contestation ou la parodie). Donc des thèmes et des formes musicales (pas toujours nouvelles, souvent très près de nos rythmes folkloriques dominants) réussissent à s'imposer sur le marché, en remplacement de la Bonne Chanson folklorisante de l'abbé Gadbois (qui tiendra le coup jusqu'à la création de la station radiophonique CJMS en 1955) et en concurrence à la chanson française, qui connaît de très belles heures (ils sont très nombreux à venir chanter à la Comédie canadienne...) et surtout en opposition à la chanson populaire américaine qui connaît ses heures de gloire depuis le «One two three o'clock...» qui fermait le très célèbre film...

> Donc un répertoire : la «parenté» familière de Filion; les plaintes amoureuses et mélodiques de Léveillée; les désirs de voyage de Calvé, ses ballades tristes et ses rythmes sud-américains; les personnages légendaires de Vigneault, les revendications du «pays» chez Vigneault, bien sûr, mais aussi chez Léveillée (les deux derniers vers de «Les patriotes» seront au début de 1960 : «Alors portez très haut vos oripeaux / Ceux que vous aurez au prix d'une guerre» et en 1971 : «Alors portez très haut votre pays / celui que nous sommes en train de refaire») et chez Gauthier («Le grand six pieds» par exemple, et les trois versions de 60,65 et 70 dans lesquelles s'impose progressivement le sens du terme «québécois»).

b) Les chansonniers imposent également un rituel scénique, relativement nouveau, très sobre, très dépouillé dans l'exécution, très économique aussi, tout à l'opposé de celui du music-hall des variétés, bref un style qui doit beaucoup à Félix Leclerc. Les témoignages de Brel et de Brassens en France sont connus à propos de ce style voix-guitare-chaise-projecteur unique... Il faut lire aussi l'article de Stéphane Venne, dans la revue *Liberté*, sur le style «boîte à chanson» : intimité de la communication, amateurisme, décor feutré, inconfort, etc. Comme indice de légitimation de la chanson à cette époque, rappelons encore l'article de Lysiane Gagnon, dans la revue *Europe*, sur la chanson de la première moitié des années 1960 au Québec.

c) On crée donc alors un réseau marginal et parallèle de production de spectacles, de circulation de biens culturels locaux. L'engouement que ce réseau connaîtra (ses thèmes, son style, etc.) auprès d'un certain public consommateur intéressera très rapidement les compagnies de disques (des compagnies étrangères comme Columbia, RCA, Capitol et Polydor, et des compagnies locales comme Sélect, Franco, Jupiter, Trans-Canada et plus tard Gamma). C'est qu'il est en train de se développer au Québec un marché pour la musique populaire en général, et francophone en particulier, et d'ici si possible.

d) On assiste en effet au développement d'un marché pour la musique populaire. Et ce développement tient à plusieurs facteurs : a) la prospérité économique que connaît le Québec après la Dernière Guerre va transformer profondément le paysage social (il faut lire *La longue marche des Québécois* de Jean-Louis Roy pour s'en convaincre); b) l'accroissement démographique très significatif des jeunes (les 15-24 ans représentent 15,9% de la population en 1960, puis 18% en 1966, 19,4% en 1971 et 20,3% en 1976), des jeunes plus scolarisés que leurs parents, avec un pouvoir plus grand de dépenser, très préoccupés par les loisirs, plus longtemps protégés dans le giron familial, désireux de s'amuser et de s'identifier comme groupe social à de nouveaux modèles de comportement. Donc des consommateurs ou des créneaux de marché que les entrepreneurs vont désormais viser directement.

Le phénomène est le même en France, aux USA, etc. Cette jeunesse va permettre, par exemple aux États-Unis, avec le 45-tours peu cher à produire et très accessible, de sortir l'industrie du disque du marasme et celle du cinéma également (dans lequel l'avait plongé surtout la télévision, autre loisir de masse) et d'élargir les lieux d'ancrage de la musique populaire : tourne-disque individuel, radio transistorisé portatif, films hollywoodiens sur les jeunes, journaux à vedettes, photographies, pochettes de disques attrayantes, modes vestimentaires, stations de radio du type Top-50, émissions de télévision destinées aux jeunes publics... C'est ainsi qu'on verra apparaître au Québec :

— *Le club des autographes* (imitation d'une émission américaine) animé par Pierre Paquette, de 1958 à 1962 à la télévision de Radio-Canada : le yé-yé en direct (Paquette animera aussi l'émission *Coquelicots* à la radio de Radio-Canada);
— *Jeunesse d'aujourd'hui* (pendant neuf ans, dès 1961 à Télé-Métropole, animée par Pierre Lalonde, puis Joël Denis), en même temps que *Le coin du disque* où Jacques Duval brûlait les mauvais disques, sorte de rituel de résistance, de contrôle et de défoulement devant un phénomène socio-culturel d'une telle envergure;
— *Jeunesse oblige*;
— *Donald Lautrec chaud*;
— des talk-shows qui vont alimenter les légendes zartistiques;
— etc.

Rappelons en passant que la création de Télé-Métrople date de 1961, et que cette chaîne de télé va devenir très puissante dans l'expression de la culture populaire québécoise.

Dans le livre que Jacques Aubé a fait paraître en 1990 chez Triptyque, *Chanson et politique au Québec*, on peut lire :

> L'accès du Québec à la modernité coïncide avec ce qu'il est maintenant convenu d'appeler la montée des classes moyennes au tournant de la révolution tranquille : «Les années 1960-66 marquent l'accès définitif du Québec au titre de société industrielle et même post-industrielle : non

> pas seulement sur le plan économique, (...) mais aussi sur les plans culturel, politique et social».[1]
> Plus scolarisée, une fraction importante de cette classe moyenne, composée d'étudiants et d'intellectuels, réclame, entre autres, une chanson francophone autochtone : «Le nouveau nationalisme (...) chanté par les artistes, formulé par les intellectuels, les technocrates et une nouvelle génération de politiciens (...) prône un Québec fort.»[2]
> C'est dans ce milieu collégial et universitaire, donc urbain et plus âgé, que se recrute le public des chansonniers.[3] (...) Il ne fait aucun doute aujourd'hui que cet auditoire politisé, épris à la fois de nouveauté et de tradition, a joué un rôle vital dans l'émergence d'une chanson authentique des gens d'ici (pp. 46-47).

Donc, c'est la fraction scolarisée de la génération du «baby boom» d'après guerre qui va favoriser l'émergence et la consolidation d'une chanson économiquement mais surtout *symboliquement* rentable pour le Québec : une nation symboliquement fondée sur l'identité sociale.

Ce souffle de renouveau, d'identification et de prise en charge se manifestait d'ailleurs dans presque tous les champs d'activités intellectuelles : chez les littéraires et les intellectuels universitaires (*Liberté* 1959, *Parti pris* 1963) où l'on retrouve des échos des théoriciens comme Fanon, Césaire, Berque et Memmi; en politique (un parti libéral régénéré après la mort de Duplessis en 1959 puis la montée du RIN et du Parti québécois); dans le domaine social (revendications syndicales, montée de la classe moyenne); dans le champ religieux (perte de pouvoir du clergé et remise en question de vérités séculaires); chez les technocrates (modernisation des secteurs de l'éducation, des communications, des «affaires» culturelles), etc.

Le clivage somme toute arbitraire entre chansonnette commerciale et chanson québécoise était évident et maintenu. En 1965, Robert Charlebois monte par exemple la revue «Yéyés vs chansonniers» avec Mouffe et Jean-Guy Moreau. Charlebois n'a pas encore découvert la Martinique et encore moins la Californie, mais il s'inscrit dans cette turbulence chansonnière du côté de ce qui domine dans la nouvelle chanson québécoise : la chanson d'ici (poétique, critique et politique) à laquelle s'identifiait la jeunesse instruite et montante. (Cf. la partie du mémoire de Suzanne Henry-Dumond où elle analyse la thématique de 695 chansons québécoises endisquées entre 1960 et 1966.)

Bref, la chanson commerciale était associée à la traduction ou à l'adaptation de chansons à succès anglo-américaines (que cette chanson soit rock, yé-yé ou pop) ou encore à la chansonnette française à la mode. Un même titre pouvait être chanté par plusieurs vedettes, ne semblant appartenir à personne. Les instrument de musique étaient électrifiés chez ces chanteurs et/ou ces groupes.

La chanson des chansonniers était plutôt promue à un rang supérieur par d'autres publics, moins jeunes que les autres et plus scolarisés, issus de la nouvelle petite-bourgeoisie davantage à l'écoute de la chanson française (à texte, littéraire, critique, etc.) ou de la chanson folk américaine (*idem*). Il va alors s'établir apparemment, une sorte de consensus autour d'un certain «style» propre à identifier la communauté québécoise sur son propre territoire et, vers la fin des années 60, à l'étranger, notamment en France (grâce à Robert Charlebois et plus tard à Diane Dufresne par exemple). Enfin, une réponse sans équivoque aux slogans «politiques» de l'époque de la révolution tranquille...

Cependant, pendant que Lysianne Gagnon présente la naissance en 1966 d'une véritable chanson québécoise, le dynamisme extraordinaire qui marquait la chanson anglo-américaine de l'époque, et notamment l'ouragan des Beatles, provoque évidemment une remise en question *formelle* de la musique chantée au Québec. Ces influences extérieures empoisonnent et durcissent les relations entre les tenants de la chanson des chansonniers et les tenants, plus nombreux mais idéologiquement moins influents, du clan des yé-yé, gogo, etc. Mais en même temps, l'industrialisation progressive de la chanson au cours des années 1960 oblige les chansonniers à plonger dans la culture de consommation de masse, où l'obligation de commercialiser la production devient la condition même de leur maintien et de leur survie.

La guerre est ouverte : d'un côté une vingtaine de chansonniers professionnels et 300 amateurs recencés en 1965 qui vont essaimer (John Damant in *La chanson québécoise 1961-1981*, dossier de presse du Séminaire de Sherbrooke). En 1966, un sondage révèle que 2000 jeunes s'étaient présentés en audition aux propriétaires de boîtes à chanson (P. Guimond, p. 176). L'intérêt de la jeunesse pour une chanson d'ici est donc indéniable. En revanche, Michelle Maille (*Blow-up sur les grands de la chanson*), dès 1969, affirme que la chanson des chansonniers est «en dehors de la musique populaire» (p. 47), que les chanteurs ne sont déjà plus des jeunes, et que l'on dénombre dès 1967 plus de 800 groupes yé-yé au Québec. Ce milieu n'est pas antinationaliste, il est plutôt indifférent à la politique, et ce qu'il apprécie et veut transmettre par les versions de hits américains, c'est surtout l'engouement pour le rythme et pour la technique, le «good time», le défoulement et... la futilité. Les Français faisaient la même chose à la même époque. Et l'Exposition universelle de 1967 n'exprimait-elle pas combien le Québec était ouvert sur le monde, moderne, équipé, riche, promis à un avenir hors du commun.

La population vieillit, s'instruit et s'enrichit, comme dans les pays anglophones, et les supports matériels changent aussi : non plus les 45-tours pour jeunes adolescents... mais le microsillon et, vers la fin des années 1960, on achète des disques-concepts, on assiste à des opéras-rock, on s'ouvre aux problèmes sociaux (après la décolonisation et la guerre d'Algérie, mai 68 en France; après les troubles racistes aux USA, la guerre du Vietnam, la culture rock; après Expo 67 au Québec, le FLQ...).

Enfin, Charlebois vint... un peu comme un catalyseur dans la querelle devenue vive des anciens et des modernes. Il allait en effet réussir à synthétiser en une performance hors du commun les courants modernes de la musique populaire occidentale (en les imitant et/ou en les parodiant) et les symboles rattachés au discours nationaliste québécois. L'Osstidcho de 1968 sera en effet vécu comme un happening culturel qui aura une influence considérable non seulement au Québec mais dans toute la francophonie. En effet, un voyage en Martinique, en 1966, lui fait découvrir les rythmes noirs à la sauce latine, la bossa-nova par exemple : «C'est pour ça», «La complainte de presqu'Amérique». Il découvre également la Californie (donc l'Ouest), les hippies, la musique underground, la création collective, etc. Sa transformation s'affirme avec *Robert Charlebois (vol. III)*, chez Gamma en 1968, et surtout *Robert Charlebois - Louise Forestier*, chez Gamma aussi, toujours en 1968 : l'électrification des instruments de musique; l'utilisation de la langue populaire ou «joual» comme langue de travail, d'expression et de création; très grande variété rythmique; formation d'un duo avec Louise Forestier (déjà lauréate d'un concours du Patriote, l'une des rares boîtes à chanson à subsister après l'Expo 67); la dissonance, la débraillé, la caricature, la provocation, l'improvisation risquée, la sensualité, la jeunesse, le rythme; et plus tard la solitude de l'idole (comme les grandes stars); et tout un public prêt à le suivre, une jeunesse branchée sur les groupes musicaux *rock* internationaux : les Beatles, les Rolling Stones (les symboles de la modernité, du défoulement, de l'explosion), le soft rock de l'ouest américain, et même Dylan qui propose du folk-rock, et plus tard le rock planant ou «progressif» avec de longues pièces...

Charlebois impose donc une esthétique nouvelle, ponctue une rupture dans le champ de production de la musique populaire québécoise. Et tout cela s'est fait très rapidement. Après deux spectacles au Patriote au début de 1968, Charlebois et ses amis (Mouffe, Deschamps, Péloquin, le Jazz libre du Québec... et le public) improvisent l'Osstidcho :

— d'abord au Quat'sous en mai 1968;
— puis à la Comédie canadienne en septembre 1968;
— enfin à la Place des arts en janvier 1969 (et à Paris à l'automne 1969, puis le 1er Prix d'interprétation au Festival de Spa avec «California»).

Ces spectacles surgissaient au moment propice d'un désir profond de libération et de changement (exacerbé par Expo 67 et une situation sociopolitique tendue). Ces happenings se rattacheront vite à la tradition des Woodstock, des spectacles de Jimmy Hendrix et de Janis

Joplin, de la provocation psychédélique, de la contre-culture, de la déraison créatrice, etc. Charlebois s'impose alors comme un show-man remarquable. Les spectacles comme un débordement des formes traditionnelles du spectacle. Un style où se mêlent humour, impertinence et provocation. Bref, une figure nouvelle qui s'impose au Québec : la rock-star, dans le cadre nouveau de l'industrie du spectacle et du vedettariat (le «star system»), là où l'émotion et l'intimité cèdent parfois la place au look, à la performance, au rassemblement. Une thématique s'impose également : le voyage, le soleil, la dérision, ... et la fierté d'être Québécois.

Pendant que la France vit son mai 68 et les U.S.A. les séquelles de la guerre du Vietnam, Charlebois exploite le look et les significations du «bum de bonne famille» (révolte du petit-bourgeois) qui conteste les valeurs des années 60... et que le public jeune reconnaîtra comme leader. 1968 demeure donc une date majeure au Québec (égale à 1959-60, égale à 1976 puis 1981) :

— *L'Osstidcho* de Charlebois;

— *Les Belles soeurs* de Michel Tremblay;

— *La guerre, yes sir!* de Rock Carrier (adaptation au théâtre en 70);

— et la fondation du Parti québécois par René Lévesque.

Le Québec était donc devenu, en l'espace de quelques années, un pays moderne mais non encore autonome, «presqu'Amérique» disait Charlebois, un utopique Québec libre comme nous le rappellera le Général de Gaulle.

On se rappellera les audaces du FLQ, la fête que fut La nuit de la poésie en 70, les événements d'Octobre 70 et la Loi des mesures d'exception jusqu'en janvier 1971, l'agitation syndicale, les *Poèmes et chants de la résistance* (spectacles bénéfices) pour Gagnon/Vallières (un livre) en 69, pour les prisonniers d'Octobre (un disque) en 71, et pour les trois chefs syndicaux emprisonnés lors du Front commun de 1972 (un disque), l'entrée de Félix Leclerc dans la ronde nationaliste, *Québékiss* de Marie Savard, les spectacles du 24 juin, etc. Bref toute la mobilisation, la ferveur, l'exacerbation que l'on connaîtra jusqu'à la prise de pouvoir du Parti québécois en 1976... qui correspondra à une sorte de chant du cygne d'une certaine chanson québécoise : «The last firework» selon l'expression de Réginald Hamel.

e) Finalement, on assiste durant les années 60 à une professionnalisation du métier, à une institutionnalisation de la chanson d'ici, des produits locaux, parallèle à la montée du discours de la Révolution tranquille («Maître chez soi») :

— Création de réseaux de production et de circulation
  - de spectacle : boîtes à chanson jusqu'en 67 et plus grandes salles;
  - de disque : des compagnies étrangères et locales;
  - de programmation radiophonique;
  - de programmation télévisuelle;
  - de programmation cinématographique.

— Création d'associations professionnelles (l'AQPD ne date que de 1975 et l'ADISQ attendra la fin de la décennie).

— Création de prix, de revues spécialisées, de concours, de galas, ... donc d'une légitimation auprès des publics.

On a vu que c'est la radio (et donc le disque) et surtout la télévision qui vont permettre au champ de la chanson québécoise de se constituer progressivement. Ce champ s'est développé selon cinq axes importants et parallèles :

— l'axe régionaliste à la Gilles Vigneault, depuis les folkloristes comme Jacques Labrecque. En passant par les Cailloux, Raoul Roy, Jean-Paul Filion... jusqu'à la Veillée des veillées de 75-76 et tous les francophones hors Québec;

— l'axe plus progressiste ou radical, et prolongeant le premier, à la Raymond Lévesque (dans la tradition du chansonnier à la française, avec ce souci de l'actualité sociale et politique);

— l'axe rock et urbain représenté par Robert Charlebois et tous ceux qui lui ont emboîté le pas : Michel Pagliaro, Offenbach, Octobre, Diane Dufresne, Claude Dubois, Corbeau, etc.;

— l'axe sans frontière, celui de la chansonnette ou des variétés, qui va de Michel Louvain à Ginette Reno en passant par Fernand Gignac et René Simard : la chanson de charme, les «diseuses», la chanson «kétaine» comme on le dira à partir de 1969, par exemple le disco opposé à la musique proposée par l'émission *Showbiz* de Claude Dubois en 1972;
— l'axe de la musique country, aussi lucratif que le précédent et aussi apolitique, mais opérant dans des réseaux bien différents.

Tout en sachant que les frontières entre ces axes sont souvent poreuses, et que le champ de la chanson québécoise a beaucoup gagné de cette cohabitation et compétition de styles et de publics différents, la révolution tranquille s'est surtout manifestée (!) dans les trois premiers axes : les «chansonniers» à la québécoise. Charlebois viendra certes bouleverser les signes qui marquaient et identifiaient la chanson comme «poétique», «engagée» et québécoise», et qui devaient la distinguer de la chansonnette. Mais comme ce sont les discours qui traduisent, définissent et transforment les objets culturels, le discours nationaliste dominant récupérera même ce que la musique rock pouvait avoir de subvertif.

Vigneault proposait des musiques plutôt traditionnelles, des thèmes propres à identifier nos particularités régionales, et un parler un peu archaïque teinté de nos variations linguistiques. En 1965, Vigneault remportera toute une brochette de prix...

Charlebois, lui, *inversera* ces valeurs et exploitera une musique électrifiée, une thématique contre-culturelle et surtout urbaine, nord-américaine, et enfin un parler très proche du joual, une variation linguistique non plus des campagnes mais de la métropole. Avant d'avouer qu'il n'est qu'un gars «ben ordinaire» (en 1971), on verra en lui un symbole de mobilisation nationale. Même le groupe Les Sinners, en 68, prendra le nom de La Révolution française (pour se libérer dit-on de certains contrats jugés trop contraignants) et obtiendra un succès certain avec leur chanson intitulée «Québécois» (même si la traduction anglaise en fera une sorte d'hymne à l'impérialisme américain!).

Les années 1960 se sont donc nourries de ces deux tendances majeures, Vigneault vs Charlebois, produisant des vedettes apparemment incompatibles... mais remplissant les mêmes fonctions... Il s'agit de fait du même courant majeur charrié par le discours nationaliste de la Révolution tranquille.

Mais, on l'a vu, ce courant majeur cohabitait avec d'autres courants charriés par le fleuve plus spécifique du champ même de la chanson populaire. En effet, pendant qu'on assiste à l'émergence et à la consolidation des chansonniers, on assiste aussi, simultanément, pour un autre public, à l'engouement pour Michel Louvain (un effet à la Elvis pour le music-hall du Québec), puis pour le yé-yé, pour le pop avec le raz-de-marée que provoquèrent les Beatles, et le rock inspiré avec Charlebois et enfin les *Poèmes et chants de la résistance* des radicaux... et le western, et plus tard le renouveau folklorique, et tout cela en français et parallèlement à ce qui se passe dans le monde occidental moderne.

Les Québécois s'identifiaient donc à des valeurs mixtes et prenaient ainsi pour acquis que cette richesse leur appartenait : ça se vend, ça tourne à la radio, ça remplit les salles et c'est même apprécié en France... N'est-ce pas le propre du discours nationaliste que de susciter ce sentiment d'appropriation, d'appartenance et de fierté... à propos d'objets (culturels) les plus hétéroclites.

Je retiens surtout l'idée de Paul Zumthor qui fait remarquer que dans l'évolution un peu anarchique et de plus en plus rapide du champ de la chanson occidentale, chaque «période» propose comme une *«forme-force»*, un *modèle* dynamique de produit *et* de public... Les années 60 ont vu se développer, avec le marché, deux formes-forces, deux modèles dominants. Ces deux formes-forces correspondent d'ailleurs aux deux modèles traditionnels culturels qui habitent, qui cohabitent, qui nourrissent et dynamisent les Québécois : la culture française (latine) et la culture américaine (anglo-saxonne). La culture québécoise est donc le résultat d'un métissage... et la chanson manifeste cela d'une manière très éloquente. Ces deux modèles s'ajustent au gré des conjonctures socio-économiques et des courants idéologiques. Au début des années 1960, chez les jeunes francophones scolarisés, on valorisera la création plutôt que l'imitation ou la simple interprétation ou la traduction ou la version... et même la poésie plutôt que la musique.

Ces formes-forces seront à couteaux tirés jusqu'en 1965, jusqu'à ce que l'électrification (comme le micro durant les années 1940!) soit légitimée comme indice porteur de la nouvelle culture.

Double mouvement majeur donc, double contradiction par moment exacerbée entre :

— l'affirmation de soi, la valorisation de sa différence (identité, territoire, modernisation institutionnelle, autonomie);

— l'ouverture sur l'extérieur, la revendication, l'appropriation de tous les signes du monde moderne, la sensibilité pour tout ce qui s'y passe (en France, aux USA), donc un souci de normalisation.

C'était aux temps de l'Expo 67 : les Québécois vibraient à cultiver leur différence et, en même temps, à la moderniser, à la normaliser.[4]

Notes :

1. Suzanne Henry-Dumond, mémoire de maîtrise, 1972, Université de Montréal, sociologie : «Analyse du contenu idéologique de la chanson au Québec : 1900-1919 et 1960-1966».
2. Paul-André Linteau *et al* : *Le Québec depuis 1930*, Boréal, 1986, p. 379.
3. Par opposition au public francophone de musique populaire anglophone, composé principalement de travailleurs jeunes et ruraux (selon Pierre Guimond, mémoire de maîtrise en sociologie, 1968, Université de Montréal : «La chanson : phénomène socio-culturel», p. 180).
4. Mais, cette émergence et cette consolidation de la chanson dite québécoise laisse songeur quand on y réfléchit à partir de chiffres ou de statistiques.
   En 1966, il se serait vendu 3 000 000 de 45-tours québécois. Les Sultans, Les Classels, Michèle Richard, Donald Lautrec, Fernand Gignac, Thérèse Deroy vendent tous plus de 50 000 exemplaires de leurs succès. L'impression et la vente de produits étrangers augmentent encore le nombre de ceux qui vivent de cette industrie.
   Mais même en 1970, la chanson québécoise ne représente que 10% du marché.
   En 1973, la vente de musique enregistrée représente 60 000 000 $ mais la part de la production locale ne représente que 25%, et ce chiffre ira en décroissant par la suite, retrouvant en 1980 le 10% qu'il représentait en 1970. En 1973, la moitié des disques vendus au Québec sont de langue anglaise. En 1974 pourtant, la musique/chanson québécoise occupait 60% des ondes des radios francophones.

Heptade d'Harmonium

«J'veux pas m'éteindre comme le refrain.»

L'album a fait beaucoup de bruit. Un album de deux disques, fabriqué et distribué par CBS Disques, PGF 90348, en 1976. Et Dieu merci, autre chose que du bruit. *Heptade* m'apparaît en effet comme l'expression musicale par excellence de ce qu'on appelait à l'époque la contre-culture au Québec. Jean Basile aurait beaucoup à dire à ce propos. Parlons plutôt de chanson/musique alternative...[1]

L'album est fort bien structuré. Un prologue ouvre l'aventure musicale et un épilogue nous ramène à nous-mêmes avant le silence. Nous les devons à l'excellent musicien Neil Chotem. Entre ces deux extrémités, sept chansons, le nombre 7 rappelant le titre de l'album. La première de ces chansons s'intitule «Comme un fou» et la dernière «Comme un sage». Entre ces deux mouvements, entre la folie et la sagesse, l'amour entreprend l'incroyable voyage (lisez «trip») de l'utopie, un voyage imaginaire scandé de quelques épreuves d'initiation et de passage[2]. Ces expériences portent des noms et correspondent aux titres de la suite des chansons : «Chanson noire» (en deux parties; le repliement et l'attente anxieuse d'une part, le désir amoureux et la main tendue de l'autre), «Le premier ciel», «L'exil», «Le corridor» et enfin «Lumières de vie». Entre chacune de ces cinq chansons intermédiaires, des moments musicaux de Chotem viennent ponctuer cette marche à l'amour et à la lumière : «sommeil sans rêves», «l'appel», «sur une corde raide» et «les premières lumières». Ces intercalés sont réguliers, si ce n'est une seule absence entre «L'exil» et «Le corridor». Qui peut me dire pourquoi?

Donc une thématique très cohérente, une progression narrative motivée, deux personnages jeunes qui tentent de se rejoindre en une quête spirituelle commune, des lieux familiers, des objets très quotidiens, des images fortes, des arrangements musicaux variés et savants (symphoniques) et d'une suggestion telle qu'ils ont fait de cet album l'un des phares de la musique populaire québécoise des années 70. Et parmi tout cela, la voix de Serge Fiori, tantôt feutrée, tantôt de tête, instable, à la fois râpeuse et féminine, et sachant créer une intimité efficace. Des choeurs viennent parfois contredire notre héros. Ils symbolisent la loi, l'institution, l'ordre, la voix de la «raison», qui s'oppose(nt) à la lente et pénible — la peur à surmonter — ascension vers la conscience lumineuse. L'accent linguistique est celui du Montréalais moyen, la thématique celle de *L'hiver de force* (même si je sais que j'exagère ici), et la musique nous entraîne de rythmes saccadés en modulations planantes selon les hauts et les bas de la progression dramatique des séquences narratives de l'ensemble.

Le beau texte (court et unique) reproduit à l'intérieur de l'album lui-même m'apparaît constituer un excellent résumé de la signification de l'ensemble de l'entreprise. Je ne peux résister à la tentation de vous le citer :

lumière de vie
mon seul point d'envie
c'est naître à la lumière
et puis en faire partie
la nuit, le jour
parle-moi d'amour
assez pour éclipser
les deux
pour toujours

Les nuages des illustrations en couleur sont-ils allumés des lueurs rougeâtres de l'aube ou de celles du crépuscule? Sont-ils témoins de la renaissance ou de la crise? La lumière est intérieure, dit le poème, comme la voix de l'amour. Est-ce le secret du nombre d'or, le 7. Sept chansons viennent scander les sept passages des niveaux de conscience. Le yoga parle de chakras. À la même époque, Claude Dubois chantait ses *Fables d'espace*. Décidément, il faut relire la revue *Mainmise*, le porte-voix de toute une génération. L'album d'Harmonium nous fait participer à une sorte de quête spirituelle, au-delà de la peur, de la solitude et des contraintes sociales, une marche à l'Amour :

> c'est naître à la lumière
> et puis en faire partie.

Parmi ces chansons, la première m'apparaît tout particulièrement réussie, à l'égal de «L'exil». En effet, j'ai hésité longtemps entre les deux avant de choisir «Comme un fou» comme objet d'étude. Les paroles et la musique sont de Serge Fiori et de Michel Normandeau. L'ensemble dure 7 minutes 50 secondes, ce qui est déjà peu commun, la durée habituelle d'une chanson étant de 3 minutes. J'ai accepté d'analyser une chanson isolée parce qu'il en existe qui tiennent le coup à la lecture même quand elles sont privées de musique. Réduite à un texte, je dois la lire (et vous savez combien je triche ici) comme si elle était un poème. Voici donc ce poème de fou tel qu'il apparaît à l'intérieur de la pochette (donc déjà figé par l'écrit et souvent éloigné des contractions que Fiori fait subir à certains groupes de mots quand il les chante).

Vous remarquerez que les ouvertures de strophes sont relativement semblables. Elles constituent comme des rappels, des structures répétitives d'ensemble. Les trois première strophes et les trois dernières reproduisent le même modèle (10 vers, 8 vers et 3 vers) tandis que les huit strophes du milieu obéissent à un autre modèle : deux strophes de trois vers inégaux suivies de deux autres strophes similaires de trois vers, et cela à deux reprises, réparties deux par deux selon que le narrateur est «je» ou «eux». Il y a donc tout lieu de constater que ce texte est construit sur deux modèles métriques, qu'il constitue un triptyque parfait — une ouverture, un centre et une fermeture —, et qu'il affiche des symétries strophiques que la structure musicale vient tout simplement reproduire ou mettre en évidence.

J'ai donc laissé le lecteur remarquer lui-même les jeux nombreux de répétitions (ce que R. Jakobson appelait les jeux de parallélisme comme constitutifs et spécifiques au discours poétique traditionnel), ces jeux de répétitions se manifestant à plusieurs niveaux linguistiques à la fois : phonétique : les rimes par exemple, même si elles ne sont qu'assonantes comme ici; syntaxique : les reprises de même structures de phrase ou parties de phrase, évidentes ici en début de strophe ou lors des interventions du choeur; sémantique : les pronoms par exemple, qui identifient les acteurs du écrit, ou encore les modalités verbales qui précisent d'une part les motivations de ces acteurs à agir (ou pas) et d'autre part le contexte moral ou idéologique qui sanctionne ou non la quête des acteurs.

Comme un fou

C'est drôle depuis le réveil
J'me sens plus tellement pareil
J'ai du mal à m'regarder
Le miroir me laisse tomber
Y'a pourtant d'autres choses qu'un café
Pour m'aider à voir
J'veux noircir de l'eau
Pour blanchir mon cerveau
L'appareil est branché dans mon dos
Et brûle dans ma peau

S'il fallait que tu t'réveilles
Ça ferait deux, toi pis le soleil
À me r'garder déjeuner
J'me sens devenir étranger
J'sais pas si c'est triste ou drôle
C'est comme si j'perdais le contrôle
Qu'est-ce que j'ai là sur les épaules
Qu'est-ce qui m'fait changer de rôle

J'viens d'sauter dix pieds dans les airs
J'vais me r'trouver comme un fou sur terre
Comme un fou, tout est si clair

Dites-moi donc quoi faire
J'suis tombé par terre
Au milieu des gens qui n'ont rien remarqué

Si j'pouvais me r'prendre
Avec un peu d'chance
J'pourrais m'arranger pour tomber sur les deux pieds

Non, mon p'tit gars, non
C'est pas de même qu'on s'y prend, non
T'as rien qu'à garder la place qu'on t'a donnée

Non, non, mon p'tit gars
Essaye pas d'bouger, non
Sinon tes voisins vont être désenlignés

Dites-moi donc quoi faire
J'suis tombé sur terre
Au milieu d'un champ qu'on a r'couvert d'acier

Si j'pouvais me r'prendre
Avec un peu d'chance
J'pourrais peut-être tomber quelque part de l'autre côté

Non, mon p'tit gars, non
C'est pas d'même qu'on apprend, non
T'as rien qu'à r'garder où les autres sont placés

Non, non, mon p'tit gars
Essaye pas d'parler, non
Sinon, va falloir penser à t'enfermer

C'est drôle depuis le réveil
Tout est fort dans mes oreilles
Même les sons si familiers
Jusqu'aux bruits dans l'escalier
Et même si l'horloge m'a sonné
Pour mieux se faire voir
Être sourd pour une heure
J'voudrais m'entendre le coeur
Le sommeil était mon seul silence
J'suis moins seul quand j'y pense

S'il fallait que j'me réveille
Comme Alice dans ses merveilles
À fixer mes céréales
Comme une vieille boule de cristal
J'sais pas si c'est bleu ou blanc
Au fond d'un diamant
Plus j'suis petit, plus c'est grand
J'vais me retrouver dedans

J'viens d'passer à travers
J'vais me r'trouver comme un fou sur terre
Comme un fou, tout est si clair
Heptade, CBS/PGF 90348

J'ai identifié plus haut les trois parties du texte à partir d'indices qui n'étaient que formels, sans même que je sache de quoi il était question, au niveau du contenu, dans chacune de ces parties. Ces marques formelles, relatives à des structures répétitives qui sont celles de la versification traditionnelle, donc à des contraintes proprement linguistiques, ces parallélismes formels sont par ailleurs redoublés en quelque sorte par les structures musicales qui leur sont correspondantes. Ces structures musicales «accompagnent» le texte, obéissent aux structures strophiques, proposent une rythmique et une instrumentation; que ces structures musicales obéissent aux structures poétiques ou qu'elles imposent, au contraire, une organisation métrique, peu importe. Ce qui compte, c'est le résultat : une composition dont les parties sont identifiables les unes par rapport aux autres, à partir de ce qui les rapproche ou les différencie.

Par ailleurs, et au risque de pointer une évidence, mais il le faut bien, chacune des parties est précédée d'une sorte d'ouverture musicale. Après le prologue proprement dit de l'ensemble de l'album, une sorte de lente et ample levée symphonique du jour[3], on perçoit l'entrée discrète de clochettes, les premiers accords de la guitare acoustique à douze cordes et la voix de Fiori. Et c'est là que s'amorce la première partie de la chanson «Comme un fou». Cette première partie (les trois premières strophes) sera séparée de la deuxième par un thème musical nouveau, qui prépare la partie centrale où apparaîtront de nouveaux rythmes, beaucoup plus saccadés et rapides, et où interviendront les choeurs. Et ces choeurs constituent aussi un élément formel supplémentaire; ils n'apparaissent que dans cette partie centrale du texte, jouant le rôle de faux refrains... Et ainsi de suite.

Toutes ces structures imbriquées composent un objet qui est relativement facile à identifier, facile à démonter et à reconstituer, facile à mémoriser donc, et dont l'appropriation est à la portée de tous. Cette chanson obéit donc à ce que doit être une chanson populaire : brièveté, simplicité narrative, jeux de répétition nombreux qui favorisent la mémorisation de l'ensemble (à cause des repères anticipés ou mnémotechniques que ces jeux construisent).

Mais que peut bien raconter cette chanson, ou signifier?

Puisque la syntaxe ne pose aucun problème, identifions d'abord les acteurs. Le titre ne pose qu'un état, qu'une manière d'être ou de faire. De qui s'agit-il? La première strophe pose un «je» comme sujet. La voix du narrateur est celle d'un mâle et les strophes centrales, telle la voix de la loi, parlent d'ailleurs d'un «p'tit gars», donc d'un jeune homme. Il vient de se réveiller. Il se sent tout dépaysé puisqu'il ne se reconnaît plus dans le miroir ni dans son café noir. Dans la deuxième strophe, ce «je» s'adresse à un «tu» endormi(e) à ses côtés. Son discours tourne autour d'un sentiment profond de solitude, d'étrangeté et d'impuissance : «Je me sens plus tellement pareil (...) J'me sens devenir étranger (...) C'est comme si j'perdais le contrôle. (...) Comme un fou, tout est si clair». Mais est-ce aussi clair qu'il veut bien l'affirmer? Dans les strophes centrales, ce «je» s'adresse à un «nous» ou un «on» susceptible de l'aider : «Dites-moi donc quoi faire (...) Si j'pouvais (...) J'pourrais...». Devant le nouveau «rôle» qu'il lui semble devoir assumer, le narrateur se voit subir une fin de non recevoir, un refus catégorique, un rejet de sa différence, une invitation en choeur à garder sa place et à se taire : «Non, non (...) Essaye pas (...) C'est pas d'même...».

Le narrateur chante donc son état de prisonnier d'un triptyque impitoyable : le sentiment d'étrangeté d'une part, depuis le réveil, et l'impuissance d'agir de l'autre, et, en plein centre de son égarement, la voix de la loi, la voie du miroir, la quête du silence («Être sourd pour une heure / J'voudrais m'entendre le coeur» — plutôt que le choeur autoritaire), le désir de retrouver le sommeil, de retrouver l'état d'avant le réveil, de passer de «l'autre côté», etc. D'où l'évocation d'Alice et de ses merveilles, de cette sensation d'être de plus en plus petit; d'où l'association de la boule de cristal, du diamant, du passage à travers le miroir et de se retrouver comme un fou sur la terre, seul, halluciné, silencieux, «désenligné».

Tout ce que je pourrais dire de plus ne ferait que répéter, même autrement, ce que la chanson exprime avec la simplicité et la redondance qu'elle (se) doit d'afficher. Première chanson de l'album, sa signification s'amplifie ou s'épaissit par les relations qu'elle tisse avec les chansons qui la suivent. Ces dernières la reflouent dans sa fonction d'amorce d'une expérience spirituelle (tout en s'éclairant réciproquement) jusqu'à l'entrée dans la lumière du septième ciel.[4]

Notes :

1. Contre-culture québécoise, oui, mais plus précisément ésotérisme, de préférence à d'autres dimensions comme la drogue, le sexe, l'écologie, etc. La chanson «Comme un fou» constitue en effet un exemple emblématique de cet ésotérisme : cristal, miroir, folie lucide, clarté, etc.
2. Parcours linéaire de la folie à la sagesse. À moins que ce ne soit l'endos et l'envers, comme le symbole du Tarot le suggère, celui de l'infini, tel le ruban de Moebius.
3. Le prologue est constitué d'une suite de variations sur un segment central : «Dites-moi donc quoi faire». Ce segment est donné par le hautbois, individualiste et expressif comme instrument. Les variations sont surtout des jeux de «couleurs», de timbres. Une section se termine avec le retour du hautbois, puis de la flûte et, enfin, des clochettes qui s'animent... tel un carillon chinois éveillé par le vent, le souffle de l'esprit, etc. La chanson «Comme un fou» se termine d'ailleurs sur un arrangement musical (accord et instrument) emprunté au prologue.
4. Je tiens à remercier Jacques Julien de l'Université de la Saskatchewan et auteur de *Charlebois l'enjeu d'«Ordinaire»* (Triptyque, 1987) pour ses très précieux conseils. Sa lecture m'a permis de nuancer et de compléter mon analyse.

Phonographies

Phonographies d'Evan Eisenberg (Aubier, 1988, 289 p., traduit par D. Defort), toute une réflexion à la fois historique et philosophique sur ce qu'il faut bien reconnaître comme l'une des grandes inventions de notre siècle : l'enregistrement sonore. Remarquez le pluriel du titre. Veut-il jouer sur le mot comme on peut le faire avec photographie, ce dernier désignant à la fois l'art, la technique et les objets qui en résultent?

Toujours est-il que Eisenberg tente de saisir la pratique d'un nouvel art, celui de *faire* de la musique sur les disques. Depuis tous les horizons de la musique, les producteurs et les stars ont su explorer toutes les possibilités créatrices du montage en studio, de l'enregistrement multipiste, de la composition électronique, de l'improvisation, des effets inouïs dont cet art est capable. Surtout qu'il est appuyé par une technologie de pointe et une puissance économique comme la musique n'en a jamais connu. Disques, cassettes, disques compacts, ces objets qui font aujourd'hui partie de notre vie quotidienne illustrent l'existence tangible d'une nouvelle forme d'art médiatisé aussi différente de la musique de concert que le cinéma peut l'être du théâtre ou même de la télévision.

Là où l'on unifie et regroupe, ici on individualise la consommation. On pose *son* disque sur la platine ou bien on se branche sur *son* baladeur, on s'isole. Et ce n'est pas un hasard si nous avons laissé la musique se cristalliser, si nous avons fait du disque «la première forme musicale de notre époque», un objet, un produit, un fétiche, parce que nous savons que les objets sont indiscutablement plus maniables que les musiciens en chair et en os, que la vie en société ou les Muses (p. 44). Le disque est bel et bien un produit de notre univers culturel et économique capitaliste, et dans sa fabrication, sa circulation et sa consommation (c'est-à-dire ses modes d'appropriation, d'acquisition).

> En 1877, la musique commença à devenir un produit. Le processus s'étendit sur plusieurs dizaines d'années, car les premiers disques phonographes ne pouvaient enregistrer qu'une gamme de sonorités très étroites et Edison, un peu fruste d'oreille, leur cherchait des applications laborieusement non musicales. (...) Lorsque le public lui réclamait de la musique, il proposait des airs de music-hall. Aux États-Unis, le point critique — moment où la réification de la musique devint une réalité — fut atteint en 1906. (p. 24)

Cette année-là, la société Victor mettait sur le marché le Victoria, le premier phonographe conçu comme un meuble, un appareil en acajou laqué comme un piano de concert. La même année, les disques d'opéra de la série Red Seal (disques «single side») connurent un premier essor impressionnant avec la popularité de Caruso et de Patti. Ces disques et ces appareils coûtaient à l'époque très cher. Mais les disques de fanfare et de music-hall se vendaient à un point tel que Victor risquait la dépense sans sourciller. D'ailleurs, la publicité de Victor exaltait avec brio les chanteurs lyriques et profitait de leur prestige...

Le livre d'Eisenberg fourmille de ces observations historiques très significatives sur l'évolution parallèle des techniques d'enregistrement et des usages sociaux qui leur ont été intégrés. La façon par exemple dont le phonographe fut reçu par les musiciens eux-mêmes, ce qui le différenciait des boîtes à musique qui ont connu tant de faveur avant lui, ou encore les bouleversements sociaux qu'il a entraînés, depuis les premiers enregistrement «grincheux» du début jusqu'aux mixages savants des studios d'aujourd'hui, etc. Ce sont des sujets que je cite de mémoire. Il y est aussi question de la banalisation progressive de certaines pratiques de consommation musicale et artistique, du fétichisme omniprésent, des stratégies des multinationales du son, etc. Ce n'est donc pas la diversité qui manque et encore moins la pertinence des analyses.

Purgé de ses digressions à la Schopenhauer, somme toute un peu inutiles, le propos de Eisenberg interroge les enjeux les plus prégnants de notre modernité sociale. Dès les années 20, le phonographe était perçu par certains comme un *instrument*... de musique, et de liberté, et encore aujourd'hui si nous ne le tenons pas trop éloigné du corps, si nous en jouons.

La réflexion pluridisciplinaire d'Eisenberg m'a tout particulièrement intéressé : le livre porte sur le disque et, plus généralement, il se présente comme des «explorations sur le monde de l'enregistrement».

Il est indéniable que l'univers de la chanson est de plus en plus axé sur le visuel, sur le visuel qui bouge. *Rock'n clip*, la première encyclopédie mondiale du vidéo-clip (ou de la musique filmée, précisent les auteurs, chez Seghers/Cogite, 1988, 431 p.), s'efforce d'illustrer que cette pratique du clip peut être perçue comme le 8e art, le disputant ainsi à la bande dessinée, dans la marge du cinéma, et faisant les belles heures de certaines stations de télévision. Les auteurs, Nicolas Deville et Yvan Brissette, ont visionné les 6500 clips produits depuis une dizaine d'années et ils en ont retenu 3000 pour la présente encyclopédie, depuis les pères fondateurs du Scopitone aux délires de Nam June Paik, en passant par le réalisme fantastique, le surréalisme et les images de synthèse.

«Dans un monde où les pluies deviennent acides et le sexe mortel, les lieux de jubilation ne se font pas si fréquents que l'on puisse négliger celui-ci». Cette phrase de la préface d'André Bercoff donne le ton à l'introduction d'environ 150 pages des auteurs et de leur équipe : «Plutôt se marrer que la déprime.» Le discours est un peu excessif, le parti pris «jeune» un peu naïf, et la dimension «planétaire» du phénomène techno-clip un peu vite affirmée, mais l'ensemble est fort bien documenté. Le commentaire n'est pas toujours à la hauteur — quoique souvent très drôle — et les règles du jeu zodiatiques m'apparaissent un peu bêtes. C'est que «le rock engloutit tout». Ce dernier verbe en dit peut-être plus que ce que les auteurs croient mettre en valeur.

Quoi qu'il en soit, une encyclopédie unique, d'une richesse verbale très parisienne branchée — ce qui pourra en agacer plus d'un —, un peu comme ces mélodies modernes qui, au dire des auteurs eux-mêmes, «ne se contentent plus de se faire entendre : elles vont aussi se faire voir». Les photos couleurs sont intéressantes, et jusqu'à cette typographie qui affiche vertement son traitement informatique. Un livre peu banal donc, à la fois agressif, intelligent et cabotin, à l'image de ce 8e art dont il propose déjà un premier catalogage. En ce sens, le clip est vraiment le plus jeune champion du «cross over» socioculturel de cette deuxième génération technologique. Les auteurs s'en donnent à coeur joie, les yeux braqués sur la *vidéoculture* en train de naître indubitablement, entre le nivellement des références culturelles et l'innovation créatrice que plus rien n'arrête, cette création se manifestant à tous les niveaux à la fois des marchés (artistique, technologique, gestionnaire, etc.).

> Fabuleuses réalités mises en scène par les clips, elles deviennent des faits (matériels et psychologiques), mais aussi des signes du bouleversement que nos cultures traversent. Symptômes remarquables d'une prodigieuse interaction entre le «cerveau planétaire» de Joël de Rosnay (...) et l'explosion dionysiaque de la société dite «civile».

Nouvel opium du peuple, le clip s'ajoute aux effets de la télévision tout en fournissant les symboles qui donnent sens à sa survie, son agitation et ses peurs.

Références

Chapitre I

«Introduction à la thématique critique de Baudelaire : absorption, profondeur et dégagement», *Revue des Sciences humaines*, tome 36, n°142, avril-juin 1971, pp. 187-205.

«François Hertel, le surhomme noyé», *Présence francophone*, n°6, print. 1973, pp. 29-43.

«Va-et-vient et circularité de la rêverie chez Jean-Aubert Loranger», *Voix et images*, vol. II, n°1, sept. 1976,pp. 71-93.

Pause 1 : à propos de *Monsieur Isaac* de G. Racette et N. de Bellefeuille, *Livres et auteurs québécois 1973*, P.U.L., 1974, p. 83; à propos de *Territoires* de R. Mélançon, *Livres et auteurs québécois 1981*, P.U.L., 1982, pp. 135-137; à propos de *Du commencement à la fin* et de *Propagande* de F. Charron, *Livres et auteurs québécois 1977*, P.U.L., 1978, pp. 137-139; à propos de *Les petits chevals amoureux* de M. Garneau, *Livres et auteurs québécois 1977*, P.U.L., 1978, pp. 125-126; à propos de *Les poésies complètes* de M. Garneau, *Moebius*, n°36, printemps 1988, pp. 125-127.

«La voix de Montréal», *Moebius*, n°21, print. 1984, pp. 87-89, et *Canadian Literature*, n°104, print. 1985, pp. 124-129.

«Le langage en question», *Études françaises*, vol. 10, n°2, mai 1974, p. 102.

«Lecture de *La fille maigre* d'Anne Hébert, *Présence francophone*, n°10, print. 1975, pp. 73-89.

Pause 2 : à propos de *Une lecture d'Anne Hébert* de D. Bouchard, *Livres et auteurs québécois 1977*, P.U.L., 1978, pp. 242-245; à propos de *Anthologie de la littérature québécoise*, tome III, de G. Marcotte et F. Hébert, *Livres et auteurs québécois 1979*, P.U.L., 1980, pp. 237-241; à propos de «Poésie 81», *Livres et auteurs québécois 1981*, P.U.L., 1982, pp. 85-89.

Notion et/ou fonction(s) de la littérature nationale québécoise de 1930 à 1975», *Voix et images*, vol. V, n°1, aut. 1979, pp. 87-116, repris et revu dans *Littérature, histoire, idéologie (Québec-Haïti)*, Université de Sherbrooke, 1980, pp. 15-67.

«Les revues littéraires s'affichent» : à propos de «Y aurait-il trop de revues littéraires!», *Moebius*, n°15, aut. 1982, pp. 63-68; à propos de «La littérature *revue* à l'université», *Le Devoir*, samedi 2 fév. 1985.

Pause 3 : à propos de *Yves Thériault et l'institution littéraire québécoise* de H. Lafrance, *Moebius*, n°22, été 1984, pp. 98-99; à propos de *Le phénomène IXE-13* (collectif, *Moebius*, n°23, 1984, pp. 82-84; à propos de «Padoue francophonissime», *Vice versa*, vol. 1, n°2, aut. 1983.

«Le statut social de l'écrivain», *Le spectacle de la littérature* (les aléas et les avatars de l'institution), sous la dir. de R. Giroux et J.-M. Lemelin, Triptyque, 1984, pp. 15-61.

«Le statut (fictif) de l'écrivain», *L'institution littéraire*, sous la dir. de M. Lemire, l'IQRC et le CRELIQ, 1986, pp. 191-204.

Pause 4 : À propos de *Le Québécois et sa littérature*, sous la dir. de René Dionne, *Moebius*, n°24, print. 1985, pp. 107-110; à propos de *Dictionnaire des oeuvres littéraires négro-africaines de langue française* d'A. Kom, *ibidem.*

«Situation de la littérature québécoise depuis 1980», *Moebius*, n°41, aut. 1989, pp. 127-135.

«Les médias : vitrine indispensable du livre», inédit.

Chapitre II

«L'imposture», *Moebius*, n°26, aut. 1985, pp. 107-112.

«Dispositions», *Moebius*, n°32, print. 1987, pp. 130-132.

«Le transculturel damerait-il le pion à la modernité?», *Moebius*, n°30, aut. 1986, pp. 3-8.

«Les affaires de la culture», *Moebius*, n°34, aut. 1987, pp. 120-123.

«Les bruits de la culture ou le désarroi des intellectuels», *Moebius*, n°35, hiver 1988, pp. 117-126.

«La dérive», *Moebius*, n°33, été 1987, pp. 131-132.

Chapitre III

«Liminaire», *Moebius*, n°37, été 1988, pp. 121-122; *Moebius*, n°27, hiver 1985, pp. 87-90.

«Hommage à Félix Leclerc», *Moebius*, n°37, été 1988, p. 2; la suite est inédite et devrait paraître dans *Vibrations*, n°6, automne 1990.

«L'irrespectueuse», *Moebius*, n°41, aut. 1989, pp. 146-148.

«Le fou chantant», *Moebius*, n°22, été 1984, pp. 99-100.

«Le chansonnier», *Moebius*, n°41, aut. 1989, pp. 143-144.

«Aimez-vous Gainsbourg!», *Le Devoir*, samedi 21 nov. 1987, p. D-11.

«Léo Ferré se porte fier», *Le Devoir*, samedi 12 déc. 1988.

«Makeba», *Moebius*, n°39, hiver 1989, pp. 141-143.

«Like a Rolling Stone», *Moebius*, n°34, aut. 1987, pp. 130-132.

«Yesterday», *Moebius*, n°24, print. 1985, pp. 116-117.

«Place aux textes! ou le retour de l'imprimé», *Moebius*, n°24, print. 1985, n°39, hiver 1989; n° 41, aut. 1989.

«Dictionnaire et/ou guide, un peu des deux», *Moebius*, n°22, été 1984, n°37, été 1988; n°41, aut. 1989

«Paul Yonnet», *Moebius*, n°30, aut. 1986; repris dans *La chanson dans tous ses états*, Triptyque, 1987, pp. 32-39.

«Les âges du rock», *Moebius*, n°22, été 1984, pp. 96-98; *Moebius*, n°31, hiver 1987, pp. 157-159.

«L'émergence et la consolidation de la chanson au Québec durant les années 60», inédit, à paraître très modifié, dans les actes du colloque de l'IASPM tenu à Paris en juillet 1989; et plus près du texte ici reproduit, dans les actes du colloque sur la pratique des arts durant les années 60 tenu à l'UQAM en mars 1990.

«*Heptade* d'Harmonium», *Urgences*, n°26, aut. 1989, pp. 56 à 63.

«Phonographies», *Moebius*, n°41, aut. 1989, pp. 149-151; n°39, hiver 1989, pp. 140-141.

TABLE DES MATIÈRES

Page

Présentation 5

Chapitre I
RÉFLEXIONS SUR LA LITTÉRATURE OU
LA FICTION IMPRIMÉE 13

Introduction à la thématique critique de Baudelaire :
absorption, profondeur et dégagement 15

François Hertel : le surhomme noyé 41

Va-et-vient et circularité de la rêverie chez
Jean-Aubert Loranger 65

Pause 1 99

Les voix de Montréal 113

Le langage en question 121

Lecture de *La fille maigre* d'Anne Hébert 133

Pause 2 155

Notion et/ou fonction(s) de la littérature nationale
québécoise de 1930 à 1975 175

«Les revues littéraires s'affichent» 217

Pause 3 231

Le statut social de l'écrivain 243

Le statut (fictif) de l'écrivain 285

Pause 4 303

Situation de la littérature québécoise depuis 1980 à la lumière des éditeurs (de livres et de périodiques) qui la régissent 309

Les médias : vitrine indispensable du livre 319

Chapitre II
LE SOUPÇON OU LA CULTURE EN MUTATION ... 329

L'imposture 331

Dispositions 341

Le transculturel damerait-il le pion à la modernité? ... 345

Les affaires de la culture 351

Les bruits de la culture ou le désarroi des intellectuels 355

La dérive 371

Chapitre III
RÉFLEXIONS SUR LA CHANSON (ET LE) POPULAIRE
OU L'ORALITÉ DANS LE SOCIAL 377

Liminaire 379

Biographies 387
Hommage à Félix Leclerc 389
L'irrespectueuse 394
Le fou chantant 396
Le chansonnier 398
Aimez-vous Gainsbourg? 400
Léo Ferré se porte fier 404
Makeba 408
Like a Rolling Stone 410
Yesterday 412

Anthologies 415
Place aux textes ou le retour de l'imprimé 417

La chanson et le social 427
Dictionnaire et/ou guide, un peu des deux 429
Paul Yonnet : jeux, modes et masses 435
Les âges d'or du rock 445
L'émergence et la consolidation de la chanson
au Québec durant les années 60 451
Heptade d'Harmonium 467
Phonographies 477

Références 481